Cosmopolite 3

Méthode de français

B1

Guide pédagogique

Alice Reboul

Marine Antier

Emmanuelle Garcia

Nelly Mous

Anne Veillon-Leroux

Adeline Gaudel

hachette

FRANÇAIS LANGUE ÉTRANGÈRE

Couverture et maquette intérieure : Nicolas Piroux
Adaptation graphique et mise en pages : Médiamax
Coordination éditoriale : Françoise Malvezin (Le Souffleur de mots)
Production sonore : Quali'sons
Maîtrise d'œuvre : Françoise Malvezin (Le Souffleur de mots)

ISBN 978-2-01-513549-6

© HACHETTE LIVRE, 2018
58, rue Jean Bleuzen, CS 70007, 92178 Vanves Cedex, France.

http://www.hachettefle.fr

Sommaire

INTRODUCTION

Présentation de la méthode

Cosmopolite est une méthode de français sur quatre niveaux destinée à des apprenants adultes et des grands adolescents. L'ensemble couvre les niveaux A1 à B2 du *Cadre européen commun de référence pour les langues* (CECRL). Plus spécifiquement, *Cosmopolite 3* vise l'acquisition des compétences du niveau B1 décrites dans le CECRL. Il correspond à environ 160 heures d'activités d'enseignement / apprentissage complétées par des tâches d'évaluation. *Cosmopolite 3* permet à l'apprenant de se préparer au DELF B1.

Les composants

Cosmopolite 3 comprend :

- un livre de l'élève ;

- un cahier d'activités avec un CD audio inclus ;

- un guide pédagogique contenant 8 tests et leurs corrigés (un test par dossier évaluant les quatre compétences) ;

- un manuel numérique élève enrichi contenant le livre de l'élève, le cahier d'activités, les audio et les vidéos associés ;

- un manuel numérique classe contenant le livre de l'élève, le cahier d'activités, les audio et les vidéos associés ainsi que des tests modifiables ;

- un accès au Parcours digital avec 300 activités autocorrectives, des projets ouverts sur le monde, des guides pour le professeur pour mettre en œuvre sa classe hybride.

Les principes méthodologiques

Cosmopolite est le fruit de notre expérience d'enseignants de FLE et de formateurs, mais aussi des séjours professionnels effectués hors de France, qui nous ont conduits à adopter la focale « français langue internationale » caractéristique de la méthode. Nous avons choisi de proposer « un tour du monde » des pays où la langue française est présente. Pour ce faire, nous avons eu à cœur de sélectionner des lieux et des supports authentiques prenant en considération les raisons pour lesquelles les étudiants apprennent le français. Ces lieux et ces supports ont aussi pour objectif de leur procurer un « mode d'emploi » pour entrer en contact avec des Français et des francophones.

Favoriser l'apprentissage au moyen d'univers thématiques authentiques

La motivation constitue, dans le processus d'acquisition, le facteur qui détermine le plus fortement les performances, associée, entre autres, à l'exposition à la langue cible.

Pour développer la motivation de l'apprenant, nous avons sélectionné des thématiques proches de lui : celles pour lesquelles il apprend la langue française et d'autres qui lui permettront d'entrer en contact avec des Français et des francophones qui vivent et/ou travaillent dans son pays de résidence. Certaines, enfin, qui lui feront découvrir des étrangers qui parlent et qui écrivent en français hors du monde francophone.

Plus les univers thématiques sont réels et actuels, plus l'enseignement fait écho aux motivations et aux besoins des apprenants, et plus les apprenants adoptent une attitude active et créative.

Les supports provenant de ces environnements thématiques authentiques ont été didactisés en début d'apprentissage. Cependant, le plus souvent, seuls quelques coupes ou montages se sont avérés nécessaires.

L'apprenant découvre ainsi la langue cible en contexte, et non plus des échantillons d'une langue édulcorée et « passe-partout », caractéristiques des environnements et des documents « fabriqués ». Cette exposition à la langue cible en contexte potentialise l'acquisition de compétences multiples.

Une perspective résolument actionnelle

Au début de chaque dossier, deux projets sont exposés (un projet de classe et un projet ouvert sur le monde). Pour réaliser ces projets (à la fin du dossier), les apprenants vont acquérir et/ou mobiliser des **savoirs**, **savoir-faire**, **savoir agir**, **des compétences générales**, **langagières et culturelles**.

Les démarches que nous suggérons sont structurées et encadrées, y compris dans les modalités de travail. Nous avons eu à cœur d'offrir des parcours clairs et rassurants, tant pour l'enseignant que pour l'apprenant.

Médiation et remédiation

Cosmopolite a également pour particularité de mettre à disposition des activités de médiation et de remédiation.

• la rubrique *Apprenons ensemble !*, qui figure dans chaque dossier, place la classe en situation d'aider un(e) étudiant(e) à corriger ses erreurs et suscite une réflexion commune sur les stratégies d'apprentissage.

La progression, en spirale, invite l'apprenant à remobiliser constamment les acquis précédents.

Objectif visé tout au long de l'ouvrage : considérer l'élève comme acteur de son apprentissage

La langue et la culture ont été introduites comme instruments d'action et pas seulement instruments de communication. Les élèves pourront ainsi communiquer en français pour co-agir avec l'autre.

Le parcours pédagogique

Cosmopolite 3 est composé de 8 dossiers.

Ces huit dossiers comprennent :

• **une double page d'ouverture** dont l'objectif est d'annoncer la thématique du dossier, mais surtout de faire le point sur les représentations des étudiants de français et de valoriser et mutualiser leurs connaissances et expériences antérieures. Cette double page présente également un contrat d'apprentissage, qui illustre la perspective résolument **actionnelle** dans laquelle s'inscrit *Cosmopolite*, puisque les savoir-faire et savoir agir à acquérir découlent des deux projets à réaliser en fin de dossier ;

• **6 leçons (une double page = une leçon)**. Chaque leçon fait l'objet d'un scénario dont l'objectif est de faire acquérir les compétences nécessaires à la réalisation des projets. Ce scénario plonge les utilisateurs dans un univers authentique où la langue française est utilisée en contexte, un peu partout dans le monde. Une typologie variée de supports et de discours (écrits et audio) leur est proposée, assortie d'une démarche inductive de compréhension des situations et d'acquisition de compétences langagières (conceptualisation grammaticale et lexicale) et de savoir-faire. L'expression écrite et orale des étudiants est sollicitée dans chaque leçon au moyen de tâches intermédiaires et de tâches finales, à réaliser de manière collaborative ;

• **une page *Stratégies***, consacrée au développement de stratégies d'apprentissage et composée de deux éléments : un travail sur les matrices de discours oraux et écrits et sur la structuration de ces discours ; la rubrique *Apprenons ensemble !* dans laquelle la classe aide des apprenants extérieurs à acquérir des techniques et des stratégies pour résoudre leur problème.

• **une page *Projets***, dédiée au projet de classe, propose un guidage facilitant. Le projet ouvert sur le monde mentionné est développé dans ce guide.

• **une double page de préparation au DELF B1** suggérant une modalité d'évaluation formative. Elle est complétée par une épreuve complète en fin d'ouvrage, un portfolio dans le cahier d'activités et des tests dans ce guide.

Les étapes de la leçon

Cosmopolite suit une approche inductive et approfondie de la langue avec un guidage clair pour renforcer notre démarche active. À partir des documents supports écrits et oraux, l'élève va découvrir des structures et observer en contexte comment ces structures fonctionnent :

    1. compréhension globale ;
    2. compréhension finalisée ;
    3. conceptualisation / Focus Langue.

Afin de faciliter le travail cognitif et l'accès au sens, différents outils sont proposés : des schémas et des tableaux linguistiques synthétiques à compléter ; un code couleur ; des renvois au précis grammatical et aux exercices d'entraînement en annexe ; un guidage clair (des consignes et des modalités de travail variées) pour développer l'autonomie de l'apprenant. Un travail sur les sons du français est intégré aux leçons. Les différents aspects (prosodie, continuité, phonèmes, rapport phonie-graphie) s'appuient sur les corpus dégagés dans les supports et apparaissent de manière progressive et contextualisée.

Dans la perspective d'une construction progressive des compétences de l'apprenant au service des projets à réaliser en fin de dossier, celui-ci est sollicité en permanence pour mobiliser ses acquis (tâches intermédiaires et tâches finales).

Les « plus » du guide pédagogique

Le guide pédagogique se fixe pour objectif d'accompagner l'enseignant pas à pas dans le déroulé des différentes étapes des dossiers. Loin de se contenter de proposer simplement des corrigés, il fournit à l'enseignant des stratégies diversifiées pour lui permettre d'aborder les contenus de manière créative et dans un maximum de contextes. **Au début de chaque leçon, il présente la tâche finale et récapitule les différents éléments constitutifs de la leçon**, qu'il s'agisse des savoir-faire et savoir agir ou des compétences langagières. L'enseignant appréhende ainsi en un coup d'œil ce qu'il va traiter dans la leçon.
Ex. :

LEÇON **1** Vivre ailleurs ?   pages 12-13

Tâche finale : choisir où s'expatrier et pour quelles raisons			
Savoir-faire et savoir agir	Grammaire	Lexique	Sons et intonation
– Identifier des critères		– Les critères de choix d'une ville	– Liaison et enchaînement consonantique
– Rendre compte d'un classement		– Rendre compte d'un classement	
– Mettre en garde	– Quelques verbes prépositionnels pour parler de l'expatriation	– Mettre en garde à propos d'un phénomène de société	

Pour chaque activité, les modalités de travail sont reprécisées.
Ex. :

Activité 2   Modalité : par deux
▌ Objectif : affiner la compréhension d'un classement
– Faire lire la consigne et faire réaliser l'activité par deux.
– Procéder à la mise en commun en grand groupe : interroger des apprenants et écrire les réponses au tableau.

Une importante valeur ajoutée du guide pédagogique est de proposer à l'enseignant des techniques d'animation de classe lorsque l'activité s'y prête.
Ex. :

À nous ! Activité 12 – Nous proposons une sortie pour la classe.   Modalité : en petits groupes
▌ Objectif : Présenter la tâche aux apprenants, faire lire les étapes et en vérifier la compréhension
a, b, c Former des groupes de quatre apprenants. Insister sur l'importance des résultats de l'infographie « Les sorties et nous » réalisée en amont afin de proposer une sortie et des conseils adaptés aux goûts des autres apprenants de la classe.
d La classe vote pour la sortie la plus originale, la plus adaptée au groupe et la mieux conseillée.
e Si possible, planifier ces trois sorties pour favoriser les échanges en français en dehors de la classe et afin de travailler la cohésion de groupe.

Les différents contextes d'enseignement (présence ou absence d'équipements) sont pris en compte.

Ex. :

Activité 10

Modalité : en petits groupes

▌**Objectif** : affiner la compréhension d'un rapport

– Constituer des groupes de trois ou quatre apprenants (différents de ceux des activités précédentes). Demander aux apprenants de lire à nouveau le rapport. Faire lire la consigne puis faire réaliser l'activité.

– Procéder à la mise en commun en grand groupe : interroger quelques apprenants, noter les réponses au tableau après validation par la classe. Si le rapport est projeté, souligner les justifications **(b)** dans le texte au tableau, sinon les écrire au tableau. Ces réponses serviront au corpus du **Focus langue**.

Des variantes sont proposées pour servir les publics monoculturels et les publics multiculturels.

Ex. :

▶ **FOCUS LANGUE**

Les structures pour comparer (1)

▌**Objectif** : conceptualiser les structures pour comparer

b Faire lire la consigne et l'exemple pour en vérifier la compréhension, puis faire réaliser l'activité en petits groupes (garder les mêmes groupes que pour le **a**). Passer parmi les groupes pour s'assurer du bon déroulement de l'activité. Si les groupes sont multiculturels, veiller à ce que chaque apprenant puisse formuler au moins une comparaison entre sa langue maternelle et le français.

Le guide pédagogique s'attache à vous proposer des stratégies de captation de l'attention de l'apprenant, afin qu'il soit constamment impliqué dans son apprentissage.

Ex. :

---

d Demander aux groupes de présenter leur flyer aux autres et afficher les flyers sur le mur de la classe.

e Chaque apprenant vote pour le meilleur flyer. Distribuer la grille ci-dessous afin qu'ils donnent leur avis en choisissant le nombre de « + » adéquat. Le flyer ayant remporté le plus de voix gagne.

	+	++	+++
Il y a des informations utiles sur l'activité proposée.			
Le public visé est précisé.			
Le flyer a un bon slogan.			
Le flyer donne envie d'en savoir plus.			
Le flyer est esthétique.			

La rubrique **« Pour aller plus loin »** se fixe pour objectif d'offrir des activités supplémentaires, essentiellement ludiques, pour dynamiser la classe encore davantage. Il peut s'agir de jeux (de cartes, par exemple), de présentation de personnages, de théâtralisation de dialogues ou d'entraînement à la prononciation des sons du français.

La rubrique **« Infos culturelles »** permet à l'enseignant d'avoir à sa disposition toutes les références culturelles évoquées dans la leçon, couvrant une large étendue de thèmes.

▌Infos culturelles

La Butte-aux-Cailles était à l'origine une petite colline avec des moulins à vent à flanc de coteaux. Le quartier a échappé à l'architecture haussmannienne et c'est aujourd'hui, un quartier paisible aux nombreuses petites rues pavées.

Nous souhaitons à toutes et à tous un beau « tour du monde » et une expérience gratifiante d'enseignement et d'apprentissage de la langue française avec ***Cosmopolite***. Nous espérons que vous aurez autant de plaisir à l'utiliser que nous en avons eu à le créer.

DOSSIER 1

Et si on allait vivre ailleurs ?

- **Un projet de classe**

  Présenter les villes où nous aimerions vivre : expliquer les raisons de notre choix et décrire le quartier de nos rêves.

- **Un projet ouvert sur le monde**

  Créer un support pour présenter notre ville aux francophones qui souhaiteraient s'y expatrier.

Pour réaliser ces projets, nous allons apprendre à :
- identifier des critères
- rendre compte d'un classement
- mettre en garde
- exprimer des souhaits et des intentions / formuler une demande
- donner des informations sur un logement
- échanger des informations au téléphone
- caractériser un lieu
- donner des conseils / décrire une situation hypothétique
- parler de nos liens avec une ville
- décrire des souvenirs
- décrire notre arrivée dans une ville étrangère

Pages d'ouverture

pages 10-11

❚ **Objectifs** : découvrir la thématique du dossier et présenter le contrat d'apprentissage

Le point sur... nos villes préférées

Modalités : en groupe puis en petits groupes

Faire observer la double-page, la projeter si possible. Faire dire le thème abordé (*la ville / les villes*). Montrer le titre pour valider la réponse.

1 a et b – Faire observer et identifier les deux documents p. 10 (*deux affiches de la RATP*). Montrer le logo et le slogan de la RATP et préciser aux apprenants ce qu'est la RATP.
– Leur demander de préciser l'objectif et la cible des affiches (*proposer aux gens de participer à un concours sur la ville ; les habitants de la ville / de Paris / les passagers de la RATP*).
– Faire lire les questions en grand groupe.
c – Former des groupes de trois ou quatre apprenants, faire lire les questions et faire réaliser l'activité. Demander à chaque groupe de désigner un secrétaire et un porte-parole.
– Procéder à la mise en commun en grand groupe : poser la première question et demander au porte-parole de chaque groupe de répondre. Écrire au tableau les définitions. Puis passer aux questions 2 et 3 en procédant de la même manière.

▷ **Corrigé a.** Il faut prendre une photo de la ville et l'envoyer à la RATP.

Infos culturelles

La **RATP** (Régie autonome des transports parisiens) est une régie assurant l'exploitation d'une partie des transports en commun de Paris et de sa banlieue (métro, tramway, bus et RER – le Réseau express régional).

#photographie est un concours organisé par la RATP qui propose à ses voyageurs d'être les auteurs d'une exposition sur son réseau en les invitant à photographier « La ville qui bouge » et à partager leurs clichés sur Instagram.

2 a Faire observer le plan p. 11, si possible le projeter. Faire répondre à la question.

b Reformer les petits groupes de l'activité **1**, faire lire la question et inviter les apprenants à y répondre. Pour la mise en commun en groupe, demander à des apprenants de montrer les éléments propres à chaque ville.

c – Lire les questions et faire réaliser l'activité.

– Procéder à la mise en commun en grand groupe : donner la parole à chaque groupe et pour la question 3, écrire au tableau les propositions de quartiers et de villes.

> **Corrigé a.** Le plan de la ville rêvée des Parisiens. **b.** Stockholm (Sofo), Madrid (La Latina), Londres (Brick Lane), Paris (Le Marais), New York (East Village), Rome (Trastevere).

Pour aller plus loin

Faire observer les quatre premiers pictogrammes (gastronomie, shopping, vie nocturne, musées « tous gratuits ! ») et faire nommer les villes évoquées pour chaque catégorie (gastronomie : Street Food, New York ; brasserie parisienne, Paris ; La Trattoria, Rome ; bar à tapas, Madrid ; shopping : le Souk, Istanbul ; designers nordiques, Stockholm ; friperies et rue du Cherche-Midi, Paris ; vie nocturne : Le Pub et Bar-Club londonien, Londres ; NY Club, New York ; Rooftop stambouliote, Istanbul ; Club underground moscovite, Moscou ; musées gratuits : le MOMA, New York ; le musée du Prado, Madrid ; Tate Modern, Londres ; musée Picasso, Paris). Faire commenter le choix des trois places (place Rouge, place de la République et Piazza del Popolo), le pont Alexandre III, les maisons colorées de Stockholm et l'École suédoise. Enfin, faire observer les moyens de transport représentés, les parcs et la situation géographique de la ville et faire dire que la nature et les moyens de transport propres sont privilégiés.

Annoncer les deux projets (projet de classe et projet ouvert sur monde) puis les objectifs du dossier : pour illustrer la démarche, on part des projets et, pour les réaliser, on acquiert et/ou on mobilise des savoirs, savoir-faire, savoir agir, des compétences générales et des compétences langagières.

LEÇON **1** Vivre ailleurs ?

pages 12-13

Tâche finale : choisir où s'expatrier et pour quelles raisons			
Savoir-faire et savoir agir	**Grammaire**	**Lexique**	**Sons et intonation**
– Identifier des critères		– Les critères de choix d'une ville	– Liaison et enchaînement consonantique
– Rendre compte d'un classement		– Rendre compte d'un classement	
– Mettre en garde	– Quelques verbes prépositionnels pour parler de l'expatriation	– Mettre en garde à propos d'un phénomène de société	

Activité 1 📖

Modalité : en groupe

▌**Objectif** : vérifier la compréhension globale d'un classement

– Faire observer le **document 1** (si possible le projeter) et le faire identifier (*c'est une page du site Internet lefigaro.fr*). Faire dire que le document présente le classement des 10 villes préférées des 18-35 ans, montrer le titre et écrire le mot *classement* au tableau. Demander aux apprenants s'ils reconnaissent la ville sur la photo (*Amsterdam*).

– Faire lire les questions **a** et **b**. Écrire les réponses au tableau sous la dictée des apprenants (ex. Amsterdam : les Pays-Bas).

> **Corrigé a.** Les Pays-Bas, l'Allemagne, le Portugal, la Belgique, l'Espagne, la France, le Canada ; L'Europe ; les jeunes de 18 à 35 ans. **b.** Ce sont les critères de sélection utilisés/retenus pour établir le classement.

Faire situer les villes sur une carte.

Activité 2 📖

Modalité : par deux

❚ **Objectif :** affiner la compréhension d'un classement

– Faire lire la consigne et faire réaliser l'activité en binôme.

– Procéder à la mise en commun en grand groupe : interroger des apprenants et écrire les réponses au tableau.

> ⊳ **Corrigé** **a.** ouverture d'esprit, start-up, logement, prix de la bière, vie nocturne, emploi, transports, festivals, alimentation, débit Internet, tourisme, santé ; **b.** *Exemple de réponse.* Les critères essentiels : l'ouverture d'esprit pour être bien accueilli, rencontrer des gens ; l'emploi pour trouver du travail, les transports pour se déplacer facilement. Les critères originaux : le prix de la bière, le débit Internet. Ce ne sont pas les critères les plus importants pour l'ensemble de la population, mais pour des étudiants, si.

Activité 3 🎧

Modalité : en petits groupes

❚ **Objectif :** sélectionner des critères pour parler d'une ville

– Former des groupes de trois apprenants, faire lire la consigne et en vérifier la compréhension.

– Faire réaliser l'activité. Demander à chaque groupe de choisir un porte-parole.

– Procéder à la mise en commun en grand groupe : interroger les porte-parole de chaque groupe et écrire les réponses au tableau.

Activité 4 📖

Modalité : en groupe

❚ **Objectif :** identifier le sujet d'un article de journal

Si possible projeter le **document 2**. Le faire observer et identifier (*c'est un article du journal* 20 minutes). Demander de quelle rubrique il s'agit (*informations locales*) et faire lire la question. Entourer le nom des villes dans le titre. Faire reformuler l'expression *être sur le podium* (*être dans les trois premiers d'un classement*) et faire expliquer le mot *palmarès* dans le contexte (*liste des villes françaises préférées des expatriés*).

> ⊳ **Corrigé** Rennes, Nantes et Bordeaux. Rennes est la ville (française) préférée des expatriés. Nantes et Bordeaux sont sur le podium selon le classement réalisé par le site *The Local*.

Activité 5 📖

Modalité : par deux

❚ **Objectif :** vérifier la compréhension globale d'un article

– Faire lire la consigne et en vérifier la compréhension. Faire lire les catégories et l'exemple des critères.

– Faire réaliser l'activité en binôme. Faire reproduire le tableau **c** pour pouvoir le compléter.

– Procéder à la mise en commun en grand groupe : **a.** interroger un apprenant et faire valider la réponse par la classe ; **b.** si le document est projeté, inviter un apprenant au tableau pour qu'il souligne/surligne les critères dans l'article en concertation avec la classe, sinon, passer directement au classement des critères ; **c.** demander à des apprenants de classer les critères dans le tableau. Faire valider les réponses par la classe.

> ⊳ **Corrigé** **a.** Rennes, Nantes, Bordeaux, Toulouse, Paris. **b.** et **c.**

La vie culturelle	l'offre culturelle
La vie nocturne	le nombre de bars par habitant le taux de célibataires
L'emploi	le taux de chômage
L'alimentation	le nombre de restaurants gastronomiques
Le climat et la proximité de la mer	la distance de la mer, le nombre de jours d'ensoleillement
Les transports	l'offre de vols internationaux et de lignes TGV
Le coût de la vie	le montant des loyers

Les critères de choix d'une ville   page **17**

▌**Objectif** : conceptualiser les critères de choix d'une ville

– Faire lire la liste des critères et la consigne, en vérifier la compréhension à l'aide de l'exemple.

– Former des groupes de trois et faire réaliser l'activité.

▸ **S'exercer p. 156**

Activité 6 📖   Modalité : en petits groupes

▌**Objectif** : affiner la compréhension d'un article

Conserver les groupes constitués lors du **Focus langue** précédent.

a Faire lire la consigne, faire réaliser l'activité puis mettre en commun les réponses en grand groupe en demandant de les justifier par des phrases du texte.

b Faire lire la consigne et s'assurer de sa compréhension à l'aide de l'exemple. Faire réaliser l'activité puis mettre en commun les réponses en grand groupe : interroger les groupes et souligner les verbes dans l'article si celui-ci est projeté ou bien écrire les expressions au tableau.

▹ **Corrigé a.** Les plus : le nombre de bars par habitant (*où Rennes se classe troisième derrière Lille et Clermont-Ferrand*) et sa petite taille (*Si la capitale bretonne séduit les expatriés, c'est aussi pour sa « petite taille »*). Les moins : le nombre d'heures de soleil par an, l'offre culturelle, le nombre de restaurants gastronomiques (*La capitale bretonne perd des points avec quelques critères comme le nombre d'heures de soleil par an, mais aussi l'offre culturelle ou le nombre de restaurants gastronomiques*). **b.** La capitale bretonne s'impose comme « la meilleure ville française pour les expatriés ». La voisine Nantes se place deuxième devant Bordeaux, Toulouse puis Paris. Rennes se classe troisième derrière Lille et Clermont-Ferrand. La capitale bretonne séduit les expatriés. Nantes profite d'ailleurs des mêmes atouts pour se hisser à la deuxième place. La capitale bretonne perd des points avec quelques critères… où Marseille, Toulouse et Bordeaux brillent. … l'offre culturelle dominée par Paris. C'est Strasbourg qui arrive en fin de classement à la treizième place.

Rendre compte d'un classement   page **17**

▌**Objectif** : conceptualiser les formules pour rendre compte d'un classement

– Demander aux apprenants de repérer les formules utilisées par le journaliste pour présenter et justifier la position des villes dans le classement. Les souligner sous la dictée des apprenants.

– Faire observer le tableau, lire les exemples et s'assurer de leur compréhension. Inviter les petits groupes à reproduire le tableau et à y classer les formules.

– Procéder à la mise en commun en grand groupe : interroger des apprenants et écrire les réponses au tableau sous leur dictée, après validation par la classe.

▹ **Corrigé**

Indiquer le résultat d'un classement	Expliquer les résultats d'un classement
se placer deuxième devant, se classer troisième derrière, s'imposer comme, se hisser à la deuxième place, arriver en fin de classement	se baser sur des critères, établir un classement, prendre en compte / intégrer des critères, perdre des points avec quelques critères comme

▸ **S'exercer p. 156**

Activité 7 🗨   Modalité : en petits groupes

▌**Objectif** : donner son avis sur des critères

– Faire lire la consigne et faire réaliser l'activité.

– Procéder à la mise en commun en grand groupe : interroger chaque groupe et écrire les critères les plus pertinents au tableau sous leur dictée. Demander aux apprenants de conserver une trace de leurs réponses pour la tâche finale (activité 11 p. 13).

Activité 8 📖

Modalité : en groupe

▮ Objectif : identifier le thème d'une émission de radio

Faire observer le **document 3**, la page Internet du site RFI, aux apprenants pour qu'ils identifient le thème de l'émission. Écrire la réponse au tableau.

> **Corrigé** L'expatriation spontanée.

Activité 9 🎧▸2

Modalité : seul

▮ Objectif : vérifier la compréhension globale d'une émission de radio

– Faire lire les questions **a** et **b**, puis faire écouter l'enregistrement et réaliser l'activité.
– Inviter les apprenants à comparer leurs réponses en binôme.
– Procéder à la mise en commun en grand groupe : interroger des apprenants et écrire les réponses au tableau après validation par la classe.

> **Transcriptions**

Journaliste : Partir à l'étranger, parfois du jour au lendemain... L'expatriation spontanée, c'est le thème de notre rendez-vous mensuel. Notre invité, Hervé Hayraud, est fondateur et dirigeant du quotidien en ligne lepetitjournal.com, le média des Français et des francophones à l'étranger.

Hervé Hayraud : Le nombre d'expatriés classiques envoyés par les grandes entreprises a plutôt tendance à stagner ou à baisser un peu. Mais le nombre d'expatriés spontanés à l'étranger progresse chaque année d'environ 5 %. Ce sont des gens qui décident un jour de tout quitter pour s'installer à l'étranger : pour vivre leurs rêves, trouver un boulot, parce qu'ils ont rencontré quelqu'un ou parce qu'ils ont eu un coup de cœur pour un pays.

> **Corrigé a.** Le fondateur et dirigeant du quotidien en ligne, lepetitjournal.com, le média des Français et francophones à l'étranger. **b.** Ce sont des gens qui décident un jour de tout quitter pour vivre à l'étranger : pour vivre leurs rêves, trouver un boulot, parce qu'ils ont rencontré quelqu'un, parce qu'ils ont eu un coup de cœur pour un pays.

Activité 10 🎧▸3

Modalité : par deux

▮ Objectif : affiner la compréhension d'une émission de radio

a – Faire lire la consigne et faire écouter la deuxième partie de l'émission de radio.
  – Faire nommer les quatre catégories et les écrire au tableau après validation par la classe.
b Faire lire la consigne, faire réécouter l'enregistrement de manière séquencée et faire réaliser l'activité. Puis mettre en commun en groupe classe : écrire les réponses au tableau.
c Procéder de même pour cette activité. On pourra présenter les réponses dans un tableau :

	Les raisons de l'expatriation	Les mises en garde
Le baroudeur		
Le rêveur		
L'expatrié en quête		
L'expat en exil		

> **Transcriptions**

Journaliste : Il y a donc différents types d'expatriés spontanés. Première catégorie : le baroudeur. Il quitte tout pour partir à la découverte de grands espaces et de nouvelles cultures.

Hervé Hayraud : Les baroudeurs vendent tout, quittent tout. Ils mettent leurs affaires dans un sac et partent faire le tour du monde. Ce sont souvent des jeunes qui partent en PVT : Permis Vacances Travail, Work Holiday Visa. Le succès du PVT est absolument phénoménal ! Évidemment, tout n'est pas toujours rose. Il faut faire attention quand on part comme ça... On ne sait jamais. Donc bien prévoir son budget, c'est absolument indispensable. Très important également, c'est vraiment de réfléchir à son assurance santé.

Journaliste : La deuxième catégorie : le rêveur. Moins téméraire et plus curieux, l'expatriation est, pour lui, la réalisation d'un vieux rêve.

Hervé Hayraud : On a souvent affaire à des gens qui, effectivement, ont un coup de cœur pour un pays. Ils y sont partis en vacances ou y vont de temps en temps pour des raisons professionnelles. Ils ont parfois tendance à trop idéaliser le pays. Mais attention : rien n'est jamais parfait. Il faut se méfier.

Journaliste : Les expatriés en quête, c'est-à-dire en pleine crise identitaire, constituent la troisième catégorie de ces départs spontanés.

Hervé Hayraud : Oui, ce sont des gens qui partent pour plein de raisons. Ça peut être pour des raisons personnelles, des raisons conjugales, des difficultés professionnelles. Ils ont des échecs dans leur vie. Alors, ils claquent la porte, vont voir ailleurs et pensent que ça ira mieux. Évidemment, c'est tentant ! L'herbe est toujours plus verte ailleurs… Maintenant, il faut faire attention, ce n'est pas une solution. C'est pas parce qu'on va à l'étranger que, du jour au lendemain, tout va aller bien.

Journaliste : L'expat en exil, c'est la dernière catégorie.

Hervé Hayraud : Alors là, on a affaire à des gens qui finalement en ont marre de la France pour différentes raisons : parce qu'ils n'y trouvent pas leur place au niveau professionnel ou parce qu'ils paient trop d'impôts. Ils se disent : « Ben voilà, je n'arrive pas à trouver ma place, je n'arrive pas à progresser dans la hiérarchie donc, le mieux pour moi, si je veux avoir une belle carrière professionnelle, c'est de partir à l'étranger. » Mais il y a beaucoup de personnes qui se rendent compte que… ce n'est pas si évident que ça.

Journaliste : Hervé Hayraud, merci. Vous pouvez réécouter cette chronique sur le site rfi.fr et sur lepetitjournal. com. À demain.

▷ **Corrigé a.** Le baroudeur, le rêveur, les expatriés en quête, l'expat en exil. **b. Le baroudeur** part à la découverte de grands espaces et de nouvelles cultures. Il part faire le tour du monde. **Le rêveur** est curieux, l'expatriation est pour lui, la réalisation d'un vieux rêve. On a souvent affaire à des gens qui ont un coup de cœur pour un pays. Ils y sont partis en vacances ou y vont de temps en temps pour des raisons professionnelles. **L'expatrié en quête :** ce sont des gens qui partent pour plein de raisons. Ça peut être pour des raisons personnelles ou conjugales, des difficultés professionnelles. Ils ont des échecs dans leur vie. Alors, ils claquent la porte, vont voir ailleurs et pensent que ça ira mieux. **L'expat en exil :** ce sont des gens qui en ont marre de la France pour différentes raisons, parce qu'ils n'y trouvent pas leur place au niveau professionnel ou parce qu'ils paient trop d'impôts. Ils se disent, ben voilà, je n'arrive pas à trouver ma place, je n'arrive pas à progresser dans la hiérarchie. **c.** Le baroudeur : *Tout n'est pas toujours rose. Il faut faire attention quand on part comme ça… On ne sait jamais.* Le rêveur : *Ils ont parfois tendance à trop idéaliser le pays. Mais attention : rien n'est jamais parfait. Il faut se méfier.* Les expatriés en quête : *Maintenant, il faut faire attention, ce n'est pas une solution. C'est pas parce qu'on va à l'étranger que du jour au lendemain, tout va aller bien.* L'expat en exil : *Ce n'est pas si évident que ça.*

▶ **FOCUS LANGUE**

Quelques verbes prépositionnels pour parler de l'expatriation   **page 16**

▮ **Objectif :** conceptualiser les verbes prépositionnels pour parler de l'expatriation

a – Faire lire la consigne, les éléments à associer et l'exemple pour s'assurer de la compréhension de l'activité.

– Faire écouter l'enregistrement et réaliser l'activité par deux.

– Procéder à la mise en commun en grand groupe : interroger des apprenants et écrire les réponses sous leur dictée après validation par la classe.

– S'assurer de la compréhension des expressions, notamment *avoir un coup de cœur pour, avoir tendance à, en avoir marre de, ne pas arriver à.*

Pour aller plus loin

Demander aux apprenants de réutiliser ces expressions dans un autre contexte.

b – Faire lire la consigne et demander de rappeler les quatre catégories d'expatriation, les réécrire au tableau.

– Faire réaliser l'activité par deux. Inviter les apprenants à se reporter à la transcription (livret p. 4) et mettre en commun en grand groupe les réponses : interroger deux apprenants pour chaque catégorie et faire valider les réponses par la classe.

▷ **Corrigé a.** partir à l'étranger, à la découverte de grands espaces et de nouvelles cultures, partir pour plein de raisons, partir pour des raisons personnelles, partir pour faire le tour du monde, partir pour un pays, partir pour tout quitter ; décider de tout quitter ; s'installer à l'étranger ; réfléchir à son assurance santé ; avoir un coup de cœur pour un pays ; avoir tendance à idéaliser un pays ; en avoir marre *(familier)* de son pays ; ne pas arriver à trouver sa place.

▶ **S'exercer p. 156**

Mettre en garde à propos d'un phénomène de société 🎧 ᐳ8   **page 17**

▌ **Objectif** : conceptualiser les expressions pour mettre en garde à propos d'un phénomène de société

– Faire lire la consigne et les deux exemples. Faire écouter l'enregistrement et faire réaliser l'activité par deux.

– Procéder à la mise en commun en grand groupe : interroger des apprenants et écrire les réponses au tableau sous leur dictée après validation par la classe.

> ⊳ **Transcriptions**
>
> – Évidemment, tout n'est pas toujours rose.
> – Il faut faire attention quand on part comme ça... On ne sait jamais.
> – Ils ont parfois tendance à trop idéaliser le pays mais attention : rien n'est jamais parfait. Il faut se méfier.
> – Maintenant, il faut faire attention, ce n'est pas une solution.
> – Ce n'est pas si évident que ça.
>
> ⊳ **Corrigé** Évidemment, tout n'est pas toujours rose. Il faut faire attention quand on part comme ça... On ne sait jamais. Ils ont parfois tendance à trop idéaliser le pays mais attention : rien n'est jamais parfait. Il faut se méfier. Maintenant, il faut faire attention, ce n'est pas une solution. Ce n'est pas si évident que ça.

▸ **S'exercer p. 157**

Pour aller plus loin

Par deux, demander aux apprenants de formuler des mises en garde pour des touristes qui visiteraient leur pays. Passer auprès des apprenants pour s'assurer du bon déroulement de l'activité. Pour la mise en commun en grand groupe, interroger quelques apprenants. Faire en sorte que les expressions soient au moins utilisées une fois.

À nous ! Activité 11 – Nous choisissons où nous expatrier et pour quelles raisons. 💬 ✏

Modalité : en petits groupes

▌ **Objectif** : transférer les acquis de la leçon

Présenter la tâche aux apprenants, faire lire les étapes et en vérifier la compréhension. Former des groupes de trois ou quatre apprenants.

a Rappeler les modes d'expatriation et les réécrire au tableau. Si possible, faire en sorte que chaque mode d'expatriation soit choisi au moins une fois.

b Demander aux apprenants de se reporter aux réponses des activités 3 et 7 et de se mettre d'accord sur le choix des cinq critères.

c Faire choisir les villes et les faire classer en fonction des critères retenus. Demander aux apprenants de présenter leur classement dans un tableau qu'ils reproduiront ou projetteront au tableau.

d Demander à chaque groupe de présenter son classement devant la classe.

e Inviter la classe à réagir librement.

Pour aller plus loin

Si le temps et le matériel le permettent, demander aux apprenants de rechercher sur Internet une photo de chaque ville.

LEÇON **2** Changer de vie

Tâche finale : choisir le logement idéal pour son expatriation			
Savoir-faire et savoir agir	Grammaire	Lexique	Sons et intonation
– Exprimer des souhaits et des intentions – Formuler une demande	– Exprimer une intention, une ambition – Le conditionnel présent (1) pour formuler une demande polie ou un souhait		– Liaison et enchaînement consonantique
– Donner des informations sur un logement		– Donner des informations sur un logement	
– Échanger des informations au téléphone		– Échanger des informations pratiques au téléphone	

Activité 1 📖

Modalité : en groupe

▌**Objectif :** identifier le thème d'un forum
– Faire observer le **document 1** (si possible, le projeter). Demander aux apprenants de l'identifier (*c'est le forum du site expat.com*).
– Poser la question et écrire la réponse au tableau. Faire préciser que quatre personnes interviennent sur le forum : Sandrine, Étienne, Thalie et Aurélie.
> **Corrigé** L'expatriation professionnelle.

Activité 2 📖

Modalité : par deux

▌**Objectif :** vérifier la compréhension globale d'un forum
– Faire lire la consigne et les questions et faire réaliser l'activité en binôme.
– Procéder à la mise en commun en grand groupe : interroger des apprenants et écrire les réponses au tableau après validation par la classe.
> **Corrigé a.** Pour obtenir des informations et préparer son expatriation au Québec avec sa famille. Parce qu'il est difficile de trouver des retours d'expérience. **b.** Un échange poste à poste. Cette formule est assez nouvelle. C'est une formule récente. Elle consiste à échanger son poste pour un an avec un homologue québécois. On échange également les domiciles et les véhicules.

▋ Pour aller plus loin

Faire situer la Bretagne et Le Québec sur une carte.

Activité 3 📖

Modalité : par deux

▌**Objectif :** affiner la compréhension globale d'un forum
– Faire lire la consigne et les questions, et faire réaliser l'activité en binôme.
– Procéder à la mise en commun en grand groupe : interroger des apprenants et écrire les réponses au tableau après validation par la classe.
> **Corrigé a.** Le rêveur. **b.** Thalie : J'enseigne au primaire depuis une vingtaine d'années et j'ai envie de découvrir un système éducatif différent. Aurélie : J'aimerais partir enseigner au Québec. Ça me plairait vraiment d'avoir une nouvelle vision de mon métier.

▋ Pour aller plus loin

Faire situer Montréal et Limoges sur une carte.

FOCUS LANGUE

Exprimer une intention, une ambition   **page 16**

■ **Objectif** : conceptualiser l'expression d'une intention, d'une ambition

– Inviter les apprenants à relire les réponses de l'activité 3b p. 14.

– Faire dire que les personnes expriment une intention, une ambition et faire repérer les expressions. Les souligner sous la dictée des apprenants.

– Faire compléter la règle : l'écrire au tableau en choisissant une couleur pour le premier verbe, une autre pour la préposition et une autre pour le verbe à l'infinitif.

> ▷ **Corrigé** Pour exprimer une intention (ou une ambition), j'utilise : *envisager* ; *avoir l'intention* ; *avoir envie* + **de** + un verbe à l'infinitif.
> *Exemple : J'envisage **de** <u>partir</u> au Québec.*

▸ S'exercer p. 157

FOCUS LANGUE

Le conditionnel présent (1) pour formuler une demande polie ou un souhait   **page 16**

■ **Objectif** : conceptualiser le conditionnel présent pour formuler une demande polie ou un souhait

– Faire lire la consigne et faire réaliser l'activité en binôme.

– Procéder à la mise en commun en grand groupe : interroger des apprenants et compléter la règle sous leur dictée. La classe valide les réponses.

– Faire lire le rappel de la formation du conditionnel présent.

> ▷ **Corrigé**

Pour formuler une demande polie, j'utilise...	Pour exprimer un souhait, j'utilise...
le conditionnel présent du verbe *pouvoir* (+ verbe à l'infinitif) *Exemple :* **Pourrait**-on échanger par messages privés ?	le conditionnel présent des verbes *souhaiter, aimer, plaire* + verbe à l'infinitif *Exemple : Je* **souhaiterais** <u>avoir</u> *des avis de personnes.*

▸ **Précis de grammaire p. 210**

▸ **S'exercer p. 157**

Activité 4 🗨   Modalité : en petits groupes

■ **Objectif** : s'exprimer sur un mode d'expatriation

– Former des groupes de quatre, faire lire la consigne et faire réaliser l'activité.

– Circuler parmi les groupes pour s'assurer du bon déroulement de l'activité.

– En grand groupe, proposer à quelques apprenants (ayant des avis différents, si possible) de s'exprimer sur le sujet.

Activité 5 📖   Modalité : seul

■ **Objectif** : vérifier la compréhension globale de courriels

– Faire observer le **document 2** (si possible, le projeter), faire lire la consigne et réaliser l'activité seul. Proposer aux apprenants de comparer leurs réponses en binôme.

– Procéder à la mise en commun en grand groupe : interroger des apprenants ; la classe valide.

> ▷ **Corrigé** Thalie et Aurélie partagent des informations pour préparer leur échange poste à poste.

Activité 6 📖   Modalité : par deux

■ **Objectif** : affiner la compréhension de courriels

a – Faire lire la consigne et l'exemple pour s'assurer de la compréhension de l'activité.

  – Faire réaliser l'activité par deux puis mettre en commun les réponses en grand groupe : interroger des apprenants, faire valider les réponses par la classe et les écrire au tableau.

b – Faire lire la consigne et faire un exemple avec la classe pour s'assurer de la compréhension de l'activité (*comme convenu*) et faire réaliser l'activité par deux.

– Procéder à la mise en commun en grand groupe. Surligner les expressions dans les documents s'ils sont projetés. Sinon, les écrire au tableau.

> **Corrigé** **a.** photo 1 → petite maison de 71 m² avec trois belles pièces ; photo 2 → un séjour avec cheminée ; photo 3 → la cuisine est aménagée. En équipement, vous verrez, il y a tout ce qu'il faut : un four, un micro-ondes, une plaque de cuisson au gaz, un frigo, un congélateur, un lave-vaisselle, un lave-linge et un sèche-linge ; photo 4 → un salon, une salle à manger avec accès à une grande terrasse arrière ; photo 5 → notre appartement, au 2ᵉ étage ; photo 6 → une chambre principale avec accès au balcon donnant sur le stationnement privé. **b.** comme convenu ; si vous avez d'autres questions ; comme promis

---

▶ FOCUS LANGUE

Donner des informations sur un logement et sur ses équipements   page 17

▌**Objectif** : conceptualiser les expressions sur le logement et les équipements

a – Faire lire la consigne et l'exemple et faire réaliser l'activité en binôme.

– Procéder à la mise en commun en grand groupe : demander à deux apprenants d'aller au tableau pour classer les éléments dans les colonnes. La classe valide les réponses.

– Vérifier la compréhension des équipements, à l'aide de photos si possible et/ou en demandant à des apprenants de décrire l'équipement et d'expliquer à quoi il sert.

b – Faire lire la consigne et faire réaliser l'activité en binôme.

– Pour la mise en commun en grand groupe, proposer à un apprenant d'aller au tableau pour écrire les réponses validées par la classe.

> **Corrigé** **a. Le logement :** une chambre ; une terrasse ; un bureau ; une salle d'eau ; le terrain ; la superficie ; un séjour avec cheminée ; une cuisine aménagée ; un salon ; une salle à manger ; un balcon.
> **Les équipements :** un frigo ; un lave-vaisselle ; un lave-linge ; un sèche-linge ; un four ; un congélateur ; un micro-ondes. **b.** 1. d/e ; 2. a/c/d ; 3. a ; 4. d ; 5. a/b/c

▌ Pour aller plus loin

À deux, faire décrire par chaque apprenant son logement. À l'oral, inviter celui qui écoute à poser des questions pour plus d'informations. Passer auprès des apprenants pour s'assurer du bon déroulement de l'activité et apporter de l'aide, si nécessaire.

▶ **S'exercer p. 157**

Activité 7 🗨

▌**Objectif** : donner son avis sur un logement et ses équipements

– Former des groupes de trois apprenants, faire lire la consigne et réaliser l'activité.

– Procéder à la mise en commun en grand groupe : donner la parole à des apprenants qui préféreraient échanger avec Thalie puis à d'autres qui préféreraient échanger avec Aurélie.

Activité 8 🎧▸4

▌**Objectif** : vérifier la compréhension globale d'une conversation téléphonique

– Faire lire la consigne et la liste des sujets.

– Faire écouter l'enregistrement (**document 3**) et réaliser l'activité seul. Inviter les apprenants à comparer leurs réponses en binôme.

– Procéder à la mise en commun en grand groupe : interroger des apprenants et écrire les réponses au tableau après validation par la classe.

> **Transcription**
>
> **Thalie :** Aurélie, c'est Thalie, vous me voyez bien ?
>
> **Aurélie :** Oui, très bien ! Bonjour ! Vous allez bien ?
>
> **Thalie :** Très bien ! Encore merci pour toutes ces informations.
>
> **Aurélie :** Je vous en prie. J'ai oublié de vous dire que nous laisserons des notes sur la table du salon pour vous donner quelques informations pratiques.

Thalie : Parfait ! Nous ferons de même. Pourriez-vous aussi nous laisser quelques notes pour nous expliquer le fonctionnement de l'électroménager ? Ou encore comment changer les fusibles ?

Aurélie : Oui, tout à fait. Je vous indiquerai aussi les jours de ramassage des poubelles. C'est un peu spécial ici. Nous trions les déchets mais nous devons nous-mêmes les apporter dans des poubelles communes. On voulait aussi vous demander comment fonctionne le tri sélectif à Montréal.

Thalie : C'est très facile : il y a le verre, les cartons et les ordures ménagères. Ne vous inquiétez pas, je vous expliquerai tout dans mes notes. Je voulais vous demander... Est-ce qu'il y a un dépanneur à proximité de chez vous ?

Aurélie : Heu... Un dépanneur... C'est-à-dire ?

Thalie : Une épicerie ?

Aurélie : Ah oui, vous voulez dire une supérette ? Non, mais il y a un supermarché à l'entrée de la ville. N'oubliez pas qu'ici, il n'y a pas de transports en commun. À la campagne, on ne peut rien faire sans voiture... Vous êtes sûre que vous vous plairez ici ?

Thalie : Absolument ! Merci infiniment pour votre aide.

Aurélie : Je vous en prie. Merci à vous. Nous avons hâte de partir !

▷ **Corrigé** a. Thalie et Aurélie ; elles se donnent des informations pratiques concernant leur logement respectif. b. **les déplacements** : *N'oubliez pas qu'ici, il n'y a pas de transports en commun* ; **les informations pratiques** : *J'ai oublié de vous dire que nous vous laisserons des notes sur la table du salon pour vous donner quelques informations pratiques* ; **le fonctionnement de l'électroménager** : *Pourriez-vous aussi nous laisser quelques notes pour nous expliquer le fonctionnement de l'électroménager ?* ; **la gestion des déchets** : *Je vous indiquerai aussi les jours de ramassage des poubelles. [...] Nous trions les déchets mais nous devons nous-même les apporter dans des poubelles communes. On voulait aussi vous demander comment fonctionne le tri sélectif à Montréal ? C'est très facile. Il y a le verre, les cartons et les ordures ménagères* ; **les commerces de proximité** : *Est-ce qu'il y a un dépanneur à proximité de chez vous ? Non, mais il y a un supermarché à l'entrée de la ville*.

Activité 9 🎧4

Modalité : par deux

▮ **Objectif :** affiner la compréhension d'une conversation téléphonique

– Faire lire la consigne, réécouter l'enregistrement et réaliser l'activité. Proposer de compléter le tableau suivant :

La gestion des déchets	
Les commerces de proximité	
Les transports	

– Procéder à la mise en commun en grand groupe : interroger des apprenants et écrire les réponses au tableau après validation par la classe.

▷ **Corrigé** **La gestion des déchets** : *C'est un peu spécial ici. Nous trions les déchets mais nous devons nous-mêmes les apporter dans des poubelles communes. On voulait aussi vous demander comment fonctionne le tri sélectif à Montréal.* **Les commerces de proximité** : *Heu... un dépanneur... C'est-à-dire ? Une épicerie ? Ah oui, vous voulez dire une supérette ?* **Les transports** : *N'oubliez pas qu'ici, il n'y a pas de transports en commun. À la campagne, on ne peut rien faire sans voiture... Vous êtes sûre que vous vous plairez ici ?*

Activité 10 🎧5

Modalité : par deux

▮ **Objectif :** affiner la compréhension d'une conversation téléphonique

– Faire lire la consigne et le tableau et faire écouter l'exemple pour s'assurer de la compréhension de l'activité.

– Faire écouter l'enregistrement et faire réaliser l'activité en binôme.

– Procéder à la mise en commun en grand groupe : inviter un ou deux apprenants à aller au tableau pour écrire les réponses que la classe valide.

– Faire préciser les expressions utilisées pour chaque acte de parole. Les souligner sous la dictée des apprenants.

▷ **Transcriptions**

– J'ai oublié de vous dire que nous laisserons des notes.

– Ne vous inquiétez pas, je vous expliquerai tout...

– N'oubliez pas qu'il n'y a pas de transports en commun.

– Pourriez-vous aussi nous laisser quelques notes pour nous expliquer le fonctionnement de l'électroménager ?

– Je voulais vous demander... Est-ce qu'il y a un dépanneur à proximité de chez vous ?

– Vous voulez dire une supérette ?

– Vous êtes sûre que vous vous plairez ici ?

▷ **Corrigé**

Communiquer efficacement au téléphone	
Apporter une précision	*J'ai oublié de vous dire que nous vous laisserons des notes.*
Demander la confirmation d'une information	*Vous êtes sûre que vous vous plairez ici ?*
Rassurer	*Ne vous inquiétez pas, je vous expliquerai tout…*
Formuler une demande polie	*Pourriez-vous aussi nous laisser quelques notes pour nous expliquer le fonctionnement de l'électroménager ?* *Je voulais vous demander… Est-ce qu'il y a un dépanneur à proximité de chez vous ?*
S'assurer que l'on a bien compris	*Vous voulez dire une supérette ?*
Rappeler quelque chose à quelqu'un	*N'oubliez pas qu'ici, il n'y a pas de transports en commun.*

FOCUS LANGUE

Échanger des précisions et des informations pratiques au téléphone   **page 17**

■ **Objectif** : conceptualiser des expressions pour échanger des précisions et des informations pratiques au téléphone

– Faire lire les expressions aux apprenants et s'assurer de leur compréhension.

▶ **S'exercer p. 157**

FOCUS LANGUE   Sons et intonation

Liaison et enchaînement consonantique 🎧▸7   **page 16**

■ **Objectif** : différencier la liaison et l'enchaînement consonantique

– Commencer par faire écouter l'exemple retranscrit dans le livre. Faire remarquer la nature de la consonne finale qui est muette : *c'est* ; ou prononcée : *une*. Dans les deux cas, la consonne finale est reliée ou enchaînée à la voyelle initiale du mot suivant et le découpage syllabique ne correspond pas au découpage des mots écrits.

– Faire lire la phrase de l'exemple à voix haute en exagérant le découpage syllabique tel qu'il est proposé dans le livre : *c'es/tu/ne é/co/le in/ter/na/tio/nale.*

– Faire écouter ensuite les huit phrases de l'activité et demander aux apprenants de se mettre par deux et d'écrire ensemble chaque phrase en indiquant le découpage syllabique comme pour l'exemple.

> ### Transcriptions

Exemple : C'est une école internationale. 1. Partir au Québec et vivre ailleurs. 2. On échange de maisons et on change de vie. 3. Le système éducatif est différent au Québec. 4. Il y a beaucoup d'écoles à Montréal. 5. C'est une formule intéressante. 6. On part au moins pour un an. 7. On échange avec un homologue. 8. Il y a de nombreux avis sur Internet.

> ▷ **Corrigé** 1. Parti/r au Québec et vi/vre ailleurs. → [r] et [vr] sont enchaînés. 2. On échange… et on change… → [n] est relié / et on : pas de liaison (les voyelles s'enchaînent). 3. Le système éducatif… différent au Québec. → [m] est enchaîné / différent au : pas de liaison. 4. Il y a… d'écoles à Montréal → [l] est enchaîné (2 fois). 5. C'est une formule intéressante. → [t] est relié / [l] est enchaîné. 6. On part au moins pour un an. → [r] est enchaîné (2 fois) / [n] est relié. 7. On échange avec un homologue. → [n] est relié (2 fois) / [g] et [k] sont enchaînés. 8. Il y a… de nombreux avis sur Internet → [l] et [r] sont enchaînés / « x » prononcé [z] est relié.

▶ **Précis de phonétique p. 199**

▶ **S'exercer p. 158**

Pour aller plus loin

*L'activité proposée dans les pages **S'exercer** permet plus spécifiquement de différencier la liaison de l'enchaînement consonantique, selon la nature de la consonne finale (prononcée et reliée ou muette et enchaînée). Pour aider à respecter le découpage syllabique, on pourra demander aux apprenants de rythmer leur prononciation en tapant du bout du doigt sur la table à chaque syllabe prononcée.*

À nous ! **Activité 11 – Nous choisissons le logement idéal pour notre expatriation.** 🗨 ✏

Modalité : en petits groupes

▌**Objectif :** transférer les acquis de la leçon

– Présenter la tâche aux apprenants, faire lire les étapes et en vérifier la compréhension.

– Former des groupes de trois ou quatre apprenants.

a – Chaque groupe se met d'accord sur le choix de la ville et du mode d'expatriation.

   – Faire rédiger le descriptif de leur logement idéal. Passer auprès des groupes pour apporter d'éventuelles corrections.

b Faire écrire les questions à poser au propriétaire. Faire en sorte que la personne qui rédige ces questions soit différente de celle qui se sera chargée du descriptif du logement.

c Demander à chaque groupe d'aller écrire au tableau les questions en les regroupant par sujet. Prendre comme exemples de sujet ceux de l'activité 8 p. 15.

d – Inviter chaque groupe à afficher son descriptif sur un mur de la classe. Si le matériel le permet, les apprenants peuvent publier leur descriptif sur le mur virtuel de la classe.

   – Demander à chacun de prendre connaissance des descriptifs et donner la parole à quelques apprenants pour avoir leur point de vue sur les logements choisis.

Leçon **3** Vivre une ville

pages 18-19

Tâche finale : agir pour sa ville			
Savoir-faire et savoir agir	**Grammaire**	**Lexique**	**Sons et intonation**
– Caractériser un lieu	– La place de l'adjectif	– Caractériser un lieu de vie	– Les marques du français familier à l'oral
– Donner des conseils – Décrire une situation hypothétique	– Le conditionnel présent (2) pour donner des conseils, pour décrire une situation hypothétique, pour faire des propositions		
– Parler de ses liens avec une ville		– Exprimer des sentiments (1) par rapport à une ville	

Activité 1 📖

Modalité : en grand groupe

▌**Objectif :** identifier le thème d'un article de journal

– Faire observer le **document 1**. Si possible le projeter. Faire lire la consigne et valider la réponse donnée par les apprenants. Montrer le titre.

– Faire décrire la structure de l'article (*trois parties : un encadré commençant par « Mary Winston Nicklin » ; l'article ; un encadré sur ses coups de cœur dans le quartier*). Faire préciser que la journaliste va parler d'un quartier qu'elle aime beaucoup (*in love, coups de cœur*).

   ▷ **Corrigé** Le 13ᵉ arrondissement de Paris vu par une étrangère, une journaliste américaine.

▎ Infos culturelles ▎

Le 13ᵉ arrondissement de Paris se situe sur la rive gauche de la Seine, dans le sud-est de Paris. Il est surtout connu pour le quartier asiatique, le quartier de la Butte-aux-Cailles et la Bibliothèque nationale de France. Il compte de nombreuses tours d'habitation récentes.

Activité 2 📖

Modalité : seul

▌**Objectif :** vérifier la compréhension globale d'un article de journal

– Faire lire la consigne et réaliser l'activité seul puis inviter les apprenants à se concerter à deux ou trois pour se mettre d'accord sur les réponses.

– Procéder à la mise en commun en grand groupe : interroger des apprenants, faire valider les réponses par la classe et les écrire au tableau ou souligner les éléments de réponse dans l'article s'il est projeté.

> ▷ **Corrigé a.** L'article parle de Mary Winston Nicklin, une journaliste américaine qui a écrit un article de deux pages dans la rubrique Voyage du *Washington Post* à propos du 13ᵉ arrondissement de Paris. **b.** Le 13ᵉ est un arrondissement méconnu, mais pour elle, c'est le quartier de l'innovation. Elle cite les vingt-huit fresques géantes de street art sur les *façades des immeubles des années 1970 qui n'étaient pas particulièrement belles,* signées des plus grands noms, ou encore la station F, le projet du plus grand campus de start-up au monde dans la vieille Halle Freyssinet. Son quartier préféré est la Butte-aux-Cailles, *un village avec une âme.*

Infos culturelles

La Butte-aux-Cailles était à l'origine une petite colline avec des moulins à vent à flanc de coteaux. Le quartier a échappé à l'architecture haussmannienne et c'est aujourd'hui, un quartier paisible aux nombreuses petites rues pavées.

Activité 3 📖

Modalité : par deux

▌**Objectif** : affiner la compréhension d'un article de journal
– Faire lire la consigne et réaliser l'activité en binôme.
– Procéder à la mise en commun en grand groupe : interroger des apprenants, faire valider les réponses par la classe et les écrire au tableau.

> ▷ **Corrigé a** 1. chapeau ; 2. 1ᵉʳ paragraphe ; 3. 2ᵉ paragraphe ; 4. 3ᵉ paragraphe. **b.** un village avec une âme, il y a des petits bistrots sans chichi, un marché alimentaire authentique, pas de touristes, pas de grandes marques, une nouvelle piscine nordique en extérieur

▶ FOCUS LANGUE

La place de l'adjectif pour caractériser un lieu de vie   **page 22**

▌**Objectif** : conceptualiser la place de l'adjectif pour caractériser un lieu de vie

a – Faire lire la consigne et faire un exemple pour s'assurer de la compréhension de l'activité (*1. un arrondissement méconnu*).
  – Faire réaliser l'activité puis mettre en commun en grand groupe : demander à des apprenants d'aller au tableau pour écrire les réponses que la classe valide.

> ▷ **Corrigé** 1. méconnu ; 2. vingt-huit, géantes ; 3. grand, vieille ; 4. alimentaire, authentique, grandes ; 5. nouvelle, nordique ; 6. bleu turquoise ; 7. glaciale ; 8. petit, préféré, végétariens, meilleur

b – Faire observer les expressions écrites en **a.**, faire préciser que pour caractériser un lieu de vie, on utilise des adjectifs.
  – Les faire souligner et faire dire que ceux-ci sont placés avant ou après le nom.
  – Faire observer puis compléter le tableau en binôme.
  – Procéder à la mise en commun en grand groupe : interroger des apprenants et écrire leurs réponses au tableau après validation par la classe. Reproduire ou projeter le tableau. Écrire d'une couleur les adjectifs se plaçant devant le nom et d'une autre couleur les adjectifs se plaçant après le nom.

> ▷ **Corrigé**

Devant le nom	
Nombres (numéraux et ordinaux)	le treizième arrondissement ; deux bambins ; les vingt-huit fresques
Adjectifs habituellement placés devant le nom	la nouvelle piscine ; le projet du plus grand campus ; la vieille Halle ; des petits bistrots ; des grandes marques ; un petit bistrot sans chichi ; son meilleur burger
Après le nom	
Adjectifs de couleur	l'eau bleu turquoise
Adjectifs de nationalité	Son mari 100 % français ; une journaliste américaine
Adjectifs généralement placés après le nom	Un arrondissement méconnu, les fresques géantes, un marché alimentaire authentique, la piscine nordique, une soirée glaciale, son bistrot préféré, ses plats végétariens

▶ **Précis de grammaire p. 205**

▶ **S'exercer p. 158**

❧ FOCUS LANGUE

Caractériser un lieu de vie page 23

▌**Objectif** : conceptualiser des expressions pour caractériser un lieu de vie

– Faire lire la consigne et proposer un exemple pour s'assurer de la compréhension de l'activité (*un arrondissement méconnu / le treizième arrondissement*).
– Faire réaliser l'activité puis procéder à la mise en commun en grand groupe : demander à des apprenants d'aller écrire les expressions au tableau et faire valider par la classe.

> **Proposition de réponse** un arrondissement méconnu, un arrondissement parisien, le treizième arrondissement ; un marché authentique, un marché alimentaire, un marché chinois, un petit/grand/vieux marché... ; une nouvelle piscine, une piscine nordique, une piscine en extérieur, une grande/petite piscine ; un petit bistrot sans chichi, le bistrot préféré, un nouveau/vieux bistrot ; le quartier de l'innovation, le quartier chinois/parisien, le quartier préféré, un vieux quartier ; un village avec une âme, un village authentique/méconnu/français, un vieux/beau village...

▸ S'exercer p. 159

Activité 4 💬

Modalité : en petits groupes

▌**Objectif** : proposer des expériences à vivre dans un quartier

– Former des petits groupes, faire lire la consigne et réaliser l'activité. Chaque apprenant présente son quartier au petit groupe et propose une expérience à vivre dans ce quartier.
– Pour la mise en commun en grand groupe, inviter une personne de chaque petit groupe à présenter les lieux à découvrir dans son quartier et une expérience à vivre.

Activité 5 🎧 H9

Modalité : seul

▌**Objectif** : vérifier la compréhension d'une interview

– Annoncer aux apprenants qu'ils vont écouter une interview de Margarida par un journaliste (**document 2**).
– Poser les questions suivantes et les écrire au tableau : qui est Margarida ? D'où vient-elle ? Depuis quand est-elle en France ? Dans quelle ville habite-t-elle maintenant ? Faire écouter une première fois l'enregistrement et faire répondre aux questions seul. Demander aux apprenants de se concerter à deux avant de mettre en commun en grand groupe les réponses (*Margarida est une expatriée espagnole qui habite en France depuis quinze ans et qui est à Nantes depuis 2015*).
– Faire lire les questions **a**, **b**, **c**, faire réécouter l'enregistrement et réaliser l'activité seul.
– Procéder à la mise en commun en grand groupe : interroger des apprenants et écrire les réponses au tableau après validation par la classe.

> **Transcriptions**
>
> **Journaliste :** Bonjour Margarida ! Peux-tu te présenter ?
>
> **Margarida :** Oui, bien sûr. Je m'appelle Margarida, je suis espagnole, de Minorque, une des îles Baléares, et j'habite en France depuis quinze ans. Je suis traductrice et rédactrice en freelance.
>
> **Journaliste :** Comment t'es-tu retrouvée en France ?
>
> **Margarida :** J'ai eu la chance d'obtenir une bourse du ministère de l'Éducation espagnol, qui m'a permis de venir passer deux étés en séjour linguistique. Et c'est là que tout a commencé ! Mon amour pour la France, mon amour pour la langue française, mon amour pour la découverte des autres, des étrangers.
>
> **Journaliste :** Qu'est-ce qui t'as attirée à Nantes ?
>
> **Margarida :** L'amour ! Alors que j'habitais à Paris, j'ai rencontré l'amour. Après quelques mois de TGV Paris-Nantes tous les week-ends, il a fallu trouver une solution. Me voici donc à Nantes depuis février 2015.
>
> **Journaliste :** As-tu eu des difficultés d'adaptation ?
>
> **Margarida :** Non, pas trop. Mais je trouve que ce n'est pas facile de se faire des amis. J'ai eu plus de facilité en Belgique. Ici, j'ai mis beaucoup plus de temps.

> **Corrigé** **a.** Elle a obtenu une bourse du ministère de l'Éducation espagnol. **b.** Elle est tombée amoureuse de la France, de la langue française ; elle parle de son amour pour les autres, les étrangers. **c.** Elle a eu des difficultés pour se faire des amis.

Activité 6 🎧▶10

▌**Objectif** : vérifier la compréhension globale d'une interview

– Faire lire la consigne et les éléments. Faire écouter la deuxième partie de l'interview et réaliser l'activité en binôme.

– Procéder à la mise en commun en grand groupe : interroger des apprenants et écrire les réponses au tableau après validation par la classe.

> ▷ **Transcriptions**

> **Journaliste** : Si on te demandait de résumer ton expatriation en France en quelques mots, que dirais-tu ?

> **Margarida** : Je dirais « bonjour madame », « merci », « s'il vous plaît », « excusez-moi » ! Je trouve que les Français sont très gentils et polis, les champions du monde de la politesse !

> **Journaliste** : Et le mode de vie des Français ?

> **Margarida** : C'est un mode de vie plus calme et plus posé qu'en Espagne et ça me va très bien. J'aime bien les soirées cool chez les gens, arriver avec une bouteille ou quelques fleurs et papoter tranquillement… Ça, ça se fait rarement à Minorque.

> **Journaliste** : Qu'est-ce qui te plaît le plus en France ?

> **Margarida** : Les horaires de travail : ils sont bien mieux qu'en Espagne ! Et puis, la France est un pays socialement très solidaire, ce qui facilite la vie des familles.

> **Journaliste** : Si tu pouvais rapporter quelque chose d'Espagne pour le mettre à Paris, ce serait quoi ?

> **Margarida** : Sans hésiter, ce serait le soleil et… la famille !

> **Journaliste** : Quels conseils pourrais-tu donner aux personnes qui souhaiteraient vivre en France ?

> **Margarida** : D'abord, ils feraient mieux de ne pas tout comparer : « Dans mon pays, c'est comme si, ici c'est comme ça… » Je leur conseillerais aussi de s'entourer de Français. Ce n'est que comme ça qu'on peut arriver à se sentir chez soi. Enfin, ils devraient étudier le français avant de partir !

> **Journaliste** : Et notre dernière question… Si tu pouvais t'installer définitivement en France, le ferais-tu ?

> **Margarida** : Non, parce que j'ai besoin d'avoir la plage tout près. Je préférerais m'installer sous le soleil espagnol. En bonne expat de longue date, je préfère vivre au jour le jour et puis, on verra bien !

> ▷ **Corrigé** Ce qui plaît à **Margarida** : le mode de vie *(C'est un mode de vie plus calme et plus posé qu'en Espagne et ça me va très bien.)*, les horaires de travail *(Ils sont bien mieux qu'en Espagne !)*, la politesse *(Je trouve que les Français sont très gentils et polis, les champions du monde de la politesse !)*, les soirées chez les gens *(J'aime bien les soirées cool chez les gens, arriver avec une bouteille ou quelques fleurs et papoter tranquillement.)* ; **Ce qui manque à Margarida** : le climat *(j'ai besoin d'avoir la plage tout près. Je préférerais m'installer sous le soleil espagnol.)*, la vie de famille.

Activité 7 🎧▶10

▌**Objectif** : affiner la compréhension d'une interview

– Demander ce que veut savoir le journaliste après l'évocation des aspects positifs et négatifs (*il demande à Margarida quels conseils elle pourrait donner aux personnes qui souhaiteraient vivre en France*).

– Faire lire la consigne, faire réécouter la deuxième partie de l'interview et réaliser l'activité en binôme.

– Procéder à la mise en commun en grand groupe : interroger des apprenants et écrire les réponses au tableau après validation par la classe.

> ▷ **Corrigé** Ils feraient mieux de ne pas tout comparer. Je leur conseillerais aussi de s'entourer de Français. Ils devraient étudier le français avant de partir.

🔖 FOCUS LANGUE

Le conditionnel présent (2) pour donner des conseils **page 22**

▌**Objectif** : conceptualiser le conditionnel présent pour donner des conseils

a Faire relire les réponses de l'activité 7, faire dire les structures utilisées pour donner un conseil et les souligner sous la dictée des apprenants : choisir une couleur pour le verbe au conditionnel présent et une autre couleur pour le verbe à l'infinitif. Faire compléter la règle.

b Faire lire la question et demander d'y répondre par groupes de trois. Faire formuler au moins trois conseils. Pour la mise en commun en grand groupe, interroger quelques apprenants et écrire leurs conseils au tableau.

> ▷ **Corrigé** **a** Pour donner des conseils, j'utilise *faire mieux de, conseiller de* et *devoir* au **conditionnel présent +** verbe à l'infinitif.

▸ **Précis de grammaire p. 210**

▸ **S'exercer p. 158**

Le conditionnel présent (2) pour décrire une situation hypothétique　　　　　**page 22**

▌**Objectif** : conceptualiser le conditionnel présent pour décrire une situation hypothétique

– Faire lire la consigne et réaliser l'activité en binôme.

– Procéder à la mise en commun en grand groupe : faire dire la structure utilisée pour décrire une situation hypothétique à partir des exemples. Encadrer *si* et souligner *on te demandait* d'une couleur et *dirais-tu*, d'une autre couleur. Faire ce même repérage pour les deux autres questions. Faire compléter la structure et l'écrire au tableau en respectant le code couleur adopté. Faire remarquer l'emploi de la virgule qui sépare les deux propositions. Puis faire lire les questions en respectant l'intonation.

　　　▷ **Corrigé** Pour décrire une situation hypothétique, j'utilise *si* + imparfait + conditionnel présent.

▶ **Précis de grammaire p. 212**

▶ **S'exercer p. 158**

Pour aller plus loin

Par deux, faire rédiger trois questions à poser à une personne qui n'a pas (encore) fait l'expérience de l'expatriation. Donner un exemple pour s'assurer de la compréhension de l'activité : Si vous deviez partir en expatriation, dans quel pays iriez-vous ? Pour la mise en commun en grand groupe, inviter plusieurs apprenants à proposer leurs questions. Leur demander éventuellement d'aller les écrire au tableau. Pour clore l'activité, demander aux apprenants de répondre aux questions, soit par deux, à l'oral, soit seul, à l'écrit. Dans ce cas, la correction peut être réalisée en classe ou en dehors de la classe et remise à la séance suivante.

Activité 8

Modalité : en petits groupes

▌**Objectif** : formuler des hypothèses sur une expatriation

– Former des groupes de trois apprenants, faire lire la consigne et réaliser l'activité.

– Procéder à la mise en commun en grand groupe : donner la parole à chaque groupe. Favoriser l'échange direct entre les apprenants d'un groupe à l'autre.

Activité 9

Modalité : en groupe

▌**Objectif** : identifier la source et le thème de témoignages

– Faire observer le **document 3**. Si possible, le projeter. Faire lire les questions **a**. Montrer les éléments pour valider les réponses.

– Faire préciser qu'il y a deux témoignages (de deux habitants de Sens) et faire répondre au **b**. Montrer les éléments pour valider les réponses.

　　　▷ **Corrigé a. 1.** *L'Yonne républicaine* ; de Sens. **2.** Vie locale ; les habitants de Sens ont la parole. **b.** Premier regard ; Regard actuel ; J'aime/Je n'aime pas ; Peut mieux faire

Infos culturelles

Sens est une ville située en région Bourgogne-Franche-Comté, à 100 km de Paris. C'est une ville au riche patrimoine historique.

Activité 10

Modalité : seul

▌**Objectif** : vérifier la compréhension globale de témoignages

– Faire lire la consigne et les questions **a** et **b** puis faire réaliser l'activité seul.

– Inviter les apprenants à comparer leurs réponses en binôme. Puis procéder à la mise en commun en grand groupe : interroger des apprenants et écrire leurs réponses au tableau, après validation par la classe.

　　　▷ **Corrigé a.** Séverine vit à Sens depuis l'âge de dix ans ; Guillaume est né à Sens et y a fait presque toute sa scolarité. **b.** Pour Séverine et Guillaume, le centre-ville est mort et il faudrait le réhabiliter, lui redonner de la vie. Ils regrettent la manière dont il a évolué. Séverine : *J'ai été très peinée par la fermeture de nos deux cinémas de centre-ville. Je voudrais voir revivre le centre-ville.* Guillaume : *La ville me semble plus triste aujourd'hui. Il y a moins de commerces indépendants, Je n'aime pas ce centre-ville qu'on laisse mourir. C'est dommage de n'installer que des banques et des assurances dans ce beau centre-ville.*

❯ FOCUS LANGUE

Exprimer des sentiments (1) par rapport à une ville **page 23**

▌**Objectif** : conceptualiser l'expression des sentiments par rapport à une ville

a – Faire lire la consigne et l'exemple et faire réaliser l'activité en binôme.
 – Procéder à la mise en commun en grand groupe : demander à un ou deux apprenants d'aller au tableau pour écrire les réponses. La classe les valide.
 – Faire préciser chaque expression utilisée pour exprimer un sentiment et faire dire les structures. Les mettre en valeur en les soulignant d'une couleur et en encadrant les prépositions le cas échéant (*Je suis amoureuse de ma ville, etc.*). Écrire les structures au tableau (*être amoureux de qqch, aimer particulièrement qqch, être attaché à qqch, avoir le souvenir de qqch, c'est dommage de* + verbe à l'infinitif, *être très peiné par* + nom).

b. Faire lire la consigne et inviter les apprenants à échanger entre eux. L'activité peut être aussi réalisée par écrit en classe ou en dehors de la classe.

▷ **Corrigé** a.

impressions et sentiments positifs	impressions et sentiment négatifs
Je suis amoureuse **de** ma ville. J'aime particulièrement le centre-ville. Je suis très attachée **au** centre-ville, **aux** animations, **à** la vie culturelle. J'ai le souvenir **d'**une petite ville dynamique commercialement.	La ville me semble plus triste aujourd'hui. C'est dommage **de** n'installer que des banques et des assurances dans ce beau centre-ville. J'ai été très peinée **par** la fermeture de nos deux cinémas de centre-ville.

▸ **S'exercer p. 159**

Activité 11 📖

Modalité : en petits groupes

▌**Objectif** : affiner la compréhension de témoignages

a – Former des groupes de trois apprenants, faire lire la consigne et réaliser l'activité.
 – Procéder à la mise en commun en grand groupe : demander à un premier apprenant d'aller écrire au tableau les propositions de Séverine, puis à un deuxième apprenant celles de Guillaume. Faire préciser comment sont formulées les propositions (*elles sont formulées au conditionnel*). Proposer aux apprenants de se reporter au **Focus langue 4 a** p. 22, puis revenir à l'activité 11 pour réaliser le **b**.

b Faire lire les questions et laisser les apprenants échanger entre eux. Lors de la mise en commun en grand groupe, donner la parole à quelques apprenants.

▷ **Corrigé** a.

Proposition de Séverine	Propositions de Guillaume
Le kiosque à musique **mériterait** d'être rénové.	Il **faudrait** aménager un port au bord de l'Yonne pour accueillir les plaisanciers.
	Il **faudrait** améliorer la communication, l'image de la ville à l'extérieur.
	On **pourrait** mettre en avant les points positifs.

❯ FOCUS LANGUE

Le conditionnel présent (2) pour faire des propositions **page 22**

▌**Objectif** : conceptualiser le conditionnel présent pour faire des propositions

a – Faire observer les propositions de Séverine et Guillaume, faire lire la consigne et l'exemple et faire réaliser l'activité.
 – Procéder à la mise en commun en grand groupe : sous la dictée des apprenants, souligner les expressions en utilisant deux couleurs (l'une pour le conditionnel présent, l'autre pour l'infinitif). Puis demander aux apprenants les structures et les écrire sous leur dictée.

b Faire lire la consigne et réaliser l'activité. La ville peut être celle d'origine des apprenants ou bien celle où a lieu le cours.

▷ **Corrigé** a. On pourrait mettre en avant les points positifs → *pouvoir* au conditionnel présent + verbe à l'infinitif présent. Le kiosque à musique mériterait d'être rénové. → *mériter de* au conditionnel présent + infinitif passé. Il faudrait aménager un port au bord de l'Yonne pour accueillir les plaisanciers. → *falloir* au conditionnel présent + verbe à l'infinitif présent. Il faudrait améliorer la communication, l'image de la ville à l'extérieur. → *falloir* au conditionnel présent + verbe à l'infinitif présent.

▸ **Précis de grammaire p. 210**

▸ **S'exercer p. 158**

À nous ⏱ **Activité 12 – Nous agissons pour notre ville.** 💬 ✏️   Modalité : en petits groupes

▌ **Objectif** : transférer les acquis de la leçon

Présenter la tâche aux apprenants, faire lire les étapes et en vérifier la compréhension. Former des groupes de trois ou quatre apprenants.

a – Proposer aux apprenants d'échanger d'abord à l'oral et de désigner un secrétaire pour prendre en note les idées principales évoquées pour chaque thématique.

– Faire rédiger les témoignages sur le modèle du **document 3**. Passer auprès des groupes pour s'assurer du bon déroulement de l'activité et apporter des corrections si nécessaire.

b Si le matériel le permet, les apprenants peuvent publier leurs témoignages sur un site Internet destiné à des francophones.

Leçon **4** Invitation au voyage

pages 20-21

Tâche finale : imaginer son arrivée dans une ville étrangère			
Savoir-faire et savoir agir	**Grammaire**	**Lexique**	**Sons et intonation**
– Décrire des souvenirs	– Les pronoms *où (1)* et *dont* pour donner des précisions sur un lieu		– Les marques du français familier à l'oral
– Décrire son arrivée dans une ville étrangère		– Décrire son arrivée dans une ville étrangère	

Activité 1 📖

Modalité : en groupe

▌ **Objectif** : formuler des hypothèses sur une association

– Faire observer le visuel du **document 1** et faire lire la consigne. Veiller à ce que les apprenants ne lisent pas la présentation de l'association. On peut visionner la première image de la vidéo et faire un arrêt sur image.

– Écrire les hypothèses au tableau sous la dictée des apprenants.

▐ Infos culturelles ▐

Les Voix d'Ici est une association qui regroupe réalisateurs, journalistes, urbanistes, photographes et professionnels des projets en espace public et qui a pour but de faire visiter un quartier de façon originale. Elle propose des balades sonores composées par les habitants. Les Voix d'Ici s'adressent à tous les visiteurs qui veulent sortir des circuits classiques. L'association invite aussi les habitants eux-mêmes à (re)découvrir leur quartier.

Activité 2 📖

Modalité : seul

▌ **Objectif** : vérifier des hypothèses sur une association

Inviter les apprenants à lire la présentation de l'association. Puis demander à un ou deux apprenants de reformuler ce qu'ils ont compris sur l'association Les Voix d'Ici. Vérifier que la classe est d'accord.

Activité 3 ▶ 1

Modalité : par deux

▌ **Objectif** : comprendre des témoignages et nommer des lieux d'une ville

– Visionner la vidéo dans son intégralité, sans le son, pour permettre aux apprenants de se concentrer avant tout sur les images. Faire réaliser l'activité en binôme.

– Procéder à la mise en commun en grand groupe : interroger des apprenants et écrire les réponses au tableau sous leur dictée.

> ▷ **Corrigé** une gare, une rue piétonne, une place, un café, un pont, un canal, une école, un marché, une rivière, une foire, un lavoir, des vignes, une usine, une bouche de métro, un port, un bus…

Activité 4 ▶ 1

▐ **Objectif** : affiner la compréhension de témoignages

– Former des groupes de trois ou quatre apprenants. Si possible, demander à chaque groupe d'utiliser un téléphone portable ou une tablette.

– Faire lire la consigne et les actes de parole. Faire regarder à nouveau la vidéo et marquer des pauses autant que nécessaire pour se mettre d'accord sur les actes de parole et noter les paroles des personnes.

– Procéder à la mise en commun en grand groupe : interroger les différents groupes et noter les réponses au tableau ou si possible, projeter un tableau qu'on aura préalablement complété et qu'on dévoilera au fur et à mesure des réponses des apprenants.

> ▷ **Transcriptions**

– Bon, on y va ? On attaque.

– Il y a un autre lieu qu'il faut voir absolument dans cette rue, c'est un peu plus loin au niveau 41.

– Cette petite place là-bas, c'est mon endroit préféré.

– Même si on connaît personne, ben on s'infiltre, on discute avec les gens, et tout…

– Bon voilà, c'est ici. C'était mon école.

– Nous voilà au marché. Si vous faites la balade un mercredi ou un samedi matin, profitez du spectacle. Sinon, fermez les yeux, imaginez les étals colorés et laissez-vous embarquer…

– Le moment qu'il faut vraiment pas rater, à Bâle, c'est le carnaval. Ça commence à quatre heures du matin, en pleine nuit…

– Ah ben, ce lavoir, il a une histoire, oui parce que enfin, en tout cas, je sais que ma grand-mère venait ici faire son linge. Ce lavoir, il n'est pas commun. Regardez, il ne s'aligne pas sur un cours d'eau comme les autres. Alors, va savoir d'où vient l'eau…

– En fait, ces vignes, elles sont dans ma famille depuis quatre générations. Quand ils ont appris que c'était moi, une fille, qui reprenait le flambeau, ça a pas mal tremblé…

– En fait, je crois que le quartier, c'est une espèce de mille-feuille…

– BMC, ça vous dit rien ? Mais si, le textile… une énorme usine.

– Celui qui va écouter, je lui dirais : un peu d'envie d'aller voir ! Lire, c'est bon, regarder la télé, c'est bon, mais venez, venez nous voir ! Et bien qu'ils viennent me voir, on va discutailler puisque discuter, c'est pas fort, faut discutailler !

> ▷ **Corrigé** Dans cette vidéo, les habitants… **a. partagent des informations** : *BMC, ça (ne) vous dit rien ? Mais si, le textile… une énorme usine. ; Ce lavoir il n'est pas commun. Regardez, il ne s'aligne pas sur un cours d'eau comme les autres.* **b. racontent des histoires personnelles, des souvenirs** : *C'était mon école. ; Ce lavoir il a une histoire, oui parce que, je sais que ma grand-mère venait ici faire son linge. ; En fait, ces vignes, elles sont dans ma famille depuis quatre générations.* **c. donnent des conseils** : *Même si on (ne) connaît personne, on s'infiltre, on discute avec les gens. ; Il y a un autre lieu qu'il faut voir absolument dans cette rue, c'est un peu plus loin au niveau 41. ; Nous voilà au marché. Si vous faites la balade un mercredi ou un samedi matin, profitez du spectacle. Sinon, fermez les yeux, imaginez les étals colorés et laissez-vous embarquer… ; Le moment qu'il (ne) faut vraiment pas rater à Bâle, c'est le carnaval. ; un peu d'envie d'aller voir ! ; Lire, c'est bon, regarder la télé, c'est bon mais venez, venez nous voir !* **d. parlent de leurs coups de cœur** : *Cette petite place là-bas, c'est mon endroit préféré.*

Activité 5 🗨

▐ **Objectif** : donner son opinion sur un audioguide original

– Former des petits groupes, faire lire la consigne et réaliser l'activité.

– Procéder à la mise en commun en grand groupe : poser la première question et donner la parole à quelques apprenants. Puis poser la deuxième question et donner la parole à ceux qui partageraient des informations pratiques, puis à ceux qui partageraient des souvenirs, etc. Leur demander d'expliquer leur choix.

Activité 6 📖

▐ **Objectif** : vérifier la compréhension du résumé d'un roman

– Faire lire la consigne et les questions relatives au **document 2** puis faire réaliser l'activité en binôme.

– Procéder à la mise en commun en grand groupe : interroger des apprenants et écrire au tableau les réponses **a** et **b**.

> ▷ **Corrigé a.** L'expatriation, l'exil, les relations familiales, les difficultés de l'expatriation, etc.
> **b.** Le présent de narration, pour donner plus de dynamisme et d'actualité à l'action.

Activité 7 📖

Modalité : par deux

▌ **Objectif :** vérifier la compréhension globale d'un extrait de roman

– Faire lire la consigne et les questions puis faire réaliser l'activité en binôme.

– Procéder à la mise en commun en grand groupe : interroger des apprenants et écrire au tableau les réponses après validation par la classe. Faire justifier chaque réponse en citant des passages du texte.

> ▷ **Corrigé a.** Helen, le personnage principal ; Marie sa belle-fille française ; Camille, la fille de Marie et d'Alexandru, petite-fille d'Helen. Elles arrivent en France, à Paris (probablement de l'aéroport). On peut imaginer qu'Alexandru, Marie et Camille vont s'installer en France… mais on ne mentionne pas Alexandru dans l'extrait. **b.** L'auteure décrit l'arrivée d'Helen à Paris, en France (l'arrivée / le premier jour dans une ville étrangère).

Activité 8 📖

Modalité : seul

▌ **Objectif :** affiner la compréhension globale d'un extrait de roman

– Faire lire la consigne et les items puis faire réaliser l'activité seul.

– Inviter les apprenants à comparer leurs réponses en binôme puis donner la parole à deux ou trois apprenants pour la mise en commun en grand groupe. Faire justifier les réponses et les écrire au tableau après validation par la classe.

> ▷ **Corrigé a.** Vrai : *pas loin de l'hôtel où elle a séjourné en 1968.* **b.** Faux : *C'est drôle d'arriver dans une maison inconnue dont les habitants sont partis le matin, dit Marie. On a l'impression d'être Boucle d'Or entrant dans la cabane des trois ours.* **c.** Faux : *La pièce où elles pénètrent est spacieuse, lumineuse, pleine de plantes vertes. Avec son haut plafond dans lequel sont percées des ouvertures créant des puits de lumière, on dirait presque un loft new-yorkais.*

▌ FOCUS LANGUE

Les pronoms *où* (1) et *dont* pour donner des précisions sur un lieu   **page 22**

▌ **Objectif :** conceptualiser les pronoms *où* et *dont* pour donner des précisions sur un lieu

a Faire lire les extraits. Si possible, les projeter au tableau ; sinon, les recopier au tableau.

b – Encadrer d'une couleur le pronom *où* et faire dire ce qu'il remplace dans chaque extrait (*l'hôtel, la pièce, soit un complément de lieu*).

– Reformuler les extraits en faisant deux phrases, puis souligner le complément de lieu répété : *… elles se trouvent dans le 15ᵉ arrondissement pas loin d'un hôtel. Dans cet hôtel, elle a séjourné en 1968.* → *… elles se trouvent dans le 15ᵉ arrondissement pas loin de l'hôtel où elle a séjourné en 1968. La pièce est spacieuse. Elles pénètrent dans la pièce.* → *La pièce où elles pénètrent est spacieuse.*

– Encadrer d'une autre couleur le pronom *dont* et faire dire ce qu'il remplace dans l'extrait (*de la maison, soit un complément de nom introduit par* de).

– Reformuler l'extrait en faisant deux phrases, puis souligner le complément répété : *C'est drôle d'arriver dans une maison inconnue. Les habitants de cette maison sont partis le matin.* → *C'est drôle d'arriver dans une maison inconnue dont les habitants sont partis le matin.*

– Faire résumer la règle et l'écrire au tableau.

> ▷ **Corrigé** Le pronom *où* remplace un complément de lieu et le pronom *dont* remplace un complément de nom introduit par *de.*

▸ **Précis de grammaire p. 201**

▸ **S'exercer p. 159**

▌ FOCUS LANGUE

Décrire son arrivée dans une ville étrangère   **page 23**

▌ **Objectif :** conceptualiser des expressions pour décrire son arrivée dans une ville étrangère

– Faire lire la consigne et réaliser l'activité en binôme.

– Demander à un apprenant d'aller au tableau pour écrire les réponses au tableau si l'illustration est projetée. Sinon, passer auprès des apprenants pour vérifier les réponses.

> ▷ **Corrigé** De gauche à droite : les champs ; les pavillons avec leurs jardinets, les entrepôts, les usines et les tours, le périphérique, les avenues bordées d'immeubles haussmanniens, le nom de la rue sur la plaque bleue.

Activité 9 🗨

Modalité : en petits groupes

▌**Objectif** : donner son avis sur des citations d'un roman

– Faire lire la consigne et les affirmations puis faire réaliser l'activité en petits groupes.

– Passer auprès des groupes pour s'assurer du bon déroulement de l'activité. Procéder à la mise en commun en grand groupe : donner la parole à quelques apprenants. Favoriser les interactions entre eux.

> **FOCUS LANGUE**   Sons et intonation

Les marques du français familier à l'oral 🎧▸11   **page 23**

▌**Objectif** : identifier les marques du français familier à l'oral.

– Commencer par faire écouter l'exemple retranscrit dans le livre. Et faire remarquer que le *ne* de la négation n'est pas prononcé, ce qui fait que le registre est familier.

– Proposer aux apprenants de se mettre par deux pour écouter chaque item et décider si le registre est familier ou standard. Leur demander de repérer les mots ou lettres non prononcés lorsqu'il s'agit du registre familier. Ensuite, à tour de rôle et en regardant la transcription dans le livret, leur faire répéter chaque phrase des deux manières.

– Pour la mise en commun en grand groupe, proposer à un apprenant de lire une phrase de son choix et faire trouver quel registre a été choisi.

> ▷ **Transcriptions**

> *Exemple : Ça ne vous dit rien ?* 1. Il y a un lieu que vous devez voir. 2. Ici, on ne connaît personne. 3. C'est le moment qu'il ne faut pas rater. 4. Il faut aller dans ce quartier. 5. Ce lieu est magique, c'est celui que je vous recommande le plus. 6. Ma grand-mère venait souvent ici. 7. Il faut qu'on discute de notre quartier. 8. Celui qui va venir dans ma ville sera enchanté.

> ▷ **Corrigé** 1. I~~l~~ y a un lieu que vous d**e**vez voir. → Registre familier (le mot *il* et la lettre *e* de *devez* ne sont pas prononcés). 2. Ici, on **ne** connaît personne. → registre standard (le mot *ne* est prononcé). 3. C'est l**e** moment qu'i~~l~~ **ne** faut pas rater. → Registre familier (la lettre *e* de *le* et la lettre *l* de *il* ne sont pas prononcées ; le *ne* de la négation n'est pas prononcé). 4. Il faut aller dans c**e** quartier. → registre standard (la lettre *l* de *il* et la lettre *e* de *ce* sont prononcées). 5. Ce lieu est magique, c'est c**e**lui qu**e** j**e** vous r**e**commande le plus. → Registre familier (les lettres *el* de *celui* et la lettre *e* de *que, je* et *recommande* ne sont pas prononcées). 6. Ma grand-mère v**e**nait souvent ici. → Registre familier (le *e* de *venait* n'est pas prononcé). 7. I~~l~~ faut qu'on discute de not**re** quartier. → Registre familier (le *il* et le *tr* de *notre* ne sont pas prononcés). 8. C**e**lui qui va v**e**nir dans ma ville sera enchanté. → registre standard (le *el* de *celui* et le *e* de *venir* sont prononcés).

▸ **Précis de phonétique p. 199**

▸ **S'exercer p. 159**

▌**Pour aller plus loin**

L'activité proposée dans les pages S'exercer *permet de renforcer ce point. Il s'agira également d'identifier le registre entendu. On demandera aussi aux apprenants en binôme de choisir un registre et de le faire deviner à leur partenaire.*

À nous ! **Activité 10 – Nous imaginons notre arrivée dans une ville étrangère.** ✏

Modalité : en petits groupes

▌**Objectif** : transférer les acquis de la leçon

Présenter la tâche aux apprenants, faire lire les étapes et en vérifier la compréhension. Former des groupes de trois.

a, b et c Demander à chaque groupe de choisir une ville puis les personnages de leur histoire (chaque personnage « représentera » un apprenant).

d Demander aux groupes d'afficher leurs extraits dans la classe et les inviter à prendre connaissance des productions.

e Procéder au vote du meilleur extrait. Pour ce faire, lister avec les apprenants les critères à retenir pour évaluer les extraits et les présenter dans une grille comme celle-ci :

	☺ ☺ ☺	☺ ☺	☺
1. Présenter des personnages			
2. Caractériser un lieu			
3. Donner des précisions sur le lieu			

STRATÉGIES

Lire un texte à voix haute

Activité 1

Modalité : en groupe

▌ **Objectif** : identifier le thème d'un concours et les modalités de participation

Si possible, projeter l'affiche. La faire observer et faire répondre aux questions en grand groupe.

> ▹ **Corrigé** Un concours photo pour raconter la photo de votre expérience à l'étranger : « Un pays où j'ai appris ». Pour participer, il faut prendre une photo et raconter une expérience à l'étranger.

Activité 2

Modalité : par deux

▌ **Objectif** : lire un texte à voix haute

– Faire identifier le document (*c'est un extrait du témoignage de Sophiou Nioufok*), faire préciser qui est l'auteure du texte (*le 1er prix du concours photo*), où est publié le témoignage (*sur le site du ministère de l'Éducation nationale*) et où est allée Sophiou Nioufok (*à Kyoto, au Japon*).
– Faire lire la consigne et réaliser l'activité en binôme.

Activité 3

Modalité : en petits groupes

▌ **Objectif** : identifier les groupes rythmiques et les liaisons interdites

– Former des groupes de quatre, faire lire la consigne et les exemples. Les recopier au tableau, souligner les groupes rythmiques et signaler la liaison interdite.
– Faire réaliser l'activité en petits groupes.
– Procéder à la mise en commun en grand groupe : demander à des apprenants d'aller au tableau pour écrire les réponses et les faire valider par la classe.

> ▹ **Corrigé a.** Le déterminant et le nom ; Le nom et l'épithète liée ; Le nom et le complément du nom ; Le pronom personnel sujet et le verbe ; l'auxiliaire et le participe passé. **b.** Devant un *h* aspiré ; entre le nom singulier et l'adjectif ; entre le sujet et le verbe ; après le verbe ; entre l'adverbe et l'adjectif ; après *et*.

Activité 4

Modalités : seul puis par deux

▌ **Objectif** : évaluer la lecture à voix haute d'un texte

– Faire lire la consigne et la grille d'évaluation et s'assurer de sa compréhension.
– Demander à chaque apprenant de réaliser l'activité (dans la mesure du possible, permettre à chacun de s'isoler pour l'enregistrement).
– Par deux, inviter les apprenants à écouter leurs enregistrements et à les évaluer en se concertant.

Activité 5 🎧▶12

Modalité : seul ou par deux

▌ **Objectif** : écouter un texte lu

Faire lire la consigne et écouter l'enregistrement. Demander aux apprenants de comparer la lecture de l'enseignante à la leur. Cette activité peut être réalisée seul ou en binôme.

Activité 6 – Apprenons ensemble !

Modalité : en petits groupes

▌ **Objectif** : partager des stratégies pour améliorer sa compréhension et son expression orale

– Former des groupes de quatre apprenants.
– Faire lire la consigne et les questions puis faire réaliser l'activité en petits groupes. Demander à chaque groupe de choisir un secrétaire pour noter les propositions et un porte-parole pour les rapporter au moment du partage avec la classe.
– Procéder à la mise en commun en grand groupe : donner la parole à chaque porte-parole et noter les propositions au tableau au fur et à mesure. Conserver la liste de ces stratégies pour s'y reporter régulièrement au cours de l'apprentissage en B1.

Projet de classe

Il est conseillé de réaliser le projet de classe avant le projet ouvert sur le monde.

Nous présentons les villes où nous aimerions vivre : nous expliquons les raisons de notre choix et décrivons le quartier de nos rêves.
– Annoncer aux apprenants qu'ils vont présenter les villes où ils aimeraient vivre en expliquant les raisons de leur choix et en décrivant le quartier de leurs rêves.
– Leur présenter les étapes du projet : se mettre d'accord sur les différents critères de choix pour la destination de l'expatriation, rédiger une courte présentation de sa ville préférée, décrire son profil d'expatrié, faire des recherches sur la ville choisie, lire sa présentation à la classe. Les leur faire lire. Former des groupes de trois ou quatre apprenants.
1. – Faire lire la consigne et réaliser l'activité. Demander aux apprenants de lister les critères les plus importants selon eux afin qu'ils choisissent une destination pour s'expatrier.
   – Leur demander de se mettre d'accord sur leur destination préférée pour s'expatrier.
2. Faire rechercher des informations générales sur la ville choisie. Permettre l'accès à Internet si possible. Inviter les apprenants à sélectionner les informations les plus pertinentes. Faire rédiger la présentation de la ville.
3. – Demander aux apprenants d'échanger sur les motifs de leur expatriation.
   – Leur faire rédiger leur profil d'expatrié. Veiller à ce qu'ils précisent leurs souhaits, leurs intentions et leurs ambitions.
4. Faire rechercher des informations précises sur la ville pour présenter le quartier choisi et le type de logement souhaité.
5. Au sein de chaque groupe, demander aux apprenants de se mettre d'accord sur un mode de présentation. Les inviter à illustrer autant que possible leur présentation en choisissant de façon pertinente les photos, plans, etc.
6. – Accorder un temps pour que chaque groupe puisse s'entraîner à lire à voix haute sa présentation. Leur demander de se répartir la lecture. Veiller à ce qu'ils utilisent la grille d'évaluation de l'activité 4 p. 24.
   – Inviter chaque groupe à présenter son projet à la classe.

Projet ouvert sur le monde

Nous créons un support original pour présenter notre ville aux francophones qui souhaiteraient s'y expatrier.
Le projet ouvert sur le monde peut se faire en dehors de la classe : il est conseillé de présenter le projet aux apprenants en groupe pour s'assurer de la bonne compréhension de l'ensemble et de la répartition des tâches.
– Annoncer aux apprenants qu'ils vont créer un support original pour présenter leur ville aux francophones qui souhaiteraient s'y expatrier.
– Préciser qu'à la manière de l'association Les Voix d'Ici, ils vont réaliser la balade sonore de leur ville, racontée par ses habitants. Pour les classes en immersion : proposer aux apprenants de présenter un quartier qu'ils adorent dans la ville où ils apprennent le français. Former des groupes de quatre apprenants.
a Leur faire rechercher/préciser le nom du quartier, sa localisation et son étendue.
b Les inviter à échanger sur le quartier. Leur demander de noter les informations les plus pertinentes au cours de leur échange et de lister les recommandations, mises en garde et suggestions.
c Veiller à ce que les apprenants soient d'accord entre eux.
d Faire préciser aux apprenants le parcours de leur audioguide. Leur permettre l'accès à Internet ou mettre à disposition des plans de la ville pour qu'ils tracent l'itinéraire.
e Demander aux apprenants de choisir les témoignages à enregistrer parmi ceux listés à l'étape **b**. Faire rédiger chaque témoignage en veillant à ce que les apprenants expriment leur ressenti par rapport aux lieux. Passer auprès d'eux pour apporter les corrections nécessaires.
f Faire enregistrer les témoignages dans la classe ou dans le quartier choisi. Inviter les apprenants à enregistrer les sons du quartier pour créer l'ambiance sonore. Demander à chaque groupe de valider ses propres enregistrements puis de valider le travail d'un autre groupe. Accorder un temps d'échange entre les groupes pour leur permettre de faire des commentaires sur les réalisations.

Projet ouvert sur le monde

Nous créons un support original pour présenter notre ville aux francophones qui souhaiteraient s'y expatrier ou pour présenter le quartier que nous adorons dans la ville où nous apprenons le français.

À la manière de l'association Les Voix d'Ici, nous allons réaliser la balade sonore de notre ville, racontée par ses habitants ou la balade sonore du quartier que nous adorons dans la ville où nous apprenons le français.

En petits groupes.

a. **Faites la liste de quartiers que vous connaissez dans votre ville.**

....

....

Choisissez un quartier de votre ville que vous aimez particulièrement et/ou que vous voulez mettre en avant.

Ce quartier peut être méconnu : ....

b. **Échangez. Pourquoi êtes-vous liés à ce quartier ? Partagez vos souvenirs, anecdotes, coups de cœur, vos informations et conseils.**

Vos souvenirs	....
Vos anecdotes	....
Vos coups de cœur	....
Vos informations	....
Vos conseils	....

Pensez aussi à d'éventuelles recommandations, mises en garde et suggestions pour les personnes qui découvriraient ce quartier.

....

c. **Choisissez trois ou quatre lieux dans votre quartier.**

....

d. **À l'aide d'un plan, précisez le parcours de votre audioguide.**

e. **Choisissez les témoignages que vous allez enregistrer.**

....

Pensez à exprimer votre ressenti par rapport à ces lieux.

....

f. **Enregistrez vos témoignages dans la classe ou dans le quartier choisi. Pensez aussi à enregistrer les sons du quartier qui vous aideront à créer l'ambiance sonore.**

g. **Publiez vos balades sonores sur un espace dédié.**

h. **Envoyez vos balades sonores à l'association Les Voix d'Ici et/ou à l'office du tourisme / la mairie de votre ville.**

DELF 1

1. Compréhension des écrits

10 points
(0,5 point par case correctement cochée)

Faire lire la consigne de l'exercice, le support et le tableau. Préciser que si les deux cases « oui » et « non » sont cochées, aucun point n'est attribué.

▷**Corrigé** 1.

	Annonce 1		Annonce 2		Annonce 3		Annonce 4	
	OUI	NON	OUI	NON	OUI	NON	OUI	NON
Pour quatre personnes	✗			✗	✗		✗	
En centre-ville		✗	✗		✗		✗	
Proche des attractions culturelles		✗	✗		✗		✗	
Balcon ou terrasse	✗		✗		✗			✗
Maximum 70 € / nuit	✗		✗		✗			✗

2. Annonce n° 3
(On retirera 1 point si la réponse à cette question n'est pas cohérente avec les réponses apportées dans le tableau.)

2. Production écrite

15 points

– Faire lire la consigne de l'exercice et s'assurer de sa bonne compréhension. Rappeler (ou demander à un apprenant de rappeler) comment compter les mots dans une production écrite : un mot est un ensemble de signes placé entre deux espaces. « C'est-à-dire » = 1 mot ; « parce que » = 2 mots ; « il y a » = 3 mots ; « j'ai 25 ans » = 3 mots. Préciser que le jour de l'examen, il est possible d'écrire plus de 160 mots, mais pas moins (sachant qu'une marge de 10 % en moins est tolérée).
– Laisser environ 30 minutes aux apprenants pour réaliser la tâche demandée.

Guide pour l'évaluation

Respect de la consigne L'apprenant a bien respecté le type d'écrit demandé dans la consigne et le thème (une lettre à un ami pour lui parler de son arrivée dans une nouvelle ville). L'apprenant a bien écrit au minimum 160 mots (il peut écrire plus de 160 mots).	2 points
Capacité à présenter des faits Dans sa production, l'apprenant a décrit une expérience et donné des faits de façon variée, précise et détaillée, avec des exemples concrets.	4 points
Capacité à exprimer sa pensée L'apprenant a exprimé des sentiments comme vu dans le dossier 1 et il a donné des conseils en rapport avec ce qui est demandé dans la consigne.	4 points
Cohérence et cohésion Le discours de l'apprenant est cohérent et ses idées s'enchaînent assez bien. On note la présence de quelques connecteurs (articulateurs logiques).	1 point
Compétence lexicale / Orthographe lexicale L'apprenant a correctement utilisé le vocabulaire de la situation demandée dans la consigne. L'apprenant a bien orthographié les mots utilisés vus dans le dossier 1. La mise en page et la ponctuation sont fonctionnelles.	2 points
Compétence grammaticale / Orthographe grammaticale L'apprenant maîtrise la structure de la phrase simple. L'apprenant a su utiliser les temps et les modes vus dans le dossier 1 (le conditionnel présent, notamment) et a su correctement conjuguer les verbes aux principaux temps de l'indicatif.	2 points

3. Production orale   **15 points**

Exercice 1   **‹ 2 points ›**
Faire lire la consigne de l'exercice et s'assurer de sa bonne compréhension.

Guide pour l'évaluation
L'apprenant peut, sans préparation, se présenter et parler de lui et de ses centres d'intérêt **(1 point)**. Il peut décrire sa ville comme vu dans le dossier 1 **(1 point)**. La présentation doit durer au minimum 2 minutes.

Exercice 2   **‹ 5 points ›**
– Faire lire la consigne de l'exercice en interaction. S'assurer de sa bonne compréhension.
– Demander aux apprenants de constituer des binômes pour réaliser le jeu de rôle.
– Laisser 10 minutes aux apprenants pour préparer leur jeu de rôle.
– Demander à un binôme de venir au tableau pour le réaliser. Le jeu de rôle doit durer au minimum 3 minutes.

Guide pour l'évaluation
Les apprenants peuvent faire des propositions et argumenter comme demandé dans la consigne. *Les 5 points sont à répartir selon la quantité des informations échangées entre les apprenants et la façon dont ils sont parvenus à réaliser la tâche demandée.*

Exercice 3   **‹ 5 points ›**
– Faire lire la consigne et le sujet du monologue suivi. S'assurer de leur bonne compréhension.
– Laisser 10 minutes aux apprenants pour faire un brouillon sur le sujet. La production orale de l'apprenant doit durer au minimum 3 minutes. L'enseignant pourra poser quelques questions à l'issue du monologue, il n'interviendra pas avant.

Guide pour l'évaluation
L'apprenant a pu dégager le thème principal du sujet **(1 point)** et a su donner son opinion sous la forme d'un petit exposé, de façon construite et cohérente **(4 point)**.

Pour l'**ensemble des 3 exercices**, l'enseignant s'assurera que les apprenants ont bien acquis les compétences lexicales et morphosyntaxiques vues dans le dossier 1 **(2 points)**.
Il veillera aussi à ce que les apprenants prononcent de manière compréhensible le répertoire d'expressions vues dans le dossier 1 **(1 point)**.

DOSSIER **2**

Nous nous installons dans un pays francophone

- **Un projet de classe**

  Créer un kit de survie pour nous installer dans un pays francophone.

- **Un projet ouvert sur le monde**

  Rédiger un carnet d'étonnement.

Pour réaliser ces projets, nous allons apprendre à :
- exprimer des sentiments
- comprendre une réclamation
- résoudre un problème
- anticiper et gérer un problème de santé
- nous renseigner sur l'assurance maladie
- comprendre des formalités
- demander de l'aide
- comprendre un document administratif
- nuancer nos goûts et notre intérêt
- décrire des similitudes et des différences

Pages d'ouverture

pages 28-29

▌ **Objectifs :** découvrir la thématique du dossier et présenter le contrat d'apprentissage

Le point sur… l'installation à l'étranger

Modalités : en groupe puis en petits groupes

– Faire observer la double-page. Si possible, la projeter. Faire dire le thème abordé (*l'installation à l'étranger / dans un pays francophone*). Montrer les titres du dossier et de la double-page pour valider la réponse (*Nous nous installons dans un pays francophone / Le point sur… l'installation à l'étranger*).

1 a Faire observer le forum et son titre, faire lire la question et valider la réponse.

b – Faire lire la consigne et les questions puis faire réaliser l'activité par groupe de trois.

– Procéder à la mise en commun en grand groupe : demander à des apprenants de situer les pays sur une carte puis de nommer d'autres pays francophones. Demander aux apprenants de consulter la carte de la francophonie (ou la projeter) sur le site www.francophonie.org et de vérifier leurs réponses précédentes.

c Faire lire la consigne et inviter les apprenants à échanger entre eux. Pour la mise en commun en grand groupe, demander la justification des choix.

> **Corrigé** a. Le sujet de discussion est : « Quel pays francophone pour s'installer ? » Il est question de choisir un pays francophone pour y vivre. **b. 1** et **2** Le Maroc (illustré) : situé en Afrique du Nord-Ouest ; la Guyane française (illustrée) : située en Amérique du Sud, au nord du Brésil ; la Côte-d'Ivoire (illustrée) : située en Afrique de l'Ouest, au sud du Mali et du Burkina Faso ; la France : en Europe, à l'ouest du continent ; la Suisse : en Europe, à l'est de la France et au sud de l'Allemagne ; le Vanuatu (illustré) : dans l'océan Pacifique au nord-est de la Nouvelle-Calédonie.

2 a Faire observer la couverture de magazine, faire identifier le nom du magazine et le thème de la couverture en groupe puis faire lire les questions **1** et **2**. Valider les réponses.

b Faire lire la consigne et écrire les réponses des apprenants au tableau après validation par la classe.

c – Faire lire la consigne et inviter les apprenants à échanger par groupe de trois. Passer auprès d'eux pour s'assurer de la qualité des échanges.

– Procéder à la mise en commun en grand groupe : laisser les apprenants s'exprimer en veillant à donner la parole à chaque groupe. Garder une trace des hypothèses formulées pour la suite du dossier.

> **Corrigé a.** Il s'agit du magazine *L'express Réussir*. C'est un numéro sur l'installation au Canada. **1.** Il s'adresse à des personnes qui veulent partir vivre au Canada. **2.** C'est le 10ᵉ numéro sur ce thème ; probablement parce que ce pays attire beaucoup de monde. **b.** La vie administrative *(Les démarches pas à pas...)* ; le domaine professionnel *(Où sont les jobs...)* ; le domaine personnel *(Nouvel équilibre de vie...)*.

Leçon **1 Les problèmes du quotidien**

pages 30-31

Tâche finale : partager des situations problématiques du quotidien vécues dans un pays étranger			
Savoir-faire et savoir agir	**Grammaire**	**Lexique**	**Sons et intonation**
– Exprimer des sentiments	– Le subjonctif pour exprimer des sentiments	– Exprimer des sentiments (2) liés au quotidien	– L'expression du mécontentement – L'accent d'insistance
– Comprendre une réclamation	– Les structures pour rédiger une lettre de réclamation		
– Résoudre un problème		– Résoudre un problème avec Internet	

Activité 1 🎧▶13

Modalité : seul

▌**Objectif :** vérifier la compréhension globale d'une conversation

– Faire lire la consigne et les questions.

– Faire écouter l'enregistrement **(document 1)** et réaliser l'activité seul.

– Demander aux apprenants de comparer leurs réponses en binôme puis procéder à la mise en commun en grand groupe : interroger des apprenants et écrire les réponses après validation par la classe.

> **Transcriptions**

Zeina : Salut ! Sympa cette soirée. J'ai un doute, je ne crois pas qu'on se connaisse. Moi, c'est Zeina. Enchantée.

Takashi : Moi, c'est Takashi.

Zeina : Tu es un ami de Maxime ?

Takashi : Non. Je suis venu avec un copain. Je ne connais pas encore beaucoup de monde à Lille. Je suis arrivé du Japon il y a deux mois. Et toi ?

Zeina : Maxime et moi, on est amis depuis cinq ans. Je l'ai rencontré à l'école de commerce quand je suis arrivée du Liban. Alors, la vie en France ? Tu trouves ça comment ? Ça te plaît ?

Takashi : J'aime bien Lille et les gens. Mais je dois encore m'habituer à la vie. C'est tellement différent du Japon. Je n'ai pas encore mes repères.

> **Corrigé a.** Takashi et Zeina sont deux étrangers qui vivent à Lille : lui, depuis deux mois ; et elle, depuis cinq ans. Ils se rencontrent à une soirée organisée par Maxime, un ami de Zeina. Takashi est venu avec un copain. **b. 1.** Takashi et Zeina font connaissance. Zeina demande à Takashi comment il trouve la vie en France. **2.** Il est plutôt content, mais il doit encore s'habituer à la vie dans ce pays.

Activité 2 🎧▸14

▌**Objectif** : affiner la compréhension d'une conversation

– Faire lire la consigne et les items ; s'assurer qu'ils sont compris.

– Faire écouter l'enregistrement et faire réaliser l'activité par deux.

– Procéder à la mise en commun en grand groupe : interroger des apprenants et écrire les réponses après validation par la classe.

▹ **Transcriptions**

Zeina : Qu'est-ce qui te change le plus ?

Takashi : Clairement : le temps libre ! J'ai été surpris que les gens aient autant de temps libre en France. Tu sais, au Japon, on travaille beaucoup. On a beaucoup moins de vacances. Et pendant les vacances, les gens travaillent souvent. Je ne pense pas qu'on parte autant en vacances ou en week-end que les Français.

Zeina : Alors, c'est plutôt bien, non ?

Takashi : J'adore ! C'est la liberté ! Par contre, ça m'étonne qu'on respecte aussi peu les règles. Par exemple, je ne comprends pas qu'autant de monde puisse frauder dans le métro.

Zeina : C'est vrai, tu as raison.

Takashi : Et puis, à l'université, il y a toujours des étudiants qui arrivent en retard. Au Japon, les profs n'acceptent pas ça. Les profs aussi sont différents en France. Je suis toujours étonné qu'ils arrivent pile à l'heure pour faire leur cours et qu'ils s'en aillent aussitôt que c'est terminé. C'est bizarre qu'ils ne restent pas après les cours pour préparer des dossiers et travailler entre eux. Mon père est prof : il arrive à l'école à 7 h 30 et rentre souvent vers 20 heures à la maison.

Zeina : C'est drôle ! Vous respectez autant les règles, au Japon ? J'ai un peu faim. Est-ce que tu veux une part de quiche ?

Takashi : Mmm… J'adore la cuisine française ! Il y a tellement de bonnes pâtisseries, tellement de laitages et de fromages différents !

Zeina : Carrément ! Moi, ma pâtisserie préférée, à Lille, c'est le merveilleux. C'est une spécialité, ici. Je comprends que tu sois un peu perturbé, mais tu vas t'habituer. En tout cas, je trouve que tu parles déjà vraiment bien français.

Takashi : Merci. Bon, je galère encore parfois ! Par exemple, ça fait un moment que j'ai des problèmes chez moi avec Internet. Et à chaque fois que je dois appeler mon opérateur TFR pour les régler, c'est difficile de parler au téléphone.

▹ **Corrigé** **a.** Le temps libre et les vacances, le non-respect des règles (la fraude dans le métro, les retards des étudiants) et les horaires des professeurs. **b. Les différences qui étonnent Takashi** : les gens ont beaucoup de temps libre en France ; on respecte peu les règles. En France, les profs arrivent pile pour faire leur cours, s'en vont aussitôt que c'est terminé, et ne restent pas pour préparer leurs dossiers et travailler entre eux. **Les différences qu'il ne comprend pas** : beaucoup de monde fraude dans le métro. **c.** Takashi a des problèmes avec Internet, et c'est encore difficile pour lui de parler au téléphone avec son opérateur pour les régler.

▶ FOCUS LANGUE

Le subjonctif pour exprimer des sentiments liés au quotidien   **page 34**

▌**Objectif** : conceptualiser le subjonctif pour exprimer des sentiments liés au quotidien

a – Faire lire la consigne et observer le tableau. S'assurer de la compréhension de l'activité.

– Faire écouter les extraits de la conversation et faire réaliser l'activité par deux.

– Inviter les apprenants à vérifier leurs réponses à l'aide de la transcription (livret p. 6).

– Procéder à la mise en commun en grand groupe : interroger des apprenants et compléter le tableau (projeté ou recopié au tableau) sous leur dictée après validation par la classe.

b, c et **d** – Faire lire les consignes, s'assurer qu'elles sont comprises et faire réaliser les activités par deux. Laisser les apprenants réfléchir seuls au fonctionnement de la langue.

– Procéder à la mise en commun en grand groupe : **b.** interroger des apprenants et souligner d'une couleur les verbes à l'indicatif et d'une autre couleur les verbes au subjonctif sous leur dictée, après validation par la classe ; **c.** de même, compléter le tableau sous la dictée des apprenants. Encadrer la conjonction *que* dans les exemples du tableau **a** et dans le tableau **b**. Insister sur la présence systématique et obligatoire de cette conjonction avant un verbe au subjonctif.

– Je comprends que tu sois un peu perturbé.

– Je ne crois pas qu'on se connaisse.

– Je ne pense pas qu'on parte autant en vacances ou en week-end que les Français.

– Je ne comprends pas qu'autant de monde puisse frauder dans le métro.

– Ça m'*étonne* qu'on respecte aussi peu les règles.

– J'ai été surpris que les gens aient autant de temps libre.

– Je suis toujours *étonné* qu'ils arrivent pile à l'heure pour faire leur cours et qu'ils s'en aillent aussitôt que c'est terminé.

– C'est bizarre qu'ils ne restent pas après les cours.

▷ **Corrigé a.** Les verbes au subjonctif seront repérés dans le tableau plus tard, en **b.**

Je peux exprimer mes sentiments avec :			
un verbe		un adjectif	
Structure 1 :	Structure 2 :	Structure 3 :	Structure 4 :
Je <u>comprends</u> que tu *sois* un peu perturbé. Je <u>ne crois pas</u> qu'on *se connaisse*. Je <u>ne pense pas</u> qu'on *parte* autant en vacances ou en week-end que les Français. Je <u>ne comprends pas</u> qu'autant de monde *puisse* frauder dans le métro.	Ça m'*étonne* <u>qu</u>'on *respecte* aussi peu les règles.	J'ai été *surpris* <u>que</u> les gens *aient* autant de temps libre. Je <u>suis</u> toujours *étonné* <u>qu</u>'ils *arrivent* pile pour faire leur cours, et <u>qu</u>'ils *s'en aillent* aussitôt que c'est terminé.	C'est *bizarre* <u>qu</u>'ils *restent* pas après les cours.

b. sois, se connaisse, parte, puisse, respecte, aient, arrivent, s'en aillent, restent

c.

Structure 1 :	*je*	verbe (indicatif)	*que*	verbe (subjonctif)
Structure 2 :	*ça me*			
Structure 3 :	*j'ai été*	adjectif		
Structure 4 :	*c'est*			

d. 2. Exprimer un fait sur un mode personnel : à travers un sentiment.

▸ **Précis de grammaire p. 210**

▸ **S'exercer p. 160**

⬤ **FOCUS LANGUE**

Exprimer des sentiments (2) liés au quotidien 🎧▸20   **page 35**

▌**Objectif** : conceptualiser les expressions des sentiments liés au quotidien

– Faire lire la consigne et proposer aux apprenants de compléter le tableau suivant :

L'étonnement / La surprise	L'incompréhension	Le doute

– Faire écouter l'enregistrement et réaliser l'activité seul.

– Demander aux apprenants de comparer leurs réponses en binôme puis procéder à la mise en commun en grand groupe : interroger des apprenants et écrire au tableau les réponses validées par la classe.

> **Transcriptions**

– J'ai un doute, je ne crois pas qu'on se connaisse.

– J'ai été surpris que les gens aient autant de temps libre en France.

– Je ne pense pas qu'on parte autant en vacances ou en week-end que les Français.

– Ça m'étonne qu'on respecte aussi peu les règles.

– Je ne comprends pas qu'autant de monde puisse frauder dans le métro.

– Je suis toujours étonné qu'ils arrivent pile à l'heure pour faire leur cours et qu'ils s'en aillent aussitôt que c'est terminé.

– C'est bizarre qu'ils ne restent pas après les cours pour préparer des dossiers.

> **Corrigé**

L'étonnement / La surprise	L'incompréhension	Le doute
J'ai été surpris	*Je ne comprends pas*	*J'ai un doute*
Ça m'étonne		*Je ne crois pas*
Je suis toujours étonné		*Je ne pense pas*
C'est bizarre		

▶ S'exercer p. 160

Activité 3 🗣

▌**Objectif** : évoquer des sentiments et des réactions suscités par des différences culturelles

– Former des groupes de quatre apprenants. Faire lire la consigne et réaliser l'activité. Inviter les apprenants à faire appel à leur vécu dans la mesure du possible. Demander à chaque groupe de désigner un secrétaire pour prendre en note les idées principales et un porte-parole.

– Procéder à la mise en commun en grand groupe : chaque porte-parole présente le résultat des échanges de son groupe. Inviter les autres groupes à réagir librement.

Activité 4 📖

▌**Objectif** : identifier une situation de communication

a – Faire observer la lettre (si possible, la projeter) et faire lire les questions.

– Si le document est projeté, encadrer les éléments de réponse au fur et à mesure (les coordonnées de l'expéditeur et la signature, les coordonnées du destinataire, la ville et la date, l'objet).

b Faire observer l'imprimé et faire lire la question. Valider la réponse. (Faire) expliquer le principe de la lettre recommandée.

> **Corrigé a.** Takashi Kato écrit à TFR le 8 décembre 2017 pour faire une réclamation. Il a un problème de connexion à Internet et un problème de facture. **b.** Takashi a envoyé sa lettre en recommandé avec avis de réception pour avoir une preuve de sa réclamation et que TFR l'a reçue.

Pour aller plus loin

Demander aux apprenants si ce mode d'envoi existe dans leur pays et dans quelle situation on peut y avoir recours.

Infos culturelles

La **lettre recommandée** permet à l'expéditeur de s'assurer que la lettre est bien arrivée à destination. Pour des courriers importants, l'avis de réception informe l'expéditeur que le destinataire du courrier a bien reçu en main propre le courrier. En effet, l'expéditeur reçoit à son domicile un avis avec la signature du destinataire et la date de remise.

Activité 5 📖

▌**Objectif** : vérifier la compréhension globale d'une lettre de réclamation

– Faire lire la consigne et réaliser l'activité seul.

– Inviter les apprenants à comparer leurs réponses en binôme. Puis procéder à la mise en commun en grand groupe : interroger des apprenants et écrire au tableau les réponses après validation par la classe.

▷ **Corrigé a.** 1) L'expéditeur ; 2) Le destinataire ; 3) Le lieu et la date d'envoi ; 4) L'objet de la lettre ; 5.1) La formule d'appel ; 5.2) Le rappel des engagements et la description du problème ; 5.3) L'expression du sentiment ; 5.4) La formulation de la réclamation ; 6) La formule finale ; 7) La signature. **b.** En moins de quatre mois, Takashi n'a pas pu utiliser Internet normalement à cause de pannes répétées. En novembre, une panne a même duré plus de dix jours. Et depuis, sa connexion est toujours très lente. Malgré cela, TFR lui a facturé une consommation Internet normale. Avant d'écrire cette lettre, Takashi avait déjà téléphoné quatre fois au service client pour un dépannage. **c.** Takashi demande à TFR d'une part d'être remboursé de la facture, et que TFR règle les problèmes de connexion et de débit de sa ligne. Il ne veut plus de problèmes.

Activité 6 ▭

Modalité : par deux

▮ **Objectif** : affiner la compréhension d'une lettre de réclamation
– Faire lire la consigne et réaliser l'activité par deux.
– Procéder à la mise en commun en grand groupe : interroger des apprenants et écrire au tableau les réponses après validation par la classe.

> ▷ **Corrigé a.** Takashi est surpris du montant de sa facture. Il est mécontent parce qu'il n'a pas eu Internet pendant plus de dix jours au mois de novembre et que cette période a été facturée normalement.
> **b.** Insister sur un fait : *Sachez que j'ai été privé d'Internet pendant plus de dix jours.* Insister sur un sentiment : *Permettez-moi de vous dire que je suis très mécontent.* Insister sur une demande : *Je demande donc que vous me remboursiez... Je souhaite que vous régliez définitivement mon problème...*

> **FOCUS LANGUE**

Les structures pour rédiger une lettre de réclamation   **page 34**
▮ **Objectif** : identifier les structures pour rédiger une lettre de réclamation
– Faire lire la consigne et réaliser l'activité par deux.
– Procéder à la mise en commun en grand groupe : **a.** interroger des apprenants et souligner les verbes sous leur dictée. Choisir une couleur pour le mode indicatif et une autre couleur pour le mode subjonctif. **b.** Recopier les deux fonctions au tableau (ou les projeter). Dans la fonction 1, souligner d'une même couleur (couleur du mode subjonctif choisie en **a**) les expressions *un fait* et *ce qui est dit* (Exprimer un fait sur un mode personnel : ce qui est dit n'est pas réel, mais on le veut). Dans la fonction 2, souligner d'une même couleur (couleur du mode indicatif choisie en **a**) les expressions *un fait, objectif, ce qui est dit est réel* (Parler d'un fait sur un mode objectif : ce qui est dit est réel). Pour conclure, faire dire qu'on utilise le mode indicatif pour des faits réels et le mode subjonctif pour des faits non réels mais souhaités.

> ▷ **Corrigé a.** Permettez-moi de vous dire que je suis très mécontent → indicatif ; Je demande que vous me remboursiez → subjonctif ; Je souhaite que vous régliez mon problème définitivement → subjonctif ; **b.** Exprimer un fait sur un mode personnel : ce qui est dit n'est pas réel, mais on le veut : Je demande que *vous me remboursiez*. Je souhaite que *vous régliez mon problème définitivement*. Parler d'un fait sur un mode objectif : ce qui est dit est réel : Sachez que *j'ai été privé d'Internet* pendant plus de dix jours. Permettez-moi de vous dire que *je suis très mécontent*.

▶ **S'exercer p. 160**

Activité 7 💬

Modalité : en petits groupes

▮ **Objectif** : comparer des démarches pour faire une réclamation
– Faire lire la consigne et réaliser l'activité en groupe de quatre apprenants.
– Proposer à chaque groupe de rendre compte de ses échanges à la classe.

Activité 8 🎧14

Modalité : seul

▮ **Objectif** : vérifier la compréhension globale d'une conversation téléphonique
– Faire lire la consigne, faire écouter l'enregistrement **(document 4)** et répondre seul aux questions.
– Procéder à la mise en commun en grand groupe : interroger un apprenant et faire valider la réponse par la classe.

> ▷ **Transcriptions**

Takashi : Allô, oui ?

Opératrice : Bonjour, monsieur Kato. Sonia, du service client de TFR. Je vous appelle suite à votre lettre de réclamation. Est-ce que vous avez un instant pour que nous fassions le point sur vos problèmes de connexion ?

Takashi : Je vous écoute.

Opératrice : Très bien. Je vous appelle donc au sujet de votre lettre que nous avons reçue. Tout d'abord, je vous informe que nous avons tenu compte de votre demande. Dans votre prochaine facture, nous déduirons le montant qui correspond à la période où votre connexion a été coupée.

Takashi : Je vous remercie.

▷ **Corrigé** Sonia, du service client de TFR, appelle Takashi suite à sa lettre de réclamation. Elle va essayer de régler son problème de débit. C'est l'envoi de la lettre en recommandé avec avis de réception (voir leçon 1, doc. 3) qui a fait réagir TFR.

Activité 9 🎧▶16

▌ **Objectif :** affiner la compréhension d'une conversation téléphonique
– Faire lire la consigne, faire écouter l'enregistrement et répondre seul aux questions.
– Procéder à la mise en commun en grand groupe : interroger deux apprenants, faire valider les réponses par la classe et les écrire au tableau.

> ▷ **Transcriptions**

Opératrice : À présent, j'aimerais faire le point avec vous sur votre ligne. Le débit est-il toujours aussi lent ?
Takashi : Oui, et c'est vraiment très embêtant. Il faut que vous trouviez une solution.
Opératrice : Je comprends que vous soyez embêté, monsieur Kato. Il est possible que ça vienne de votre box. Avez-vous essayé de l'éteindre puis de la rallumer ?
Takashi : Oui. Vous m'avez déjà conseillé de le faire la dernière fois. Ça ne change rien.
Opératrice : Est-ce que le téléphone fixe a de la tonalité ?
Takashi : Oui.
Opératrice : De quelle couleur sont les voyants sur votre box ?
Takashi : Entre orange et vert. Ça dépend.
Opératrice : Dans ce cas, monsieur Kato, je vais vous demander de trouver le petit bouton « reset » au dos de votre box. Vous l'avez ?
Takashi : Oui.
Opératrice : Vous allez appuyer sur ce bouton pendant cinq secondes. Ensuite, relâchez-le et attendez que les voyants se rallument. Puis vous me direz s'ils sont repassés au vert.
Takashi : Alors, ils se rallument... Orange.
Opératrice : Veuillez patienter un instant, s'il vous plaît. Nous allons procéder à la vérification de l'état de votre ligne. Monsieur Kato, merci d'avoir patienté. Il y a un problème technique sur votre ligne, qui est endommagée. Nous allons faire venir un technicien chez vous.
Takashi : Ah bon ? Mais ça va prendre longtemps ?
Opératrice : Nous avons un technicien disponible demain entre 8 heures et 13 heures. Est-ce que ça vous irait ?
Takashi : Oui, pour 9 heures.
Opératrice : Désolée, monsieur Kato. Le technicien aura plusieurs interventions. Il arrivera entre 8 heures et 13 heures.
Takashi : Vous plaisantez ? Je dois bloquer toute ma matinée ?
Opératrice : C'est bien ça. Je suis désolée, monsieur Kato. Préférez-vous un autre jour ?
Takashi : C'est bon. Je vais m'organiser.
Opératrice : Votre adresse est bien le 37, rue de Jemmapes à Lille ?
Takashi : C'est bien ça.
Opératrice : Y a-t-il un code à l'entrée de l'immeuble ?
Takashi : 25B12. Ensuite, il faut sonner au numéro 3. Mais dites au technicien de m'appeler quand il est en bas.
Opératrice : C'est noté, monsieur Kato. Y a-t-il d'autres choses dont vous voudriez nous faire part ?
Takashi : Non. Comme je vous l'ai écrit, j'espère juste que vous allez régler ce problème définitivement.
Opératrice : Dans ce cas, monsieur Kato, je vous remercie de votre patience et je vous souhaite une bonne soirée. Encore toutes nos excuses.

> ▷ **Corrigé a.** Le débit Internet est très lent. La ligne est endommagée. **b.** L'opératrice ne peut pas régler le problème. Elle propose d'envoyer un technicien pour réparer la ligne.

Activité 10 🎧▶16

▌ **Objectif :** affiner la compréhension d'une conversation téléphonique
a – Faire lire la consigne, faire réécouter l'enregistrement et réaliser l'activité par deux.
– Procéder à la mise en commun en grand groupe : demander à un apprenant d'aller au tableau pour écrire les réponses que la classe valide.

b – Faire lire la consigne et le tableau.

– Faire écouter une dernière fois l'enregistrement et faire réaliser l'activité par deux.

– Procéder à la mise en commun en grand groupe : interroger deux apprenants, faire valider les réponses par la classe et compléter le tableau.

> **Corrigé a.** Éteindre et rallumer la box. Vérifier la tonalité du téléphone fixe. Vérifier la couleur des voyants sur la box. Appuyer pendant 5 secondes et relâcher le bouton *reset*. Vérifier à nouveau la couleur des voyants sur la box.

b.

L'opératrice se montre à l'écoute : *Je vous informe que nous avons tenu compte de votre demande. Y a-t-il d'autres choses dont vous voudriez nous faire part ?*	**Le client écoute :** *Je vous écoute.*
L'opératrice se montre compréhensive : *Je comprends que vous soyez embêté.*	**Le client s'impatiente :** *Ah bon ? Mais ça va prendre longtemps ? Vous plaisantez ?*
L'opératrice cherche des alternatives : *Préférez-vous un autre jour ?*	**Le client rappelle sa demande :** *Comme je vous l'ai écrit, j'espère que vous allez régler ce problème.*
L'opératrice remercie : *Je vous remercie de votre patience.*	
L'opératrice présente des excuses : *Encore toutes nos excuses.*	

FOCUS LANGUE

Résoudre un problème avec Internet   **page 35**

▌**Objectif :** conceptualiser les expressions pour résoudre un problème Internet

– En groupe, faire lire les expressions et les compléter. Les écrire au tableau sous la dictée des apprenants.

▶ **S'exercer p. 160**

À nous ! **Activité 11 – Nous partageons des situations problématiques du quotidien vécues dans un pays étranger.** 💬   **Modalité :** en petits groupes

▌**Objectif :** transférer les acquis de la leçon

– Présenter la tâche aux apprenants, faire lire les étapes et en vérifier la compréhension.

– Former des groupes de trois ou quatre apprenants.

a Faire choisir un thème à chaque groupe. Écrire au tableau le choix de chaque groupe. Dans la mesure du possible, faire en sorte que tous les thèmes proposés soient choisis.

b Pendant la réalisation de l'activité, passer auprès des groupes pour s'assurer de son bon déroulement. Insister sur le respect des étapes : raconter la situation problématique, expliquer son ressenti, son attitude et comment le problème a été réglé.

c Inviter les apprenants à partager leurs expériences devant la classe. Si le nombre d'apprenants est important, demander à chaque groupe de choisir l'expérience d'un des membres pour la présenter à la classe.

d Procéder au vote à main levé. Faire justifier les votes.

Leçon **2** Urgence !

pages 32-33

Tâche finale : réaliser un aide-mémoire pour gérer un problème de santé en France			
Savoir-faire et savoir agir	**Grammaire**	**Lexique**	**Sons et intonation**
– Anticiper et gérer un problème de santé	– Exprimer une conséquence	– Décrire des symptômes d'une maladie	– L'expression du mécontentement
– Se renseigner sur l'assurance maladie		– Comprendre le fonctionnement de l'assurance maladie	– L'accent d'insistance

Activité 1 📖

▌**Objectif** : formuler des hypothèses sur un service de santé

– Si possible, projeter la page Internet du site SOS Médecins France (**document 1**) puis faire lire la consigne.

– Noter au tableau les hypothèses des apprenants.

> ▷ **Corrigé** SOS Médecins est un service de médecins sur toute la France. On peut contacter un médecin tous les jours, toute la journée ou la nuit, toute l'année. Le médecin se déplace à domicile pour des urgences (SOS).

Activité 2 🎧»17

▌**Objectif** : vérifier la compréhension globale d'une conversation téléphonique

– Faire lire la consigne, faire écouter l'enregistrement puis réaliser seul l'activité.

– Inviter les apprenants à comparer leurs réponses par deux.

– Procéder à la mise en commun en grand groupe : interroger des apprenants et écrire les réponses au tableau sous leur dictée, après validation par la classe.

– Vérifier les hypothèses formulées dans l'activité **1**.

> ▷ **Transcriptions**
>
> **Femme :** SOS Médecins Paris, service d'urgence, bonsoir !
>
> **Homme :** Bonsoir madame. Je ne vais pas très bien. Il est tard et ça m'inquiète. J'aimerais qu'un médecin vienne chez moi au plus vite.
>
> **Femme :** D'accord. Est-ce que vous avez pris votre température ?
>
> **Homme :** Oui, j'ai 40 de fièvre.
>
> **Femme :** Vous avez pris un médicament ?
>
> **Homme :** Un peu de paracétamol. Mais je n'en ai plus, et je me sens pas bien du tout.
>
> **Femme :** Entendu. Je vais prendre vos coordonnées pour vous envoyer quelqu'un…
>
> ▷ **Corrigé a.** Un homme malade appelle SOS Médecins France. Il parle à la standardiste. **b.** Il veut qu'un médecin vienne chez lui au plus vite. **c.** Il choisit ce service parce qu'il est tard et qu'il est inquiet de son état. C'est une urgence, il ne veut pas attendre.

Activité 3 🎧»18

▌**Objectif** : affiner la compréhension d'une conversation

– Faire lire la consigne et en vérifier la compréhension avec l'exemple.

– Faire écouter l'enregistrement et faire réaliser l'activité par deux.

– Procéder à la mise en commun en grand groupe : interroger des apprenants et écrire les réponses au tableau sous leur dictée, après validation par la classe.

> ▷ **Transcriptions**
>
> **Médecin :** Alors, qu'est-ce qui vous arrive ?
>
> **Homme :** Je ne sais pas. J'ai de la fièvre et je suis tellement faible que je peux à peine me lever. J'ai la tête qui tourne et j'ai des courbatures au dos.
>
> **Médecin :** D'accord. Je vais vous ausculter.
>
> **Homme :** Oui…
>
> **Médecin :** Ah oui, vous avez des palpitations. Ça vous arrive souvent ?
>
> **Homme :** Non, mon cœur ne bat jamais aussi vite. C'est pour ça que je me suis inquiété.
>
> **Médecin :** Ouvrez la bouche, que je regarde… Hmm… Non, la gorge n'a pas l'air infectée. Vous avez mal ?
>
> **Homme :** Non.
>
> **Médecin :** Alors ce n'est pas une angine. Quand avez-vous commencé à vous sentir mal, exactement ?
>
> **Homme :** Ce matin, en allant au bureau, j'avais des frissons. J'ai pris des vitamines et du paracétamol. Du coup, ça allait vraiment mieux.
>
> **Médecin :** Vous n'aviez pas de fièvre ?
>
> **Homme :** Je ne pense pas. J'ai pas pris ma température. Je suis même allé faire du sport pendant la pause-déjeuner tellement je me sentais mieux. Mais en fin de journée, pendant une réunion, d'un coup je me suis senti mal. J'avais de la fièvre, j'avais des douleurs aux jambes, dans le dos et à la nuque. J'étais si pâle qu'on m'a dit de rentrer chez moi. Et depuis que je suis rentré, ça va de plus en plus mal.
>
> **Médecin :** Bon, je pense que vous avez attrapé une bonne grippe. Et je pense que vous êtes tellement fatigué que vous ne vous défendrez pas seul contre le virus. Avec les médicaments, ça ira mieux. Par contre, je vous arrête pour cinq jours. Sinon, vous allez finir à l'hôpital.

Homme : Je vous dois combien ?

Médecin : 84 euros s'il vous plaît. Vous avez votre carte Vitale ?

Homme : Ah, alors, c'est remboursé ?

Médecin : Oui. Voilà votre ordonnance. Je vous laisse des médicaments pour ce soir, mais si quelqu'un peut aller à la pharmacie pour vous demain, ça serait bien.

> **Corrigé** Le patient a une grippe. La tête → j'ai la tête qui tourne ; le dos → j'ai des courbatures, j'avais des douleurs ; le cœur → vous avez des palpitations ; les jambes → j'avais des douleurs ; la nuque → j'avais des douleurs ; le visage → j'étais pâle

FOCUS LANGUE

Décrire les symptômes d'une maladie   page 35

▌**Objectif** : conceptualiser les expressions en relation avec les symptômes d'une maladie

a, **b**, **c** – Faire lire les consignes, en vérifier la compréhension et faire réaliser l'activité en binôme.

– Procéder à la mise en commun en grand groupe : demander à trois apprenants d'aller au tableau à tour de rôle pour noter les réponses au tableau des activités **a**, **b** et **c**. Faire valider les réponses par la classe après chaque activité.

> **Corrigé** a.

Décrire des symptômes	
Avec le verbe *avoir*	Avec le verbe *être*
J'ai 40 de fièvre. J'ai de la fièvre. J'avais des frissons. J'ai la tête qui tourne. J'ai des courbatures dans le dos. J'avais des douleurs aux jambes. Vous avez des palpitations. Vous avez mal ?	Je suis faible. J'étais pâle.

b.

J'ai des courbatures...	dans le dos ; aux jambes
J'avais des douleurs...	aux jambes ; à la tête ; au dos ; au cœur ; à la gorge ; à la nuque

c. 1. Pas bien du tout, 2. de plus en plus mal, 3. mal, 4. pas très bien, 5. vraiment mieux

▶ S'exercer p. 161

Activité 4 🎧▶18

Modalité : par deux

▌**Objectif** : affiner la compréhension d'une conversation

a – Faire lire la consigne, les faits et l'exemple pour s'assurer de la compréhension de l'activité.

– Faites écouter l'enregistrement et faire réaliser l'activité par deux.

– Procéder à la mise en commun en grand groupe : interroger des apprenants et écrire les réponses au tableau ; vérifier que la classe est d'accord. Pour présenter les réponses, proposer le tableau suivant :

Faits	➡	Conséquences
Je suis faible.		Je peux à peine me lever.

b En fonction du niveau du groupe, faire lire les trois questions et faire réécouter l'enregistrement ou bien poser les questions et faire répondre les apprenants directement. Noter leurs réponses au tableau, après validation.

> **Corrigé** a. Je suis faible → Je peux à peine me lever. Mon cœur ne bat jamais aussi vite → Je me suis inquiété. J'ai pris des vitamines et du paracétamol → Ça allait vraiment mieux. Je me sentais mieux → Je suis allé faire du sport. J'étais pâle → On m'a dit de rentrer chez moi. b. Le patient doit prendre des médicaments et s'arrêter cinq jours. Le médecin demande la carte Vitale du patient et lui donne l'ordonnance pour acheter des médicaments.

▐ Infos culturelles ▌

La **carte Vitale** est une carte d'assuré social. Elle atteste de l'affiliation d'une personne et de ses droits à l'assurance maladie. Elle contient tous les renseignements administratifs nécessaires au remboursement des soins et à la prise en charge en cas d'hospitalisation. La carte Vitale est délivrée à tout bénéficiaire de l'assurance maladie à partir de l'âge de 16 ans. Elle est valable partout en France. Elle ne contient aucune information d'ordre médical. Ce n'est pas une carte de paiement.

Activité 5 📖

▌**Objectif** : rechercher les différents moyens de se soigner en France

– Faire lire la consigne et faire réaliser l'activité. Permettre l'accès à Internet en classe. Sinon, proposer de réaliser la tâche en deux temps : faire procéder aux recherches en dehors de la classe puis demander aux apprenants d'échanger en classe les informations qu'ils ont trouvées.

Sites à consulter éventuellement pour trouver quelques informations :

www.paris.fr/services-et-infos-pratiques/sante/se-faire-soigner

www.lelynx.fr/mutuelle-sante/soins/hospitalisation/urgences/

www.centres-antipoison.net/

– Inviter les apprenants à comparer avec leur pays.

   ▷ **Corrigé** Médecins de quartier sans rendez-vous, centre de santé, SOS médecins, urgences hospitalières, le SAMU, centre antipoison, SOS-Mains, etc.

Activité 6 📖

▌**Objectif** : identifier un site Internet et son public

– Faire observer le **document 2** (si possible, le projeter).

– Faire identifier le site et le public visé. Montrer les éléments de réponse sur le document.

   ▷ **Corrigé** Cet article est publié sur le site jechange.fr. Il informe les étrangers qui viennent en France sur le remboursement des frais de santé.

Activité 7 📖

▌**Objectif** : comprendre un article sur la Sécurité sociale

– Faire lire les consignes (**a** et **b**) et faire observer le tableau avec les exemples pour s'assurer de la compréhension de l'activité.

– Procéder à la mise en commun en grand groupe : interroger des apprenants et écrire les réponses au tableau sous leur dictée, après validation par la classe.

   ▷ **Corrigé a.** La Sécurité sociale couvre les risques liés à la maladie, au travail ou à la vieillesse. La protection des personnes étrangères dépend de leur statut.

b.

	Court séjour	Travail en France	Études en France (non Européens)
Couverture	Pays d'origine	Sécurité sociale française	Sécurité sociale française
Démarches		S'affilier à la Sécurité sociale française dans les 3 mois suivant l'arrivée. Ouvrir un compte en banque.	Si 28 ans ou moins, s'affilier à la Sécurité sociale étudiante et payer 217 € par an.
Exceptions	Ressortissants européens : se procurer la carte européenne d'assurance maladie 2 semaines avant le départ.	Les ressortissants européens en mission pour moins de 24 mois continuent de bénéficier de l'assurance maladie de leur pays d'origine.	

◗ FOCUS LANGUE

Comprendre le fonctionnement de l'assurance maladie   **page 35**

▌**Objectif** : conceptualiser les expressions en relation avec l'assurance maladie

– Faire lire la consigne et faire réaliser l'activité seul. Proposer un exemple si besoin, pour vérifier la compréhension de l'activité.

– Procéder à la mise en commun en grand groupe : interroger des apprenants et écrire les réponses au tableau sous leur dictée, après validation par la classe.

– Faire lire le deuxième tableau *Expressions à utiliser pour parler de l'assurance maladie.*

Système de soins français	Système de soins étranger
– carte Vitale	– ordonnance
– ordonnance	– assurance santé
– carte européenne d'assurance maladie	– carte européenne d'assurance maladie (Europe)
– Sécurité sociale	

Activité 8

Modalité : en petits groupes

▌**Objectif** : identifier les différentes options de remboursement des soins

– Faire lire la consigne, former des groupes et faire réaliser l'activité.
– Pour la mise en commun, demander à chaque groupe de présenter le résultat de ses recherches. Noter au tableau la liste des différentes possibilités. Si le groupe est multiculturel, inviter les apprenants à comparer les systèmes de remboursement selon les pays.

Pour aller plus loin

Voter pour le meilleur système de remboursement.

Activité 9

Modalité : en groupe

▌**Objectif** : identifier le sujet d'un forum

– Faire observer le **document 3** (si possible le projeter), faire dire qu'il s'agit d'un forum de voyage sur le site www.routard.com et faire identifier le sujet de la discussion entre Anna et Marco. Montrer le titre du forum *(Attention ! Soins à l'étranger)* pour valider la réponse.

> ▷ **Corrigé** C'est une discussion entre Anna et Marco sur les soins à l'étranger.

Activité 10

Modalité : seul

▌**Objectif** : vérifier la compréhension globale d'une discussion sur un forum

– Faire lire la consigne et inviter les apprenants à lire seul la discussion pour réaliser l'activité.
– Leur laisser quelques instants pour qu'ils se concertent à deux sur ce qu'ils ont compris.
– Procéder à la mise en commun en grand groupe : interroger un apprenant et faire valider les réponses par la classe.

> ▷ **Corrigé** Anna a dû consulter un médecin lors d'un voyage en Islande. Elle a payé très cher sa consultation parce que sa carte européenne d'assurance maladie était périmée. Elle veut partager cette mauvaise expérience pour que d'autres anticipent et évitent ce problème.

Activité 11

Modalité : par deux

▌**Objectif** : affiner la compréhension d'une discussion sur un forum

– Faire lire la consigne, faire observer le tableau et lire l'exemple pour s'assurer de la compréhension de l'activité.
– Faire réaliser l'activité par deux.
– Procéder à la mise en commun en grand groupe : interroger des apprenants et compléter le tableau sous leur dictée après validation des réponses par la classe.

> ▷ **Corrigé**

Faits	➞	Conséquences
Exemple : Je pars aussi en Islande.		*Je serai vigilant.*
J'ai vécu une expérience désagréable en Islande.		Je décide de la partager ici.
L'Islande est un pays cher.		Je m'attendais à un tarif élevé.
L'Islande est un pays affilié à l'Union européenne.		On est généralement couvert.
La mienne était périmée depuis trois mois.		J'ai payé le prix fort.

FOCUS LANGUE

Exprimer une conséquence   **page 34**

▌**Objectif** : conceptualiser l'expression de la conséquence

– Avant de regarder le tableau p. 34, demander aux apprenants de reprendre le tableau réalisé à l'activité **4a** p. 32.

Faits →	Conséquences
Je suis faible.	Je peux à peine me lever.

– À l'aide de la transcription (livret p. 6), leur demander de relever les mots ou expressions qui introduisent les conséquences. Faire la première phase avec eux en exemple : *Je suis tellement faible que je peux à peine me lever.* Souligner en rouge l'expression introduisant la cause : *Je suis tellement faible que je peux à peine me lever.*

– Faire réaliser l'activité par deux.

– Procéder à la mise en commun en grand groupe : interroger des apprenants et écrire les réponses sous leur dictée après validation par la classe.

  Mon cœur ne bat jamais aussi vite. C'est pour ça que je me suis inquiété.
  J'ai pris des vitamines et du paracétamol. Du coup, ça allait vraiment mieux.
  Tellement je me sentais mieux, je suis même allé faire du sport. *
  J'étais si pâle qu'on m'a dit de rentrer chez moi.

– Demander aux apprenants de suivre la même démarche pour les phrases du tableau de l'activité **11** p. 33. Faire réaliser l'activité par deux puis mettre en commun les réponses et les écrire au tableau sous la dictée des apprenants :

  Je pars aussi en Islande, donc je serai vigilant.
  J'ai vécu une expérience désagréable en Islande. Voilà pourquoi je décide de la partager ici.
  L'Islande est un pays cher. C'est la raison pour laquelle je m'attendais à un tarif élevé.
  L'Islande est un pays affilié à l'UE. Ainsi […] on est généralement couvert.
  La mienne était périmée depuis trois mois. Par conséquent, j'ai payé le prix fort.

– Inviter les apprenants à observer le tableau p. 34. Leur faire remarquer les deux possibilités pour exprimer une conséquence en français : avec des articulateurs ou avec des structures. Préciser que la tournure suivante est réservée exclusivement à l'oral et relève du niveau de langue familier : *Tellement je me sentais mieux, je suis même allé faire du sport.*

▸ **Précis de grammaire p. 216**
▸ **S'exercer p. 161**

Pour aller plus loin

Faire reformuler les phrases des activités 4a p. 32 et 11 p. 33 en changeant les articulateurs ou les structures : Je suis tellement faible que je peux à peine me lever. → Je suis faible. Du coup, je peux à peine me lever.

FOCUS LANGUE   Sons et intonation

L'expression du mécontentement – L'accent d'insistance 🎧 21   **page 35**
Objectifs : exprimer le mécontentement ; placer l'accent d'insistance

– Faire écouter l'exemple (livre fermé) et demander aux apprenants de repérer les deux syllabes accentuées permettant de mettre en évidence un mot et d'insister sur le message. Écrire la phrase au tableau et surligner ou entourer les deux syllabes accentuées.

– Par deux, leur faire écouter les huit phrases de l'activité et leur demander de repérer la ou les syllabe(s) accentuée(s) pour chacune des phrases (qu'ils peuvent écrire si besoin).

– Pendant la correction collective, on pourra faire remarquer que l'accentuation porte souvent sur un adverbe qui permet d'insister. On accentue la première syllabe dans le cas d'un adverbe composé de plusieurs syllabes comme *définitivement* dans l'item 5.

  Se reporter au paragraphe du *Précis de phonétique* sur la mise en relief, l'accentuation et l'intonation expressive, mais préciser que dans le cas du mécontentement, l'accentuation porte généralement sur la première syllabe d'un mot (et non sur la dernière syllabe).

Exemple : Il faut que vous trouviez une solution rapidement ! 1. Le problème dure depuis plus de dix jours ! 2. C'est vraiment très embêtant. 3. J'ai tout essayé et ça ne change rien. 4. Je suis très mécontent de cette situation. 5. J'espère que vous allez régler ce problème définitivement. 6. Si ça ne change pas rapidement, je serai obligé de résilier mon contrat. 7. C'est fou que le problème ne soit toujours pas réglé ! 8. C'est la dernière fois que je fais appel à vos services.

▷ **Corrigé** 1. Le problème dure depuis <u>plus</u> de <u>dix</u> jours ! 2. C'est <u>vraiment</u> <u>très</u> embêtant ! 3. J'ai <u>tout</u> essayé et ça ne change <u>rien</u> ! 4. Je suis <u>très</u> mécontent de cette situation ! 5. J'espère que vous allez régler ce problème <u>définitivement</u> ! 6. Si ça ne change pas <u>rapidement</u>, je serai <u>obligé</u> de <u>résilier</u> mon contrat ! 7. C'est <u>fou</u> que le problème ne soit <u>toujours</u> pas réglé ! 8. C'est la <u>dernière</u> fois que je fais appel à vos services !

▶ **Précis de phonétique p. 199**

▶ **S'exercer p. 161**

Pour aller plus loin

Les phrases proposées dans l'activité des pages S'exercer permettent de renforcer et de théâtraliser l'expression du mécontentement, à l'aide d'une gradation lexicale et l'ajout de gestes et mimiques. On propose aux apprenants de préparer la lecture en binôme, puis on leur demande de se mettre debout pour jouer les « mini-monologues » exprimant le mécontentement. On peut également faire voter les apprenants pour la prestation la plus réussie selon eux.

À nous ! Activité 12 – Nous réalisons un aide-mémoire pour gérer un problème de santé en France.

Modalité : en petits groupes

▌ **Objectif** : transférer les acquis de la leçon

– Présenter la tâche aux apprenants, faire lire les étapes et en vérifier la compréhension.

– Former des groupes de trois ou quatre apprenants.

a Faire choisir un thème par chaque groupe. Écrire au tableau le choix de chaque groupe. Dans la mesure du possible, faire en sorte que tous les thèmes proposés soient choisis.

b Faire réaliser l'activité. Proposer aux apprenants de réunir les informations dans une fiche.

c – Inviter les apprenants à partager leurs informations avec la classe.

– Leur demander de réunir toutes les informations pertinentes dans un aide-mémoire, en version papier ou sur le mur virtuel de la classe.

Leçon 3 Les démarches administratives

pages 36-37

Tâche finale : réaliser une fiche-conseil pour gérer des démarches d'installation dans un pays francophone			
Savoir-faire et savoir agir	**Grammaire**	**Lexique**	**Sons et intonation**
– Comprendre des formalités	– L'impératif et les pronoms personnels pour donner des instructions	– Réussir des démarches administratives	– Les voyelles nasales
– Demander de l'aide	– Le discours indirect pour rapporter des paroles ou des pensées	– Demander de l'aide pour gérer un problème	
– Comprendre un document administratif			

Activité 1

Modalité : en groupe

▌ **Objectif** : identifier les destinataires d'une page Internet et l'objectif d'un site

– Faire observer le **document 1** (si possible, le projeter) et lire la consigne.

– Faire identifier les destinataires de la page Internet et l'objectif du site.

▷ **Corrigé** Il s'agit d'un site Internet pour l'immigration au Québec. Il s'adresse à des étrangers qui vont venir dans ce pays et il leur explique ce qu'il faut faire en arrivant sur place.

Activité 2 📖

▍**Objectif** : vérifier la compréhension de démarches administratives

a – Faire lire la consigne, les deux catégories de démarches *(1. Démarches pour s'enregistrer et être en règle ; 2. Démarches pour s'installer)* et l'exemple.

– Faire réaliser l'activité en binôme : faire repérer les démarches dans le texte en choisissant une couleur pour chaque catégorie ou faire relever par écrit les démarches.

– Procéder à la mise en commun en grand groupe : interroger des apprenants et surligner les réponses dans le texte (si le document est projeté) de deux couleurs différentes selon la catégorie de démarches ou recopier les réponses au tableau.

b – Faire lire la consigne. Faire observer le tableau et demander aux apprenants de le reproduire.

– Faire réaliser l'activité par deux.

– Procéder à la mise en commun en grand groupe : demander à un apprenant d'aller au tableau pour écrire les réponses que la classe valide.

c – Faire lire la consigne et réaliser l'activité par deux.

– Procéder à la mise en commun en grand groupe : interroger des apprenants et écrire les réponses au tableau sous leur dictée.

▷ **Corrigé a. Démarches pour s'enregistrer et être en règle** : obtenir un numéro d'assurance sociale (NAS) ; **Démarches pour s'installer** : obtenir sa carte d'assurance maladie ; inscrire ses enfants à l'école ; obtenir un permis de conduire québécois.

b.

Lieux	Démarches à effectuer	Instructions données
Le Centre Service Canada	obtenir un NAS	Présentez-vous au Centre Service Canada ; ne l'oubliez pas ; faites-le dès votre arrivée
La RAMQ	obtenir sa carte d'assurance maladie / sa carte Soleil	Inscrivez-vous à la RAMQ
L'école de quartier	inscrire ses enfants à l'école faire une demande d'admission	Rendez-vous à l'école de votre quartier
La SAAQ	obtenir un permis de conduire québécois obtenir son immatriculation	Adressez-vous à la SAAQ

c. 1. C ; 2. D ; 3. A ; 4. B

▶ FOCUS LANGUE

L'impératif et les pronoms personnels pour donner des instructions   **page 40**

▍**Objectif** : conceptualiser l'impératif et les pronoms personnels pour donner des instructions

– Faire lire la consigne et réaliser l'activité par deux.

– Procéder à la mise en commun en grand groupe : interroger des apprenants et écrire les réponses au tableau après validation par la classe.

▷ **Corrigé a.** Présentez-**vous** au Centre Service Canada. **b.** Rendez-**vous** à l'école de votre quartier.
c. Faites-**le** dès votre arrivée.
À la **forme affirmative**, le pronom personnel se place **après** le verbe **avec un tiret**.
À la **forme négative**, le pronom personnel se place **avant** le verbe **sans tiret**.

▶ **Précis de grammaire p. 204**

▶ **S'exercer p. 162**

▶ FOCUS LANGUE

Réussir ses démarches administratives   **page 41**

▍**Objectif** : conceptualiser des expressions pour réussir ses démarches administratives

– Faire lire les consignes **a** et **b** et faire réaliser les activités par deux.

– Procéder à la mise en commun en grand groupe : interroger des apprenants et écrire les réponses au tableau après validation par la classe.

b.

Instructions pour orienter quelqu'un (quelque part)	Instructions pour faire faire quelque chose
Présentez-vous au Centre Service Canada	Faites-le dès votre arrivée
Rendez-vous à l'école de votre quartier	Inscrivez-vous à la RAMQ
Adressez-vous à la SAAQ	

▶ S'exercer p. 162

Activité 3 ✎

▮ **Objectif** : s'informer sur les premières démarches à réaliser pour s'installer dans son pays

– Former des groupes de trois ou quatre apprenants. Faire lire la consigne et réaliser l'activité. Si le groupe est multiculturel, faire effectuer les recherches pour chaque pays.

– Demander à chaque groupe de comparer les informations trouvées avec les démarches québécoises.

Activité 4 🎧22

▮ **Objectif** : vérifier la compréhension globale d'une conversation

– Faire lire la consigne et faire écouter l'enregistrement (**document 2**).

– Inviter les apprenants à échanger les informations qu'ils ont comprises.

– Interroger un ou deux apprenants lors de la mise en commun en grand groupe. Faire valider les réponses par la classe.

> ▷ **Transcriptions**

Julien : Salut Irina, comment ça va ? Tu as demandé si on pouvait se voir rapidement, alors me voilà.

Irina : Salut, oui, merci beaucoup ! Je suis en train de faire des démarches pour modifier mon titre de séjour. Je viens d'avoir un emploi à Dijon. Je vais m'y installer.

Julien : C'est super ! Félicitations !

Irina : Oui, merci. Par contre, je dois modifier ma carte de séjour, et je ne m'en sors pas. J'ai besoin d'aide.

Julien : Ah bon ? Pourquoi ?

Irina : Pour avoir un rendez-vous à la préfecture avant 11 heures, il faut commencer à faire la queue à 6 heures du matin. Et comme j'habite pas à côté, je dois me lever très tôt. Et en plus, il y a toujours des problèmes ! Donc, il faut revenir. Je ne comprends pas ce qu'ils veulent. J'en ai assez. Je n'en peux plus !

Julien : Oh ! là, là ! Toi, j'te connais. Quand t'es énervée comme ça, il faut pas t'embêter !

Irina : Pff, arrête de te moquer de moi. Ça me prend la tête.

Julien : Allez, détends-toi et raconte-moi ce qui s'est passé. Tout ira bien.

Irina : On m'a dit que ma photo d'identité n'était pas bien cadrée, que mon justificatif de domicile avait plus de trois mois, et que j'avais oublié la photocopie de mon passeport. Je pensais qu'ils la feraient sur place.

Julien : Bon, je comprends que tu sois énervée. Mais ne t'inquiète pas pour ton justificatif. Tu leur donnes ta dernière facture d'électricité et c'est bon.

Irina : C'est vrai, je suis un peu énervée. Mais la facture EDF, ça ne va pas. Comme EDF prélève automatiquement l'argent sur mon compte tous les mois, ils m'envoient une facture globale seulement une fois par an. Et j'ai reçu la mienne il y a déjà trois mois et demi ! Je ne sais plus quoi faire.

Julien : Allez, rassure-toi. Si tu as un avis de taxe d'habitation, ça marche aussi. C'est normal qu'ils appliquent les règles. Je te promets que tout ira bien. Tu vas pouvoir faire ton changement de carte.

Irina : Merci Julien. Tu as raison, je suis juste agacée. Au moins, j'ai pu emporter ce formulaire. Ils m'ont dit que je pourrais le remplir chez moi, mais je ne comprends pas tout. Tu veux bien m'aider, s'il te plaît ? Parce que je ne vais pas y arriver toute seule.

> ▷ **Corrigé** Deux amis (Irina et Julien) se retrouvent dans un café. Irina est étrangère et a besoin d'aide. Elle est énervée, agacée parce qu'elle rencontre des problèmes avec la préfecture.

▬ **Infos culturelles** ▬

La **Préfecture de police de Paris**, créée en 1800 et dont le siège se trouve sur l'île de la Cité, est une administration unique en France. Ses missions sont diverses et parmi elles, celle de faciliter les démarches administratives. Pour les ressortissants étrangers, la Préfecture de police gère les titres de séjour, les documents de circulation pour enfants mineurs ou réfugiés ou encore l'acquisition de la nationalité française par déclaration. Pour de plus amples informations : www.prefecturedepolice.interieur.gouv.fr

Activité 5 🎧·22

▌**Objectif** : affiner la compréhension d'une conversation

– Annoncer aux apprenants qu'ils vont réécouter la conversation et leur faire lire les questions **a**, **b** et **c**.
– Faire écouter l'enregistrement puis réaliser l'activité par deux.
– Procéder à la mise en commun en grand groupe : interroger des apprenants et écrire leurs réponses au tableau.

▷ **Corrigé a.** Irina doit modifier sa carte de séjour. Elle est allée à la préfecture mais ils ont refusé certains documents. Elle doit revenir avec des photos d'identité bien cadrées, un justificatif de domicile de moins de trois mois, une photocopie de son passeport et un formulaire rempli. **b. Les difficultés qui découragent Irina** : elle doit modifier sa carte de séjour. Son justificatif de domicile a plus de trois mois. Elle a oublié la photocopie de son passeport. Elle doit remplir un formulaire. **Les difficultés qui mettent Irina en colère** : elle doit revenir à la préfecture, et il faut se lever tôt pour faire la queue. **c.** Julien se moque un peu d'Irina pour dédramatiser. Il essaie de la calmer et de la rassurer.

▶ FOCUS LANGUE

Demander de l'aide pour gérer un problème   **page 41**

▌**Objectif** : conceptualiser des expressions pour exprimer le découragement, la colère, pour calmer et rassurer quelqu'un

– Faire lire la consigne et l'exemple puis réaliser l'activité par deux. S'assurer que les apprenants respectent les deux temps de l'activité (**a** puis **b**). Les inviter à reproduire le tableau pour pouvoir le compléter correctement.
– Procéder à la mise en commun en grand groupe : demander à quatre apprenants (un pour chaque colonne) d'aller au tableau pour écrire les réponses. Faire valider les réponses par la classe au fur et à mesure. S'assurer de la compréhension de chaque expression.

▷ **Corrigé a.** Irina : Je dois modifier ma carte de séjour, et je ne m'en sors pas. (…) Je ne comprends pas ce qu'ils veulent. J'en ai assez. J'en peux plus ! (…) Arrête de te moquer de moi. Ça me prend la tête. (…) Mon justificatif de domicile a plus de trois mois. Je ne sais pas quoi faire. (…) Tu veux bien m'aider, s'il te plaît ? Parce que je ne vais pas y arriver toute seule. **Julien** : Allez, détends-toi et raconte-moi ce qui s'est passé. Tout ira bien. (…) Ne t'inquiète pas pour ton justificatif. (…) Allez, rassure-toi. (…) Je te promets que tout ira bien.

b.

Sentiments		Réactions	
Découragement	Colère	Calmer	Rassurer
Je ne m'en sors pas. Je ne sais pas quoi faire. Je ne vais pas y arriver.	J'en ai assez. J'en peux plus ! Ça me prend la tête.	Détends-toi.	Tout ira bien. Ne t'inquiète pas. Allez, rassure-toi. Je te promets que tout ira bien.

▶ **S'exercer p. 162**

Activité 6 🎧·22

▌**Objectif** : identifier les moments auxquels des paroles ont été formulées

a – Faire lire la consigne et les phrases.
  – Faire réécouter l'enregistrement et réaliser l'activité seul.
  – Inviter les apprenants à vérifier leurs réponses à l'aide de la transcription (livret pp. 6 et 7).
b – Faire lire la consigne puis faire un exemple en grand groupe. Faire réaliser l'activité seul.
  – Procéder à la mise en commun en grand groupe : interroger des apprenants, écrire les réponses au tableau et les faire valider par la classe.

▷ **Corrigé a.** Irina : 1, 2, 5 ; quelqu'un à la préfecture : 3, 4, 7 ; Julien : 6. **b.** phrases dites avant la conversation au café : 1, 3, 4, 5, 7 ; phrases dites pendant la conversation au café : 2, 6.

Le discours indirect pour rapporter des paroles ou des pensées   page **40**

▌**Objectif** : conceptualiser le discours indirect pour rapporter des paroles ou des pensées

a 🎧 ▶23 – Former des groupes de trois. Faire lire la consigne et les six phrases. S'assurer que l'activité est comprise.

– Faire écouter les extraits et faire réaliser l'activité.

– Si besoin, faire réécouter les extraits pour une vérification des réponses.

– Procéder à la mise en commun en grand groupe : interroger des apprenants et compléter les phrases au tableau sous leur dictée. Bien recopier chaque phrase en respectant le code couleur proposé (bleu et jaune), en les alignant les unes sous les autres et en laissant un espace entre les deux propositions de la phrase :

1 Tout le monde dit qu' il faut commencer à faire…

2 Je te promets que   tout ira bien.

b Laisser deux ou trois minutes aux apprenants pour identifier le temps des verbes puis mettre en commun leurs réponses. Écrire au tableau les temps sous les verbes des phrases du **a**.

1 Tout le monde dit qu'il faut commencer à faire…
          présent   présent

2 Je te promets que   tout ira bien.
      présent   futur simple

c – En grand groupe, faire observer les réponses des activités **a** et **b** et faire dire qu'au discours indirect, si des paroles ou des pensées sont rapportées au passé, le temps change et que le mode peut changer aussi.

– Faire observer le tableau (si possible, le projeter) et le compléter sous la dictée des apprenants.

▷ **Transcriptions**

– Tout le monde dit qu'il faut commencer à faire la queue à 6 heures du matin.
– Je te promets que tout ira bien.
– Tu m'as demandé si on pouvait se voir rapidement.
– On m'a dit que ma photo d'identité n'était pas bien cadrée et que j'avais oublié la photocopie de mon passeport.
– Je pensais qu'ils la feraient sur place.
– Ils m'ont dit que je pourrais le remplir chez moi.

▷ **Corrigé** **a.** 1. Tout le monde **dit** qu'il *faut* commencer à faire la queue à 6 heures du matin. 2. Je te **promets** que tout *ira* bien. 3. Tu m'**as demandé** si on *pouvait* se voir rapidement. 4. On m'**a dit** que ma photo *n'était pas* bien cadrée, et que j'*avais oublié* la photocopie de mon passeport. 5. Je **pensais** qu'ils la *feraient* sur place. 6. Ils m'**ont dit** que je *pourrais* le remplir chez moi. **b.** 1. présent (bleu) → présent (jaune) ; 2. présent (bleu) → futur (jaune) ; 3. passé composé (bleu) → imparfait (jaune) ; 4. passé composé (bleu) → imparfait, plus-que-parfait (jaune) ; 5. imparfait (bleu) → conditionnel présent (jaune) ; 6. passé composé (bleu) → conditionnel présent (jaune) ;

c.

Au discours indirect, si des paroles ou des pensées sont rapportées au passé, le temps change. Le mode peut changer également.	
	PASSÉ PRÉSENT → *imparfait*
Discours direct : Tu m'**as demandé** :	« Est-ce qu'on peut se voir rapidement ? »
→ Discours indirect : Tu m'**as demandé** si	on pouvait se voir rapidement.
	PASSÉ PASSÉ COMPOSÉ → *plus-que-parfait*
Discours direct : On m'**a dit** :	« Vous avez oublié la photocopie de votre passeport. »
→ Discours indirect : On m'**a dit** que	j'avais oublié la photocopie de mon passeport.
	PASSÉ FUTUR → *conditionnel*
Discours direct : Je **pensais** :	« Ils la feront sur place. »
→ Discours indirect : Je **pensais** qu'	ils la feraient sur place.

▶ **Précis de grammaire p. 213**

▶ **S'exercer p. 162**

Activité 7 💬

Modalités : par deux puis en groupe

▌**Objectif** : faire son profil psychologique face à une difficulté

– Faire lire la consigne et l'exemple pour s'assurer de la compréhension de l'activité.

– Faire réaliser l'activité par deux. Demander aux apprenants d'illustrer leurs propos avec un exemple tiré de leur expérience personnelle.

– Procéder à la mise en commun en grand groupe : inviter les apprenants à présenter le profil de leur binôme (quelques apprenants seulement si le groupe est important).

Activité 8 📖

▌**Objectif** : identifier un modèle de déclaration sur l'honneur

– Faire observer le **document 3** (si possible le projeter), faire identifier les interlocuteurs *(Olivier et Xin)*.

– Faire lire la discussion WhatsApp et faire répondre à la consigne. Montrer le **document 4** pour valider la réponse.

> ⊳ **Corrigé** Il s'agit d'une lettre administrative.

Activité 9 📖

▌**Objectif** : affiner la compréhension d'une discussion sur un document administratif

– Demander aux apprenants de relire les documents et de lire les consignes **a**, **b** et **c**. Les inviter à répondre en binôme.

– Procéder à la mise en commun en grand groupe : interroger des apprenants et écrire les réponses au tableau après validation par la classe.

> ⊳ **Corrigé a.** Xin renouvelle son titre de séjour pour la deuxième fois. Il s'agit d'une carte de dix ans. Elle doit écrire une déclaration sur l'honneur, mais elle ne sait pas comment faire. Elle demande des conseils à Olivier. **b.** C'est une attestation officielle où la personne s'engage personnellement sur ce qu'elle déclare. Si elle ne respecte pas son engagement, elle peut être punie par la loi. **c.** ① expéditeur ; ② objet de la lettre ; ③ formulation de la déclaration et reconnaissance des risques encourus ; ④ lieu et date de rédaction ; ⑤ signature

Activité 10 💬

▌**Objectif** : comparer des démarches administratives

– Faire lire la consigne et les questions. Inviter les apprenants à échanger entre eux.

– Proposer aux apprenants de mettre en commun leurs échanges en grand groupe.

À nous ! Activité 11 – Nous réalisons une fiche-conseil pour gérer des démarches d'installation dans un pays francophone. 💬 ✏️

▌**Objectif** : transférer les acquis de la leçon

Présenter la tâche aux apprenants, faire lire les étapes et en vérifier la compréhension. Former des groupes de quatre apprenants.

a – Demander à chaque groupe de choisir un secrétaire et un porte-parole. Le secrétaire est en charge de lister les difficultés qu'on peut rencontrer avec l'administration.

– Passer auprès des groupes pour apporter de l'aide si nécessaire et vérifier la formulation des conseils.

b Inviter les porte-parole de chaque groupe à présenter leur liste à la classe et les conseils à donner.

c Faire choisir les propositions les plus intéressantes et constituer la fiche-conseil de la classe qui pourra être publiée sur le mur virtuel de la classe.

Leçon **4** Regards de Français à l'étranger

Tâche finale : réaliser une grille d'observation pour aider à découvrir un lieu			
Savoir-faire et savoir agir	**Grammaire**	**Lexique**	**Sons et intonation**
– Nuancer ses goûts et son intérêt	– La négation (1) pour nuancer ses goûts et son intérêt	– Nuancer ses goûts et son intérêt	– Les voyelles nasales
– Décrire des similitudes et des différences		– Valoriser la vie dans la ville	

Activité 1 📖

▌**Objectif** : formuler des hypothèses sur le genre d'un livre

Faire observer la partie gauche du **document 1** (si possible, la projeter et masquer les extraits de droite). Faire lire les consignes **a** et **b**. Montrer le titre et le nom de l'auteure pour valider le **a** et noter au tableau les hypothèses formulées par les apprenants.

▷ **Corrigé** Il s'agit de *Pourquoi Tokyo ?*, un livre d'Agathe Parmentier. **b.** C'est un journal qui raconte un voyage au Japon.

Activité 2 📖

▌**Objectif** : vérifier la compréhension globale d'extraits de journal
– Faire lire la consigne et réaliser l'activité par deux.
– Procéder à la mise en commun en grand groupe : demander aux apprenants de confirmer ou corriger les hypothèses formulées dans l'activité **1b**. Noter au tableau les réponses du **b** et montrer les dates pour valider la réponse.

> ▷ **Corrigé b.** Chaque extrait est daté et suit un ordre chronologique. C'est un journal : l'auteure raconte ce qu'elle vit au jour le jour, au fil de son voyage.

Activité 3 📖

▌**Objectif** : affiner la compréhension d'extraits de journal
– Faire lire les consignes **a**, **b**, **c** et **d** ; en vérifier la compréhension.
– Faire réaliser les activités par deux et passer auprès des apprenants pour suivre leur progression.
– Procéder à la mise en commun en grand groupe : pour **a** et **b**, interroger des apprenants et écrire les réponses au tableau sous leur dictée. Pour le **c**, demander à deux apprenants d'aller écrire les réponses au tableau. Faire justifier les réponses par des phrases du texte et les faire écrire au tableau : *Je ne vais pas me vanter d'une passion historique pour le Japon ; Je ne me suis jamais intéressée aux mangas ; Je ne connais rien aux haïkus.* Faire valider par la classe. Pour le **d**, poser les questions au groupe à l'oral.

> ▷ **Corrigé a.** 1 Elle n'est pas amoureuse du Japon, elle n'est pas passionnée par le Japon et pourtant elle a laissé partir son avion du retour. **b.** *Propositions de réponse.* Extrait 2 : Ma vie au quotidien ; Extrait 3 : Me sentir presque chez moi ;

c.	Goût, intérêt pour...	Peu de goût, désintérêt pour...
	les sushis, son quotidien de *gaijin* précaire (étrangère)	le Japon, les mangas, les haïkus

> **d.** Elle a eu le sentiment d'être chez elle quand elle a reçu une lettre à son nom. Mais cela n'a pas duré parce qu'elle ne pouvait pas la lire, ne maîtrisant pas la langue.

▶ FOCUS LANGUE

La négation (1) pour nuancer ses goûts et son intérêt
page 40

▌**Objectif** : conceptualiser la négation pour nuancer ses goûts et son intérêt
– Demander aux apprenants d'observer les trois phrases (celles relevées dans l'activité **3** pour justifier les réponses du **c**. Souligner les verbes, encadrer les négations et demander où elles se placent.

Je ne vais pas me vanter d'une passion historique pour le Japon.
Je ne me suis jamais intéressée aux mangas.
Je ne connais rien aux haïkus.
– Faire compléter la règle.

> ▷ **Corrigé** Avec un **temps simple**, la négation encadre le **verbe**. Avec un **temps composé**, la négation encadre l'**auxiliaire**.

▶ **Précis de grammaire p. 214**
▶ **S'exercer p. 163**

▶ FOCUS LANGUE

Nuancer ses goûts et son intérêt
page 41

▌**Objectif** : identifier le degré d'intérêt ou de plaisir pour nuancer ses goûts et son intérêt
– Faire lire la consigne, en vérifier la compréhension et faire réaliser l'activité seul.
– Inviter les apprenants à comparer leurs réponses par deux.
– Procéder à la mise en commun en grand groupe : interroger des apprenants, faire valider les réponses par la classe et les écrire au tableau.

▷ **Corrigé**	Fort	J'aime beaucoup les sushis. Je ne vois pas comment être aussi heureuse ailleurs.
	Neutre	J'aime mon quotidien de *gaijin* précaire.
	Faible	Je ne vais pas me vanter d'une passion historique pour le Japon.
	Absent	Je ne me suis jamais intéressée aux mangas. Je ne connais rien aux haïkus.

▶ **S'exercer p. 163**

Activité 4 ◔ ✏

Modalité : en petits groupes

▮ **Objectif** : réaliser un mémo avec des conseils pour écrire un journal de bord

a – Faire lire la consigne et en vérifier la compréhension.

– Former des groupes de trois apprenants et faire réaliser l'activité.

b Procéder à la mise en commun en grand groupe : inviter un apprenant de chaque groupe à aller au tableau pour compléter une, deux ou trois listes (modalités à adapter en fonction du nombre d'apprenants).

c – Demander à chaque groupe de formuler des conseils à partir des informations de chaque liste ou attribuer une liste à chaque groupe et faire rédiger les conseils.

– Pour la mise en commun en grand groupe, interroger chaque groupe et noter au tableau les conseils après validation par la classe.

Activité 5 ▭

Modalité : en groupe

▮ **Objectif** : identifier l'auteure et le thème d'une vidéo

– Faire observer le **document 2** (si possible, le projeter ou faire un arrêt sur image à partir de la vidéo) et faire répondre aux questions **a** et **b**. Valider les réponses.

　　▷ **Corrigé a.** L'auteure s'appelle Anne Sellès. **b.** L'épisode 2 traite de la vie de français en Belgique.

Activité 6 ▶ 2

Modalité : par deux

▮ **Objectif** : vérifier la compréhension globale de portraits filmés

– Faire lire les consignes **a**, **b** et **c**, faire regarder la vidéo sans le son et faire réaliser l'activité. On pourra demander à chaque binôme de répondre aux trois questions ou bien on divisera la classe en deux groupes : un groupe répondra aux questions **a** et **b** et l'autre groupe, aux questions **a** et **c**. Au sein de chaque groupe, les apprenants travailleront par deux.

– Procéder à la mise en commun en grand groupe : interroger les apprenants et écrire les réponses au tableau. Faire valider les réponses. Pour le **b**, faire des arrêts sur image pour montrer les éléments de réponse ou projeter des captures de la vidéo réalisées en amont du cours.

　　▷ **Corrigé a.** Ce sont des portraits filmés. **b.** Le drapeau belge, les gaufres, le Manneken-Pis, la plaque d'immatriculation rouge et blanche, le Parlement européen, la Grand-Place, les stickers. L'image est plutôt positive : les personnes ont l'air satisfaites (visages), il y a une grande diversité de choses à voir et à faire, et les images montrent une ambiance accueillante. **c.** *Exemples de réponse.* La femme travaille à Bruxelles ? Peut-être dans les institutions ? Elle aime le cinéma ? / Le jeune homme étudie ou travaille à Bruxelles ? Il aime sortir dans les cafés et les bars ? / La jeune femme étudie à Bruxelles ? Elle aime aussi sortir ? Elle aime les frites ?

Activité 7 ▶ 2

Modalité : en petits groupes

▮ **Objectif** : vérifier des hypothèses sur des portraits filmés

– Faire regarder la vidéo avec le son et vérifier les hypothèses par groupe de quatre.

– Mettre en commun en grand groupe les remarques pour confirmer ou corriger les hypothèses.

　　▷ **Transcriptions**

　　Épisode 1 : Les Français en Belgique

　　Pourquoi la Belgique ?

　　Jeune homme : Je vis en Belgique maintenant depuis deux ans pour le boulot.

　　Femme : Parce que j'ai suivi mon mari, lui, il était hyper motivé, c'est un Européen passionné.

　　Jeune femme : Je suis venue à Bruxelles, dans le cadre de mes études, pour faire un stage pour le master.

Alors, heureux ?

Femme : Disons que moi, j'ai toujours la nostalgie de la France, même si je reconnais qu'il y a des bons côtés ici, notamment le logement est quand même assez bon marché par rapport à d'autres capitales, on trouve facilement, il y a beaucoup d'offres de logement.

Jeune homme : J'ai découvert vraiment une culture complètement différente de la culture française. C'est une vraie surprise parce que je ne m'y attendais pas du tout et... ça me plaît surtout.

Jeune femme : Ce qui me plaît, c'est vraiment l'ouverture d'esprit, les Belges sont super accueillants, c'est une très belle ville.

Jeune homme : C'est des gens qui savent vivre, ils savent surtout apprécier les bons moments et les rendre.

Femme : Le niveau culturel ici à Bruxelles est quand même très bien fourni, je dirais, y a des tas de choses à faire, il y a le fait qu'il y ait les institutions européennes, ça crée une animation, disons.

Belges et Français ?

Jeune homme : Ça passe souvent sur le ton de l'ironie, pas mal de blagues contre les Français, tout comme nous on en a pas mal sur les Belges. Ça se passe très bien, y a pas de surprises, ils savent à quoi s'attendre et on vit très bien ensemble de façon générale... Clairement, il y a des belles opportunités à prendre, pas forcément financières parce que c'est pas plus intéressant d'un point de vue salaire. Par contre, je pense que le marché de l'emploi est nettement plus attractif ici pour un Français, beaucoup moins galère, en fait.

Bonnes adresses à Bruxelles ?

Jeune femme : Moi, je conseille vraiment pour les gens qui ont envie de découvrir, de commencer la soirée ici, dans ce bar *Au pantin*, ensuite vous pouvez vous prendre une bonne petite frite à la friterie Flaget, c'est une des meilleures de Bruxelles.

Jeune homme : À Bruxelles, moi je suis très fan de *Madame Moustache*, qui est un petit bar-boîte très détente où tu rentres obligatoirement en tee-shirt et où les prix sont très démocratiques, 10 euros la tournée de bière, c'est quand même sympa, ça fait partie des joies de la Belgique, le *Délirium* qui est une des adresses les plus connues mais qui est une des valeurs sûres mine de rien, y a *Chez Jean-Mich'* pour les connaisseurs, la meilleure friterie de Bruxelles qui est en centre-ville, où clairement les frites de 5 heures du matin sont incontournables dès que tu sors en centre-ville.

Un point négatif ?

Jeune homme : Rajoutez 20 degrés les gars, mettez 20 degrés de plus et je reste, mais là je craque.

▷ **Corrigé** Le jeune homme est venu à Bruxelles pour travailler. Il aime les gens et leur culture. La femme a suivi son mari qui a eu un poste à Bruxelles et qui est un Européen convaincu. Elle aime la vie culturelle bruxelloise. La jeune femme est venue à Bruxelles pour un stage de master. Elle aime les Belges, leur ouverture d'esprit, et la ville.

Activité 8 ▶ 2

Modalité : par deux

❚ **Objectif :** affiner la compréhension de portraits filmés

Faire lire les consignes et proposer aux apprenants de compléter le tableau suivant :

	Ce qui les a surpris	Ce qui les satisfait	Ce qui ne les satisfait pas
Le jeune homme			
La femme			
La jeune femme			

▷ **Corrigé a.** Globalement, ils apprécient. Seule la femme est un peu nostalgique de la France.

b.

	Ce qui les a surpris	Ce qui les satisfait	Ce qui ne les satisfait pas
Le jeune homme	une culture complètement différente	le savoir-vivre des gens ; les opportunités de travail ; les cafés, les bars, les frites	la météo
La femme		les prix pour se loger ; la vie culturelle	
La jeune femme		les cafés, les bars, les frites	

c. Les commentaires entendus : 1, 2, 3, 5, 6 ; les informations données par les images : 4

FOCUS LANGUE

Valoriser la vie dans une ville 🎧25   page 41

▌**Objectif** : conceptualiser des expressions pour valoriser la vie dans une ville
– Faire lire la consigne et inviter les apprenants à recopier le tableau pour le compléter.
– Faire écouter les extraits avec des pauses pour permettre aux apprenants de prendre des notes.
– Laisser un temps de concertation. Si besoin, faire réécouter les extraits.
– Proposer aux apprenants de vérifier leurs réponses à l'aide de la transcription (livret p. 7).
– Procéder à la mise en commun en grand groupe : interroger des apprenants et écrire les réponses au tableau après validation par la classe. S'assurer que les expressions sont comprises.

▷ **Transcriptions**

Le logement est quand même assez bon marché. C'est des gens qui savent vivre. Le niveau culturel ici à Bruxelles est très bien fourni. Il y a des belles opportunités à prendre. Le marché de l'emploi est nettement plus attractif ici pour un Français. C'est une des meilleures de Bruxelles. Moi, je suis très fan de *Madame Moustache*. Ça fait partie des joies de la Belgique. Les frites de 5 heures du matin sont incontournables.

▷ **Corrigé**

Le logement	assez bon marché
Les gens	*qui savent vivre*
La vie culturelle	très bien fourni
Le travail	*de belles opportunités à prendre* ; le marché de l'emploi est attractif
Les sorties	*Moi, je suis très fan de Madame Moustache* ; une des meilleures de… ; Ça fait partie des joies de… ; incontournables

▶ S'exercer p. 163

Activité 9 ▶ 2   Modalité : en groupe

▌**Objectif** : caractériser les relations entre les Français et les Belges
Faire lire la consigne et les questions, visionner l'extrait de la vidéo et donner la parole aux apprenants.

▷ **Corrigé** Les Français se moquent des Belges, et les Belges se moquent des Français (blagues). Mais ça se passe bien.

Activité 10 🎧   Modalité : en petits groupes

▌**Objectif** : décrire des similitudes et des différences ; caractériser une relation
– Faire lire la consigne, former des groupes de quatre et faire réaliser l'activité.
– Demander à chaque groupe de désigner un secrétaire pour noter les idées principales et un porte-parole pour présenter le résultat des échanges lors de la mise en commun en grand groupe.

FOCUS LANGUE   Sons et intonation

Les voyelles nasales 🎧24   page 40

▌**Objectifs** : identifier et articuler les voyelles nasales ; associer les graphies correspondantes
Cette activité permet de s'entraîner à identifier et à articuler les trois voyelles nasales du français standard, tout en permettant de fixer l'association entre la prononciation de chaque voyelle nasale et ses graphies correspondantes.
– Faire écouter l'exemple, livre fermé, et demander aux apprenants combien de voyelles nasales différentes ils ont repérées. Puis, noter la phrase au tableau et identifier les trois voyelles nasales de la phrase en surlignant ou entourant les graphies « an » dans le mot « m**an**que » ; « en » dans le mot « sûrem**en**t » et « on » dans le mot « imaginati**on** ». Faire remarquer que les graphies « an » et « en » se prononcent de la même manière en relisant la phrase de l'exemple.
– Faire écouter les huit phrases de l'activité et demander aux apprenants de noter les mots entendus qui contiennent des voyelles nasales.
– Faire comparer les mots écrits par deux, puis demander aux apprenants de consulter les phrases dans le livret (p. 7) et de vérifier leurs notes.
Pour plus d'explications sur les critères articulatoires des voyelles nasales et leurs différentes graphies, se reporter au *Précis de phonétique* pp. 197-198.

▷ **Transcriptions**

Ex. : Je manque sûrement d'imagination. 1. Ce logement est pour combien de personnes ? 2. Ça fait trois mois au moins que je me prépare à ce voyage. 3. Je m'intéresse depuis toujours à la culture des mangas. 4. J'adore les films d'animation et les dessins animés japonais. 5. En tant qu'Italien, je suis amateur de pizza. 6. Ce mode de vie me donne une sensation de bien-être. 7. J'envisage de rester au Japon six ou sept mois. 8. J'ai l'impression qu'ici, tout n'est pas si différent.

▷ **Corrigé** 1. Ce logement est pour combien de personnes ? → ã / en ; ɔ̃ / om ; ɛ̃ / ien. 2. Ça fait trois mois au moins que je me prépare à ce voyage. → ɛ̃ / in. 3. Je m'intéresse depuis toujours à la culture des mangas. → ɛ̃ / in ; ã / an. 4. J'adore les films d'animation et les dessins animés japonais. → ɔ̃ / on ; ɛ̃ / in. 5. En tant qu'Italien, je suis amateur de pizzas. → ã / en ; ã / an ; ɛ̃ / ien. 6. Ce mode de vie me donne une sensation de bien-être. → ã / en ; ɔ̃ / on ; ɛ̃ / ien. 7. J'envisage de rester au Japon six ou sept mois. → ã / en ; ɔ̃ / on. 8. J'ai l'impression qu'ici, tout n'est pas si différent. → ɛ̃ / im ; ɔ̃ / on ; ã / en .

▶ **Précis de phonétique pp. 196 à 198**

▶ **S'exercer p. 163**

Pour aller plus loin

L'activité proposée dans les pages S'exercer s'appuie sur la prononciation de virelangues. On propose de rendre l'activité ludique sous la forme d'un concours de la meilleure prononciation de virelangues. On demande aux apprenants, en binôme, de s'entraîner à prononcer à deux, d'une seule voix, un virelangue de leur choix (ou choisi par le professeur, de façon à ce que tous les virelangues soient choisis). Ensuite, on procède au vote de la prononciation la plus réussie.

À nous ! **Activité 11 – Nous réalisons une grille d'observation pour aider à découvrir un lieu.** 🗨 ✏

Modalité : en petits groupes

▮ **Objectif** : transférer les acquis de la leçon

Présenter la tâche aux apprenants, faire lire les étapes et en vérifier la compréhension. Former des groupes de trois ou quatre apprenants.

a – Proposer aux apprenants de choisir un lieu de la ville où ils étudient le français par exemple et de définir ses différents aspects.

- Leur faire formuler quelques questions supplémentaires à celles proposées en exemple et en relation avec les aspects définis précédemment.
- Passer auprès des groupes pour s'assurer du bon déroulement de l'activité.

b – Procéder à la mise en commun en grand groupe : les apprenants présentent les résultats de leur réflexion et sélectionnent les propositions les plus intéressantes.

- Proposer un modèle de grille ou demander aux apprenants de concevoir une grille d'observation.

Exemple de grille d'observation

	Observations
Nature du lieu *(Quel est le lieu ?)*	
Localisation *(Où se trouve-t-il ?)*	
Fonction *(Quelle est sa fonction ?)*	
Fréquentation *(Qui le fréquente ?)*	
Services proposés *(Quels services y sont proposés ?)*	
Ambiance *(Quelle est l'ambiance ?)*	

STRATÉGIES

Rédiger une lettre formelle

Activité 1

▌**Objectif** : organiser une lettre formelle

– Faire observer le modèle de lettre formelle. Si possible le projeter, sinon, le reproduire au tableau.

– Faire préciser qu'il y a dix éléments et demander d'en identifier quelques-uns, les plus faciles, les plus connus (1. les coordonnées de l'auteur de la lettre/de l'expéditeur ; 2. les coordonnées de celui qui reçoit la lettre/du destinataire ; 3. la ville et la date ; 10. la signature).

a – Faire lire la consigne et l'exemple puis faire réaliser l'activité seul.

– Inviter les apprenants à comparer leurs réponses par deux.

– Procéder à la mise en commun en grand groupe : interroger des apprenants et noter les numéros sur la lettre si elle est projetée ou sur la matrice de la lettre qu'on aura reproduite au tableau.

b Poser la question et donner la parole aux apprenants.

▷ **Corrigé a.**

3	Ville, le... (date) (le mois s'écrit en lettres)	(Expéditeur) Prénom NOM Adresse postale Téléphone Adresse électronique Référence ou identifiant (Ex. : votre numéro de client, de dossier ou de contrat pour faciliter votre identification)
1	(Destinataire) Monsieur / Madame Prénom NOM Nom de l'entreprise, de l'organisme Adresse postale	2
10	Signature	

9	Formule de politesse : Ex. : En vous remerciant par avance. Veuillez agréer [formule d'appel], mes sincères salutations / l'expression de mes sentiments distingués.
7	Votre sentiment : Dans une lettre de réclamation, ou en situation de conflit, exprimez en une ou deux phrases vos sentiments par rapport au problème ou à la situation que vous avez décrit(e).
5	Formule d'appel Madame, Monsieur, / Madame (la + titre), / Monsieur (le + titre),
8	Votre besoin : Formulez votre souhait, votre demande, votre réclamation Ex. : J'aimerais... / Je souhaite...
4	Objet : votre intention, ou le type de lettre en quelques mots. Pièce(s) jointe(s) : indiquez le ou les documents que vous joignez.
6	Les faits : • Qui êtes-vous ? Présentez-vous par rapport à la situation Présentez-vous en quelques mots, en fonction du contexte. > Déclaration sur l'honneur : Je soussigné(e)..., né(e) le... à..., demeurant au..., atteste que... • Qu'est-ce qui s'est passé ? Expliquez le problème précisément. Décrivez la situation, le problème, les faits qui vous poussent à écrire. Indiquez des dates. > Si vous réagissez un appel ou à un courrier : Je fais suite à...

Activité 2

▌**Objectif** : définir une situation problématique

– Former des groupes de trois apprenants, faire lire la consigne. Vérifier qu'elle est comprise.

– Faire réaliser l'activité puis procéder à la mise en commun en grand groupe : chaque groupe présente sa situation. Demander à la classe de choisir une situation.

> **Corrigé** *Exemple de réponse.* **a.** le client d'une location de vacances, à l'agence de location, au retour de vacances, les prestations ne correspondaient pas à ce qui était écrit dans la publicité/sur le site Internet. **b.** Il n'y avait pas de lit mais un canapé-lit, la douche était bouchée, l'évier de la cuisine était cassé, des ustensiles de cuisine manquaient, le ménage n'était pas fait. **c.** le canapé-lit était très inconfortable, le client a mal dormi ; le client a dû déboucher la douche tout seul pour pouvoir se laver ; le client n'a pas pu faire la vaisselle, l'évier étant inutilisable ; le client a dû acheter des produits d'entretien et faire le ménage lui-même.

Activité 3

Modalités : en petits groupes puis en groupe

▌**Objectif** : rédiger une lettre de réclamation

a Attribuer chaque tâche à un ou deux groupes et faire réaliser l'activité.

b – Mettre en commun chaque partie de la lettre : si le matériel le permet, projeter les trois parties et les réunir.

– Procéder à une évaluation de la lettre en grand groupe : faire repérer si les éléments de la situation définie dans l'activité **2** ont été respectés.

– Faire terminer la lettre en ajoutant les parties manquantes. Proposer à un ou deux apprenants d'être le(s) secrétaire(s) de la classe.

Activité 4 – Apprenons ensemble !

Modalités : en groupe, seul puis en petits groupes

▌**Objectif** : partager des stratégies pour communiquer sans tout comprendre

a Faire observer et décrire l'image.

b 🎧 ▶26 – Faire lire les questions, faire écouter l'enregistrement et faire réaliser l'activité seul.

– Faire comparer les réponses par deux. Si besoin, faire réécouter le témoignage.

– Procéder à une mise en commun en grand groupe : interroger des apprenants et écrire les réponses au tableau après validation après la classe.

c – Faire lire la consigne et faire réaliser l'activité par groupe de trois ou quatre apprenants.

– Proposer aux apprenants de mettre en commun quelques conseils pour aider une personne comme Lenka.

> **Transcriptions**

Je m'appelle Lenka et je suis slovaque. Je me suis installée à Bruxelles et je ne parle pas très bien français. Je n'ai pas l'habitude de le pratiquer tous les jours et c'est difficile pour moi de communiquer. Les gens parlent vite. En plus, en Belgique, il y a un accent et des mots qu'on n'utilise pas en France ! Quel stress ! J'essaie de tout comprendre, chaque mot, mais c'est impossible. Je suis perdue.

> **Corrigé a.** Il s'agit d'une personne qui se gratte la tête. Elle a l'air perdue. Peut-être qu'elle a des difficultés à comprendre quelque chose. **b.** 1. Lenka est slovaque et vit à Bruxelles en Belgique. 2. Elle ne parle pas bien français et rencontre des difficultés pour communiquer avec les gens. Le problème, elle veut tout comprendre tout de suite.

PROJETS

Projet de classe

Il est conseillé de réaliser le projet de classe avant le projet ouvert sur le monde.

Nous créons un kit de survie pour nous installer dans un pays francophone.
Pour la réalisation de ce projet, un accès à Internet est nécessaire.
Annoncer aux apprenants les étapes du projet : se mettre d'accord sur un le choix d'un pays francophone, se répartir des domaines, faire des recherches, sélectionner des informations, réaliser une carte mentale, réaliser une boîte à outils ou un recueil de recommandations ou rédiger une lettre formelle. Les leur faire lire. Former trois groupes.

1. – Demander aux apprenants de lister des pays francophones : un apprenant va au tableau pour écrire la liste au tableau.
   – Leur demander de se mettre d'accord pour choisir un pays francophone.
   – Inviter les apprenants à choisir un domaine ou répartir les domaines entre les trois groupes.
2. – Demander à chaque groupe de lire les consignes en fonction du domaine choisi et passer auprès de chaque groupe pour s'assurer de la compréhension des consignes.
   – Faire réaliser l'activité sur ordinateur ou tablette avec une connexion Internet. Laisser les apprenants s'organiser au sein de chaque groupe pour mener à bien les recherches. Les aider si besoin.
   – Inviter les apprenants à réunir et sélectionner les informations trouvées.
   – Leur demander de préparer le compte rendu de leurs recherches pour la classe : ils désignent un ou deux secrétaires et un ou deux porte-parole. Le compte rendu peut être réalisé sur ordinateur de façon synthétique.
3. – Partager les résultats des recherches respectives : demander à chaque porte-parole de faire le compte rendu des recherches à partir de notes synthétiques qui pourront être projetées à la classe en même temps.
   – Inviter les apprenants à réagir, à poser des questions pour éclaircir certains points ou à donner leur avis.
4. Proposer un modèle de carte mentale aux apprenants puis demander à chaque groupe de la compléter avec les propositions validées dans chaque domaine. Faire valider la carte mentale par la classe.
5. – Reformer les groupes et proposer de changer de domaines. Par exemple, le groupe ayant travaillé sur le domaine 1 pourra travailler sur le domaine 2. Faire lire les consignes et passer auprès des groupes pour en vérifier la compréhension.
   – Faire réaliser la boîte à outils, le recueil de recommandations et la lettre formelle. Inviter les apprenants à se reporter aux pages des leçons correspondantes (pp. 30, 31, 32, 33, 42).
   – Procéder à la mise en commun en groupe : chaque petit groupe présente sa production à la classe qui valide le travail.
6. Demander aux apprenants de joindre leurs productions à la carte mentale.

Projet ouvert sur le monde

Nous rédigeons un carnet d'étonnement.
Le projet ouvert sur le monde peut se faire en dehors de la classe : il est conseillé de présenter le projet aux apprenants en groupe pour s'assurer de la bonne compréhension de l'ensemble et de la répartition des tâches.

a Demander aux apprenants d'aller sur les sites et d'observer les exemples de carnets d'étonnement. Leur faire décrire les différents modes d'expression utilisés et leur faire préciser les conditions dans lesquelles l'auteure se place pour écrire.

> ▷ **Corrigé** Les différents modes d'expression sont l'écriture, le dessin et la photo, comme on peut le voir dans le document via les liens. Les conditions sont celles de l'observation sur le terrain. On va sur place, on regarde, on se déplace (parfois on rencontre de gens). Il faut être attentif.

b Former des groupes de trois apprenants, faire lire la consigne et réaliser l'activité. Procéder à la mise en commun en grand groupe : interroger des apprenants, écrire les réponses au tableau et faire valider les réponses par la classe.

> ▷ **Corrigé** 1. la nourriture, les bus, les marchands ambulants, le commerce ; 2. le prix des repas, l'omniprésence de la nourriture ; 3. Elle observe et elle compare.

c Demander à chaque groupe de choisir une modalité d'observation.

d Faire observer la grille d'observation, repérer les différentes parties et lire la grille.

e Inviter les apprenants à faire le point sur leurs observations : comparer les informations et les sélectionner.

f Procéder à la mise en commun : demander à chaque groupe de présenter le compte rendu de ses observations.

Projet ouvert sur le monde

Nous rédigeons un carnet d'étonnement.

En petits groupes

a. Rendez-vous sur les sites suivants et observez les exemples de carnet d'étonnement :

http://terrethique.org/articles/voyage-en-equateur/5/
http://terrethique.org/articles/voyage-en-equateur/7/
http://terrethique.org/articles/voyage-en-equateur/14/

Décrivez les différents modes d'expression utilisés.

....

....

À votre avis, dans quelles conditions l'auteure se place-t-elle pour écrire ?

....

....

b. Lisez ces extraits de carnet d'étonnement.

> À Loga, il y a au moins trois grands marchés couverts, tous les jours de la semaine. À l'entrée, des femmes habillées avec chapeau et poncho proposent leurs produits : limones, culandro o tomates. À l'intérieur, toutes sortes de produits et les « comedores », stand où tu t'assoies et on t'apporte un « almuezo » cuisiné dans de grosses marmites, moins de 2 $ le repas avec la soupe et el jugo. Repas comme à la maison !

> La nourriture est omniprésente : salades de fruits, mangues (que l'on mange vertes et salées), tortillas, pinchos de pollo à chaque coin de rues. Dans les bus de province, à chaque arrêt, une dizaine de vendeurs montent pour proposer leurs produits. Je peux manger dans la rue, et je n'ai jamais été malade.

1. Relevez les thèmes abordés : ....

....

2. Qu'est-ce qui étonne l'auteure ? ....

....

3. Quel regard porte-elle sur ces différences ? ☐ Elle observe.   ☐ Elle compare.   ☐ Elle juge.

c. Formez des équipes et choisissez :

☐ L'observation de terrain : ciblez un espace francophone ou un lieu fréquenté par des francophones dans votre ville ou votre région. Dans l'idéal, un lieu que vous n'avez jamais fréquenté (ou assez peu).

☐ Une émission de radio ou une série TV francophone qui parle ou montre le quotidien dans un pays francophone.

d. Selon votre choix, rendez-vous sur place en observation, écoutez l'émission ou visionnez la série.

Groupe « terrain »		
L'endroit : nom, fonction, horaires	**Où** : localisation de l'endroit, brèves caractéristiques de cette localisation	**Quand** : moment de l'observation. Est-ce un moment particulier de la journée ? Pourquoi ?
Groupe « série ou émission francophone »		
Nom de la série ou de l'émission	Lieu(x), espace(s) découvert(s)	Thème(s), aspect(s) du quotidien
Fiche d'observation (commune)		
Ce que vous voyez : personnes qui fréquentent l'endroit / personnes entendues / personnages de la série, et tout ce qui attire votre attention – comportements, organisation de l'espace, objets, écrits...	**Ce que vous entendez** : environnement sonore, bruits particuliers et paroles qui attirent votre attention...	
Faits marquants : quelque chose qui se passe et que vous remarquez, quelque chose qui vous arrive...	**Vos impressions** : sensations, sentiments...	

e. Faites le point sur vos observations.

Rédigez un témoignage à la manière d'un carnet d'étonnement.

....

....

....

....

....

....

....

....

....

....

f. Présentez vos expériences et vos photos au reste de la classe.

g. Pour aller plus loin, publiez vos textes sur un site ou un blog dédié.

DELF 2

1. Compréhension de l'oral   10 points

– Faire lire la consigne de l'exercice et les questions et s'assurer de leur bonne compréhension.
– Faire écouter l'enregistrement deux fois avec 30 secondes de pause entre les deux écoutes.
– Laisser deux minutes aux apprenants pour qu'ils vérifient leurs réponses.

> **transcription**

Julie : Salut Cathy !

Cathy : Salut Julie.

Julie : Oh ! là, là ! Tu n'as pas l'air très en forme...

Cathy : Non, effectivement...

Julie : Prends rendez-vous chez ton médecin si tu ne te sens pas bien !

Cathy : J'ai déjà vu le médecin la semaine dernière parce que j'avais mal à la gorge et j'avais des courbatures. Mais aujourd'hui, je me sens très faible et j'ai de la fièvre.

Julie : Ce n'est pas normal... Tu devrais retourner voir ton médecin.

Cathy : Tu crois ? Je vais d'abord prendre un paracétamol et si demain je ne vais pas mieux, je l'appellerai.

Julie : Tu peux prendre un paracétamol maintenant, mais prends aussi rendez-vous avec ton médecin ! N'attends pas !

Cathy : OK. Je vais tout de suite aller sur l'application Doctolib pour prendre rendez-vous en ligne. Ça y est ! J'ai rendez-vous cet après-midi à 16 h 30.

Julie : Parfait ! Je t'accompagne si tu veux ? Où est le cabinet médical ?

Cathy : Non, merci, ce n'est pas loin, je vais y aller à pied.

Julie : Bon d'accord. Mais je peux aller à la pharmacie prendre tes médicaments et te les apporter chez toi.

Cathy : Ne t'inquiète pas, j'irai à la pharmacie près de chez moi. Mais passe à la maison vers 18 heures si tu peux !

Julie : D'accord ! À ce soir alors.

Cathy : À ce soir !

> **Corrigé** 1. a *(1,5 point)* ; 2. b *(1,5 point)* ; 3. De prendre à nouveau rendez-vous chez le médecin *(2 points)* ;
        4. Prendre un paracétamol *(2 points)* ; 5. c *(1,5 point)* ; 6. a *(1,5 point)*

2. Production écrite   15 points

– Faire lire les consignes des deux exercices et s'assurer de leur bonne compréhension.
– Demander aux apprenants de choisir un des deux sujets.
– Rappeler (ou demander à un apprenant de rappeler) comment compter les mots dans une production écrite : un mot est un ensemble de signes placé entre deux espaces. « C'est-à-dire » = 1 mot ; « parce que » = 2 mots ; « il y a » = 3 mots ; « j'ai 25 ans » = 3 mots. Préciser que le jour de l'examen, il est possible d'écrire plus de 160 mots, mais pas moins (sachant qu'une marge de 10 % en moins est tolérée).
– Laisser environ 30 minutes aux apprenants pour réaliser la tâche demandée.

Guide pour l'évaluation

Respect de la consigne L'apprenant a bien respecté le type d'écrit demandé dans la consigne et le thème. L'apprenant a bien écrit au minimum 160 mots (il peut écrire plus de 160 mots).	2 points
Capacité à présenter des faits Dans sa production, l'apprenant a décrit une situation et donné des faits de façon variée, précise et détaillée, avec des exemples concrets.	4 points
Capacité à exprimer sa pensée L'apprenant a exprimé des sentiments selon la situation proposée (exercice 1 ou 2).	4 points

Cohérence et cohésion Le discours de l'apprenant est cohérent et ses idées s'enchaînent assez bien. On note la présence de quelques connecteurs (articulateurs logiques).	1 point
Compétence lexicale / Orthographe lexicale L'apprenant a correctement utilisé le vocabulaire de la situation demandée dans la consigne. L'apprenant a bien orthographié les mots utilisés vus dans le dossier 2. La mise en page et la ponctuation sont fonctionnelles.	2 points
Compétence grammaticale / Orthographe grammaticale L'apprenant maîtrise la structure de la phrase simple. L'apprenant a su utiliser les temps et les modes vus dans les dossiers précédents et a su correctement conjuguer les verbes aux principaux temps de l'indicatif.	2 points

3. Production orale   15 points

Exercice 1   ◀ 2 points ▶
Faire lire la consigne de l'exercice et s'assurer de sa bonne compréhension.

Guide pour l'évaluation
L'apprenant peut, sans préparation, se présenter et parler de lui et de ses centres d'intérêt **(1 point)**. Il peut parler de son pays et des différences et similitudes avec la France ou un autre pays qu'il connaît **(1 point)**.
La présentation doit durer au minimum 2 minutes.

Exercice 2   ◀ 5 points ▶
– Faire lire la consigne de l'exercice en interaction. S'assurer de sa bonne compréhension.
– Demander aux apprenants de constituer un binôme pour réaliser le jeu de rôle.
– Laisser 10 minutes aux apprenants pour préparer leur jeu de rôle.
– Demander à un binôme de venir au tableau pour le réaliser. Le jeu de rôle doit durer au minimum 3 minutes.

Guide pour l'évaluation
Les apprenants peuvent faire des propositions et argumenter comme demandé dans la consigne pour trouver une solution au problème. *(Les 5 points sont à répartir selon la quantité des informations échangées entre les apprenants et la façon dont ils sont parvenus à réaliser la tâche demandée.)*

Exercice 3   ◀ 5 points ▶
– Faire lire la consigne et le sujet du monologue suivi. S'assurer de leur bonne compréhension.
– Laisser 10 minutes aux apprenants pour faire un brouillon sur le sujet. La production orale de l'apprenant doit durer au minimum 3 minutes. L'enseignant pourra poser quelques questions à l'issue du monologue, il n'interviendra pas avant.

Guide pour l'évaluation
L'apprenant a pu dégager le thème principal du sujet **(1 point)** et a su donner son opinion sous la forme d'un petit exposé, de façon construite et cohérente **(4 points)**.

Pour **l'ensemble des 3 exercices**, l'enseignant s'assurera que les apprenants ont bien acquis les compétences lexicales et morphosyntaxiques vues dans le dossier 2 **(2 points)**.
Il veillera aussi à ce que les apprenants prononcent de manière compréhensible le répertoire d'expressions vues dans le dossier 2 **(1 point)**.

DOSSIER 3

- **Un projet de classe**

  Collaborer pour organiser un événement avec des francophones.

- **Un projet ouvert sur le monde**

  Créer un guide d'activités pour des francophones en visite dans notre ville ou dans notre pays.

Pour réaliser ces projets, nous allons apprendre à :
- parler des sorties
- conseiller
- proposer une sortie
- choisir une sortie en groupe
- convaincre/hésiter
- informer sur un événement
- parler d'événements familiaux
- comprendre des coutumes
- comprendre des différences culturelles
- découvrir de nouveaux concepts de soirée
- décrire des comportements

Pages d'ouverture

pages 46-47

▌ **Objectifs** : découvrir la thématique du dossier et présenter le contrat d'apprentissage

Le point sur… les loisirs à la française

Modalités : en groupe, par deux puis en petits groupes

– Faire observer et décrire la double-page.

– Faire dire le thème de la double-page. Montrer le titre de l'activité pour valider la réponse.

1 a – Focaliser l'attention des apprenants sur le **document 1**.

  – En grand groupe, faire lire la consigne **a** puis valider les réponses. Faire dire que les thèmes proposés concernent des activités culturelles (expositions, cinéma…), des activités créatives (savoir-faire), des activités sportives (sports et compétitions) et des événements familiaux (pour les enfants, fêtes nationales…).

b – Faire lire la consigne en grand groupe et faire répondre par deux.

  – Procéder à la mise en commun en grand groupe pour partager leur(s) représentation(s) d'un loisir « à la française ».

c – Faire lire la consigne et faire répondre par groupes de trois apprenants. Puis procéder à la mise en commun en grand groupe.

    ▷ **Corrigé** a. Des événements culturels (expositions, cinéma, etc.) ; des événements familiaux (pour les enfants, fêtes nationales, etc.) ; des événements musicaux ; des événements sportifs (compétitions de sport).

2 a Faire observer le **document 2** et lire la consigne en grand groupe. Noter les hypothèses émises au tableau sous la dictée des apprenants.

b – Faire lire la consigne et faire réaliser l'activité par deux.

– Procéder à la mise en commun en grand groupe. Faire dire que les activités destinées à des groupes en entreprise s'appellent des activités de *team building*.

c – Faire lire la consigne et former des groupes de quatre apprenants. Faire réaliser l'activité.

– Procéder à la mise en commun en grand groupe. Noter les réponses au tableau. Conserver une trace de ces premières réponses : ce seront des éléments de comparaison au moment de revenir sur ce thème lors de la **leçon 2**.

– Annoncer les deux projets (projet de classe et projet ouvert sur monde) puis les objectifs du dossier. Pour illustrer la démarche : on part des projets, et pour les réaliser, on acquiert et/ou on mobilise des savoirs, savoir-faire, savoir agir, des compétences générales et des compétences langagières.

▷ **Corrigé b.** 1. Il s'agit de la présentation des activités proposées par le parc d'attractions Astérix en France.
2. Les activités citées s'adressent à des groupes en entreprise (collaborateurs, équipes).

Leçon **1** Et si on sortait ?

pages 48-49

Tâche finale : proposer une sortie pour la classe			
Savoir-faire et savoir agir	**Grammaire**	**Lexique**	**Sons et intonation**
– Parler des sorties		– Commenter des données chiffrées	– Hésitation et interrogation
– Conseiller	– Les expressions pour conseiller		
– Proposer une sortie	– Les expressions pour mettre en relief	– Exprimer l'accord et le désaccord	

Activité 1 📖

Modalité : en groupe

▮ **Objectif** : identifier un document

– Faire observer le **document 1** et lire la consigne en grand groupe. Valider la réponse.

– Demander d'identifier la source du document (*c'est une étude menée par Cityvox, un guide spécialiste des sorties et loisirs sur Internet*).

▷ **Corrigé** Les Français et les sorties.

Activité 2 📖

Modalité : seul

▮ **Objectif** : vérifier la compréhension globale d'une infographie

– Faire lire la consigne et faire réaliser l'activité seul.

– Procéder à la mise en commun en grand groupe et noter les réponses au tableau sous la dictée des apprenants.

▷ **Corrigé a.** colonne 2 ; **b.** et **d.** colonne 1 ; **c.** et **e.** colonne 3

Activité 3 📖

Modalité : par deux

▮ **Objectif** : affiner la compréhension d'une infographie

a Focaliser l'attention des apprenants sur la colonne 2. Faire lire la consigne et faire réaliser l'activité par deux en demandant de classer les catégories dans l'ordre décroissant.

b Faire lire la consigne et l'exemple proposé puis faire réaliser l'activité par deux. Demander de justifier les réponses (*50 % des Français déclarent ne pas sortir autant que souhaité* → *les retraités qui ont peut-être moins de moyens ; les familles où les parents peuvent avoir des contraintes liées à l'âge des enfants, etc.*).

– Procéder à la mise en commun en grand groupe. Interroger des apprenants et écrire leurs réponses au tableau sous leur dictée. La classe valide les réponses.

▷ **Corrigé a.** les jeunes seniors : 24 % ; les urbains : 23 % ; les célibataires : 19 % ; les familles : 18 % ; les retraités : 16 %

Commenter des données chiffrées   **page 53**

■ **Objectif** : comprendre quelques expressions pour commenter des données chiffrées

a et **b** – Faire lire les consignes et faire réaliser l'activité par deux.

– Procéder à la mise en commun en grand groupe. Interroger des apprenants et écrire les réponses au tableau sous leur dictée. La classe valide les réponses.

> ▷ **Corrigé** **a.** 1. 53 % des Français ; 2. 50 % des Français ; 3. 1/3 des Français ; 4. ¼ des Français ; **b.** 1. B ; 2. A

▸ **S'exercer p. 164**

Pour aller plus loin

Faire observer les verbes déclaratifs penser, déclarer, estimer. _Afin d'enrichir leur lexique, demander en grand groupe quels autres verbes peuvent être utilisés pour évoquer l'opinion des personnes interrogées (_croire, affirmer, préciser, expliquer, _etc.). Noter les réponses au tableau sous la dictée des apprenants._

Activité 4 🗩

Modalité : en petits groupes

■ **Objectif** : réaliser une infographie « les sorties et nous »

a Former des groupes de trois apprenants. Faire lire la consigne et laisser les apprenants échanger en petits groupes.

b – Procéder à la mise en commun en grand groupe : un apprenant récolte les réponses et les écrit au tableau.

– Diviser la classe en trois groupes : un pour la question **a** ; un pour les questions **b** et **d** ; un autre pour les questions **c** et **e**.

– Leur demander de regrouper les résultats obtenus sous forme d'une infographie en précisant les données chiffrées (_1/4 des étudiants de la classe estime que les sorties au cinéma sont trop chères ; 90 % des étudiants utilisent Internet_, etc.).

– Procéder à la mise en commun en grand groupe : chaque groupe présente au reste de la classe les résultats en les commentant afin d'obtenir une infographie complète et expliquée.

Activité 5 📖

Modalité : en groupe

■ **Objectif** : identifier une page de web Magazine

Faire observer le **document 2**, le projeter si possible. Faire lire la consigne et les questions en grand groupe et valider les réponses en les écrivant au tableau sous la dictée des apprenants.

> ▷ **Corrigé** meetinggame.com : « le jeu des rencontres », c'est un web Magazine (qui se situe entre le site Internet, le blog et la newsletter). Il s'agit d'un réseau social amical.

Activité 6 📖

Modalité : en petits groupes

■ **Objectif** : vérifier la compréhension globale d'une page de web Magazine

Faire lire l'article et demander aux apprenants ce que propose l'auteur (_il propose des conseils pour préparer et organiser des sorties entre amis_).

a – Former des groupes de trois apprenants. Faire lire la consigne et réaliser l'activité.

– Procéder à la mise en commun en grand groupe pour obtenir une liste exhaustive de sorties.

b – Faire lire la consigne et laisser chaque groupe échanger.

– Procéder à la mise en commun en grand groupe : interroger des apprenants et noter les réponses après validation par la classe.

> ▷ **Corrigé** **a.** se retrouver pour danser, se réunir autour d'un verre dans un pub, une sortie au théâtre, une sortie dans un bar ; **b.** Un peu comme **dans un film**, il faut un bon scénario, un bon décor, un planning réfléchi, un budget cohérent et surtout un casting approprié.

Activité 7 📖

Modalité : par deux

■ **Objectif** : affiner la compréhension d'un article

– Faire lire la consigne et les items, ainsi que l'exemple. Faire réaliser l'activité par deux.

– Procéder à la mise en commun en grand groupe : interroger un apprenant par item et noter les réponses au tableau après validation par la classe.

> **Corrigé** a. *il faut que cette sortie corresponde à leurs centres d'intérêt* ; il est préférable que cela plaise à tous.
> b. prévoyez votre sortie un mois à l'avance. c. il faudrait que le budget à prévoir soit raisonnable.
> d. il vaut mieux que vous soyez peu nombreux ; pour une sortie dans un bar, n'invitez pas trop de monde. e. essayez de proposer à vos amis une sortie dans un endroit qui les surprendra ; il vaudrait mieux que vous consultiez le site Internet de votre mairie ou de l'office du tourisme local.

FOCUS LANGUE

Les expressions pour conseiller   page 52

▌**Objectif** : conceptualiser les expressions pour conseiller

a – Faire lire la consigne et faire réaliser l'activité par deux.
– Procéder à la mise en commun en grand groupe : inviter un apprenant à aller au tableau et lui demander de souligner les expressions du conseil dans les phrases notées lors de l'activité **7**. La classe valide.

b – Demander aux apprenants de compléter par deux l'encadré proposé.
– Procéder à la mise en commun en grand groupe : interroger des apprenants et écrire les réponses au tableau sous leur dictée. La classe valide les réponses.

> **Corrigé** a. Il faut aussi que cette sortie corresponde à leurs affinités. Il est préférable que cela plaise à tous. Prévoyez votre sortie un mois à l'avance. Il faudrait que le budget à prévoir soit raisonnable. Il vaut mieux que vous soyez peu nombreux. N'invitez pas trop de monde. Essayez de proposer à vos amis une sortie dans un endroit qui les surprendra. Il vaudrait mieux que vous consultiez le site Internet de votre mairie ou de l'office du tourisme local.
>
> b. Pour exprimer un conseil, j'utilise les modes :
> – **impératif** (exemples : *prévoyez ; n'invitez pas ; essayez*) ;
> – **conditionnel** (exemples : *il faudrait ; il vaudrait mieux*).
>
> On utilise le mode **subjonctif présent** après les expressions suivantes : *Il faut que ; Il faudrait que ; Il est préférable que ; Il vaut mieux que ; Il vaudrait mieux que.*
> – Dans ces structures, le verbe introducteur peut être à l'indicatif ou **au conditionnel**.
> – Dans ces phrases, j'exprime un conseil.

▶ **Précis de grammaire p. 210**
▶ **S'exercer p. 164**

Pour aller plus loin

Pour chaque critère de l'activité 7, demander aux apprenants de proposer un conseil supplémentaire (exemple : un budget cohérent : « il est préférable que la sortie ne soit pas chère »). Puis procéder à la mise en commun en grand groupe. Interroger chaque groupe et noter les conseils proposés au tableau. Leur demander de choisir le/les conseil(s) le/les plus utile(s) et de justifier leurs réponses.

Activité 8   Modalité : en petits groupes

▌**Objectif** : échanger et formuler des conseils pour préparer une sortie
– Former des groupes de quatre apprenants. Faire lire la consigne et faire réaliser l'activité.
– Procéder à une mise en commun, en demandant à chaque groupe de justifier son choix.

Activité 9 ⏵28   Modalité : par deux

▌**Objectif** : vérifier la compréhension globale d'une conversation
– Faire lire la consigne et faire écouter l'enregistrement du **document 3**.
– Inviter les apprenants à échanger par deux avant de procéder à la mise en commun en grand groupe. Valider les réponses obtenues et les écrire au tableau.
– Demander aux apprenants pour quelle raison ces trois personnes se retrouvent (*pour découvrir Lyon ensemble*).

> **Transcriptions**
>
> **Panos** : Salut ! Vous êtes bien Caro et Ricardo ?
> **Caro** : Oui, c'est bien ça ! Tu dois être Panos ? Moi, c'est Caro, et lui, c'est Ricardo !
> **Ricardo** : Salut !
> **Panos** : Enchanté ! Vous savez, je suis arrivé hier et je ne connais pas du tout Lyon.

Caro : C'est sympa de se rencontrer. Et je suis ravie de partager ma connaissance de Lyon avec vous. D'ailleurs, vous venez d'où exactement ?

Panos : Moi, je viens de Grèce... d'Athènes. Je suis guide pour les touristes francophones et je suis bien content de changer... Ici, c'est moi le touriste ! J'ai très envie de découvrir Lyon.

Ricardo : Ah oui ? C'est drôle ! Moi, je suis de Trieste, en Italie. Je viens d'emménager ici. Je vais étudier à l'université de Lyon pour mon master en musicologie.

Caro : Waouh ! Je suis impressionnée ! Et vous parlez super bien français, c'est top ! Moi, je suis parisienne, décoratrice d'intérieur, et j'ai trouvé un travail ici. Je vais commencer en septembre.

Ricardo : Cool ! Alors, le week-end arrive vite et je me demande encore ce qu'on va pouvoir faire... Je suis impatient !

Caro : Moi aussi, j'ai hâte d'y être !

> **Corrigé a.** Deux étrangers (un Grec, Panos et un Italien, Ricardo) et une Française (Caro) qui veulent découvrir Lyon ensemble. **b.** Panos est guide touristique en vacances à Lyon ; Ricardo vient d'emménager à Lyon pour étudier (master en musicologie) ; Caro vient de trouver un travail à Lyon (parisienne, décoratrice d'intérieur).

Pour aller plus loin

Proposer aux apprenants de situer Lyon sur une carte de France et leur demander s'ils connaissent cette ville et s'ils y sont déjà allés.

Activité 10 🎧 ›29

Modalité : par deux

■ **Objectif :** affiner la compréhension d'une conversation

– Faire écouter l'enregistrement une première fois. Demander en grand groupe de quoi parlent les personnes (*ils parlent des sorties et des activités à faire ce week-end à Lyon*).

a et b – Faire lire les consignes puis faire réécouter l'enregistrement. Faire réaliser l'activité par deux.

– Procéder à la mise en commun en grand groupe et noter les réponses au tableau sous la dictée des apprenants.

c et d – Faire lire les consignes et l'exemple proposé. Procéder à l'écoute séquencée de l'enregistrement. Faire réaliser les activités par deux.

– Procéder à la mise en commun en grand groupe. Interroger des apprenants et écrire les réponses au tableau après validation par la classe.

> **Transcriptions**

Caro : Alors... On cherche tous les trois à découvrir des lieux originaux... On aime la musique et bien manger aussi... On commence par quoi ?

Panos : J'ai lu pas mal de choses sur Internet... Et j'ai entendu parler des bouchons lyonnais... On pourrait y manger : c'est très connu, je crois.

Ricardo : Oui, enfin, d'après ce que j'ai compris, ce qu'on mange là-bas, ce sont des « canailles »...

Caro : Ah ah ! Non, ça s'appelle des « quenelles » ! Bon, d'accord, le nom des plats est surprenant, mais il paraît que le résultat dans l'assiette est très bon ! Moi, je suis partante. Ça me plaît, le tourisme culinaire !

Ricardo : Perso, ça ne me dit rien ! Et puis, ce week-end, il y a un festival de musique, les Nuits de Fourvière. J'aimerais y aller...

Caro : Pourquoi pas... faut voir...

Ricardo : Attendez, je regarde sur Internet... Ah oui, il reste des places. Et regardez la programmation... Vous connaissez des artistes ?

Caro : Oh oui ! J'adore M ! Je ne savais pas qu'il passait ici cette année ! Ce qui est sympa, c'est l'ambiance pendant ses concerts. Tout le monde danse, il invite toujours d'autres artistes sur scène... Vous allez adorer ! Panos, ça te dit ?

Panos : Oui, bien sûr ! Il vaut mieux prendre les places maintenant, non ?

Ricardo : Tu as raison. Je m'occupe des réservations, si vous voulez.

Caro : Ça marche ! Merci ! Alors samedi, on sera au festival... Mais dimanche, on fait quoi ?

Panos : On mange dans un bouchon ! Allez, Ricardo, on essaye ?

Ricardo : D'accord, je veux bien essayer ! Si vous dites que c'est à faire... On le fait !

Caro : Super ! On peut y aller dimanche soir alors. Parce que pendant la journée, on pourrait se balader aux puces du Canal : ce dont je suis sûre, c'est l'originalité du lieu ! On peut y trouver mille et une choses... Chiner, se promener entre les antiquaires...

Panos : Ça semble super, c'est vrai ! Ça va, Ricardo ? Tu parais inquiet ?

Ricardo : Bah… Ce à quoi je pense, c'est la météo… Je sais pas… Se balader sous la pluie, c'est moyen…

Panos : Mais non ! J'ai regardé les prévisions et il fera beau, c'est sûr !

Ricardo : Alors c'est parfait, je vous suis pour les puces aussi !

Caro : Ah ah ! Vendu !

▷ **Corrigé a.** Ils cherchent à découvrir des lieux originaux, ils aiment la musique et bien manger. **b.** Panos → un restaurant (un bouchon lyonnais) ; Ricardo → le festival les Nuits de Fourvière avec le concert de M ; Caro → les puces du Canal. **c.** 1. Ce qu'on mange là-bas, ce sont des « canailles ». 2. Ce qui est sympa, c'est l'ambiance pendant ses concerts. 3. Ce dont je suis sûre, c'est l'originalité du lieu ! **d.** Ricardo est inquiet à cause du temps prévu : *ce à quoi je pense, c'est la météo.*

Pour aller plus loin

Proposer des photos pour illustrer ces activités. Si la classe dispose d'une connexion Internet, proposer une écoute d'une chanson de M.

Infos culturelles

Un bouchon est un restaurant typique à Lyon où l'on mange des spécialités : le tablier de sapeur, les quenelles, la salade lyonnaise. Ce lieu traditionnel est simple et convivial.

Les quenelles sont une sorte de boulettes moelleuses, à base de pâte de farine, de mie de pain ou de semoule, pochées à l'eau et de forme généralement allongée. Elles sont typiques dans la cuisine traditionnelle de l'est de la France, en particulier les cuisines lyonnaise et alsacienne.

Le festival les Nuits de Fourvière est un festival culturel pluridisciplinaire (théâtre, musique, danse, cinéma) se déroulant chaque été depuis 1946 au Théâtre antique de Fourvière (2 600 à 4 500 places) du 5e arrondissement de Lyon en juin, juillet et août.

Matthieu Chedid dit M est un auteur-compositeur-interprète et musicien français, né en 1971. Depuis 2018, il est l'artiste le plus récompensé aux Victoires de la musique.

Les puces du Canal à Lyon est le deuxième marché le plus important en France qui rassemble chaque semaine plus de 500 exposants et attire chaque dimanche près de 10 000 visiteurs.

FOCUS LANGUE

Les expressions pour mettre en relief   page 52

▮ **Objectif :** conceptualiser les expressions pour mettre en relief un élément de la phrase

Faire observer les réponses obtenues lors de l'activité **10** en grand groupe. Demander quelles expressions permettent d'insister sur un élément et inviter un apprenant à aller au tableau afin de souligner ces expressions que la classe valide.

a – Faire lire la consigne puis réaliser l'activité seul.
  – Procéder à la mise en commun en grand groupe et écrire les réponses au tableau après validation par la classe.
  – Afin de vérifier les réponses obtenues, demander de reformuler chaque phrase sans mettre en relief d'élément (*l'ambiance pendant ses concerts est sympa ; on mange des « canailles » ; je suis sûre de l'originalité du lieu ; je pense à la météo*).

b – Faire lire la consigne et l'exemple proposé puis faire réaliser l'activité par deux.
  – Procéder à la mise en commun en grand groupe : écrire les propositions des apprenants au tableau.

▷ **Corrigé a.** *ce qui* est sujet du verbe qui suit ; *ce que* est le complément (COD) du verbe qui suit ; *ce dont* est le complément introduit par *de* du verbe qui suit ; *ce à quoi* est le complément introduit par *à* du verbe qui suit.

▶ **Précis de grammaire p. 202**
▶ **S'exercer p. 164**

Activité 11 🎧▶29   Modalité : en petits groupes

▮ **Objectif :** affiner la compréhension d'une conversation

En grand groupe, demander si le choix entre les activités proposées est facile à faire pour Panos, Ricardo et Caro (*non, parce qu'ils ne sont pas toujours d'accord*).

a et b – Faire lire les consignes et procéder à une écoute séquencée de l'enregistrement.
  – Faire réaliser l'activité en groupes de trois apprenants. Inviter ensuite les apprenants à vérifier leurs réponses à l'aide de la transcription (livret p. 8).
  – Procéder à la mise en commun en grand groupe. Noter au tableau les sorties proposées dans trois colonnes et les compléter sous la dictée des apprenants.

> **Corrigé a.**

Les bouchons lyonnais	Le concert de M	Les puces du Canal
Moi je suis partante (Caro) Perso, ça ne me dit rien. (Ricardo) D'accord, je veux bien essayer. (Ricardo) Super ! (Caro)	Pourquoi pas, faut voir. (Caro) Oui bien sûr ! (Panos) Ça marche ! (Caro)	Ça semble super, c'est vrai. (Panos) Je sais pas. (Ricardo) C'est moyen. (Ricardo) C'est parfait, je vous suis. (Ricardo) Vendu ! (Caro)

b. Samedi : festival ; dimanche : les puces (en journée) et le bouchon lyonnais (le soir).

FOCUS LANGUE

Exprimer l'accord et le désaccord 🎧▸31   **page 53**

▌**Objectif** : comprendre les expressions de l'accord et du désaccord

a – Faire lire la consigne. Faire écouter les expressions et réaliser l'activité seul puis faire comparer les réponses par deux.
– Procéder à la mise en commun en grand groupe et inviter un apprenant à aller au tableau afin de compléter les réponses que la classe valide.
b – Faire lire la question en grand groupe et valider la réponse obtenue.
– Faire remarquer les marques de l'oralité : absence du *ne* pour la négation, du sujet dans l'expression *il faut voir*.

> **Corrigé a.**

Exprimer son accord	*Oui, bien sûr !* ; Moi je suis partante ! ; ça semble super, c'est vrai ; Vendu ! ; D'accord, je veux bien essayer ! ; ça marche ! ; C'est parfait, je vous suis !
Exprimer son désaccord	Perso, ça ne me dit rien !
Exprimer des réserves	*Je sais pas.* ; Pourquoi pas… faut voir… ; C'est moyen.

b. Je suis partant(e) → être ; Je vous suis → suivre

▸ **S'exercer p. 164**

Pour aller plus loin

Faire lire à haute voix les expressions et insister sur l'intonation à adapter en fonction de l'intention : intonation montante pour l'accord et le désaccord, descendante pour exprimer des réserves.

À nous ! **Activité 12 – Nous proposons une sortie pour la classe.**   **Modalité** : en petits groupes

▌**Objectif** : transférer les acquis de la leçon

Présenter la tâche aux apprenants, faire lire les étapes et en vérifier la compréhension.

a, b, c Former des groupes de quatre apprenants. Insister sur l'importance des résultats de l'infographie « Les sorties et nous » réalisée en amont afin de proposer une sortie et des conseils adaptés aux goûts des autres apprenants de la classe.
d La classe vote pour la sortie la plus originale, la plus adaptée au groupe et la mieux conseillée.
e Si possible, planifier ces trois sorties pour favoriser les échanges en français en dehors de la classe et afin de travailler la cohésion de groupe.

Pour aller plus loin

Si le temps et le matériel le permettent, proposer aux groupes d'aller sur Internet et de chercher des photos et des informations pratiques concernant la sortie afin de donner envie au reste de la classe.

Leçon **2** Esprit d'équipe !

Tâche finale : organiser une activité pour développer l'esprit d'équipe dans la classe			
Savoir-faire et savoir agir	**Grammaire**	**Lexique**	**Sons et intonation**
– Choisir une sortie en groupe		– Les activités de groupe en contexte professionnel	– Hésitation et interrogation
– Convaincre / Hésiter	– L'expression du but pour convaincre	– Exprimer une hésitation	
– Informer sur un événement	– Quelques verbes prépositionnels pour informer sur un événement		

Activité 1 📖

Modalités : en groupe puis par deux

▌**Objectif :** vérifier et affiner la compréhension d'une page d'accueil sur Internet

– Proposer aux apprenants quelques photos de team building (babyfoot humain, circuit de karting…). Faire identifier les activités proposées et demander dans quel contexte on peut faire ce type d'activité : familial, amical, professionnel ?

– Faire observer le **document 1**, le projeter si possible.

a Faire lire la consigne et la question. Demander aux apprenants d'y répondre en grand groupe. Valider la réponse correcte et montrer sur le document projeté les éléments permettant de justifier la réponse (*entreprise, événement, team building*).

b – Faire lire la consigne et les exemples donnés puis faire réaliser l'activité par deux.

– Procéder à une mise en commun en grand groupe : inviter un apprenant à aller au tableau et à écrire les réponses dans chacune des catégories demandées. La classe valide les réponses.

– Demander aux apprenants de définir par deux ce qu'est une activité de team building selon eux.

– Procéder à une mise en commun en grand groupe et arriver à une définition commune (*c'est une activité organisée par une entreprise pour ses employés. Son objectif est de solidifier les relations dans les équipes à travers des activités ludiques*).

c En grand groupe, interroger les apprenants et écrire les activités proposées au tableau sous leur dictée.

▹ **Corrigé** **a.** Il s'adresse aux entreprises et propose l'organisation d'événements, de soirées, de séminaires, de team building professionnels.

b.

Catégories	Activités
Détente	bien-être et spa
Sport et sensations	*golf* ; multi-activités et challenge sportif ; ski et neige ; sports mécaniques et karting ; nautique et aérien
Loisirs et apprentissage	*créatif et artistique* ; cours de cuisine et gastronomie ; visite et culture
Activités ludiques	*jeux d'équipe* ; rallye et chasse au trésor

▮ Pour aller plus loin

Si la classe dispose d'une connexion Internet, aller sur la page du site capdel.fr et comparer les activités proposées par les apprenants avec celles proposées sur le site.

◗ FOCUS LANGUE

Les activités de groupe en contexte professionnel **page 53**

▌**Objectif :** conceptualiser le genre des noms pour les activités de groupe en contexte professionnel

– Faire lire la consigne puis réaliser l'activité par deux.

– Procéder à la mise en commun en grand groupe : interroger un apprenant et écrire les réponses au tableau sous sa dictée. La classe valide les réponses.

> **Corrigé**

Masculin	Féminin
le golf ; le séminaire ; le bien-être ; le spa ; le ski ; le sport mécanique ; le karting ; le cours de cuisine ; le rallye ; le jeu d'équipe.	*la gastronomie* ; la soirée d'entreprise ; la visite ; la culture ; la chasse au trésor

▶ S'exercer p. 165

Activité 2

Modalité : en petits groupes

■ **Objectif** : donner son opinion sur les activités de team building
– Faire lire la consigne et faire réaliser l'activité en groupes de trois apprenants.
– Procéder à une mise en commun en grand groupe. Interroger chaque groupe et noter les exemples d'activités évoquées et les raisons proposées.

> **Exemple de réponse** J'aimerais <u>faire du ski</u> en groupe pour apprendre à faire <u>du sport</u> et m'amuser en même temps.

Activité 3

Modalité : par deux

■ **Objectif** : vérifier et affiner la compréhension d'une conversation en contexte professionnel
a – Faire lire la consigne, faire écouter l'enregistrement (**document 2**) puis faire réaliser l'activité. Faire comparer les réponses par deux.
– Procéder à une mise en commun en grand groupe. Écrire les réponses des apprenants au tableau.
b et **c** – Faire lire les consignes. Faire réécouter l'enregistrement et réaliser les activités.
– Procéder à une mise en commun en grand groupe : tracer deux colonnes au tableau (les activités proposées et les réactions). Interroger les apprenants et noter les réponses sous leur dictée. Si nécessaire, procéder à une écoute séquencée afin de vérifier les réponses obtenues.

> **Transcriptions**

Sheila Peacock : Monsieur Depois, j'imagine que vous m'avez contactée pour parler de nos équipes et de leurs difficultés, n'est-ce pas ?

Louis Depois : Oui, en effet. Nous faisons face à un problème. Beaucoup de nos collaborateurs viennent de rejoindre nos équipes. Leur intégration est difficile. Les relations ne sont pas sereines avec les plus anciens. Chacun a ses forces et sa personnalité, c'est une bonne chose pour l'organisation, mais les différences sont aussi une source de conflits.

Sheila Peacock : C'est certain, je vous rejoins sur ce point. Nous pourrions leur proposer une activité de team building dans le but d'améliorer l'ambiance de travail. Vous savez, ce genre d'activités qui vise à faire connaissance ? J'avais l'occasion d'en organiser lorsque je travaillais dans notre maison-mère, à New York. C'est idéal pour renforcer les liens dans une équipe.

Louis Depois : Euh... Je ne suis pas vraiment convaincu... Comment s'amuser peut aider à mieux travailler... Pouvez-vous m'en dire plus ?

Sheila Peacock : Oui, bien sûr. Les collègues devront collaborer pour résoudre une série d'énigmes, de défis. C'est grâce aux forces de chaque membre de l'équipe qu'ils pourront résoudre le défi qui leur est présenté. Cela permettra à chacun d'apprécier les collègues et d'accepter leurs différences.

Louis Depois : Hum... Les avantages sont nombreux. Mais vous avez réfléchi aux types d'activités à proposer ? Je me demande si ça plaira à nos employés...

Sheila Peacock : Ce qui est évident, c'est que nous devons adapter les activités à notre filiale française : je ne crois pas que les activités puissent être les mêmes que celles que j'organisais aux États-Unis. Pourquoi ne pas opter pour un rallye ou un baby-foot géant, pour que l'esprit d'équipe soit favorisé ? Les membres de chaque équipe devront communiquer entre eux.

Louis Depois : Je ne sais pas trop. Je dois avouer que j'hésite encore... Je pencherais plus pour une activité qui valorise les participants. Vous auriez une idée ?

Sheila Peacock : Eh bien, il existe des activités telles qu'un cours de photo, par exemple, ou un cours de cuisine. Les participants en repartent avec des diplômes et sont donc récompensés.

Louis Depois : Cette idée me plaît. Partons sur cette idée. On se voit la semaine prochaine pour faire un point.

> **Corrigé a. 1.** L'intégration des nouveaux collaborateurs ; les relations avec les plus anciens ; les différences de personnalités. **2.** Sheila Peacock propose une activité de team building (proposée par capdel.com par exemple). **b.** résoudre des énigmes, des défis ; rallye, baby-foot géant → catégorie Activités ludiques / Jeux ; cours de photo ou cours de cuisine → catégorie Loisirs et apprentissage.
> **c.** *Euh... je ne suis pas vraiment convaincu... Je me demande si ça plaira à nos employés... Je ne sais pas trop. Je dois avouer que j'hésite encore...* → Il est hésitant.

FOCUS LANGUE

Exprimer une hésitation   page 53

▌**Objectif** : enrichir les expressions de l'hésitation

– En grand groupe, observer les phrases obtenues lors de l'activité **3c**. Faire remarquer la structure des verbes proposés *(être convaincu(e) ; se demander si ; hésiter)*.

– Former des groupes de quatre apprenants et leur demander quelle(s) autre(s) expression(s) on peut utiliser en français pour exprimer l'hésitation. Leur laisser quelques minutes pour échanger.

– Procéder à la mise en commun en grand groupe. Interroger les groupes et noter les propositions obtenues au tableau.

  ⊳ **Exemples de réponse** Je suis perplexe. J'ai des doutes. Je doute que…

▶ S'exercer p. 165

FOCUS LANGUE   Sons et intonation

Hésitation et interrogation 🎧▶32   page 53

▌**Objectif** : exprimer une hésitation ou une interrogation

– Pour cette activité, se reporter directement à la transcription des phrases dans le livret (p. 9) et avant écoute, faire repérer des signes qui permettent de dire si ces phrases sont des interrogations ou des hésitations.

– Faire émettre des hypothèses sur l'intonation de chaque phrase : montante ou descendante ?

– Faire écouter les phrases pour vérifier les hypothèses et demander aux apprenants de trouver les marques différenciant les phrases exprimant une hésitation de celles exprimant une interrogation, en justifiant leur réponse. Les phrases 1, 2, 3 et 8 sont des interrogations. L'interrogation est marquée par la ponctuation (la phrase se termine par un point d'interrogation), elle est généralement marquée par une intonation montante (sauf quand on a un mot interrogatif au début de la question, comme pour la phrase 1) et le rythme est plutôt rapide. Les phrases 4, 5, 6 et 7 sont des hésitations. L'hésitation est marquée par un rythme plus lent, elle peut se terminer par des points de suspension, et on peut repérer des mots marquant l'hésitation (*Euh…*). Enfin, l'intonation est plutôt descendante.

  ⊳ **Transcriptions**

  Exemple : Euh… Je ne suis pas vraiment convaincu. 1. Comment s'amuser peut aider à mieux travailler ? 2. Pouvez-vous m'en dire plus ? 3. Mais vous avez réfléchi aux types d'activités à proposer ? 4. Je me demande si ça plaira à nos employés… 5. Je ne sais pas trop. 6. Je dois avouer que j'hésite encore… 7. Je pencherais plus pour une activité qui valorise les participants. 8. Vous auriez une idée ?

  ⊳ **Corrigé** 1. interrogation ; 2. interrogation ; 3. interrogation ; 4. hésitation ; 5. hésitation ; 6. hésitation ; 7. hésitation ; 8. interrogation

▶ S'exercer p. 165

Pour aller plus loin

*L'activité proposée dans les pages **S'exercer** permet de s'entraîner à dire des phrases exprimant l'hésitation et l'interrogation. Par deux, les apprenants vont créer un dialogue en alternant hésitation et interrogation. On pourra leur demander de jouer leur dialogue devant la classe.*

Activité 4 🎧▶30   Modalité : par deux

▌**Objectif** : affiner la compréhension d'une conversation professionnelle

– Si possible, projeter le tableau. Faire lire la consigne et le contenu du tableau. Procéder à une nouvelle écoute, séquencée, de l'enregistrement. Faire réaliser l'activité par deux.

– Procéder à une mise en commun en grand groupe : un apprenant va au tableau et fait part de ses réponses que la classe valide.

  ⊳ **Corrigé** a. 1, 4, 6 ; b. 3 ; c. 5 ; d. 2

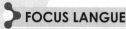

❱ FOCUS LANGUE

L'expression du but pour convaincre   page 52

■ **Objectif** : conceptualiser les expressions du but pour convaincre

– À partir des réponses obtenues lors de l'activité **4**, inviter un apprenant à aller au tableau et lui demander de souligner les éléments qui indiquent l'objectif, le but de chaque activité. La classe valide.

– Faire observer le schéma proposé en le projetant si possible. Sinon, le reproduire au tableau. Faire identifier les trois entrées : des expressions, des prépositions, un verbe. Faire lire les exemples proposés puis demander aux apprenants de réaliser l'activité seuls.

– Procéder à une mise en commun en grand groupe. Un apprenant va au tableau compléter le schéma ; la classe valide les réponses. Insister sur le mode utilisé après les expressions proposées (indicatif ou subjonctif) en rappelant les exemples (*pour que l'esprit d'équipe **soit** favorisé...*).

▷ **Corrigé**

Pour exprimer le but, je peux utiliser...		
des expressions	*dans le but de* *c'est idéal pour*	+ verbe à l'infinitif
des prépositions	*pour* *pour que* afin que	+ verbe à l'infinitif + verbe au subjonctif
un verbe	*viser à* permettre de	+ verbe à l'infinitif

▶ **Précis de grammaire p. 216**

▶ **S'exercer p. 164**

Activité 5 🗨

Modalité : en petits groupes

■ **Objectif** : proposer des idées d'activités de groupe et leurs objectifs

– Former des groupes de quatre apprenants. Faire lire la consigne puis réaliser l'activité.

– Procéder à une mise en commun en grand groupe. Chaque groupe présente à la classe ses activités et leurs objectifs. Noter au tableau les propositions des apprenants sous forme de nuages de mots. Garder une trace de ces propositions afin de les réutiliser lors de l'activité **9**.

Activité 6 📖

Modalité : seul

■ **Objectif** : vérifier la compréhension globale d'un mél en contexte professionnel

– Projeter le **document 3** au tableau si possible. Faire lire la consigne en grand groupe, valider les réponses obtenues et récolter les hypothèses.

▷ **Corrigé** **Expéditeur** : Sheila Peacock (Directrice des ressources humaines) ; **destinataire** : l'ensemble du personnel ; **l'objet du mél** : séminaire team building à Bruxelles.

Activité 7 📖

Modalités : par deux puis en groupe

■ **Objectif** : affiner la compréhension d'un mél en contexte professionnel

a Faire lire le document puis faire valider les hypothèses en grand groupe.

b – Faire lire la consigne et réaliser l'activité par deux.

– Procéder à une mise en commun en grand groupe : interroger plusieurs apprenants et écrire les réponses au tableau sous leur dictée après validation par la classe.

c En grand groupe, faire lire la question et surligner les éléments de réponse sur le document projeté. Sinon, écrire les justifications au tableau sous la dictée des apprenants.

d – Faire lire la consigne et l'exemple donné. S'assurer de la compréhension de l'activité puis la faire réaliser par deux.

– Procéder à une mise en commun en grand groupe : interroger des apprenants et noter les réponses au tableau sous leur dictée. Insister sur les tournures employées en les soulignant dans les phrases.

▷ **Corrigé a.** Ce sont des informations pratiques concernant l'organisation d'un séminaire dans une entreprise.
b. 1. la formule d'appel ; 2. le contexte et l'annonce des informations présentes ; 3. la référence à une information déjà communiquée ; 4. les informations pratiques ; 5. les formules de prise de congé ; 6. la signature ; **c.** Oui : un défi « poursuite » avec tablettes tactiles + cours de photo à ciel ouvert.
d. Saluer les destinataires : *Chers collègues* ; **Rappeler le contexte :** Suite à la décision de notre comité d'entreprise ; **Annoncer le contenu du mél :** veuillez trouver ci-dessous quelques informations concernant notre séminaire ; **Rappeler une information :** Pour rappel, les activités de team building se dérouleront entre 10 heures et 17 heures ; **Prendre congé :** Je reste à votre disposition si besoin. Cordialement.

Pour aller plus loin

Demander aux apprenants ce que doivent faire les participants avant le 8 juin (aller sur le lien suivant afin de se pré-inscrire ; voter pour la thématique de son choix ; laisser ses commentaires). *Leur demander de préciser les activités de la journée du 19 juin* (les activités de team building – défi « poursuite » avec tablettes tactiles + cours de photo à ciel ouvert entre 10 heures et 17 heures et un dîner à partir de 20 heures) *et dans les informations pratiques, ce que doivent apporter les participants* (une tenue décontractée, des chaussures de sports et les appareils photo).

Activité 8 📖   Modalité : seul

▌ **Objectif** : affiner la compréhension d'un mél en contexte professionnel

– Faire lire la consigne et réaliser l'activité seul. Demander aux apprenants de comparer leurs réponses par deux.
– Procéder à la mise en commun en grand groupe : tracer au tableau trois colonnes et y noter les réponses des apprenants après validation par la classe.

▷ **Corrigé a.** Je vous invite à aller sur le lien suivant afin de vous pré-inscrire. Je vous remercie de voter pour la thématique de votre choix. N'hésitez pas à laisser vos commentaires ! **b.** Vous serez conviés à un dîner à partir de 20 heures. **c.** Je vous ferai part des résultats au plus vite et m'occuperai ensuite des réservations ; nous essayerons de satisfaire le plus grand nombre d'entre vous.

▶ FOCUS LANGUE

Quelques verbes prépositionnels pour informer sur un événement   **page 52**

▌ **Objectif** : conceptualiser l'utilisation des prépositions avec certains verbes pour informer sur un événement

– Faire observer le tableau et le projeter si possible. Faire lire la consigne et réaliser l'activité par deux.
– Procéder à la mise en commun en grand groupe : inviter un apprenant à aller au tableau pour souligner les verbes et compléter la dernière colonne ; la classe valide les réponses.

▷ **Corrigé**

Intention	Exemples	Verbes + prépositions
Inciter à agir	– *Je vous <u>invite</u> à cliquer sur le lien suivant.*	→ *inviter à*
	– *<u>N'hésitez pas</u> à laisser vos commentaires !*	→ ne pas hésiter à
	– *Je vous <u>remercie</u> de voter pour la thématique de votre choix.*	→ remercier de
	– *<u>Pensez</u> à prendre vos appareils photo.*	→ penser à
Inviter à un événement	– *Vous <u>serez conviés</u> à un dîner à partir de 20 heures.*	→ être convié à
Communiquer sur l'organisation	– *Je vous <u>ferai part</u> des résultats au plus vite.*	→ faire part de
	– *Nous <u>essayerons</u> de satisfaire le plus grand nombre d'entre vous.*	→ essayer de
	– *Je <u>m'occuperai</u> ensuite des réservations.*	→ s'occuper de

▶ S'exercer p. 165

À nous ! Activité 9 – **Nous organisons une activité pour développer l'esprit d'équipe dans notre classe.** 💬 ✏   Modalités : en petits groupes puis en groupe

▌ **Objectif** : transférer les acquis de la leçon

a et **b** – Former des groupes de trois apprenants et présenter les différentes étapes de réalisation de la tâche.
– Faire réaliser les activités en s'assurant que les groupes choisissent des activités différentes. Passer dans les groupes pour veiller au bon déroulement de l'activité.

c Les apprenants se déplacent dans la classe et vont lire les différents méls affichés au mur. Procéder au vote en demandant à chacun de justifier son choix (*je vote pour ce mél car l'activité proposée est parfaite pour développer l'esprit d'équipe ; il est convaincant, etc.*). Si le temps ne le permet pas en classe, il est possible de créer un groupe de partage sur Google drive afin que les apprenants votent à distance et que le résultat soit annoncé à la séance suivante.

d Si le temps le permet, il est possible d'organiser cette activité dans la ville où se déroule la classe afin de créer un esprit d'équipe *in vivo*.

Leçon **3 En famille**

pages 54-55

Tâche finale : réaliser un mini-guide des codes culturels à respecter pour participer aux événements familiaux dans son pays			
Savoir-faire et savoir agir	**Grammaire**	**Lexique**	**Sons et intonation**
– Parler d'événements familiaux	– Les pronoms *en* et *y* pour remplacer un lieu, une chose ou une idée	– Les membres d'une famille	– Variations rythmiques et mélodiques
– Comprendre des coutumes	– La négation (2) pour exprimer une restriction	– Décrire une cérémonie de mariage	
– Comprendre des différences culturelles	– L'expression de l'opposition et de la concession		

Activité 1 📖

Modalité : en groupe

▌**Objectif** : formuler des hypothèses sur la thématique de la leçon

– Faire observer la photo du **document 1**. La projeter en l'isolant de l'article, si possible.
– Faire lire la consigne et répondre aux questions en grand groupe. Écrire les hypothèses au tableau.

Activité 2 📖

Modalité : en petits groupes

▌**Objectif** : vérifier la compréhension globale d'un article de magazine

a et **b** – Former des groupes de trois apprenants. Faire lire les consignes et réaliser les activités.
– Procéder à la mise en commun en grand groupe : demander aux apprenants de comparer leurs réponses aux hypothèses émises lors de l'activité **1**. Noter au tableau les réponses.
– Faire lire la définition du dictionnaire à un apprenant à voix haute. Si possible, la projeter au tableau et écrire, sous la dictée des apprenants de chaque groupe, les autres propositions de définition formulées.
  ▷ **Corrigé a.** La photo représente les membres d'une famille qui se retrouvent pour une cousinade. **b.** *Exemple de réponse.* C'est une fête qui réunit toutes les personnes appartenant à la même famille.

Activité 3 📖

Modalité : par deux

▌**Objectif** : affiner la compréhension d'un article de magazine

a – Faire lire la consigne. Tracer quatre colonnes et noter les entrées (*les participants, le moment choisi, les activités* et *l'objectif de l'organisation de l'événement*). Demander aux apprenants de réaliser l'activité par deux.
  – Procéder à la mise en commun en grand groupe : noter les réponses des apprenants au tableau dans la colonne correspondante après validation par la classe.
b – Faire lire la consigne et faire réaliser l'activité par deux.
  – Procéder à la mise en commun en grand groupe : interroger quelques apprenants et lister au tableau les réponses après validation par la classe.

▷ **Corrigé** a.

	Les participants	Le moment choisi	Les activités	L'objectif de l'organisation
La cousinade vendéenne	près de 5 000 individus d'une famille	en août 2012		rentrant ainsi dans le *Livre Guinness des records*
Sylvie	les neveux et nièces	deux fois dans l'année	un repas	des retrouvailles en petit comité
Cyril	les cousins du même âge, les copains, les copines, les femmes, les maris, les petits nouveau-nés et toute la belle-famille	le rendez-vous annuel de Noël	*On essaye d'y organiser des trucs à faire… on en repart avec des souvenirs plein la tête.*	se voir, s'amuser et ne pas s'oublier

b. C'est une pratique populaire mais ce n'est pas facile à définir : *Tout le monde y pense, mais tout le monde n'en donne pas la même définition.* Le risque est d'effrayer par le nombre et de connaître peu de monde : *C'est vrai que cette réunion de famille peut en effrayer certains. Il risque d'y avoir foule et on n'y connaîtra pas grand monde.*

▶ FOCUS LANGUE

Les termes pour désigner les membres d'une famille   page 59

▌**Objectif** : découvrir les termes pour désigner les membres d'une famille

a – Faire observer le tableau proposé. Si possible, le projeter.
  – Faire lire la consigne et les exemples proposés. Faire réaliser l'activité par deux.
  – Procéder à une mise en commun en grand groupe : inviter un apprenant à aller au tableau et à compléter les réponses que la classe valide.
  – Demander aux apprenants d'expliquer le terme « famille recomposée » *(les parents des enfants se séparent ou divorcent et ils reforment une nouvelle famille)*. Faire remarquer l'emploi du même terme pour désigner la famille recomposée et la famille de l'époux/épouse : la belle-famille.
b Former des groupes de quatre apprenants. Faire lire la consigne et faire réaliser l'activité. Passer dans les groupes et s'assurer du bon déroulement de l'activité.

▷ **Corrigé**

La famille proche	
le petit ami, la petite amie	*le (petit) copain, la (petite) copine*
l'époux, l'épouse	le mari, la femme
l'enfant / le bébé	le nouveau-né
l'enfant de l'oncle ou de la tante	le cousin, la cousine
les enfants du cousin ou de la cousine	les cousins éloignés, les petits-cousins
l'enfant du frère ou de la sœur	le neveu, la nièce
la famille du conjoint	la belle-famille
La famille recomposée	
la seconde femme du père	la belle-mère
le second époux de la mère	*le beau-père*

▶ **S'exercer p. 166**

Pour aller plus loin

Demander aux apprenants de compléter la liste des membres de la famille avec d'autres termes. Les laisser échanger quelques minutes en groupes de quatre puis mettre en commun en grand groupe. Pour chaque élément proposé, demander aux apprenants de formuler une définition simple et écrire les termes au tableau sous leur dictée.

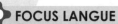

FOCUS LANGUE

Les pronoms *en* et *y* pour remplacer un lieu, une chose ou une idée   **page 58**

▌**Objectif** : conceptualiser les différents emplois des pronoms *en* et *y*

– Faire observer les réponses obtenues lors de l'activité **3**. Faire remarquer la présence des pronoms *en* et *y* dans les phrases relevées. Entourer le pronom *y* en rouge et le pronom *en* en bleu. Faire dire qu'un pronom est utilisé pour remplacer un nom afin d'éviter une répétition.

– Faire observer le tableau proposé et s'assurer de sa compréhension. Faire lire la consigne et les exemples donnés puis faire réaliser l'activité par deux.

– Procéder à la mise en commun en grand groupe : interroger des apprenants et écrire les réponses au tableau sous leur dictée. En rouge, entourer dans les phrases les pronoms *y* et ce qu'ils remplacent *(à la cousinade)*. En bleu, entourer les pronoms *en* et ce qu'ils remplacent *(de la cousinade)*.

▷ **Corrigé**

y	**Fonction n° 1** : remplace une localisation / une destination. Exemple : *On n'y connaîtra pas grand monde.* → *On ne connaîtra pas grand monde à la cousinade.* **Fonction n° 2** : remplace un COI introduit par *à*. Exemple : *Tout le monde y pense.* → *Tout le monde pense à la cousinade.*
en	**Fonction n° 1** : remplace un COD exprimant une quantité (déterminée ou indéterminée). Exemple : *Cette réunion de famille peut en effrayer certains.* → *Cette réunion de famille peut effrayer certains participants.* **Fonction n° 2** : remplace un complément du nom ou un COI introduit par *de*. Exemple : *Tout le monde n'en donne pas la même définition.* → *Tout le monde ne donne pas la même définition de la cousinade.* **Fonction n° 3** : remplace un lieu (de provenance). Exemple : *On en repart avec des souvenirs plein la tête.* → *On repart de la cousinade avec des souvenirs plein la tête.*

▸ **Précis de grammaire p. 203**

▸ **S'exercer p. 166**

▌**Pour aller plus loin**

Préparer en amont de petits papiers sur lesquels sont notées des questions fermées. S'assurer que la réponse à chaque question nécessite l'utilisation des pronoms y *ou* en *(exemples : Johnny Hallyday venait-il de France ? J'accroche ce cadre au mur ? Nous partirons au Sénégal cet été ? Tu peux acheter trois bouteilles d'eau, s'il te plaît ?).*
Former des groupes de trois apprenants. Un apprenant pioche un papier et lit la question, un apprenant y répond à la forme affirmative (Oui, Johnny en venait) et le troisième apprenant y répond à la forme négative (Non, il n'en venait pas). Passer dans les groupes afin de s'assurer du bon déroulement de l'activité.

Activité 4   **Modalités** : en petits groupes puis en groupe

▌**Objectif** : échanger sur les événements familiaux dans son pays

a et **b** Former des groupes de quatre apprenants. Si la classe est multiculturelle, veiller à varier les nationalités dans chaque groupe. Faire lire les consignes et réaliser les activités.

c Procéder à la mise en commun en grand groupe : interroger un porte-parole par groupe. Encourager les apprenants à donner leur avis sur cet événement. Enfin, lister au tableau sous la dictée des apprenants les autres événements familiaux qu'ils auront proposés afin d'en obtenir une liste exhaustive.

Activité 5   **Modalité** : en groupe

▌**Objectif** : identifier la rubrique et le titre d'un article sur une page Internet

Faire observer le **document 2**. Faire lire la consigne en grand groupe et valider les réponses des apprenants en entourant les éléments de réponse sur le document projeté. Sinon, les écrire au tableau après validation par la classe.

▷ **Corrigé** La rubrique concernée : Culture G ; **le titre de l'article** : Traditions insolites autour du mariage.

Activité 6 📖

▌**Objectif :** vérifier la compréhension globale d'un article sur Internet

a et **b** – Faire lire les consignes puis réaliser les activités par deux.

– Procéder à la mise en commun en grand groupe : interroger un apprenant qui se charge de répondre à la question **a**. Écrire la réponse au tableau après validation par la classe. Enfin, demander quels éléments du mariage à la française sont donnés par l'auteur de l'article (question **b**). Comparer en grand groupe avec leurs représentations.

> ▹ **Corrigé a.** Quand on évoque le mariage autour du globe, personne n'a les mêmes pratiques et rien ne ressemble à nos rituels français.

Activité 7 📖

▌**Objectif :** affiner la compréhension d'un article sur Internet

a – Faire lire la consigne et le document. Faire réaliser l'activité en groupes de trois apprenants.

– Procéder à la mise en commun en grand groupe : interroger un apprenant et lui demander de justifier sa réponse *(il y a de la vaisselle en porcelaine qui est cassée)*.

b – Faire lire la consigne et l'exemple donné. Faire réaliser l'activité.

– Procéder à la mise en commun en grand groupe : interroger trois apprenants et noter les réponses au tableau sous leur dictée ; la classe valide.

> ▹ **Corrigé a.** L'Allemagne. **b.** Inde : le <u>futur époux</u> arrive à la cérémonie (qui ne dure que deux à trois heures !) sur un cheval décoré, avec sa famille et ses amis l'accompagnant avec des chants, des danses et des feux d'artifice. Finlande : le sauna, la veille des noces. Le sauna réunira la <u>future mariée</u>, les demoiselles d'honneur et la mère de la mariée. <u>Aucun homme</u> n'est convié, évidemment !
> Allemagne : « Polterabend », la veille des noces. De la vaisselle en porcelaine est cassée. Les <u>jeunes mariés</u> doivent ramasser ensemble les différents morceaux pour leur porter bonheur : ni l'un ni l'autre n'échappe à la tradition !

▶ **FOCUS LANGUE**

Décrire une cérémonie de mariage
                                                                                                      page 59

▌**Objectif :** enrichir le lexique lié à la cérémonie de mariage

– Faire lire la consigne et réaliser l'activité par deux.

– Procéder à la mise en commun en grand groupe : interroger un apprenant et écrire les réponses au tableau sous sa dictée ; la classe valide.

> ▹ **Corrigé** 1 B ; 2 A

▶ **S'exercer p. 166**

▌Pour aller plus loin

Demander aux apprenants de chercher dans le document 3 (page 55) les synonymes de « traditions » (les rituels, les pratiques).

▶ **FOCUS LANGUE**

La négation (2) pour exprimer une restriction
                                                                                                      page 58

▌**Objectif :** conceptualiser la négation pour exprimer une restriction

a – Faire lire la consigne puis réaliser l'activité par deux.

– Procéder à la mise en commun en grand groupe : interroger des apprenants et noter les quatre phrases au tableau sous leur dictée ; la classe valide. Un apprenant va au tableau pour souligner les différentes expressions de la négation présentes. Faire dire la fonction de chaque expression (sujet ou complément).

b – Faire lire la consigne. Si possible, projeter l'activité, sinon la recopier au tableau. Faire réaliser l'activité.

– Procéder à la mise en commun en grand groupe. Un apprenant va au tableau compléter les réponses ; la classe valide. Faire lire la précision apportée *(!)* et l'exemple donné.

> ▹ **Corrigé a.** <u>Rien ne</u> ressemble à nos rituels français ; <u>Personne n'</u>a les mêmes pratiques ; <u>aucun</u> homme n'est convié ; <u>ni</u> l'un <u>ni</u> l'autre n'échappe à la tradition. **b.** 1. rien ; 2. personne ; 3. aucun ; 4. ni... ni...

▶ **Précis de grammaire p. 215**

▶ **S'exercer p. 166**

Activité 8 🎧

▌**Objectif :** échanger sur les rituels de cérémonie

– Former des groupes de quatre apprenants.

– Faire lire la consigne et faire réaliser l'activité. Passer dans les groupes pour s'assurer du bon déroulement de l'activité et apporter une aide ponctuelle si nécessaire. Prêter une oreille attentive à l'utilisation des expressions de la négation.

Activité 9 🎧▶33

▌**Objectif :** vérifier la compréhension globale d'une émission de radio

a, b, c – Faire lire les consignes puis faire écouter l'enregistrement (**document 3**). Faire réaliser l'activité.

– Procéder à la mise en commun en grand groupe : interroger des apprenants et écrire les réponses au tableau après validation par la classe.

> ▷ **Transcriptions**

> **Journaliste :** Bonjour à tous et bienvenus sur Radio Praha. Ils sont en couple depuis cinq ans, huit ans, dix-sept ans ou bien plus encore. L'un parle tchèque, l'autre français. Ils partagent leur vie mais ne viennent pas du même pays et n'ont pas la même culture. Une centaine de couples se marie chaque année en France ou en République tchèque pour le meilleur et pour le pire. Ils forment des couples franco-tchèques et jusqu'ici, tout va bien. Pour réaliser cette émission, nous avons interrogé cinq couples franco-tchèques. Tous résident en France. Ils ont entre cinq et dix-sept ans de vie commune. Trois d'entre eux sont mariés, un autre est pacsé, le dernier vit en concubinage.

> ▷ **Corrigé a.** Le thème de l'émission est le mariage mixte franco-tchèque. **b.** Les participants sont : la journaliste et cinq couples franco-tchèques. **c.** L'un parle tchèque, l'autre français. Ils partagent leur vie mais ne viennent pas du même pays et n'ont pas la même culture. Tous résident en France.

▐ Pour aller plus loin ▐

Demander quelles précisions sont données sur leur situation de famille (les couples sont mariés, pacsés ou vivent en concubinage). *Faire dire la différence entre ces trois statuts.*

Activité 10 🎧▶34

▌**Objectif :** affiner la compréhension d'une émission de radio

– Faire lire la consigne et les items **a** à **g**. Faire écouter l'enregistrement et faire réaliser l'activité par deux. Si nécessaire, proposer une seconde écoute séquencée.

– Procéder à une mise en commun en grand groupe : interroger un apprenant par item et écrire la justification au tableau sous sa dictée ; la classe valide.

> ▷ **Transcriptions**

> **Journaliste :** Bonjour Helena. Vous voulez bien nous parler des différences ?

> **Helena :** Oui, en fait, tout est différent. Même les dessins animés qu'on regardait quand on était petits, on n'en a pas un en commun.

> **Journaliste :** Dans la langue et l'éducation, les références sont différentes bien que la société tchèque et la société française soient très similaires aujourd'hui. Veronika ?

> **Veronika :** Au tout début, notre mariage n'a pas été très bien accepté. Par contre, quand nos belles-familles ont appris à nous connaître, c'est tout le contraire qui s'est passé, et maintenant ça se passe extrêmement bien, ma famille adore mon mari !

> **Journaliste :** S'il y a une remarque que tous les partenaires tchèques ont faite, c'est la longueur des repas à la française. Jan ne s'y fait toujours pas.

> **Jan :** En famille, quand il y a une fête et qu'on reste cinq heures à table – on mange, on mange, on boit, on boit – c'est un peu difficile.

> **Journaliste :** Idem pour Eva. Dur dur pour les Tchèques, surtout quand on sait qu'ils ont l'habitude de dîner vers 18 heures, 19 heures.

> **Eva :** Quand on finit un repas de famille à 2 heures du matin alors qu'on a commencé à 22 heures, c'est vraiment n'importe quoi pour moi.

> **Journaliste :** Dans ce contexte, l'apéritif ne représente pas pour Eva ce moment convivial dans lequel les Français excellent...

> **Eva :** Je ne vois pas pourquoi on s'amuse à parler en grignotant avant de manger. En République tchèque, on ne va surtout pas manger des chips avant de dîner, en tout cas dans ma famille, c'est interdit parce qu'après on n'a plus faim.

Journaliste : Mais au-delà de ces différences « pratiques », il y a les différences « profondes ». Selon Marc, les Tchèques sont indépendants, posés. Au contraire, les Français sont sociables et conformistes. Marc décrit chez sa femme ce trait qu'il estime typiquement tchèque.

Marc : Le fait de garder une certaine indépendance dans le couple : partir, sortir le soir avec des amis, c'est normal, même si on ne le fait pas souvent.

Journaliste : Alena semble d'accord avec Marc.

Alena : Les Français ont tendance à rester en groupe. Par exemple quand on va faire du ski avec des amis, il faut tout faire ensemble. Et ce côté « faut rester ensemble parce qu'on est potes », moi, j'avais beaucoup de mal au début.

Journaliste : Bref, vivre avec un étranger n'est pas toujours simple, mais c'est tellement enrichissant.

▷ **Corrigé** a. Faux : Dans la langue et l'éducation, les références sont différentes bien que la société tchèque et la société française soient très similaires aujourd'hui. b. Faux : Au tout début, notre mariage n'a pas été très bien accepté. Par contre, quand nos belles-familles ont appris à nous connaître, c'est tout le contraire qui s'est passé, et maintenant ça se passe extrêmement bien, ma famille adore mon mari ! c. Vrai : Quand on finit un repas de famille à 2 heures du matin alors qu'on a commencé à 22 heures, c'est vraiment n'importe quoi pour moi. d. Faux : Les Tchèques sont indépendants, posés. Au contraire, les Français sont sociables et conformistes. e. Faux : Partir, sortir le soir avec des amis, c'est normal, même si on ne le fait pas souvent. f. Faux : Et ce côté « faut rester ensemble parce qu'on est potes », moi j'avais beaucoup de mal au début. g. Vrai : Vivre avec un étranger n'est pas toujours simple, mais c'est tellement enrichissant.

FOCUS LANGUE

L'expression de l'opposition et de la concession pour montrer des différences 🔊35   page 58

▌**Objectif :** conceptualiser les expressions de l'opposition et de la concession pour montrer des différences

– Faire lire la consigne puis réaliser l'activité d'association seul.
– Procéder à la mise en commun en grand groupe : interroger un apprenant et écrire la règle au tableau après validation par la classe.
– Faire écouter l'enregistrement afin de vérifier les réponses obtenues.

▷ **Transcriptions**
– Ils partagent leur vie mais ne viennent pas du même pays.
– Les références sont différentes bien que la société tchèque et la société française soient très similaires aujourd'hui.
– Au tout début, notre mariage n'a pas été très bien accepté. Par contre, quand nos belles-familles ont appris à nous connaître, c'est tout le contraire qui s'est passé.
– Quand on finit un repas de famille à 2 heures du matin alors qu'on a commencé à 22 heures, c'est vraiment n'importe quoi pour moi.
– Les Tchèques sont indépendants, posés. Au contraire, les Français sont sociables et conformistes.
– Partir, sortir le soir avec des amis, c'est normal, même si on ne le fait pas souvent.
– Bref, vivre avec un étranger n'est pas toujours simple, mais c'est tellement enrichissant.

▷ **Corrigé** a. 2 ; b. 1

▶ **Précis de grammaire p. 217**
▶ **S'exercer p. 166**

[À nous !] **Activité 11 – Nous réalisons un mini-guide des codes culturels à respecter pour participer aux événements familiaux de notre pays.** ✏️   **Modalités :** en petits groupes puis en groupe

▌**Objectif :** transférer les acquis de la leçon

a Former des groupes de quatre apprenants. Annoncer la tâche et présenter ses étapes. Afficher de nouveau la liste des événements familiaux obtenue lors de l'activité **4** et faire réaliser l'activité. S'assurer que les groupes choisissent des événements différents les uns des autres.

b Faire lire la consigne et faire réaliser l'activité. Préciser qu'il est nécessaire de décrire l'événement, ses participants, ses activités et son objectif. Si le temps et le matériel le permettent, inviter les apprenants à chercher des illustrations sur Internet.

c Inviter les apprenants à regrouper leurs présentations afin d'obtenir un mini-guide.

d Présenter le site www.expat.com et inviter les apprenants à créer un profil sur le site. Leur demander de poster leur article dans l'onglet « Pratique/Guide de l'expatrié ».

Leçon 4 Un air de fête

pages 56-57

Tâche finale : planifier une soirée originale pour la fête de la francophonie			
Savoir-faire et savoir agir	Grammaire	Lexique	Sons et intonation
– Découvrir de nouvelles soirées			– Variations rythmiques et mélodiques
– Décrire des comportements	– Les pronoms démonstratifs et indéfinis pour décrire des comportements	– Décrire des comportements entre amis	

Activité 1 ▶ 3

Modalité : en petits groupes

▌ **Objectif** : formuler des hypothèses sur le contenu d'une vidéo

a, b, c – Faire lire les consignes. Faire visionner la vidéo sans le son (**document 1**) puis réaliser l'activité en groupes de trois apprenants.

– Procéder à la mise en commun en grand groupe : interroger les apprenants, noter au tableau leurs hypothèses (sans les valider à ce stade) ainsi que la liste des objets vus ; la classe valide.

> **Corrigé a.** *Exemple de réponse.* Ils préparent une fête, ils s'offrent des cadeaux. **c.** Du matériel informatique, des verres, des décorations, des déguisements.

Activité 2 ▶ 3

Modalités : en groupe puis par deux

▌ **Objectif** : vérifier la compréhension globale d'un reportage vidéo

a Faire visionner la vidéo avec le son. En groupe, comparer avec les hypothèses émises précédemment.

b, c, d – Faire lire les consignes. Proposer de regarder à nouveau la vidéo et faire réaliser l'activité par deux.

– Procéder à la mise en commun en grand groupe : interroger des apprenants et écrire les réponses au tableau après validation par la classe.

> **Transcriptions**

Goeffrey : On a reçu un colis !

Alizée : Si t'arrives à passer la porte avec…

Goeffrey : Il est lourd !

Alizée : Il est énorme, c'est génial !

Goeffrey : Whaaaa !

Journaliste : Une tablette tactile, avec application DJ, une boule à facettes ou encore une machine à faire de la fumée : en tout, il y en a pour 1 000 euros, et tout ça, c'est gratuit ! Alizée et Goeffrey ont décidé d'organiser un anniversaire mémorable pour les 25 ans de leur ami Benoît. Pour lui offrir une fête digne de ce nom, ils ont opté pour une solution originale et économique : faire sponsoriser sa soirée par une grande marque.

Alizée : Je pense que je n'aurais jamais acheté ça pour une seule soirée, d'une part parce que je n'ai pas spécialement beaucoup de moyens, que là c'est vraiment du très beau matériel…

Journaliste : Une sono digne d'un vrai pro !

Alizée : Pas mal, hein !

Goeffrey : Ce qui va nous permettre de pouvoir passer la musique…

Journaliste : Au total, 1 000 euros de matériel. Grâce à cette formule, ils ne vont payer que la nourriture et les boissons. Organiser une soirée inoubliable sans se ruiner, c'est donc possible grâce au sponsoring. Testé pour la première fois aux États-Unis en 2005, ce concept est arrivé en France il y a seulement un an. Pour l'instant, ici, un seul site Internet s'est lancé dans l'aventure. Il propose des kits d'une valeur allant de 50 à plus de 1 000 euros. Seule contrepartie : poster des photos de la soirée sur Internet pour promouvoir les marques

84

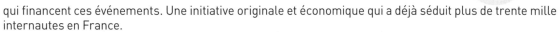

qui financent ces événements. Une initiative originale et économique qui a déjà séduit plus de trente mille internautes en France.

[...]

Journaliste : Il est 22 heures, les invités arrivent. À l'entrée, Alizée commence déjà à faire du placement produit.

Alizée : Voilà, prenez ce que vous voulez. C'est parti !

Invité 1 : On prend un tee-shirt !

Journaliste : Tee-shirts, casquettes ou encore des ballons avec dessus le logo de la marque apparent : les invités vont devoir jouer le jeu en mettant en avant ces accessoires.

[...]

Journaliste : Après avoir fait la VRP, Alizée se transforme en paparazzi. Les invités se prêtent de bonne grâce au jeu des photos, et ne semblent pas du tout gênés de se retrouver dans une soirée qui est aussi une opération commerciale. L'avantage, c'est qu'avec tous ces accessoires, ils ne sont pas tous forcément reconnaissables.

Invité 2 : Ça fait partie du jeu, c'est donnant-donnant. On ne peut pas avoir... tout ça... sans... sans rien donner quoi, donc des photos de moi, ouais, y'a pas de problème.

Invité 3 : On nous offre de quoi faire une soirée ; en contrepartie, on leur fait un petit peu de pub en envoyant des photos.

Invité 4 : C'est la seule contrepartie : on doit s'amuser et prendre des photos donc... euh... ça va !

Journaliste : Et petit bonus : grâce à ce système, les participants pourront gagner des cadeaux. Une fois les clichés mis en ligne, les internautes pourront voter afin d'élire la meilleure photo. Encore un bon moyen de séduire une clientèle potentielle... Anniversaires, réveillons, crémaillères : faire la fête à moindre coût, c'est possible, à condition de ne pas être trop à cheval sur le respect de sa vie privée. Alors n'hésitez plus, faites sponsoriser vos soirées.

> **Corrigé** **a.** Alizée et Geoffrey préparent une fête pour les 25 ans de leur ami Benoît. Ils ont opté pour une solution originale et économique : le sponsoring. **b.** Organiser une soirée financée par une marque et en faire la publicité. **c.** L'entreprise propose des kits de matériel pour organiser une fête. Les participants doivent seulement payer la nourriture et les boissons et poster des photos sur Internet pour promouvoir les marques qui financent ces événements. **d.** Le concept vient des États-Unis (en 2005). Le concept vient d'arriver en France et a déjà séduit plus de trente mille internautes.

Activité 3 ▶ 3

Modalité : par deux

▌ **Objectif :** affiner la compréhension d'un reportage vidéo

a – Faire lire la consigne et observer les photos puis faire visionner la seconde partie du reportage. Faire réaliser l'activité par deux.

– Procéder à la mise en commun en grand groupe : interroger un apprenant et noter les réponses au tableau sous sa dictée ; la classe valide.

b, c, d – Diviser la classe en trois groupes A, B et C : un groupe se focalise sur Alizée et son rôle (b), le second groupe sur les invités (c) et le troisième sur les marques (c). Faire visionner une seconde fois la vidéo et faire réaliser l'activité par deux. Les binômes de chaque groupe (A, B et C) comparent leurs réponses.

– Procéder à la mise en commun en grand groupe : un apprenant de chaque groupe se charge de rapporter les réponses de son groupe ; la classe valide.

> **Corrigé** **a.** 3 (présenter les produits) ; 1 (prendre des photos avec les produits) ; 2 (partager les photos sur Internet) ; **b.** Alizée est la VRP (elle « place » les produits, essaye de les faire connaître) puis la paparazzi (elle prend des photos des invités pour les poster ensuite sur les réseaux sociaux). **c.** Les invités choisissent des produits, portent des accessoires et se font prendre en photo. Ils sont d'accord et sont contents de l'expérience. **d.** Les participants pourront gagner des cadeaux : une fois les clichés mis en ligne, les internautes pourront voter afin d'élire la meilleure photo.

Activité 4 🔊

Modalité : en petits groupes

▌ **Objectif :** échanger sur les différents moyens d'organiser une fête

a – Former des groupes de quatre apprenants. Faire lire la consigne et réaliser l'activité.

– Procéder à la mise en commun en grand groupe : interroger quelques apprenants. Favoriser l'échange entre les apprenants en leur demandant leur avis sur ce type de soirée.

b – Faire lire la consigne et réaliser l'activité. Autoriser l'accès à Internet si besoin.

– Procéder à la mise en commun en grand groupe : noter les différentes propositions des apprenants au tableau sous leur dictée.

Activité 5 📖

▌**Objectif** : vérifier la compréhension globale d'un résumé de livre

– Faire observer la couverture du livre (**document 2**), si possible l'isoler et la projeter. Demander de formuler des hypothèses sur le type et le contenu de l'ouvrage.

– Faire lire la consigne. Faire réaliser l'activité seul puis demander aux apprenants de comparer leurs réponses par deux.

– Procéder à la mise en commun en grand groupe : interroger des apprenants et leur demander de justifier leurs réponses. Les écrire au tableau après validation par la classe.

▷ **Corrigé** a. 2 ; b. 3 ; c. 1

▶ **FOCUS LANGUE**   Sons et intonation

Variations rythmiques et mélodiques 🎧▶36   **page 59**

▌**Objectif** : identifier et marquer les variations rythmiques et mélodiques

– Faire écouter l'exemple en demandant aux apprenants de regarder la phrase transcrite dans le livre.

– Leur demander de relire cette phrase, de noter les changements de rythme et d'imiter la courbe mélodique.

– Faire écouter les quatre phrases une à une (voir le **document 2** p. 57 ou le livret p. 9) et demander à plusieurs apprenants volontaires de répéter chaque phrase en imitant au maximum le rythme et la courbe mélodique. Ne pas hésiter à demander aux apprenants d'exagérer un peu les temps de pause marqués par le signe suivant : [...], en comptant deux secondes mentalement et en insistant sur la syllabe montante ou descendante marquée par une flèche : ↗ ou ↘.

▷ **Transcriptions**

Exemple : Isabelle Barth (psychologue) et Yann-Hervé Martin (philosophe) sont les auteurs de La Comédie de la vie au travail… et ailleurs.

1. Selon eux, les hommes et les femmes sont incapables de vivre les uns avec les autres, et incapables de vivre les uns sans les autres.

2. Ils ont l'habitude de se rencontrer, de partir ensemble un week-end, d'organiser des voyages ou des fêtes qui sont pour eux l'occasion de se retrouver.

3. Ils ne font pas le même métier, ils n'ont pas les mêmes goûts, ni les mêmes opinions politiques ou religieuses.

4. Un peu plus loin, on peut reconnaître la spécialiste du compromis, l'expert en activités improvisées, la faiseuse de couples.

▷ **Corrigé**

1. Selon eux, les hommes et les femmes sont incapables de vivre les uns avec les autres, et incapables de vivre les uns sans les autres.

_____ ↗ [...] _____ ↗_____ ↗ [...] _____

_____ ↘

2. Ils ont l'habitude de se rencontrer, de partir ensemble un week-end, d'organiser des voyages ou des fêtes qui sont pour eux l'occasion de se retrouver.

_____ ↗ [...] _____ ↗ [...] _____ ↗

_____ ↘

3. Ils ne font pas le même métier, ils n'ont pas les mêmes goûts, ni les mêmes opinions politiques ou religieuses.

_____ ↗ [...] _____ ↗ [...] _____ ↗

_____ ↘

4. Un peu plus loin, on peut reconnaître la spécialiste du compromis, l'expert en activités improvisées, la faiseuse de couples.

_____ ↗ [...] _____ ↗ [...] _____ ↗ [...]

_____ ↘

▶ **Précis de phonétique p. 200**

▶ **S'exercer p. 167**

Pour aller plus loin

*On peut facilement enchaîner sur l'activité proposée dans les pages **S'exercer** car elle permet de renforcer ce point à l'aide d'énumérations créées sur le modèle d'un exemple proposé. On demande donc aux apprenants de créer des énumérations par deux et de les dire à voix haute devant la classe en respectant les variations mélodiques et le rythme comme pour l'exemple. Les productions ainsi obtenues pourront être variées mais seront lues sur le même schéma mélodique.*

Activité 6 📖

Modalité : par deux

▌**Objectif :** affiner la compréhension d'un extrait littéraire

a – Faire lire la consigne et réaliser l'activité par deux.

– Procéder à la mise en commun en grand groupe : interroger un apprenant et écrire au tableau sous sa dictée les six personnages décrits. S'assurer de la compréhension des termes en faisant lire les définitions proposées dans le **document 2**.

b – Faire lire la consigne et l'exemple. Faire réaliser l'activité par deux.

– Procéder à la mise en commun en grand groupe : noter les réponses des apprenants au tableau après validation par la classe.

c – Demander pourquoi le lecteur se sent concerné lors de la lecture de cet extrait (*parce que les auteurs lui parlent directement*) puis faire lire la consigne et réaliser l'activité par deux.

– Procéder à la mise en commun en grand groupe : inviter un apprenant à proposer ses réponses. Les noter au tableau ; la classe valide.

▷ **Corrigé a.** Le maniaque de l'organisation *(qui a pensé à tout, même au papier toilette)* ; le spécialiste du barbecue *(et il entend bien rester seul maître de son appareil)* ; cet autre multiplie les bons mots, les calembours et les plaisanteries *(faisant sourire les uns et suscitant chez les autres un soupir consterné)* ; la spécialiste du compromis ; l'expert en activités improvisées ; la faiseuse de couples. **b. Ce qui les rassemble :** Ils ont l'habitude de se rencontrer, de partir ensemble en week-end, d'organiser des voyages ou des fêtes qui sont pour eux l'occasion de se retrouver. Il leur arrive d'ailleurs de se chamailler, de se fâcher, de se réconcilier. **Ce qui les oppose :** Parmi eux, des hommes et des femmes. Certains ont des enfants, d'autres non. Ils ne font pas le même métier, ils n'ont ni les mêmes goûts, ni les mêmes opinions politiques ou religieuses. **c.** Ils s'adressent directement au lecteur : *Regardez celui-ci ; tournez votre regard vers celui-là*, comme sur une scène de film.

❯ FOCUS LANGUE

Décrire des comportements entre amis   **page 59**

▌**Objectif :** classer les verbes pour décrire des comportements entre amis

a – Faire lire la consigne et réaliser l'activité seul. Faire comparer les réponses par deux.

– Procéder à la mise en commun en grand groupe : au tableau, reproduire le tableau et inviter un apprenant à le compléter ; la classe valide.

b – Faire lire la consigne et faire réaliser l'activité en groupes de trois apprenants.

– Procéder à une mise en commun en grand groupe : les apprenants proposent leur(s) situation(s). Valider les réponses correctes obtenues.

c – Reformer les groupes et faire lire la consigne. Il est possible de donner une contrainte de temps (quatre minutes) afin que les groupes cherchent le plus vite possible d'autres verbes.

– Procéder à une mise en commun en grand groupe : compléter le tableau (relation sans conflit, avec conflit) avec les réponses des apprenants.

▷ **Corrigé a.**

Relation sans conflit	Relation avec conflit
se rencontrer ; se retrouver ; se réconcilier	se chamailler ; se fâcher

b. *Exemples de réponse.* Se chamailler : deux enfants qui veulent le même jouet se chamaillent ; se fâcher : un homme et son voisin trop bruyant se fâchent ; se réconcilier : des amoureux après une dispute se réconcilient. **c.** *Exemples de réponse.* faire connaissance, entrer en contact, se réunir, se disputer, se réconcilier, etc.

▶ **S'exercer p. 167**

❯ FOCUS LANGUE

Les pronoms démonstratifs et indéfinis pour décrire des comportements — page 58

▌**Objectif** : conceptualiser les pronoms démonstratifs et indéfinis pour décrire des comportements

a et **b** – Faire lire les consignes. Faire observer les phrases et faire réaliser l'activité par deux.

– Procéder à la mise en commun en grand groupe : interroger des apprenants et écrire les réponses au tableau sous leur dictée et après validation par la classe.

▷ **Corrigé a.** 1. des hommes et des femmes ; 2. le maniaque de l'organisation / le spécialiste du barbecue ; 3. les amis

b.

	Singulier	Pluriel
Pour désigner <u>une personne</u> (ou un groupe de personnes), j'utilise des pronoms démonstratifs.	celui-ci / *celle-ci* celui-là / *celle-là*	*ceux-ci / celles-ci* *ceux-là / celles-là*
Pour désigner <u>deux personnes</u> (ou deux groupes de personnes) <u>distinct(e)s</u>, j'utilise des pronoms indéfinis.	*l'un, l'autre*	certains, d'autres les uns, les autres

▸ **Précis de grammaire p. 204**

▸ **S'exercer p. 167**

Activité 7 💬 — Modalité : en petits groupes

▌**Objectif** : décrire un de ses amis

– Former des groupes de quatre apprenants. Faire lire la consigne et l'exemple. Faire réaliser l'activité. Passer dans les groupes afin de s'assurer du bon déroulement de l'activité.

– Procéder à la mise en commun en grand groupe.

Pour aller plus loin

Inviter les apprenants qui le souhaitent à apporter des photos en classe des amis décrits afin de les présenter à la classe. C'est l'occasion pour eux d'avoir un échange authentique sur un sujet familier et ainsi de participer à la cohésion de groupe, élément moteur de ce dossier 3.

À nous ! Activité 8 – Nous planifions une soirée originale pour la fête de la francophonie. 💬 — Modalités : en petits groupes puis en groupe

▌**Objectif** : transférer les acquis de la leçon

a Annoncer la tâche et ses étapes. En groupe, demander aux apprenants de définir le concept de la soirée. Un apprenant est responsable de noter au tableau les éléments principaux de la soirée. Insister sur le fait que la soirée doit être originale et dédiée à fêter la francophonie.

b Expliquer les modalités de travail et définir les groupes A et B. Laisser les groupes travailler en autonomie. Autoriser l'accès à Internet si besoin.

c – Procéder à la mise en commun en grand groupe. Un apprenant par groupe est le porte-parole.

– Si le matériel le permet, faire travailler les deux groupes sur ordinateur et leur demander de présenter sur PowerPoint les principales idées retenues par leur groupe.

d Si le centre de langue où se déroule le cours dispose d'un service culturel, lui soumettre la présentation des apprenants afin de concrétiser le projet *in situ*.

STRATÉGIES

Organiser un événement sur les réseaux sociaux

Objectifs : élaborer des stratégies pour organiser un événement sur les réseaux sociaux

Activité 1

Modalité : en groupe

Faire observer le document. Si possible, le projeter. Le faire identifier (*c'est une page d'un site Internet suisse www.valeriedemont.ch*). Faire lire la consigne et y répondre.

▷ **Corrigé** Le thème est l'organisation d'événements. Valérie Demont propose six étapes clés.

Activité 2

Modalités : en groupe puis par deux

a Faire lire la consigne et réaliser l'activité en groupe. Inviter les apprenants à donner leur avis et à le justifier. *Exemple : Selon moi, ces étapes sont adaptées à tous les types d'événements car c'est la manière actuelle d'organiser un événement.*
b – Faire lire la consigne et laisser les apprenants échanger par deux.
– Procéder à la mise en commun en grand groupe : interroger les apprenants et noter leurs réponses au tableau.

▷ **Exemple de réponse** b. On pourrait ajouter une étape pour choisir la photo qui illustre l'événement. Les avantages : être visible immédiatement par l'ensemble des invités.

Activité 3

Modalité : en petits groupes

– Faire lire la consigne. Préciser qu'il s'agit d'organiser un événement en français. Il peut concerner les étudiants de la classe, de l'école ou leur réseau d'amis francophones sur Internet.
– Faire réaliser l'activité en groupes de quatre. Passer dans les groupes et corriger si nécessaire leur production afin de passer à l'étape suivante.

Activité 4

Modalité : en petits groupes

Inviter les groupes à compléter leur invitation en respectant les étapes proposées sur le site. Passer dans les groupes et leur apporter une aide si nécessaire.

Pour aller plus loin

Demander à chaque groupe de présenter son invitation à la classe. Les apprenants votent pour celle qui est la plus attractive et explique les raisons de leur choix.

Activité 5 – Apprenons ensemble 🎧▶37

Modalités : par deux puis en petits groupes

Objectifs : résoudre un problème d'apprentissage ; échanger sur les réactions adéquates à adopter lors d'un événement français
a Faire lire la consigne et faire écouter l'enregistrement. Interroger la classe et valider les réponses obtenues.
b – Demander aux apprenants quelles sont les interrogations de Xia. Faire réécouter l'enregistrement si besoin (*elle se demande ce qu'elle doit faire ou ne pas faire, comment elle doit s'habiller et si elle doit prévoir un cadeau*).
– Faire lire la consigne et réaliser l'activité par deux. Autoriser l'utilisation d'Internet pour que les apprenants aillent chercher une confirmation de leurs hypothèses.
– Procéder à la mise en commun en grand groupe. Encourager les échanges en comparant les coutumes françaises et celles du pays des apprenants.
c Former des groupes de quatre apprenants. Faire lire la consigne et réaliser l'activité. S'assurer que les groupes choisissent des événements différents les uns des autres.

d 1 Faire lire la consigne et réaliser l'activité.

2 Inviter chaque groupe à noter au tableau le nom de l'événement choisi ainsi que les questions y étant associées.

e – Faire lire la consigne et faire réaliser l'activité.

– Procéder à la mise en commun en grand groupe. Les apprenants des autres groupes proposent leurs hypothèses et les groupes ayant fait les recherches valident les réponses et partagent les informations trouvées. Encourager les échanges en demandant aux apprenants s'ils sont surpris par les réactions à avoir ou à ne pas avoir en France concernant les événements proposés.

▷ **Transcriptions**

Présentateur : Nous passons à notre séquence « Entraide ». Une personne parle de son problème et vous, auditeurs, vous lui répondez pour l'aider. Aujourd'hui, nous écoutons le témoignage de Xia.

Xia : Bonjour, je m'appelle Xia, je suis chinoise. Je vis en France depuis un an. Mon problème : je suis invitée au mariage d'un ami français le mois prochain. Je suis très contente mais… je ne sais pas comment ça se passe ici en France ! C'est la première fois que je suis invitée à un événement aussi important. Vous pourriez m'aider et me dire ce que je dois faire ou ne pas faire pendant un mariage en France ? Comment je dois m'habiller ? Est-ce que je dois prévoir un cadeau ? Merci à tous !

▷ **Corrigé a.** Xia, une personne chinoise qui vit en France depuis un an. Elle est invitée au mariage d'un ami français mais elle ne sait pas comment ça se passe. Elle demande des conseils. **b.** *Exemples de réponse.* En France, lorsqu'on est invité(e) à un mariage, on s'habille en général d'une manière élégante. Il n'est pas approprié de porter du blanc (réservé à la mariée) ou du noir (la couleur du deuil). Les invités offrent un cadeau aux jeunes mariés (de leur choix ou sur une liste de mariage établie par les mariés) ou de l'argent.

PROJETS

Projet de classe

Il est conseillé de réaliser le projet de classe avant le projet ouvert sur le monde.

Nous collaborons pour organiser un événement avec des francophones.
– Annoncer aux apprenants qu'ils vont collaborer pour organiser un événement avec des francophones.
– Leur présenter les étapes du projet : choisir une activité à organiser, déterminer les critères logistiques, prendre en charge un aspect de l'organisation, s'occuper d'une tâche et organiser une soirée.
1. Faire observer les deux images proposées, les faire identifier *(il s'agit de deux publicités : l'une pour un café français et l'autre pour un cours de cuisine française)*.
2. Former des groupes de trois apprenants. Faire lire la consigne et encourager la créativité des apprenants.
3. **a** Un apprenant va au tableau et note sous la dictée de ses camarades la liste des activités à organiser.
   b Chaque apprenant vote : il inscrit le nom de l'activité de son choix sur un papier de manière anonyme et la classe procède au dépouillement. L'activité ayant reçu le plus grand nombre de voix est choisie.
   c En groupe, inviter les apprenants à échanger selon leurs disponibilités sur la date et les horaires de l'événement.
4. Diviser la classe en quatre groupes. Faire prendre connaissance des tâches demandées à chaque groupe et s'assurer de leur compréhension. Faire réaliser l'activité. Passer dans les groupes pour s'assurer du bon déroulement de l'activité et apporter une aide ponctuelle si nécessaire.
5. Procéder à la mise en commun en grand groupe. Comparer avec le tableau afin que rien ne soit oublié.
6. Les apprenants sont en autonomie et réalisent leur tâche dans la classe et hors de la classe. Prendre régulièrement connaissance de l'avancée du projet.
7. Procéder à la mise en commun en grand groupe quelques jours plus tard ; éventuellement aider les apprenants à régler les derniers préparatifs.
8. Après l'événement organisé, il est possible de demander aux apprenants de poster des photos, des commentaires ou leur réaction sur les réseaux sociaux.

Projet ouvert sur le monde

Nous créons un guide d'activités pour des francophones en visite dans notre ville ou dans notre pays.
Le projet ouvert sur le monde peut se faire en dehors de la classe : il est conseillé de présenter le projet aux apprenants en groupe pour s'assurer de la bonne compréhension de l'ensemble et de la répartition des tâches.
– En groupe, faire observer l'exemple donné d'un « passeport touristique » et s'assurer de sa compréhension.
– Former des groupes de quatre apprenants. Présenter les étapes de réalisation de leur passeport et les faire travailler en autonomie.

Nous créons un guide d'activités pour des francophones en visite dans notre ville ou dans notre pays.

Une jeune femme nigérienne a mis au point *Passeport*, un guide de référence africain. Elle s'appelle Monique Élysée et c'est elle qui a eu cette idée ingénieuse. Dans ce magazine, on retrouve un guide touristique complet qui met en avant les atouts et les richesses de l'Afrique dans toute sa beauté.

En groupe.

a. Observez le document et dites ce qu'est un « passeport touristique ».

....

À la manière de Monique Élysée, nous allons créer un guide d'activités à destination des francophones dans notre ville.

En petits groupes.

b. Décidez : à qui s'adresse votre passeport ?

Faites des recherches concernant les francophones présents dans votre ville. Combien sont-ils ? Existe-il une association des francophones ?

....

....

c. Échangez : quelles sont les informations que vous voulez partager afin de mettre en avant les atouts de votre pays / ville ?

Pour vous aider, complétez le tableau suivant :

Les sorties à faire	Les loisirs des habitants	Les fêtes et événements locaux	Les coutumes	....
....	....	....	....	....
....	....	....	....	....
....	....	....	....	....

d. Trouvez des illustrations pour chaque information choisie.

e. Rédigez votre guide d'activités sous la forme d'un passeport touristique :
  – sur la couverture, proposez un sommaire
  – sur chaque page, présentez une information et ses illustrations.

f. Proposez votre guide à l'association des francophones de votre ville ou à l'office de tourisme.

DELF 3

1. Compréhension des écrits

10 points

Faire lire la consigne de l'exercice, le document et le questionnaire. S'assurer de leur bonne compréhension (si certains termes ne sont pas compris, l'enseignant(e) pourra les expliquer mais en français). Dans les questions de type Vrai/Faux à justifier, préciser qu'il ne faut cocher qu'une seule case Vrai ou Faux et qu'il faut recopier la phrase qui justifie son choix (et non s'exprimer avec ses propres mots). Leur laisser 20 minutes pour répondre aux questions.

> **Corrigé** 1. b. *1 point* ; 2. a. Faux : *Nous travaillons dessus depuis trois mois.* b. Faux : *Le BDE Com'On a préféré la discothèque plus simple pour l'organisation. 3 points (1,5 point / question)* ; 3. Dans un bar et dans une boîte de nuit. *1 point (0,5 point / bonne réponse)* ; 4. Cela permet aux étudiants de première année de discuter avec les anciens étudiants ET c'est aussi un bon moyen, pour les nouveaux étudiants, de découvrir la ville. *1 point (0,5 point / bonne réponse)* ; 5. Faux : *Nous avons choisi la soirée en fonction du planning des étudiants. 1,5 point* ; 6. Les étudiants n'ont pas besoin d'être différents de ce qu'ils sont habituellement et ils doivent avoir avec eux un objet ou un signe qui est représentatif de leur passion. *(OU toute autre formulation équivalente). 1,5 point* ; 7. c. *1 point*

2. Production écrite

15 points

– Faire lire la consigne de l'exercice et s'assurer de sa bonne compréhension. Poser les questions suivantes aux apprenants : *Quel type d'écrit devez-vous écrire ? (Un article)* ; *Vous devez écrire sur quel sujet ? (Une fête de mon pays que j'apprécie beaucoup)* ; *Comment devez-vous présenter cette fête ? (En racontant son organisation et son déroulement et en donnant mon opinion)* ; *Combien de mots minimum devez-vous écrire ? (160 mots)*. Rappeler ensuite (ou demander à un apprenant de rappeler) comment compter les mots dans une production écrite : un mot est un ensemble de signes placé entre deux espaces. *C'est-à-dire* = 1 mot ; *parce que* = 2 mots ; *il y a* = 3 mots ; *j'ai 25 ans* = 3 mots. Préciser que le jour de l'examen, il est possible d'écrire plus de 160 mots, mais pas moins (sachant qu'une marge de 10 % en moins est tolérée).

– Laisser environ 30 minutes aux apprenants pour réaliser la tâche demandée.

Guide pour l'évaluation

Respect de la consigne L'apprenant a bien écrit un **article** (avec un titre) **au sujet d'une fête de son pays**. L'apprenant a bien écrit <u>au minimum</u> 160 mots (il peut écrire plus de 160 mots).	1 point
Capacité à présenter des faits L'apprenant a bien **raconté une fête** organisée dans son pays, son **organisation** et son **déroulement**.	4 points
Capacité à exprimer sa pensée L'apprenant a exprimé **des sentiments positifs** puisqu'il doit s'agir d'une fête qu'il aime beaucoup et a donné **son opinion** sur cette fête.	4 points
Cohérence et cohésion Le discours de l'apprenant est cohérent et ses idées s'enchaînent assez bien. On note la présence de quelques connecteurs (articulateurs logiques).	1 point
Compétence lexicale / Orthographe lexicale L'apprenant a correctement utilisé le vocabulaire de la situation présentée dans la consigne. L'apprenant a bien orthographié les mots qu'il a utilisés et qui ont été vus dans le dossier 3. La mise en page et la ponctuation sont fonctionnelles.	3 points
Compétence grammaticale / Orthographe grammaticale L'apprenant maîtrise la structure de la phrase simple. L'apprenant a su utiliser les temps et les modes vus dans les dossiers précédents et a su correctement conjuguer les verbes aux principaux temps de l'indicatif.	2 points

3. Production orale

15 points

Exercice 1

◀ **2 points** ▶

– Faire lire la consigne de l'exercice et s'assurer de sa bonne compréhension.

Guide pour l'évaluation

L'apprenant peut, sans préparation, se présenter et parler de lui et de ses centres d'intérêt **(0,5 point)**. Il peut parler de ses loisirs et du type de sorties qu'il aime faire **(1,5 point)**.
La présentation doit durer au minimum 2 minutes.

Exercice 2

◀ **5 points** ▶

– Faire lire la consigne de l'exercice en interaction. S'assurer de sa bonne compréhension.
– Demander aux apprenants de constituer des binômes pour réaliser le jeu de rôle.
– Laisser 10 minutes aux apprenants pour préparer leur jeu de rôle.
– Demander à un binôme de venir au tableau pour le réaliser. Le jeu de rôle doit durer au minimum 3 minutes.

Guide pour l'évaluation

Les apprenants peuvent faire des propositions et argumenter comme demandé dans la consigne pour arriver à un consensus. L'un des deux apprenants aura pour rôle de faire changer d'avis son ami. *(Les 5 points sont à répartir selon la quantité des informations échangées entre les apprenants et la façon dont ils sont parvenus à réaliser la tâche demandée.)*

Exercice 3

◀ **5 points** ▶

– Faire lire la consigne et le sujet du monologue suivi. S'assurer de leur bonne compréhension.
– Laisser 10 minutes aux apprenants pour faire un brouillon sur le sujet. La production orale de l'apprenant doit durer au minimum 3 minutes. L'enseignant pourra poser quelques questions à l'issue du monologue, il n'interviendra pas avant.

Guide pour l'évaluation

L'apprenant a pu dégager le thème principal du sujet **(1 point)** et a su donner son opinion sous la forme d'un petit exposé, de façon construite et cohérente **(4 points)**.

Pour l'ensemble des 3 exercices, l'enseignant s'assurera que les apprenants ont bien acquis les compétences lexicales et morphosyntaxiques vues dans le dossier 3 **(2 points)**.
Il veillera aussi à ce que les apprenants prononcent de manière compréhensible le répertoire d'expressions vues dans le dossier 3 **(1 point)**.

DOSSIER **4**

Nous contribuons au développement durable

- **Un projet de classe**

  Réaliser notre charte régionale de développement durable

- **Un projet ouvert sur le monde**

  Imaginer un projet participatif pour notre ville (ou pour la ville où nous étudions) et lancer un appel aux dons

Pour réaliser ces projets, nous allons apprendre à :
- rendre compte d'une expérience
- exprimer l'adhésion et émettre des réserves
- proposer des solutions
- débattre d'un sujet polémique
- identifier un projet de développement local et durable
- inciter à agir
- identifier des éco-gestes
- persuader quelqu'un de faire quelque chose

Pages d'ouverture

pages 64-65

▌ **Objectifs** : découvrir la thématique du dossier et présenter le contrat d'apprentissage

Le point sur... le développement durable

Modalités : en groupe puis en petits groupes

Faire observer la double-page, la projeter si possible. Faire dire le thème abordé (*le développement durable*). Montrer le titre pour valider la réponse.

1 a – Faire observer et identifier le document p. 64 (*un schéma sur le développement durable*).
  – Faire identifier les différents cercles. Vérifier la compréhension des adjectifs : *durable, vivable, équitable, viable*.
b – Former des groupes de trois ou quatre apprenants, faire lire la consigne et faire réaliser l'activité.
  – Procéder à la mise en commun en grand groupe. Écrire les réponses au tableau.
2 a, b, c et d – Faire observer le document p. 65, si possible le projeter. Faire identifier par les apprenants le lien avec le document p. 64 (*il présente des objectifs de développement durable*).
  – Former des groupes de trois ou quatre apprenants, faire lire les consignes et faire réaliser les activités. Demander à chaque groupe de désigner un secrétaire et un porte-parole.
  – Procéder à la mise en commun en grand groupe : donner la consigne **a** et demander au porte-parole de chaque groupe de répondre. Écrire au tableau les réponses. Vérifier la compréhension des différents *objectifs de développement durable*. Puis passer aux consignes **b**, **c** et **d**. Faire observer les points communs entre les groupes : ont-ils choisi les mêmes objectifs essentiels ? la même définition du développement durable ?

> ▷ **Corrigé** **1. b.** cercle orange : social ; cercle vert : écologique ; cercle bleu : économique ; **2 a.** Plusieurs réponses sont parfois possibles : **social** : 4, 5, 10, 16 ; **économique** : 1, 2, 3, 8, 9, 17 ; **écologique** : 6, 7, 11, 12, 13, 14, 15

Annoncer les deux projets (projet de classe et projet ouvert sur monde) puis les objectifs du dossier. Pour illustrer la démarche, on part des projets et, pour les réaliser, on acquiert et/ou on mobilise des savoirs, savoir-faire, savoir agir, des compétences générales et des compétences langagières.

Leçon **1** Communautés durables

Tâche finale : rendre compte d'une expérience			
Savoir-faire et savoir agir	**Grammaire**	**Lexique**	**Sons et intonation**
– Rendre compte d'une expérience	– Quelques adjectifs et pronoms indéfinis pour exprimer ou nuancer la quantité	– Décrire des relations de voisinage	– Les sons [y], [ɥ], [u]
– Exprimer l'adhésion et émettre des réserves		– Exprimer l'adhésion et émettre des réserves	

Activité 1

Modalité : en groupe

▌**Objectif** : vérifier la compréhension globale d'un article sur le web

– Faire observer le **document 1** (si possible le projeter) et le faire identifier *(c'est une page du site Internet rue89strasbourg.fr)*.
– Faire dire que le document présente un article sur l'habitat participatif, montrer le titre et écrire le mot *habitat participatif* au tableau. Demander aux apprenants s'ils connaissent ce type d'habitat.
– Faire lire la consigne et les questions **a** et **b**. Écrire les réponses au tableau sous la dictée des apprenants.

> ⊳ **Corrigé a.** L'article est titré de façon négative : « pas facile tous les jours ». L'auteure a choisi de mettre en avant ce propos plutôt négatif. **b.** La question posée par l'auteure : « Vivre en habitat participatif, ça change quoi ? » Elle va trouver les réponses en allant interroger les habitants d'Éco-Logis et en partageant leurs témoignages.

Infos culturelles

Rue89 Strasbourg est un média réactif, innovant et participatif à destination des Strasbourgeois. Il donne la parole aux Strasbourgeois et aux experts locaux, aux côtés des contenus produits par les journalistes, pour proposer une information à trois voix sur Strasbourg, son actualité et ses habitants. C'est une manière d'informer qui repose sur la coproduction de contenus entre des journalistes, des experts, des passionnés, des témoins, des blogueurs et tous les visiteurs du site.

Activité 2

Modalité : par deux

▌**Objectif** : affiner la compréhension d'un article sur le web

– Faire lire les consignes et faire réaliser l'activité en binôme.
– Procéder à la mise en commun en grand groupe : interroger des apprenants et écrire les réponses au tableau. Ces phrases serviront de corpus à la conceptualisation des adjectifs et pronoms indéfinis, les mettre en évidence (si l'article est projeté, les surligner).

> ⊳ **Corrigé a.** Serge Asencio, à l'origine d'Éco-Logis ; Vincent Frick, chercheur au CNRS ; Claire Lauffenburger, médecin-psychiatre ; Bruno Parasote. **b. Les relations entre les habitants** : *Comme **chaque** matin avant de partir au travail, Serge Asencio et **quelques** voisins se retrouvent pour une séance de Qi Gong de 30 minutes. Nous avons plus ou moins d'affinités avec **les uns et les autres**. Mais nous partageons des valeurs communes. Ici **tout le monde** se connaît et peut se faire confiance. Si je pars en week-end, je sais que je peux confier mes clés à **n'importe qui** dans l'immeuble.* **Un mode de vie plus écologique :** ***Chaque** soir l'abri à vélo à toit végétal est plein à craquer. À **chaque** passage à la laverie, l'Éco-logiste règle 0,70 € par machine. Pour encourager les déplacements quotidiens à vélo, ils ont prévu seulement six places de parking dans le garage pour onze logements.* **c.** *Tout n'est pas rose à Éco-Logis.* **d. Difficultés :** ***Quelques** problèmes de voisinage se sont déjà fait sentir. (...) Le bruit des enfants dérange **certains**, **d'autres** voient constamment du monde passer devant leurs fenêtres...* **Moyen pour y remédier :** *Alors, nous avons fait appel à un médiateur pour que **tout le monde** s'exprime. (Parce que) l'avis de tous est important.*

> **FOCUS LANGUE**

Quelques adjectifs et pronoms indéfinis pour exprimer ou nuancer la quantité   page 70

■ **Objectif :** conceptualiser l'utilisation des adjectifs et pronoms indéfinis pour exprimer ou nuancer la quantité

a, b et **c** – Projeter le **Focus langue** ou recopier les exemples au tableau. Faire lire les consignes et laisser les apprenants observer puis compléter le tableau en groupes de trois ou quatre apprenants.

– Procéder à la mise en commun en grand groupe : interroger des apprenants et noter leurs réponses sous la forme du tableau ci-dessous.

▷ **Corrigé** b.

Les adjectifs indéfinis → pour exprimer ou nuancer la quantité (avant le nom)	
Singulier	**Pluriel**
À **chaque** passage à la laverie, l'Éco-logiste règle 0,70 € par machine. **Chaque** soir l'abri à vélo à toit végétal est plein à craquer. On n'est pas un immeuble bisounours où **tout le monde** est beau et gentil. Ici **tout le monde** se connaît et peut se faire confiance. Nous avons fait appel à un médiateur pour que **tout le monde** s'exprime…	**Quelques** problèmes de voisinage se sont déjà fait sentir.
Les pronoms indéfinis → pour remplacer ou renforcer un nom ou un groupe nominal indéterminé	
Singulier	**Pluriel**
Il y a toujours **quelque chose** à se dire. Je peux confier mes clés à **n'importe qui**…	Nous avons plus ou moins d'affinités avec **les uns et les autres**. Le bruit des enfants dérange **certains**, **d'autres** voient constamment du monde passer…

▸ **Précis de grammaire p. 204**
▸ **S'exercer p. 168**

> **FOCUS LANGUE**

Décrire des relations de voisinage   page 71

■ **Objectif :** conceptualiser des expressions pour décrire des relations de voisinage

– Si possible, projeter le tableau. Faire lire la consigne puis les expressions du tableau. Faire distinguer les expressions positives et négatives (les deux colonnes) et en vérifier la compréhension. Faire réaliser l'activité par deux.

– Procéder à la mise en commun en grand groupe : interroger un apprenant et lui demander de noter au tableau les expressions relevées dans la colonne appropriée ; la classe valide les réponses.

▷ **Corrigé** positif : mettre en commun quelque chose ; confier quelque chose à quelqu'un

▸ **S'exercer p. 168**

Activité 3 📖   Modalité : par deux

■ **Objectif :** relever des structures pour introduire des propos

– Faire lire les consignes et en vérifier la compréhension. Faire réaliser l'activité.

– Procéder à la mise en commun en grand groupe : interroger un apprenant et faire valider la réponse par la classe. Pour la consigne **a**, noter au tableau (ou surligner si le document est projeté) les structures relevées par les binômes.

▷ **Corrigé** a. Vincent Frick (…) **assure que** leur projet d'habitat participatif n'était pas idéaliste. Claire **se confie** : … Vincent Frick **rappelle qu'**ils sont tous différents. « Ici tout le monde se connaît et peut se faire confiance », **explique** Vincent Frick avant de **préciser son propos**. b. L'article est titré de façon négative : « pas facile tous les jours ». L'auteure a choisi de mettre en avant ce propos plutôt négatif. Elle conclut sur une note positive en montrant qu'aucun d'eux ne voudrait finalement partir et que la vie suit son cours normalement.

Activité 4 🗨

Modalité : en petits groupes

▮ **Objectif** : donner son avis sur un mode de vie : l'habitat participatif

– Constituer des groupes de trois ou quatre apprenants. Désigner un rapporteur dans chaque groupe. Faire lire les consignes **a** et **b** et faire réaliser l'activité.

– Procéder à la mise en commun en grand groupe. Interroger chaque rapporteur, lui demander de justifier les réponses. Noter les réponses au tableau de façon à pouvoir comparer les réponses des différents groupes (tout le monde peut-il vivre en habitat participatif ? → oui / non + justification ; ce mode de vie contribue-t-il au développement durable ? → oui / non + justification).

Activité 5 ⊔

Modalité : en grand groupe

▮ **Objectif** : vérifier la compréhension globale d'une page Internet

– Si possible projeter le **document 2**. Le faire observer et identifier *(c'est la page Internet de Radio Coquelicot)*.

– Demander de lire le texte et de dire ce qu'il propose *(il incite les auditeurs à donner leur avis ; le numéro de téléphone 04 70 90 71 35 apparaît deux fois sur la page)*.

> ▷ **Corrigé** Nom de la radio : Radio Coquelicot ; les auditeurs peuvent enregistrer des messages sur un répondeur.

Activité 6 🎧38

Modalité : seul

▮ **Objectif** : vérifier la compréhension globale d'une émission de radio

– Faire lire les questions **a** et **b**, puis faire écouter l'enregistrement et réaliser l'activité seul.

– Inviter les apprenants à comparer leurs réponses en binôme.

– Procéder à la mise en commun en grand groupe : interroger des apprenants et écrire les réponses au tableau après validation par la classe.

> ▷ **Transcriptions**
>
> **Présentateur :** L'idée est simple et se développe depuis plusieurs décennies dans le nord de l'Europe. L'habitat participatif s'applique à un groupe de personnes réunies autour d'un projet qu'elles vont concevoir ensemble. Les futurs habitants définissent ensemble une charte de vie commune et élaborent toute l'organisation de ce lieu. Le concept fonctionne bien en Allemagne, par exemple, et intéresse un Français sur quatre. On écoute vos messages.

> ▷ **Corrigé a.** Thème commun : l'habitat participatif. **b.** Définition donnée par le présentateur : l'habitat participatif s'applique à un groupe de personnes réunies autour d'un projet qu'elles vont concevoir ensemble. Les futurs habitants définissent ensemble une charte de vie commune et élaborent toute l'organisation de ce lieu.

Activité 7 🎧39

Modalité : par deux

▮ **Objectif** : affiner la compréhension de messages d'auditeurs

Annoncer aux apprenants qu'ils vont entendre des messages laissés par les auditeurs sur le répondeur de Radio Coquelicot.

a – Faire lire la consigne. Faire reproduire le tableau à compléter : *Arguments « pour »*, *Réserves* (le projeter si possible).

– Procéder à une écoute séquentielle : faire une pause après chaque message pour laisser le temps aux apprenants de compléter le tableau.

– Procéder à la mise en commun en grand groupe : pour chaque message, inviter un apprenant à venir au tableau afin de noter ses réponses ; les faire valider par la classe.

b – Faire relire les réponses à l'activité **a**. Faire repérer les passages où les énoncés expriment l'adhésion du locuteur.

– Procéder à la mise en commun en grand groupe. Inviter un apprenant à venir au tableau pour souligner les expressions de l'adhésion relevées dans les réponses à l'activité **a**. Faire valider par la classe.

> ▷ **Transcriptions**
>
> **Éric :** Bonjour, c'est Éric, à Montpellier. L'habitat participatif ? Moi, je suis pour ! J'ai vécu dix ans dans un très bel appartement. Je m'y plaisais beaucoup mais personne ne se connaissait. Choisir sa maison et choisir ses voisins : oui, j'approuve totalement le concept. Il faut juste espérer que ceux qui décident d'habiter ensemble resteront fidèles à leur logement et donc à leurs voisins !

Jérôme : Je trouve intéressant de pouvoir décider de tout, de l'organisation des pièces, du choix des matériaux. Mais cela demande de passer beaucoup de temps à échanger, à discuter, à choisir les matériaux, le type d'énergie... C'est effectivement très bon pour l'empreinte écologique, mais je trouve ça vraiment trop chronophage !

Lukas : Bonjour à tous ! Mon amie et moi, nous partageons totalement cette nouvelle manière de concevoir le vivre ensemble. Nous aimons les rapports aux autres mais aussi vivre chez nous tranquillement, sans avoir tout le temps du monde.

Marie : S'en sortir collectivement plutôt qu'individuellement ? À mon avis, c'est une idée intelligente, mais difficile à mettre en place. Je crois que ça favorise évidemment de meilleures relations de voisinage.

Jean : On ne peut qu'adhérer au principe. Normal que ça se passe bien au début quand les copropriétaires se sont choisis et sont toujours les mêmes. Et la mixité sociale dans tout ça ?

▷ **Corrigé** a. n° 1 : Arguments « pour » → J'ai vécu dix ans dans un très bel appartement. Je m'y plaisais beaucoup mais personne ne se connaissait. Choisir sa maison et choisir ses voisins ; **Réserves** → Il faut juste espérer que ceux qui décident d'habiter ensemble resteront fidèles à leur logement et donc à leurs voisins ! **n° 2 : Réserves** → Mais cela demande de passer beaucoup de temps à échanger, à discuter, à définir les matériaux, le type d'énergie ; je trouve ça vraiment trop chronophage !
n° 3 : Arguments « pour » → nous partageons totalement cette nouvelle manière d'appréhender le vivre ensemble. Nous aimons les rapports aux autres mais aussi vivre chez nous tranquillement, sans avoir tout le temps du monde. **n° 4 : Arguments « pour »** → S'en sortir collectivement plutôt qu'individuellement. Je crois que ça favorise évidemment de meilleures relations de voisinage.
n° 5 : Arguments « pour » → On ne peut qu'adhérer au principe. Normal que ça se passe bien au début quand les copropriétaires se sont choisis et sont toujours les mêmes. **Réserves** → Mais la mixité sociale dans tout ça ? **b.** Message n° 2 → C'est effectivement très bon. Message n° 3 → Nous partageons totalement. Message n° 4 → À mon avis, c'est une idée intelligente... Message n° 5 → On ne peut qu'adhérer au principe.

FOCUS LANGUE

Exprimer l'adhésion et émettre des réserves   page 71

▮ **Objectif :** conceptualiser les structures pour exprimer l'adhésion et émettre des réserves

– Faire lire la consigne et en vérifier la compréhension.

– Faire réaliser l'activité par deux. Faire reproduire le tableau pour pouvoir le compléter.

– Procéder à la mise en commun en grand groupe. Inviter un apprenant à venir au tableau pour noter les formules relevées dans la colonne correspondante. Faire valider par la classe. Faire expliquer les expressions *exprimer l'adhésion (= exprimer son accord)* et *émettre des réserves (= exprimer un doute)*.

▷ **Corrigé**

Exprimer l'adhésion	Émettre des réserves
C'est effectivement très bon.	Il faut juste espérer que...
Nous partageons totalement...	Mais cela demande de...
À mon avis, c'est une idée intelligente...	Je trouve ça vraiment trop chronophage !
On ne peut qu'adhérer au principe.	Et la mixité sociale dans tout ça ?

▶ S'exercer p. 168

À nous ! Activité 8 – Nous rendons compte d'une expérience. 💬 ✏

Modalités : en groupe puis en petits groupes

▮ **Objectif :** transférer les acquis de la leçon

Présenter la tâche aux apprenants, faire lire les étapes et en vérifier la compréhension. Reprendre les groupes de trois ou quatre apprenants formés lors de l'activité **4**.

a Demander à chaque groupe de reprendre leur réponse à l'activité **4b** et de présenter son classement des types d'habitat. Les réécrire au tableau.

b Faire choisir par chaque groupe un type d'habitat. Passer dans les groupes pour vérifier le bon déroulement de l'activité. Inviter les apprenants à se reporter aux expressions pour rendre compte d'une expérience, pour décrire une relation de voisinage (p. 71).

c Procéder à la mise en commun en grand groupe : chaque groupe présente son expérience d'un type d'habitat et invite les apprenants à dire quels sont leurs arguments pour et à émettre leurs réserves par rapport à cette expérience. Les inviter à se reporter aux structures conceptualisées dans l'activité **7** : *exprimer son adhésion, émettre des réserves*.

Leçon **2** Consommation responsable

Tâche finale : débattre d'un sujet polémique			
Savoir-faire et savoir agir	**Grammaire**	**Lexique**	**Sons et intonation**
– Proposer des solutions	– Le participe présent pour préciser une action – Les adverbes de manière pour donner des précisions (adverbes en *-ment*)		– Les sons [y], [ɥ], [u]
– Débattre d'un sujet polémique	– Les adverbes de quantité / d'intensité pour nuancer son avis	– Débattre d'un sujet polémique – Parler du gaspillage alimentaire	

Activité 1 📖

Modalité : par deux

▌ **Objectif :** vérifier la compréhension globale d'un article

– Faire observer le **document 1** (si possible, le projeter). Demander aux apprenants de l'identifier (*c'est l'accroche d'un article sur le site Internet du journal* Le Monde.fr).
– Faire lire les consignes et réaliser l'activité.
– Procéder à la mise en commun en grand groupe. Noter le thème de l'article au tableau, le gaspillage alimentaire (**a**), le problème et les causes (**b**). Pour le **c**, demander à chaque binôme le classement des causes de gaspillage alimentaire.

▷ **Corrigé a.** Il faut être abonné au site du journal Le Monde.fr pour pouvoir lire l'article en entier : *Abonnez-vous pour 17,99 euros par mois.* **b. Le problème :** 40 % de la nourriture produite dans le monde n'est pas consommée ! **Ses causes :** des dates de péremption inutilement strictes, des promotions « deux pour le prix d'un », l'exigence des consommateurs occidentaux pour des produits alimentaires esthétiquement parfaits.

Activité 2 📖

Modalité : en groupe

▌ **Objectif :** identifier le thème d'un article

– Faire observer le titre de l'article et le logo du **document 2** (si possible, le projeter). Faire répondre à la question : faire identifier le lien avec le **document 1** en faisant lire le titre et le logo « *Bons à consommer, pas à jeter* ».
– Demander aux apprenants de faire des hypothèses sur les produits « Les gueules cassées », « les fruits et légumes moches » (*ce sont des produits alimentaires qui sont abîmés et vendus moins cher*).

▷ **Corrigé** Le lien avec le document 1 est le thème : le gaspillage alimentaire.

Activité 3 📖

Modalité : par deux

▌ **Objectif :** affiner la compréhension d'un article

– Faire lire la consigne et la carte d'identité des « Gueules cassées », et faire réaliser l'activité en binôme.
– Procéder à la mise en commun en grand groupe : si possible, projeter la carte d'identité ; interroger des apprenants et écrire les réponses au tableau après validation par la classe. Faire valider les hypothèses sur les « Gueules cassées » élaborées lors de l'activité précédente (*Les Gueules cassées = produits alimentaires « moches », avec une « sale gueule », abîmés, pas jolis, loin d'être esthétiquement parfaits*).

▷ **Corrigé Objectif de l'initiative :** encourager la consommation des produits alimentaires « *moches* » pour lutter contre le gaspillage.
Objectif du site : étendre l'initiative à l'étranger
Avantages des produits étiquetés « Les Gueules cassées » :
– pour le consommateur : ils sont vendus moins cher.
– pour le monde associatif : 1 centime est prélevé sur chaque achat, afin d'alimenter une caisse de solidarité finançant les actions de terrain des associations caritatives.
Pays et magasins concernés par ces produits : 300 magasins aux États-Unis. Une trentaine de magasins en Allemagne pour démarrer, avant d'englober les 500 magasins distribuant les produits du groupement de producteurs bio qui ont choisi d'adopter la démarche des Gueules cassées.

FOCUS LANGUE

Le participe présent pour préciser une action   **page 70**

▌**Objectif** : conceptualiser l'emploi du participe présent

– Faire lire les consignes. Si possible, projeter le chapeau de l'article du site lemonde.fr (doc. 2 p. 68) ainsi que les réponses à l'activité **3** p. 69 (la carte d'identité des Gueules cassées).

– Faire réaliser l'activité en binôme puis procéder à la mise en commun en grand groupe : interroger quelques apprenants et noter les réponses au tableau après validation par la classe. Faire lire la formation du participe présent (encadré p. 70).

　　　　▷ **Corrigé a.** Par le pronom relatif *qui* + le verbe conjugué. Exemple : Cette initiative visant / qui vise à encourager la consommation… **b.** finançant, distribuant ; **c.** 1 centime est prélevé sur chaque achat afin d'aider une caisse de solidarité **finançant** les actions de terrain des associations caritatives → **qui finance** les actions… ; 500 magasins **distribuant** les produits du groupement de producteurs bio qui ont choisi d'adopter la démarche des Gueules cassées → **qui distribuent** les produits…

▸ **Précis de grammaire p. 211**

▸ **S'exercer p. 168**

Activité 4 📖   Modalité : par deux

▌**Objectif** : repérer des structures pour préciser un propos

– Faire lire la consigne et faire réaliser l'activité en binôme.

– Procéder à la mise en commun en grand groupe. Si le **document 2** est projeté, faire venir un apprenant au tableau afin qu'il souligne les structures relevées par le binôme. Faire valider les réponses par la classe, sinon lui demander de recopier les structures.

　　　　▷ **Corrigé** Cette nourriture **parfaitement** bonne et **injustement** gaspillée. Ces produits ont **strictement** les mêmes qualités que les autres…

FOCUS LANGUE

Les adverbes de manière pour donner des précisions   **page 70**

▌**Objectif** : conceptualiser les adverbes de manière

– Inviter les apprenants à relire ces extraits du **document 1** (si possible, projeter le corpus au tableau) et les réponses à l'activité **4**. Insister sur la présence des mots en gras (les adverbes de manière) dans ces énoncés. Puis, faire répondre aux consignes **a** et **b** en binôme.

– Procéder à la mise en commun en grand groupe. Faire apparaître les réponses en couleur.

　　　　▷ **Corrigé a.** 1. Ils répondent à la question « Comment ? » Exemple : Comment sont les dates de péremption ? 2. Ces adverbes donnent des précisions sur un adjectif *(strictes, parfaits, bonne, gaspillée)* ou un verbe *(aider, avoir)*. 3. Ces adverbes sont construits sur la base de l'adjectif au féminin singulier + *ment*. **b.** *Exemple de réponse.* doucement : il parle doucement ; franchement : nous lui disons franchement ; lentement : elle écrit lentement.

▸ **Précis de grammaire p. 205**

▸ **S'exercer p. 169**

Activité 5 💬   Modalité : en petits groupes

▌**Objectif** : échangez des opinions sur un thème : le gaspillage

a et **b** – Constituer des groupes de trois ou quatre apprenants ; désigner un porte-parole dans chaque groupe. Faire lire les consignes (vérifier la compréhension du terme « gaspillage alimentaire ») et faire répondre à la question. Inciter les apprenants à utiliser les adverbes de manière pour préciser leur propos.

　　　　▷ **Corrigé b. Exemple d'initiatives :** utiliser/cuisiner les restes d'un repas ; donner les produits invendus (dans les supermarchés, les boulangeries, etc.) à des personnes défavorisées.

Activité 6 🎧40   Modalités : par deux puis en groupe

▌**Objectif** : vérifier la compréhension globale d'une émission de radio

Si possible, projeter le visuel du **document 3**. Le faire observer. Demander aux apprenants ce qu'il présente *(le site Internet de la radio France Inter ; pour réécouter l'émission* Le téléphone sonne*)*.

a – Faire lire la consigne. Procéder à une ou deux écoutes. Faire réaliser l'activité par deux.

– Procéder à la mise en commun en grand groupe : interroger des apprenants, faire valider les réponses par la classe et les écrire au tableau.

b Poser les questions à la classe. Laisser les apprenants s'exprimer librement.

> ▷ **Transcriptions**
>
> **Présentateur :** C'est aujourd'hui la journée nationale de la lutte contre le gaspillage alimentaire. Voici quelques chiffres pour comprendre ce gaspillage : un Français jette en moyenne sept kilos de produits encore sous emballage. Une dépense de 400 euros par an et par ménage qui va à la poubelle. C'est absurde évidemment. Comment lutter contre cette dérive de la société de surconsommation ? Vos questions, vos remarques, vos témoignages au standard et sur franceinter.fr. Nos invités : Éric Louet, sociologue de l'agriculture et de l'alimentation, et Guillaume Pasti, directeur de l'ANDES, l'Association nationale de développement des épiceries solidaires.
>
> ▷ **Corrigé a.** 1. Un débat. 2. On échange et on partage des opinions sur un thème. 3. Les participants sont des invités choisis, des experts et des auditeurs.

Infos culturelles

Le téléphone sonne est une émission française de radio, créée en 1978. Elle est diffusée en direct sur France Inter du lundi au vendredi, de 19 à 20 heures. Elle aborde chaque soir un thème de l'actualité. Les auditeurs peuvent interroger les invités (journalistes, personnalités politiques, universitaires...) par téléphone (d'où le nom de l'émission), par courrier électronique et par les réseaux sociaux. C'est l'émission la plus écoutée sur sa tranche horaire.

Activité 7 🎧▸40
Modalités : seul puis par deux

▌**Objectif :** affiner la compréhension d'une émission de radio

– Procéder à une deuxième écoute de la première partie de l'émission. Faire réaliser l'activité.

– Inviter les apprenants à comparer leurs réponses par deux puis procéder à la mise en commun en grand groupe, noter les réponses au tableau.

> ▷ **Corrigé a.** La journée nationale de la lutte contre le gaspillage alimentaire. **b.** Un Français jette en moyenne sept kilos de produits encore sous emballage. Une dépense de 400 euros par an et par ménage qui va à la poubelle. **c.** Comment lutter contre cette dérive de la société de surconsommation ?

Activité 8 🎧▸41
Modalité : par deux

▌**Objectif :** vérifier la compréhension globale d'une émission de radio

– Faire lire la consigne et les affirmations. Procéder à une ou deux écoutes.

– Faire réaliser l'activité par deux : demander de reproduire le tableau ci-dessous afin de le compléter.

	L'auditeur	L'invité	Le présentateur
a. Il liste les causes du problème.			
b. Il propose des solutions concrètes.			
c. Il pose des questions.			
d. Il exprime son avis et prend position.			
e. Il distribue la parole.			

– Pour la mise en commun en grand groupe : demander à cinq apprenants (un par affirmation) de venir noter leur réponse au tableau et de la justifier à l'oral. Les faire valider par la classe. Faire formuler les observations suivantes : les auditeurs parlent plus des causes que des solutions. Les invités s'expriment sur les solutions et n'évoquent pas les causes. Les invités étant experts du problème, il est normal qu'ils aient plus de solutions à proposer.

> ▷ **Transcriptions**
>
> **Présentateur :** Beaucoup d'appels au standard. Jérôme nous appelle de Lormont. Bonsoir Jérôme, vous êtes en direct.
>
> **Jérôme :** Bonsoir, merci de m'accueillir. Je pense que si l'on gaspille autant, c'est parce que l'on accorde peu de valeur à l'alimentation. Alors on jette énormément et c'est normal. Quand on a quelque chose entre les mains qui n'a pas de valeur, on le gaspille...

Présentateur : Des courriels. Christophe de Lille : « Le consommateur est victime du mode de distribution qu'on lui impose. Le système de promotion "un produit acheté, le deuxième offert" incite au gaspillage ! » Denis à Quimper : « Le gâchis vient de l'offre des grands magasins qui poussent à acheter en grande quantité. » Guillaume Pasti ?

Guillaume Pasti : Parfaitement d'accord avec votre auditeur.

Présentateur : Et qu'est-ce qu'on fait ?

Guillaume Pasti : Je crois vraiment qu'il ne faut pas culpabiliser les différents acteurs de la chaîne alimentaire. Et surtout, ne pas dire que c'est de la faute du consommateur ou des distributeurs. Ensuite, essayer de limiter ces promotions et de vendre les produits à l'unité.

Présentateur : Courriel, remarque de Céline : « Pourquoi a-t-on tant de mal à acheter des fruits et légumes qui n'ont pas un look parfait ? » Qui veut répondre ?

Guillaume Pasti : Il faut absolument que nous changions le regard que nous portons sur ces fruits et légumes, et ça prend du temps.

Éric Louet : Oui, je crois que c'est important de sensibiliser plutôt que de sanctionner, surtout ne pas culpabiliser. C'est un sujet grave mais il faut le traiter avec humour. Et c'est exactement ce que font les Gueules cassées. C'est une belle initiative, absolument indispensable.

Présentateur : Courriel de Marie, à Pau : « Je pense qu'il faut vendre les produits moches au même prix. Les vendre à un prix fortement réduit, c'est les dévaloriser. » Une réaction ?

Éric Louet : Là, je ne suis pas du tout d'accord… À prix égal, les consommateurs ne les achètent pas. S'ils sont 30 % moins chers, les consommateurs les achètent, point à la ligne.

Présentateur : Un appel de Bruno, à Asnières, bonsoir Bruno.

Bruno : Bonsoir. Moi, je voudrais insister sur un point qui est très important. Il faut bien comprendre que la lutte contre le gaspillage n'est pas une question nationale. Le défi alimentaire est mondial ! Et…

Présentateur : Merci… Pardon Bruno, vous vouliez ajouter quelque chose ?

Bruno : Oui, si je peux me permettre… J'ai les règles obligatoires européennes là, sous le nez, pour les fruits et légumes. Ils doivent être entiers, sains, sans parasites – ça, je peux le comprendre –, suffisamment développés, etc., etc., etc. On compte environ vingt critères pour un concombre ! C'est n'importe quoi !

▷ **Corrigé**

	L'auditeur	L'invité	Le présentateur
a. Il liste les causes du problème.	✗		
b. Il propose des solutions concrètes.	✗	✗	
c. Il pose des questions.	✗		✗
d. Il exprime son avis et prend position.	✗	✗	
e. Il distribue la parole.			✗

Justifications : a. Jérôme, auditeur : *Je pense que si l'on gaspille autant c'est parce que l'on accorde trop peu de valeur à l'alimentation.* Christophe, auditeur : *Le consommateur est victime du mode de distribution qu'on lui impose.* **b.** Guillaume Pasti, invité : *Je crois vraiment qu'il ne faut pas culpabiliser les différents acteurs de la chaîne alimentaire. Il faut absolument que nous changions le regard que nous portons sur ces fruits et légumes.* Marie, auditrice : *Je pense qu'il faut vendre les produits moches au même prix.* **c.** Le présentateur : *Et qu'est-ce qu'on fait ? Qui veut répondre ? Une réaction ? Vous vouliez ajouter quelque chose ?* Céline, auditrice : *Pourquoi a-t-on tant de mal à acheter des fruits et légumes qui n'ont pas un look parfait ?* **d.** Éric Louet, invité : *Là, je ne suis pas du tout d'accord… À prix égal, les consommateurs ne les achètent pas. S'ils sont 30 % moins chers les consommateurs les achètent, point à la ligne.* Bruno, auditeur : *On compte environ vingt critères pour un concombre ! C'est n'importe quoi !* **e.** Le présentateur : *Qui veut répondre ? Une réaction ? Bonsoir Jérôme, vous êtes en direct. Pardon Bruno, vous vouliez ajouter quelque chose ?*

⯈ FOCUS LANGUE

Débattre d'un sujet polémique 🎧 ▶43   **page 71**

▌**Objectif :** conceptualiser les expressions pour débattre d'un sujet polémique

a – Faire lire la consigne pour s'assurer de la compréhension de l'activité. Procéder à deux écoutes : première écoute séquentielle, faire une pause entre chaque extrait, deuxième écoute en continu.
– Faire réaliser l'activité individuellement puis demander de comparer les réponses par deux.
– Procéder à la mise en commun en grand groupe : interroger des apprenants, faire valider les réponses par la classe et les écrire au tableau.

– Là, je ne suis pas du tout d'accord… À prix égal, les consommateurs ne les achètent pas. S'ils sont 30 % moins chers, les consommateurs les achètent, point à la ligne.

– Bonsoir. Moi, je voudrais insister sur un point qui est très important. Il faut bien comprendre que la lutte contre le gaspillage n'est pas une question nationale.

– Merci… Pardon Bruno, vous vouliez ajouter quelque chose ?

– Oui, si je peux me permettre… J'ai les règles obligatoires européennes là, sous le nez, pour les fruits et légumes. C'est n'importe quoi !

▷ **Corrigé**	**a.** Donner la parole à quelqu'un	*Vous vouliez ajouter quelque chose ?*
	b. Demander la parole / Ajouter quelque chose	*Si je peux me permettre…*
	c. Mettre en avant un argument, une idée	*Je voudrais insister sur un point qui est très important…* *Il faut bien comprendre que…*
	d. Exprimer son accord	*Parfaitement d'accord avec votre auditeur.*
	e. Contester, critiquer une idée, un argument	*C'est absurde évidemment.* *Là, je ne suis pas du tout d'accord.* *C'est n'importe quoi !*
	f. Mettre fin à un échange	*… point à la ligne.*

Activité 9 🎧▸41

Modalité : par deux

▮ **Objectif** : affiner la compréhension d'une émission de radio

– Faire lire la consigne et les exemples. Procéder à une ou deux écoutes. Faire réaliser l'activité par deux.

– Procéder à la mise en commun en grand groupe. Interroger un apprenant pour énoncer les causes et un second pour énoncer les solutions. Faire valider leurs réponses par la classe et les noter au tableau.

> ▷ **Corrigé** **Les causes :** Je pense que si l'on gaspille autant c'est parce que l'on accorde peu de valeurs à l'alimentation. (Jérôme, un auditeur) ; Le mode de distribution qu'on impose au consommateur. Le système de promotion : « un produit acheté, le deuxième offert » incite au gaspillage ! (Christophe, un auditeur) ; Le gâchis vient de l'offre des grands magasins qui poussent à acheter en grande quantité. (Denis, un auditeur). **Les solutions :** Je crois vraiment qu'il ne faut pas culpabiliser les différents acteurs de la chaîne alimentaire. (Guillaume Pasti, l'invité) ; Essayer de limiter ces promotions et de vendre les produits à l'unité. (GP) ; Je pense qu'il faut que nous changions le regard que nous portons sur ces fruits et légumes. (GP) ; (Oui, je crois que c'est important de) sensibiliser plutôt que sanctionner, surtout ne pas culpabiliser. (Éric Louet) ; Je pense qu'il faut vendre les produits moches au même prix. Les vendre à un prix fortement réduit, c'est les dévaloriser. (Marie, une auditrice)

▶ FOCUS LANGUE

Les adverbes de quantité / d'intensité pour nuancer son avis 🎧▸42   **page 70**

▮ **Objectif** : conceptualiser les adverbes de quantité et d'intensité pour nuancer son avis

a – Faire lire la consigne et donner un exemple d'adverbe *(On accorde **peu** de valeur à l'alimentation)* pour s'assurer de la compréhension de l'activité. Procéder à deux écoutes (première écoute séquentielle, faire une pause entre chaque extrait ; deuxième écoute en continu).

– Faire réaliser l'activité par deux. Puis procéder à la mise en commun en grand groupe : interroger des apprenants, faire valider les réponses par la classe et les écrire au tableau. Mettre les adverbes en évidence (en couleur / les souligner) afin d'aider au repérage et à la conceptualisation. Faire dire que l'adverbe apporte une information sur la quantité / l'intensité et qu'il se place avant un nom, avant un adjectif / un adverbe ou après un verbe selon le terme (le souligner) auquel il se rapporte.

b et **c** – Faire lire les consignes et les exemples. Faire réaliser les activités **b** et **c** par deux.

– Procéder à la mise en commun : pour **b.**, noter au tableau les valeurs de chaque adverbe ; pour **c.**, noter les adverbes donnés par les apprenants dans le tableau, faire valider par d'autres apprenants les exemples donnés par chaque binôme.

▷ Corrigé a.	Avant un nom	Avant un adjectif / adverbe	Après un verbe
	On accorde trop **peu de** *valeur à l'alimentation.* *Pourquoi a-t-on* **tant de** *mal à acheter des fruits et légumes qui n'ont pas un look parfait ?*	*C'est une belle initiative,* **absolument** *indispensable.* *Les vendre à un prix* **fortement** *réduit, c'est les dévaloriser.*	*Si l'on* gaspille **autant**... *On* jette **énormément***, et c'est normal.*
b.	*trop peu* → *la quantité* *tant de* mal → *l'intensité*	*absolument* → *l'intensité* *fortement* réduit → *l'intensité*	*on* gaspille *autant* → *la quantité* *On* jette *énormément.* → *la quantité*

▸ **Précis grammatical p. 205**

▸ **S'exercer p. 169**

❯ FOCUS LANGUE

Pour parler du gaspillage alimentaire   page 71

▮ **Objectif** : conceptualiser les expressions pour parler du gaspillage alimentaire

a et **b** – Constituer des groupes de trois apprenants. Désigner un rapporteur par groupe. Si possible, projeter la carte mentale.

– Faire lire les consignes. Faire observer la carte mentale et s'assurer de la compréhension du lexique (**a**). Demander de réaliser l'activité **b** ; passer dans les groupes pour s'assurer du bon déroulement de l'activité.

– Procéder à la mise en commun en grand groupe : interroger le rapporteur de chaque groupe. Noter son classement au tableau. Comparer les classements donnés par chaque groupe.

▸ **S'exercer p. 169**

Pour aller plus loin

Organiser un débat sur le modèle du Téléphone sonne : nommer un présentateur qui distribuera les tours de parole et posera des questions aux participants.

❯ FOCUS LANGUE   Sons et intonation

Les sons [y], [ɥ] et [u] 🎧▸)44   page 71

▮ **Objectifs** : repérer les graphies des sons [y], [ɥ] et [u] et les articuler

– Faire écouter l'enregistrement pour identifier les trois sons : les deux voyelles [y] et [u] d'une part et la semi-voyelle [ɥ] d'autre part. Préciser que dans ce cas, la semi-voyelle est toujours suivie d'une voyelle, généralement la voyelle *i* comme avec le mot de l'exemple *suis*.

– Demander aux apprenants de reproduire sur une feuille le tableau à trois entrées proposé dans le livre. Par deux, leur demander de trouver dans le texte du **document 1** (p. 66) le maximum de mots qui contiennent les trois sons en un temps chronométré de trois minutes. Puis, après avoir compté le nombre de mots trouvés, inviter les binômes à comparer leur tableau avec un autre binôme.

– Afficher au tableau le corrigé et relire les mots de chaque colonne séparément en arrondissant les lèvres vers l'avant pour articuler les mots qui contiennent ces trois sons. Pour plus d'explications sur les critères articulatoires de ces trois sons vocaliques et les différentes graphies des voyelles [y] et [u], se reporter au ***Précis de phonétique***, pp. 197-198.

▷ **Transcriptions** *Exemples : rue – suis – Strasbourg*

▷ **Corrigé**

[y]		[ɥ] + voyelle	[u]	
Rue	assure	suis	Strasbourg	encourager
utilisateur	surtout	buanderie	tous	embouteillages
culture	prévu	bruit	jours	bisounours
Lucile	eu (verbe *avoir*	habituellement	retrouver	où
une	au passé composé)		pour	nous
minutes	du		toujours	aboutisse
naturellement	plus		surtout	voudrait
aventure	communes		tout	toucher
utopistes	Bruno			

▸ **Précis de phonétique pp. 197-198**

▸ **S'exercer p. 170**

Proposer un détournement d'un jeu classique, le « Petit bac », adapté pour la phonétique et renommé « Petit bac des sons » (activité proposée dans les pages S'exercer). On reprend les mêmes règles du jeu mais au lieu de chercher des mots qui commencent par une lettre de l'alphabet, on demande aux apprenants de chercher des mots qui contiennent le son [y] puis le son [u]. Faire compléter le tableau par équipe. Dès qu'une équipe a complété tout le tableau, le jeu s'arrête. L'équipe marque un point si aucune autre équipe ne propose le même mot qu'elle. Chaque mot unique permet de faire gagner un point à son équipe.

On peut prolonger ce jeu du « Petit bac des sons » avec les trois voyelles nasales, puisque ces trois voyelles ont été vues dans le dossier 2. On peut également ajouter de nouveaux thèmes : art et culture, profession, etc.

À nous ! **Activité 10 – Nous débattons d'un sujet polémique.** ✏️

Modalités : en petits groupes puis en groupe

▍**Objectif :** transférer les acquis de la leçon

Présenter la tâche aux apprenants, faire lire les étapes et en vérifier la compréhension. Reprendre les groupes formés lors de l'activité **5** p. 69. Désigner un rapporteur par groupe.

a Demander à chaque groupe de reprendre ses réponses à l'activité **5b** et de les présenter à la classe. Au tableau, lister les différentes initiatives pour lutter contre le gaspillage alimentaire.

b et **c** Demander à chaque groupe de lire les consignes et d'y répondre.

d et **e** Demander au rapporteur de chaque groupe de donner l'initiative préférée de son groupe et celle à laquelle il ne croit pas. Les autres groupes réagissent en donnant leur avis. Inciter les apprenants à utiliser les structures pour exprimer leur adhésion et pour émettre des réserves vues dans la **leçon 1**, ainsi que les expressions du gaspillage alimentaire.

Leçon **3** Local, social et solidaire

pages 72-73

Tâche finale : soutenir un micro-entrepreneur			
Savoir-faire et savoir agir	**Grammaire**	**Lexique**	**Sons et intonation**
– Identifier un projet de développement local et durable	– Quelques verbes prépositionnels pour exprimer le but d'une action – L'infinitif et le subjonctif pour exprimer le but d'une action	– Les termes pour parler du microcrédit social et solidaire	– L'intonation pour persuader
– Inciter à agir	– Inciter à agir	– Parler du crédit et de l'épargne	

Activité 1 📖

Modalité : par deux

▍**Objectif :** vérifier la compréhension globale d'une page Internet

– Faire observer le **document 1** (si possible, le projeter). Demander aux apprenants de l'identifier (*c'est la page d'accueil d'un projet de Kiss Kiss Bank Bank, www.kisskissbankbank.com*).

– Faire lire les consignes et réaliser l'activité.

– Procéder à la mise en commun en grand groupe. Pour les consignes **a** et **b** : noter au tableau (ou les mettre en évidence en les surlignant si le document est projeté) le nom du site (*Kiss Kiss Bank Bank*) et les termes clés (*lancez/découvrez des projets, projets créatifs ou innovants, collectés, KissBankers*) et faire faire des hypothèses sur le fonctionnement de la plate-forme et son objectif : le financement participatif (*Kiss kiss Bank Bank est une plate-forme de financement participatif ou « crowdfunding » ; son but est de collecter les dons de particuliers, les KissBankers, pour des projets*). Puis, mettre en évidence le nom du projet (*Biofermes*) et les domaines auxquels il appartient (en bleu dans la liste : *Écologie, Food, Solidarité*). Pour la question **c**, interroger chaque binôme et faites la liste des domaines qui intéressent le plus la classe.

> **Corrigé** **1 a.** Informations clés dans le bandeau du site web : *lancez/découvrez des projets, projets créatifs ou innovants, collectés, KissBankers*. **b.** Projet mis en évidence : Biofermes. Objectif : aider à se développer des petites fermes agroécologiques et autonomes. Domaines auxquels il appartient : *Écologie, Food, Solidarité*.

Activité 2 🎧H45

▌**Objectif** : vérifier la compréhension globale d'une émission de radio
- Annoncer aux apprenants qu'ils vont écouter une émission de RFI Afrique (**document 2**).
- Faire lire les consignes, écouter l'enregistrement et réaliser l'activité.
- Proposer aux apprenants de comparer leurs réponses par deux puis procéder à la mise en commun en grand groupe. Noter les réponses au tableau.

> ▷ **Transcriptions**
>
> **Journaliste :** Une start-up ivoirienne a présenté le premier bloc de chocolat « Made in Côte-d'Ivoire ». Avec 40 % du marché mondial, la Côte-d'Ivoire est le premier producteur mondial de cacao. Pourtant, seule une petite partie du cacao est transformée sur place : une perte évidente pour l'économie ivoirienne. Pour remédier à cette situation, la start-up Instant Chocolat et la coopérative Ecoya ont créé les premiers blocs de chocolat fabriqués en Côte-d'Ivoire à partir de fèves de cacao certifiées commerce équitable. « Le chocolat des femmes de Yamoussoukro » est destiné à la pâtisserie. C'est Axel Emmanuel Gbaou, un chocolatier ivoirien plusieurs fois récompensé pour son savoir-faire, qui est à l'origine de ce projet.
>
> **Axel Emmanuel Gbaou :** Ce projet vise à installer des chocolateries en milieu rural pour que les producteurs gagnent un peu plus sur le cacao. Un producteur gagne moins d'un dixième du prix de la tablette de chocolat vendue à l'étranger. Aujourd'hui, on œuvre pour qu'il gagne au moins le tiers.
>
> **Journaliste :** Ici, le produit fini est certifié équitable, c'est-à-dire qu'il respecte des normes environnementales, que les agriculteurs sont mieux rémunérés, et que le travail des enfants est interdit. D'ici trois ans, l'objectif de ce projet social et solidaire est d'essayer de faire travailler une centaine de femmes dans chacune des 2 500 coopératives ivoiriennes productrices de cacao. De quoi fournir du travail à 250 000 femmes. Instant Chocolat cherche actuellement à obtenir des financements pour ce beau projet véritablement « Made in Côte-d'Ivoire ».
>
> ▷ **Corrigé a.** Le premier bloc de chocolat « Made in Côte-d'Ivoire », certifié équitable.
> **b.** Axel Emmanuel Gbaou est un chocolatier ivoirien plusieurs fois récompensé pour son savoir-faire. Il est l'origine du projet. *Instant Chocolat* est une start-up ivoirienne. *Ecoya* est une coopérative ivoirienne productrice de cacao.

Activité 3 🎧H45

▌**Objectif** : affiner la compréhension d'une émission de radio
- Faire lire les consignes et réaliser l'activité par deux.
- Procéder à la mise en commun en grand groupe. Faire noter les réponses au tableau.

> ▷ **Corrigé a. L'économie ivoirienne :** la Côte-d'Ivoire est le premier producteur mondial de cacao. Pourtant, seule une petite partie du cacao est transformée sur place. Une perte évidente pour l'économie ivoirienne. **Les producteurs de cacao :** un paysan gagne moins d'un dixième du prix de la tablette de chocolat vendue à l'étranger. **b. Selon Axel Emmanuel Gbaou :** ce projet vise à installer des chocolateries pour que les producteurs gagnent un peu plus sur le cacao : *on œuvre pour qu'ils gagnent au moins le tiers.* **Selon le journaliste :** essayer de faire travailler une centaine de femmes dans chacune des 2 500 coopératives ivoiriennes productrices de cacao.

▶ FOCUS LANGUE

Quelques verbes prépositionnels pour exprimer le but d'une action   **page 76**

▌**Objectif** : conceptualiser des expressions pour exprimer le but d'une action
- Faire lire la consigne et l'exemple. Faire réaliser l'activité par deux.
- Procéder à la mise en commun en grand groupe. Si possible, projeter au tableau les items **a**, **b**, **c** et **d**, afin de souligner les expressions du but sous la dictée des apprenants.

> ▷ **Corrigé a.** Ce projet <u>vise à</u> installer des chocolateries en milieu rural pour que les producteurs gagnent un peu plus sur le cacao. **b.** Aujourd'hui on <u>œuvre pour</u> qu'il gagne au moins le tiers. **c.** L'objectif de ce projet social et solidaire est d'<u>essayer de</u> faire travailler une centaine de femmes dans chacune des 2 500 coopératives ivoiriennes productrices de cacao. **d.** Instant Chocolat <u>cherche</u> actuellement <u>à</u> obtenir des financements pour ce beau projet véritablement « made in Côte-d'Ivoire ».

▶ **S'exercer p. 170**

L'infinitif et le subjonctif pour exprimer le but d'une action   **page 76**

▌**Objectif** : conceptualiser l'emploi de l'infinitif et du subjonctif dans les expressions de but

– Faire lire la consigne et l'exemple. Faire réaliser l'activité individuellement ; demander de reproduire le tableau ci-dessous et de compléter la règle (si possible, les projeter au tableau).

– Demander de comparer les réponses par deux puis procéder à la mise en commun en grand groupe. Noter les réponses des apprenants.

▷ **Corrigé**

Infinitif	Subjonctif
viser à <u>installer</u> ; essayer de faire travailler chercher à <u>obtenir</u>	œuvrer pour qu'il <u>gagne</u>

Pour exprimer le but d'une action : J'utilise un verbe ou une structure construits avec les prépositions « à » et « de » + un verbe à l'**infinitif**. J'utilise une structure construite avec « que » + un verbe au **subjonctif**.

▸ **Précis de grammaire p. 216**

▸ **S'exercer p. 170**

Activité 4 🎧 ▶45   Modalité : par deux

▌**Objectif** : affiner la compréhension d'une émission de radio

– Faire lire la consigne et réaliser l'activité.

– Procéder à la mise en commun en grand groupe. Noter les réponses au tableau.

▷ **Corrigé a.** Il respecte des normes environnementales, les agriculteurs sont mieux rémunérés et le travail des enfants est interdit. **b.** Elle cherche à obtenir des financements.

Activité 5 💬   Modalité : en petits groupes

▌**Objectif** : échanger sur les moyens de financement d'un projet

– Constituer des groupes de trois ou quatre apprenants. Nommer un porte-parole par groupe. Faire lire la consigne et réaliser l'activité.

– Procéder à la mise en commun en grand groupe. Interroger les porte-parole de chaque groupe. Lister les différents moyens de financement évoqués par chacun des groupes.

Activité 6 📖   Modalité : seul

▌**Objectif** : formuler des hypothèses sur un site Internet

– Faire observer le **document 3** (le projeter si possible). Veiller à ce que les apprenants ne lisent pas l'article. Faire répondre aux questions individuellement puis faire comparer les réponses par deux.

– Procéder à la mise en commun en grand groupe. Noter les réponses au tableau sous la dictée des apprenants. Noter / Souligner (si la page est projetée) le terme « projet(s) solidaire(s) » et en vérifier le sens avec eux.

▷ **Corrigé a.** Le site français Babyloan permet de participer financièrement à des projets solidaires.
b. La solidarité par le prêt, c'est prêter de l'argent à quelqu'un pour l'aider à réaliser un projet.

Activité 7 📖   Modalité : seul

▌**Objectif** : vérifier des hypothèses sur un site Internet ; affiner la compréhension d'un site

– Inviter les apprenants à lire la présentation de Babyloan. Puis demander à un ou deux apprenants de reformuler ce qu'ils ont compris à propos du site Internet. Vérifier que la classe est d'accord. Faire ressortir au tableau les termes clés (*projet solidaire, prêt, solidarité, micro-entrepreneur*).

– Faire lire les consignes et les questions. Faire répondre aux questions **a1.**, **a2.** et **b** individuellement.

– Procéder à la mise en commun en grand groupe : interroger des apprenants et écrire les réponses au tableau. Pour la consigne **b**, se mettre d'accord ensemble (en grand groupe) sur une définition commune du « microcrédit solidaire » (rappeler l'étymologie de *micro = petit*).

▷ **Corrigé a. 1.** Edas Fabricio et Beatriz Ada sont deux micro-entrepreneurs. Ils souhaitent bénéficier d'un prêt.
2. Ils utilisent Babyloan car ils ont besoin d'argent mais ils sont exclus du système bancaire. Sans le microcrédit, ils n'ont accès à aucun mode de financement et ne peuvent donc pas développer leur activité.

> **FOCUS LANGUE**

Les termes pour parler du microcrédit social et solidaire   page **77**

▌**Objectif** : vérifier la compréhension du lexique lié au microcrédit social et solidaire

Faire lire la consigne et faire réaliser l'activité. Procéder à la mise en commun : noter les réponses sous la dictée des apprenants.

> ▹ **Corrigé** un micro-entrepreneur : e ; un microcrédit : a ; la finance solidaire : d ; un prêt : c ; l'épargne : b

▶ S'exercer p. 171

Activité 8 📖   Modalité : en petits groupes

▌**Objectif** : affiner la compréhension d'un article

Constituer des groupes de trois ou quatre apprenants. Leur demander de lire les items du Vrai / Faux puis la partie « Pourquoi prêter ? ». Faire réaliser l'activité. Procéder à la mise en commun en grand groupe.

> ▹ **Corrigé a. Vrai** : affecter, améliorer, attribuer, faire, prêter, envoyer, participer, aider. **b. Faux** : Nous en avons sélectionné **quelques-unes. c. Vrai** : Si vous lui attribuez un prêt, ce sont donc cinq personnes qui bénéficient directement de votre microcrédit solidaire. **d. Faux** : généralement, dans un texte prescriptif, on ne trouve pas de pronoms renvoyant à son auteur. **e. Vrai** : il utilise la 2ᵉ personne du présent de l'indicatif. Grâce à un premier prêt de 100 €, **vous** prêtez encore deux fois... **Vous** avez ainsi envoyé sur le terrain 300 € avec un apport initial de 100 €.

> **FOCUS LANGUE**

Inciter à agir   page **76**

▌**Objectif** : conceptualiser les expressions pour inciter quelqu'un à agir

Demander aux apprenants de prendre connaissance de ce **Focus langue**. Pour une meilleure compréhension, proposer à plusieurs apprenants de lire cet encadré pendant que la classe se reporte au **document 3**.

▶ S'exercer p. 170

> **FOCUS LANGUE**

Parler du crédit et de l'épargne   page **77**

▌**Objectif** : conceptualiser le lexique du crédit et de l'épargne

– Conserver les groupes formés lors de l'activité **8** p. 73. Demander aux apprenants de reprendre leurs réponses à cette activité afin de compléter la liste donnée.

– Procéder à la mise en commun en grand groupe : compléter la liste des expressions au tableau sous la dictée des apprenants.

> ▹ **Corrigé** un micro-crédit solidaire, la finance solidaire

▶ S'exercer p. 171

À nous ! Activité 9 – Nous soutenons un micro-entrepreneur ! 💬

Modalités : en petits groupes puis en groupe

▌**Objectif** : transférer les acquis de la leçon

Présenter la tâche aux apprenants, faire lire les étapes et en vérifier la compréhension. Reprendre les groupes formés lors de l'activité **8** p. 73. Désigner un porte-parole par groupe.

a et b Demander à chaque groupe de se connecter au site babyloan.org/fr afin de prendre connaissance des projets solidaires proposés et d'en choisir un. Si la classe n'est pas connectée, l'enseignant aura au préalable réalisé la capture d'écran de quelques projets pour les soumettre aux apprenants.

c et d Inciter les groupes à réinvestir les structures de l'expression du but ainsi que le lexique découvert dans la **leçon 3** (voir le **Focus langue** p. 77) afin de présenter le projet qu'ils ont sélectionné. Passer dans les groupes pour vérifier le bon déroulement de l'activité.

e Procéder à la mise en commun en grand groupe. Demander au porte-parole de chaque groupe de présenter le projet de son choix. Les autres groupes votent pour leur projet préféré.

f Éventuellement, se connecter avec la classe sur le site Babyloan afin de participer au financement du projet préféré de la classe.

Tâche finale : mettre en scène ses bonnes résolutions			
Savoir-faire et savoir agir	Grammaire	Lexique	Sons et intonation
– Identifier des éco-gestes			– L'intonation pour persuader
– Persuader quelqu'un de faire quelque chose		– Quelques termes pour s'exprimer en français familier – Décrire une bande dessinée	

Activité 1 📖

Modalité : par deux

▌**Objectif :** formuler des hypothèses sur une publicité pour une application mobile

– Faire observer le visuel du **document 1** et faire lire la consigne. Le projeter si possible.

– Écrire les hypothèses au tableau sous la dictée des apprenants.

Activité 2 ▶ 4

Modalité : par deux

▌**Objectif :** vérifier des hypothèses sur une publicité pour une application mobile

– Faire lire la consigne et visionner la vidéo dans son intégralité.

– Faire réaliser l'activité en binôme. Leur demander de reformuler leurs hypothèses sur l'application mobile 90 jours.

– Procéder à la mise en commun en grand groupe. Demander à chaque binôme d'écrire au tableau ce que propose l'application mobile 90 jours.

> ⊳ **Transcriptions**
>
> La procrastination. Vous connaissez. C'est quand on remet tout au lendemain. Ça va, ça nous arrive tous. Maintenant, on est d'accord. La planète va mal. Là, vous vous dites : « Mais qu'est-ce que je peux faire ? Par où commencer ? Est-ce que ça aura vraiment un impact ? » C'est vrai que changer ses habitudes, c'est difficile. 90 jours, c'est votre assistant personnel de transition écolo. Une appli mobile gratuite qui vous aide à changer concrètement votre quotidien, sans vous faire de mal et à votre rythme. On commence par trouver votre premier pas. Celui que vous avez le plus de chances de réussir. Coller enfin un sticker « Stop pub » sur sa boîte aux lettres, afficher le calendrier des fruits et légumes de saison dans sa cuisine, faire pipi dans la douche... Et une fois que vous avez commencé, ça va devenir difficile de vous arrêter et vous allez prendre plaisir à réussir défi après défi à améliorer durablement votre empreinte environnementale. 90 jours. Soyez le changement climatique... Et si vous sentez que vous allez craquer, appuyez sur le *Panic Button* pour voir ce qui se passe.
>
> ⊳ **Corrigé** L'application aide à changer concrètement le quotidien. 90 jours, c'est un assistant personnel de transition écolo.

Activité 3 ▶ 4

Modalité : par deux

▌**Objectif :** affiner la compréhension d'une publicité sur une application mobile

– Faire lire les consignes **a** et **b**, visionner à nouveau la vidéo et réaliser l'activité en binôme.

– Procéder ensuite à la mise en commun en grand groupe : interroger des apprenants et écrire les réponses au tableau sous leur dictée. Leur faire expliquer le slogan : *Soyez le changement climatique.*

> ⊳ **Corrigé a.** Coller un sticker « Stop pub » sur sa boîte aux lettres ; afficher le calendrier des fruits et légumes de saison dans sa cuisine ; faire pipi dans la douche. **b.** En réalisant ces défis, on limite la production de déchets (coller un sticker « Stop pub » sur sa boîte aux lettres), on diminue sa consommation d'eau (faire pipi dans la douche), on réduit la production de CO_2 (afficher le calendrier des fruits et légumes de saison dans sa cuisine).

Activité 4 ▶ 4

Modalité : en petits groupes

▌**Objectif :** relever des éléments du discours qui aident à persuader quelqu'un de faire quelque chose

– Constituer des groupes de trois ou quatre apprenants. Faire lire les consignes. S'assurer de la compréhension des termes *voix off* et *fond sonore*.

– Visionner à nouveau la vidéo et faire réaliser l'activité.
– Procéder ensuite à la mise en commun en grand groupe : interroger un apprenant de chaque groupe, noter les réponses au tableau (ou les souligner si la liste des items est projetée) après validation par la classe.

> **Corrigé** **a.** Le rythme est rapide et dynamique. Il y a peu de pauses. Le ton est positif, chaleureux. Le débit est rapide (pour stimuler le destinataire, pour donner une image dynamique). Le fond sonore est rassurant, peu présent. **b.** Le rythme dynamique, le ton chaleureux et le fond sonore rassurant sont des éléments qui aident à persuader.

FOCUS LANGUE   Sons et intonation

L'intonation pour persuader 🎧 ▸47   **page 76**

■ **Objectif** : identifier l'intonation pour persuader

– Proposer soit de réécouter la vidéo 4 en demandant aux apprenants de focaliser leur attention sur le slogan « 90 jours. Soyez le changement climatique ! », soit leur faire écouter l'exemple de la piste 47 (qui reprend ce slogan). Demander alors aux apprenants d'écouter le slogan en fermant les yeux et d'identifier les courbes mélodiques montantes et descendantes.
– Leur faire ensuite réécouter le slogan avec le livre ouvert à la page de l'activité avec les indications mélodiques.
– Faire écouter les six phrases qui reproduisent le même schéma mélodique.
– Pour finir, à l'aide de la transcription, demander à plusieurs apprenants volontaires de se mettre debout et de dire une des six phrases de l'activité avec le plus de conviction possible. Les gestes de la main peuvent accompagner la voix en montant ou en descendant.

Pour plus d'explications sur la mise en relief, l'accentuation et l'intonation expressive, se reporter au paragraphe du ***Précis de phonétique*** p. 199. Ici, on peut préciser que l'accentuation et la courbe mélodique particulière visent à persuader pour agir.

> **Transcriptions**

Exemple : 90 jours. Soyez le changement climatique ! 1. Protéger la planète. Il faut agir maintenant. 2. Vous voulez agir. Rejoignez notre appli mobile. 3. C'est difficile. Faites-nous confiance. 4. Dans la vie quotidienne, trouvez des gestes simples à faire. 5. Un premier pas : collez un sticker « Stop pub » sur votre boîte aux lettres. 6. Vous avez des doutes ? Venez sur notre site voir des exemples d'actions.

> **Corrigé**

1. Protéger la planète. Il faut agir maintenant. « _____ ↗ _ ↗↘ _____ »
2. Vous voulez agir. Rejoignez notre appli mobile. « _____ ↗ ↗↘ _____ »
3. C'est difficile. Faites-nous confiance. « _____ ↗↗ ↘ _____ »
4. Dans la vie quotidienne. Trouvez des gestes simples à faire. « _____ ↗ ↗↘ _____ »
5. Un premier pas. Collez un sticker « Stop pub » sur votre boîte aux lettres. « _____ ↗ ↗↘ _____ »
6. Vous avez des doutes. Venez sur notre site voir des exemples d'actions. « _____ ↗ ↗↘ _____ »

▸ **S'exercer p. 171**

Pour aller plus loin

*On peut facilement enchaîner avec l'activité proposée dans les pages **S'exercer** puisqu'elle permet de renforcer ce même point avec des phrases qui reprennent le même schéma intonatif. On peut demander aux apprenants de faire l'activité à deux, en se levant et en accompagnant d'un geste de la main la courbe mélodique montante ou descendante.*

Activité 5 🗣   **Modalité :** en petits groupes

■ **Objectif** : décrire des éco-gestes

Conserver les groupes de l'activité **4**. Désigner un porte-parole par groupe.
a et b Faire lire les consignes et les exemples. Faire réaliser les activités en petits groupes.
c Procéder ensuite à la mise en commun des activités **a** et **b** en grand groupe : interroger le porte-parole de chaque groupe et noter au tableau la liste des éco-gestes cités par chaque groupe ainsi que leur impact sur l'environnement.
d Faire reproduire le tableau de l'activité et demander aux apprenants de classer les éco-gestes de la classe.

Activité 6 📖   **Modalité :** par deux

■ **Objectif** : comprendre une bande dessinée

– Si possible, projeter le **document 2** au tableau. Faire faire des hypothèses sur le thème de la bande dessinée, faire définir le lien entre le **document 1** et la BD (*le changement climatique*).

– Faire lire les consignes et les exemples des activités **a**, **b**, **c**. Vérifier la compréhension du lexique de la bande dessinée : cases, expressions, gestuelle...
– Demander aux apprenants de lire la bande dessinée par deux puis faire réaliser l'activité.
– Procéder à la mise en commun en grand groupe : interroger quelques apprenants ; favoriser les interactions entre eux ; faire valider les réponses par la classe et les noter au tableau.

> **Corrigé a. Se séparer de ses biens :** l'homme pense que certains objets peuvent encore servir, il est encore attaché à ses manuels scolaires. Les enfants et la femme veulent aussi garder certains objets (une cassette pour l'enfant, des chaussons de bébé pour la femme). **Donner ses biens :** ils ne veulent pas jeter leurs objets parce qu'ils sont encore en bon état. Ils préfèrent les porter au secours populaire mais celui-ci est fermé. **b. Case 2 :** la fermeté (la femme → expression du visage, le mot « poubelle » est souligné, il y a deux points d'exclamation). **Case 3 :** le désaccord (l'enfant → l'onomatopée « héééé ») ; l'énervement (le père → la négation soulignée montre l'accentuation des mots « mais o<u>n</u> n'<u>a plus</u> de magnétoscope » et les mouvements rapides des mains sont marqués par des courbes noires). L'enfant et l'homme sont en rouge. L'attachement / la nostalgie (la femme → l'expression du visage, elle semble émue). **Case 4 :** la satisfaction, la joie (onomatopée « Ha ! Ha ! ») et la gestuelle avec les mains sur les hanches). Les deux parents sourient largement. **Case 5 :** l'hésitation (la femme → l'onomatopée « Mm... » et la gestuelle avec les bras croisés). **c.** Poubelle !! Mais on <u>n'a plus</u> de magnétoscope. On <u>pourrait peut-être</u> les garder encore un peu. Je joue <u>plus</u> avec...

▶ FOCUS LANGUE

Quelques termes pour s'exprimer en français familier
page 77

▌**Objectif :** repérer des termes pour s'exprimer en français familier

– Former des groupes de trois apprenants. Leur demander de relire la première case de la BD (si possible, la projeter au tableau) afin de repérer les éléments correspondant aux définitions **a**, **b**, **c**, **d**.
– Procéder à la mise en commun en grand groupe : interroger quelques apprenants, leur demander de venir au tableau pour noter ou souligner (si la case est projetée) leurs réponses ; faire valider par la classe.

> **Corrigé a.** punaise ; **b.** un paquet ; **c.** vite fait ; **d.** sacré

▌**Objectif :** conceptualiser des termes pour s'exprimer en français familier

a Faire lire la définition à haute voix par un apprenant (la projeter au tableau si possible). En vérifier la compréhension.
b Faire lire la consigne et faire réaliser l'activité en binôme. Inciter à relire les extraits de la BD p. 75 pour faciliter le repérage des termes remplacés par « truc(s) » ou « machin(s) ». Procéder ensuite à la mise en commun en grand groupe.

> **Corrigé b 1.** un sacré paquet d'objets, de meubles ; **2.** un catalogue Ikea 1999 et d'autres objets de ce type ; **3.** plein d'objets

▶ S'exercer p. 171

▶ FOCUS LANGUE

Décrire une bande dessinée
page 77

▌**Objectif :** conceptualiser le lexique technique d'une bande dessinée

– Faire observer le document (le projeter si possible en parallèle à la BD de Cyril Pedrosa – **document 2** p. 75).
– Faire lire la consigne et faire réaliser l'activité par deux puis procéder à la mise en commun en grand groupe.

> **Corrigé**

Une case :

Une bande :

Une onomatopée :

Une bulle :

Une scène :

Une ellipse :

▶ S'exercer p. 171

Activité 7  ∩►46

▌ **Objectif :** interpréter un personnage de BD

Faire lire les consignes. En vérifier la compréhension. Former des groupes de quatre apprenants.

a, b et **c** Demander aux apprenants de chaque groupe de choisir un personnage (ou la voix off) à interpréter. Lors de la préparation à la lecture de la BD, inciter les apprenants à se reporter aux réponses des activités **4** et **6b** afin de focaliser leur attention sur le rythme, le débit, etc. Puis, leur faire choisir un fond sonore. Passer dans les groupes afin de veiller au bon déroulement de l'activité.

d Accorder un temps pour que chaque groupe puisse s'entraîner à lire son scénario à haute voix. Les inviter à travailler / se concentrer sur leur intonation (persuader qqn) puis demander à chaque groupe d'interpréter la BD devant la classe.

e Après avoir entendu la lecture de chaque groupe, faire écouter aux apprenants l'enregistrement : la lecture de la BD par des acteurs. Leur demander de comparer leur interprétation à cet enregistrement et de déterminer l'interprétation qui s'en approche le plus.

> ▹ **Transcriptions**

Voix off : En quinze ans et trois déménagements, on a vite fait d'accumuler un sacré paquet de trucs…

Femme : Punaise… Un catalogue Ikea 1999… On est vraiment obligés de garder ce genre de machins ?!

Homme : Ben… Ça peut servir, non ?

Voix off : Le printemps dernier, on a pris une bonne résolution : faire du tri dans nos affaires.

Homme : Oh, c'est marrant : j'ai retrouvé tous mes manuels scolaires du lycée… Où est-ce que je pourrais les ranger ?

Femme : Poubelle !!

Garçon : Héééé ! Je veux pas qu'on jette ma cassette de *L'Étrange Noël de Monsieur Jack* !!

Homme : Mais on n'a plus de magnétoscope !!

Femme : Les chaussures de bébé de Gabin… On pourrait peut-être les garder encore un peu…

Garçon : Je peux jeter le bateau playmobil que j'ai eu à Noël ? Je joue plus avec…

Homme : Eh ben… J'ai plus qu'à tout amener à la déchetterie.

Femme : Bonne chose de faite !

Homme : En même temps, c'est un peu bête de jeter tout ça. Il y a plein de trucs en bon état là-dedans… On devrait plutôt amener ça au secours populaire.

Femme : Mm… T'as raison… Mais c'est fermé aujourd'hui.

Voix off : Prendre du recul sur la société de consommation… Se détacher des biens matériels…

Homme : C'est pas grave… On laisse tout ça ce week-end… et lundi matin, je dépose tout au « secours pop' » !

Femme : Impec !

Voix off : Aller à l'essentiel… Savoir se séparer du superflu.

▋ Pour aller plus loin

Proposer aux apprenants en binôme d'observer les deux dernières cases de la BD et d'identifier les éléments graphiques qui montrent le temps passé entre les deux cases. Puis leur demander de relire le récit en rose et de comparer les idées présentées avec les actions dans ces deux dernières cases.

▐ À nous ▌ Activité 8 – Nous mettons en scène nos bonnes résolutions

▌ **Objectif :** transférer les acquis de la leçon

Présenter la tâche aux apprenants, faire lire les étapes et en vérifier la compréhension. Faire réaliser l'activité en binôme.

a Demander aux apprenants de reprendre leurs réponses à l'activité **5d** (p. 74). Leur proposer d'échanger d'abord à l'oral afin de se mettre d'accord sur le choix des deux éco-gestes.

b Leur demander ensuite d'imaginer le scénario d'une planche de BD dont ils interpréteront les personnages, puis d'écrire le dialogue. Les inciter à utiliser les expressions vues dans la leçon (**Focus langue** p. 76 n° 3, p. 77 n° 3 et n° 4).

c – Leur demander de préparer leur interprétation avant de jouer devant la classe.

– Procéder à la mise en commun en grand groupe : chaque binôme joue son scénario puis la classe vote pour le meilleur.

STRATÉGIES

Progresser à l'écrit (1)

Activité 1

Modalité : en petits groupes

Objectifs : lire un texte et faire des hypothèses

Constituer des groupes de trois ou quatre apprenants. Si possible, projeter la production d'Adolfo. Faire lire les consignes et le texte puis faire répondre à la question en petits groupes. Procéder à la mise en commun en grand groupe.

> **Corrigé** D'après vous, quelle sera l'alimentation du futur ? / Que mangerons-nous dans le futur ?

Activités 2 et 3

Modalité : en petits groupes

▌**Objectif :** identifier et corriger des éléments dans une production écrite

– Faire lire la consigne. Faire faire des hypothèses sur la façon dont pourrait être améliorée la production d'Adolfo *(fluidité et lisibilité du texte ; il pourrait supprimer des répétitions ; utiliser des connecteurs ; aller à la ligne, faire des paragraphes...).*
– Leur demander de proposer des corrections en complétant le tableau.
– Lors de la mise en commun, demander à chaque groupe de présenter ses propositions de correction à la classe.

> **Corrigé** **Utiliser les pronoms pour ne pas répéter :** Les sociétés industrialisées créeront de la nourriture déshydratée. Les gens consommeront ~~de la nourriture déshydratée~~ tous les jours. → les gens **en** consommeront tous les jours. Ils achèteront des petites pilules déshydratées avec le contenu, le goût et la texture de leur choix. À la maison, ils transformeront ~~les pilules~~ en aliments prêts à manger. → ils **les** transformeront en aliments... **Proposition de segmentation** → paragraphe 1 : À l'avenir, l'alimentation changera (...) ce style de vie. ; paragraphe 2 : En plus de ça, (...) prêts à manger. ; paragraphe 3 : Au contraire, les sociétés les moins industrialisées (...) paradoxe...

Activité 4

Modalité : en petits groupes

▌**Objectif :** partager des stratégies pour améliorer son expression écrite

– Faire lire la consigne et faire réaliser l'activité en petits groupes. Demander à chaque groupe de choisir un rédacteur qui se chargera de prendre des notes et de rédiger le texte.
– Demander d'abord d'échanger à l'oral sur le thème, puis de rédiger à partir des notes prises par le rédacteur : inciter les apprenants à utiliser les stratégies découvertes à l'activité précédente (pour éviter les répétitions, pour mettre en forme leur texte).
– Proposer à chaque groupe d'échanger sa production avec un autre et de faire apparaître les points à améliorer (les surligner en couleur, par exemple).

Activité 5 – Apprenons ensemble !

Modalité : en petits groupes

▌**Objectif :** réfléchir à des stratégies pour améliorer son expression écrite en français

– Garder les groupes constitués lors des activités précédentes (1 à 4). Demander à chaque groupe de choisir un secrétaire (différent du rédacteur des activités 1 à 4).
– Faire lire la consigne et les questions. Avant de faire réaliser l'activité, faire lire le message et la réponse postés sur le forum (si possible, les projeter au tableau). Demander à la classe qui sont Gianna et Pinpin *(Gianna est une Italienne, qui apprend le français, et voudrait s'améliorer à l'écrit ; Pinpin, français/francophone, lui donne des conseils).*
– Faire répondre aux questions en petits groupes puis procéder à la mise en commun en grand groupe : interroger le secrétaire de chaque groupe puis comparer les réponses des différents groupes.

PROJETS

Projet de classe

Il est conseillé de réaliser le projet de classe avant le projet ouvert sur le monde

Nous réalisons notre charte régionale de développement durable : nous échangeons sur les objectifs du développement durable, nous faisons l'état des lieux des actions exemplaires et nous listons des objectifs réalisables dans une région.
Annoncer aux apprenants qu'ils vont rédiger la charte du développement durable de la classe. Leur présenter les étapes du projet et constituer des groupes de quatre apprenants.

1. Faire lire la consigne et réaliser l'activité. Demander d'observer le document (le projeter si possible) pour l'identifier et donner son avis.
2. Faire lire le texte puis réaliser l'activité. Demander de se reporter également aux objectifs du développement durable de la p. 65. Procéder à la mise en commun en grand groupe : interroger quelques apprenants, faire valider et noter les réponses par la classe.
3. et **4.** – Demander de relire les objectifs du développement durable p. 65. Inviter chaque groupe à en sélectionner deux. Pour chacun, demander aux apprenants de rechercher les actions menées dans leur région/pays et d'en retenir trois. Chaque groupe proposera ensuite d'autres initiatives pour atteindre ces objectifs.
   – Procéder à la mise en commun : interroger le secrétaire de chaque groupe. Lister les objectifs et les actions/initiatives au tableau afin d'établir une liste commune.
5. et **6.** – Demander à la classe de se mettre d'accord pour choisir quatre objectifs de la liste établie.
   – Faire rédiger la charte de développement durable en attribuant une tâche à chaque groupe : illustration(s) ; présentation des objectifs ; liste des actions exemplaires ; liste des initiatives ; solutions pour atteindre les objectifs.

> **Corrigé** **1 a.** Une charte, la charte régionale du développement durable (région Nouvelle-Aquitaine). **b.** Ces éléments donnent une image positive de la région qui semble concilier développement économique, environnemental et social. On voit par exemple, une éolienne, un bateau, des arbres, des champs (un tracteur), un fleuve, la mer/l'océan, des immeubles, une plage, un lieu culturel (le Futuroscope).
> **2 a.** 1. La charte est un document de référence officiel qui présente les projets d'une région en matière de développement durable (une illustration, un préambule qui présente le contenu, des objectifs de développement durable). 2. Pour « écrire ensemble une nouvelle histoire commune ». Pour montrer l'importance du développement durable pour la région, pour son avenir. **b.** Objectif 1 : diffuser la culture du développement durable. → Éducation de qualité ; Objectif 2 : faire de la solidarité et la lutte contre les inégalités une priorité du développement durable. → Inégalités réduites.

Projet ouvert sur le monde

Nous imaginons un projet participatif pour notre ville (ou pour la ville où nous étudions) et nous lançons un appel aux dons.
Le projet ouvert sur le monde peut se faire en dehors de la classe : il est conseillé de présenter le projet aux apprenants en groupe pour s'assurer de la bonne compréhension de l'ensemble et de la répartition des tâches.

– Annoncer aux apprenants qu'ils vont imaginer un projet pour leur ville, à la manière des projets proposés sur la plate-forme de financement participatif Kiss Kiss Bank Bank. Préciser qu'ils vont devoir sélectionner, imaginer et présenter des éco-gestes réalisables pour mettre en œuvre ce projet ; ils devront aussi savoir inciter et persuader les lecteurs de le financer.
– Demander de faire des recherches (leur laisser accès à l'Internet ou mettre à disposition des projets menés dans la ville) sur les actions de développement durable dans leur ville (ou la ville d'immersion). Favoriser les échanges : se mettre d'accord sur les axes les plus/moins importants et les classer.
– Leur demander de définir leur projet participatif de développement durable : les inviter à lister les actions réalisables pour la mise en œuvre du projet ; les inciter à préciser les points forts de ces actions afin de préparer l'étape suivante (la présentation du projet dans laquelle ils devront persuader les donneurs / participants à financer le projet).
– Accorder un temps d'échange entre les groupes pour leur permettre de commenter et de valider les projets de chacun. Puis, faire publier les projets sur le site www.kisskissbankbank.com.

DOSSIER 4

Projet ouvert sur le monde

**Nous imaginons un projet participatif
pour notre ville (ou pour la ville où nous étudions)
et nous lançons
un appel aux dons.**

En grand groupe

a. Observez ce document. Faites des hypothèses sur son objectif.

....

....

b. Listez des axes de développement durable dans votre ville (ou dans la ville où vous étudiez le français) :
transports, qualité de l'air, pratiques alimentaires, gestion des déchets, habitat, etc.

....

....

c. Débattez pour classer ces axes selon leur importance.

Le + important   ....

....

....

Le - important   ....

En petits groupes

d. Choisissez votre axe prioritaire.

....

e. Définissez votre projet participatif de développement durable. Listez des actions réalisables pour
la mise en œuvre du projet.

....

....

f. Rédigez une présentation détaillée de votre projet en vue d'une publication sur un site de financement
participatif. Pensez à inciter à agir, à persuader vos lecteurs.

....

....

....

g. Publiez votre projet sur le site www.kisskissbankbank.com

1. Compréhension de l'oral 🎧48   **10 points**

– Faire lire la consigne de l'exercice et les questions et s'assurer de leur bonne compréhension.
– Faire écouter l'enregistrement deux fois (30 secondes de pause entre les deux écoutes).
– Laisser deux minutes aux apprenants pour qu'ils vérifient leurs réponses.

> ▷ **Transcriptions**

Journaliste 1 : Nous allons maintenant parler du tourisme et du développement durable à l'occasion des Palmes du tourisme et du développement durable, qui récompenseront les meilleures initiatives dans ce domaine. Ce matin, nous allons nous intéresser au développement durable dans les hôtels.

Journaliste 2 : Oui, car il faut bien le reconnaître : pendant des années, le développement durable en hôtellerie s'est limité aux petits panneaux en carton qu'on a tous vus dans les salles de bains et qui nous incitaient à utiliser moins de serviettes. Mais on ne parlait pas, ou très peu, d'un sujet ô combien sensible, celui du gaspillage alimentaire. Pour rappel, il y a à peu près dix tonnes de produits alimentaires qui sont jetés chaque année en France, dont une tonne et demie rien que dans la restauration. Et ça touche tous les types de restauration, y compris les palaces ! Et justement, le groupe Barrière, propriétaire, entre autres, du Normandy à Deauville ou du Majestic à Cannes, s'est intéressé à la question en demandant aux équipes de ses établissements de réfléchir à ce sujet. Explications de Clémentine Concas, qui est la directrice du développement durable du groupe Barrière.

Clémentine Concas : On a mené une étude dans un de nos restaurants, où on a essayé de mesurer notre gaspillage alimentaire. On a mesuré les déchets de préparation, les déchets de fin de service et le pain. On s'est rendu compte qu'on avait du gaspillage à la préparation. Donc, on a décidé de travailler avec les équipes de restauration et de mettre en place un challenge anti-gaspillage. Qu'est-ce que c'est ? Eh bien chaque équipe de restauration a dû réfléchir à des solutions, car ce sont elles qui travaillent directement avec les déchets alimentaires, donc elles sont davantage capables de nous proposer des solutions.

Journaliste 2 : Alors quelles solutions ont été proposées ?

Clémentine Concas : Par exemple, pour les épluchures de pommes, les équipes ont proposé de les cuisiner et de ne plus les jeter. Les chefs cuisiniers ont proposé une recette qui s'appelle « Toute la pomme », c'est-à-dire que toute la pomme va être cuisinée. On peut faire une gelée avec le jus de pommes, qui peut accompagner le foie gras par exemple, ou encore un petit pain avec les pépins et le trognon. Avec la peau, le chef propose de faire des chips de pommes.

Journaliste 1 : Mais quel est l'intérêt pour les palaces ?

Journaliste 2 : Tout d'abord, il y a un intérêt économique : si vous jetez moins de produits et que vous les cuisinez mieux, vous les valorisez, donc vous gagnez plus d'argent. Mais il y a aussi un fait nouveau : ce sont les clients qui recherchent de plus en plus les établissements qui luttent contre le gaspillage. Par exemple, certains hôtels vont même jusqu'à placer des écrans vidéo à la réception pour montrer en temps réel l'impact des activités de l'hôtel sur l'environnement.

Journaliste 1 : Merci Philippe !

> ▷ **Corrigé** **1.** Les Palmes du tourisme et du développement durable (*1 point*). **2.** c (*1 point*). **3.** 10 tonnes (*1 point*). **4.** a (*1 point*). **5.** Les déchets de préparation (*0,5 point*) ; les déchets de fin de service (*0,5 point*) ; le pain (*0,5 point*). **6.** Parce que ce sont elles qui travaillent directement avec les déchets alimentaires (*1 point*). **7.** b (*1 point*). **8.** Si on jette moins de produits et qu'on les cuisine mieux, on les valorise, donc on gagne plus d'argent (*1,5 point*). **9.** Pour montrer en temps réel l'impact des activités de l'hôtel sur l'environnement (*1 point*).

2. Production écrite   **15 points**

– Faire lire la consigne de l'exercice et le document déclencheur. S'assurer de leur bonne compréhension. Rappeler (ou demander à un apprenant de rappeler) comment compter les mots dans une production écrite : un mot est un ensemble de signes placé entre deux espaces. « C'est-à-dire » = 1 mot ; « parce que » = 2 mots ; « il y a » = 3 mots ; « j'ai 25 ans » = 3 mots.
– Laisser environ 30 minutes aux apprenants pour réaliser la tâche demandée.

Guide pour l'évaluation

Respect de la consigne L'apprenant a bien écrit un texte pour participer à un concours sur le thème de l'écologie. L'apprenant a bien écrit <u>au minimum</u> 160 mots (il peut écrire plus de 160 mots).	1 point
Capacité à présenter des faits L'apprenant a bien écrit des faits, événements ou expériences relatifs à l'écologie (que ce soit au sein de l'école de langue ou en général).	3 points
Capacité à exprimer sa pensée L'apprenant a réagi sur le thème de l'écologie et a donné son opinion avec, au minimum, trois propositions d'actions écologiques.	5 points
Cohérence et cohésion Le discours de l'apprenant est cohérent et ses idées s'enchaînent assez bien. On note la présence de quelques connecteurs (articulateurs logiques).	1 point
Compétence lexicale / Orthographe lexicale L'apprenant a correctement utilisé le vocabulaire de la situation présentée dans la consigne. L'apprenant a bien orthographié les mots qu'il a utilisés et qui ont été vus dans le dossier 4. La ponctuation et la mise en page sont assez justes pour être suivies facilement le plus souvent.	3 points
Compétence grammaticale / Orthographe grammaticale L'apprenant maîtrise la structure de la phrase simple. L'apprenant a su utiliser les temps et les modes vus dans le dossier 4 et les dossiers précédents et a su correctement conjuguer les verbes aux principaux temps de l'indicatif.	2 points

3. Production orale   15 points

Exercice 1   ◀ 2 points ▶
Faire lire la consigne de l'exercice et s'assurer de sa bonne compréhension.

Guide pour l'évaluation
L'apprenant peut, sans préparation, se présenter et parler de lui **(0,5 point)**, de son pays **(0,5 point)** et de ses projets **(1 point)**.
La présentation doit durer au minimum 2 minutes.

Exercice 2   ◀ 5 points ▶
– Faire lire la consigne de l'exercice en interaction. S'assurer de sa bonne compréhension. Demander aux apprenants de constituer des binômes pour réaliser le jeu de rôle.
– Laisser 10 minutes aux apprenants pour préparer leur jeu de rôle.
– Demander à un binôme de venir au tableau pour le réaliser. Le jeu de rôle doit durer au minimum 3 minutes.

Guide pour l'évaluation
Les apprenants peuvent faire des propositions et argumenter comme demandé dans la consigne pour arriver à un consensus. L'un des deux apprenants aura pour rôle de faire changer d'avis son ami. *(Les 5 points sont à répartir selon la quantité des informations échangées entre les apprenants et la façon dont ils sont parvenus à réaliser la tâche demandée.)*

Exercice 3   ◀ 5 points ▶
– Faire lire la consigne et le sujet du monologue suivi. S'assurer de leur bonne compréhension. L'enseignant pourra expliquer, en français, certains termes non compris.
– Laisser 10 minutes aux apprenants pour faire un brouillon sur le sujet. La production orale de l'apprenant doit durer au minimum 3 minutes. L'enseignant pourra poser quelques questions à l'issue du monologue, il n'interviendra pas avant.

Guide pour l'évaluation
L'apprenant a pu dégager le thème principal du sujet **(1 point)** et a su donner son opinion sous la forme d'un petit exposé, de façon construite et cohérente **(1 point)**.

Pour l'ensemble des 3 exercices, l'enseignant s'assurera que les apprenants ont bien acquis les compétences lexicales et morphosyntaxiques vues dans le dossier 4 **(2 points)**.
Il veillera aussi à ce que les apprenants prononcent de manière compréhensible le répertoire d'expressions vues dans le dossier 4 **(1 point)**.

DOSSIER **5**

Nous allons étudier ou travailler en français

- **Un projet de classe**

  Créer une carte des compétences et des savoir-faire de notre classe.

- **Un projet ouvert sur le monde**

  Formuler un projet d'études ou un projet professionnel et préparer un dossier de candidature.

Pour réaliser ces projets, nous allons apprendre à :
- communiquer sur notre parcours
- exprimer notre motivation et présenter notre projet
- comprendre l'outil « portfolio professionnel »
- comprendre et donner des conseils pour un entretien d'embauche
- prendre des risques
- valoriser notre expérience
- comprendre un métier
- décrire le début de notre journée de travail

Pages d'ouverture

pages 82-83

▌ **Objectifs** : découvrir la thématique du dossier et présenter le contrat d'apprentissage

Le point sur… les études et le travail en France

Modalités : par deux puis en petits groupes

Faire observer la double-page, la projeter si possible. Faire dire le thème abordé (*les études et le travail*). Montrer le titre pour valider la réponse. Noter les termes *études* et *emploi* au tableau.

1 a – Faire observer et identifier le document p. 82 (*une affiche de Campus France et de l'Institut français de Rabat pour une journée portes ouvertes aux étudiants*).

  b, c – Faire lire les consignes et faire répondre aux questions par deux.
  – Procéder à la mise en commun en grand groupe. Écrire les réponses au tableau.
  d – Constituez des groupes de trois ou quatre apprenants, faire lire les questions et réaliser l'activité. Demander à chaque groupe de désigner un secrétaire et un porte-parole.
  – Procéder à la mise en commun en grand groupe : poser les questions et demander au porte-parole de chaque groupe de répondre. Écrire les réponses au tableau.

2 a – Faire observer le document p. 83, si possible le projeter. Faire réaliser l'activité par deux.
  – Procéder à la mise en commun en grand groupe.
  b – Reprendre les groupes formés lors de l'activité 1, faire lire la consigne et faire réaliser l'activité.
  – Procéder à la mise en commun en grand groupe (comme pour l'activité 1, interroger les porte-parole). Mettre en évidence dans le sommaire du guide *Bien chercher un emploi* les chapitres qui les intéressent le plus.

▷ **Corrigé** 1. a. C'est une affiche de Campus France et de l'Institut français de Rabat, pour une journée portes ouvertes pour les étudiants qui veulent faire des études en France. b. Des informations sur les études en France : des conseils personnalisés, des informations sur les tests et les cours de français, des conférences sur les métiers, deux ateliers (l'un pour aider les étudiants à rédiger un CV et à préparer un entretien ; l'autre pour leur faire découvrir la médiathèque et la culturethèque). c. 2
2. a. 1. C'est un guide (un mode d'emploi) pour être plus efficace dans la recherche d'un travail. 2. Pour postuler, il faut rédiger sa candidature, qui se compose d'une lettre de motivation et d'un CV. Il ne faut pas hésiter à demander des conseils pour rédiger sa lettre de motivation. Ensuite, il y a un entretien. Il est plus facile d'obtenir un entretien si l'on développe son réseau. S'il se passe bien, il aboutit à une embauche.

Annoncer les deux projets (projet de classe et projet ouvert sur monde) puis les objectifs du dossier. Pour illustrer la démarche, on part des projets et, pour les réaliser, on acquiert et/ou on mobilise des savoirs, savoir-faire, savoir agir, des compétences générales et des compétences langagières.

Leçon **1** Étudier, pour quoi faire ?

pages 84-85

Tâche finale : présenter son parcours et son projet			
Savoir-faire et savoir agir	**Grammaire**	**Lexique**	**Sons et intonation**
– Communiquer sur son parcours	– Situer les différentes étapes de son parcours dans le temps	– Les termes pour désigner les filières et les diplômes	– Passé composé, imparfait ou conditionnel ?
– Exprimer sa motivation et présenter son projet	– Les articulateurs pour structurer une lettre de motivation		

Activité 1 📖

Modalité : en groupe

▌**Objectif** : vérifier la compréhension globale d'une page Internet

– Faire observer les **documents 1, 2, 3**. Si possible projeter le **document 1** et le faire identifier (*c'est la page d'accueil de la rubrique « Étudiants » du site Campus France*). Faire dire que le visuel présente le profil de deux étudiants étrangers, un Brésilien (*Fabio*) et une Marocaine (*Ibtissame*).
– Faire lire la consigne et demander aux apprenants de faire des hypothèses sur ce dont parlent Fabio et Ibtissame (*les casques audio indiquent que l'on peut peut-être écouter des messages*).

▷ **Corrigé** C'est le site de Campus France, agence qui fait la promotion de l'enseignement supérieur en France. Il y a des photos de deux étudiants étrangers, un Brésilien et une Marocaine, et des haut-parleurs. Ils vont peut-être raconter leur expérience d'étudiant en France. Ce sont peut-être des témoignages.

Activité 2 🎧 ▸49

Modalité : par deux

▌**Objectif** : vérifier la compréhension globale d'un témoignage

– Faire lire la consigne et faire écouter le témoignage de Fabio puis demander aux apprenants de réaliser l'activité par deux.
– Procéder à la mise en commun en grand groupe : interroger des binômes, faire valider les réponses par la classe et écrire les réponses au tableau.

▷ **Transcriptions**

Fabio : Alors, euh... Quand j'étais petit, j'aimais déjà beaucoup la France. Je me suis toujours intéressé à la culture française et à la façon dont les Français voient le monde. À 18 ans, j'avais déjà fait mon choix : mon but, c'était de faire la première partie de mes études au Brésil, et puis d'aller en France pour préparer mon doctorat en linguistique. Alors c'est comme ça que je suis arrivé ici, à Poitiers. Ici, on a des cours avec des professeurs et j'ai aussi des rendez-vous réguliers avec ma directrice de recherche pour me guider et pour m'aider. Elle me donne des conseils de méthodologie pour bien rédiger ma thèse. Je suis aussi le lecteur brésilien du département de portugais. Je donne des cours de civilisation brésilienne et de langue portugaise aux étudiants de licence. À mon arrivée, j'étais un peu perdu. Le gouvernement propose pas mal d'aides pour les étudiants mais ce n'est pas toujours facile à comprendre. Heureusement, des étudiants français m'ont bien aidé. J'ai eu des difficultés à trouver un logement, mais grâce à l'université, j'ai finalement réussi. Avant de partir, j'avais demandé des renseignements par mél à l'université et ils m'ont envoyé une liste de logements. Dans cette liste, j'ai fait un tri et j'ai choisi un appartement au centre-ville. Ce qui a posé problème, c'est de réunir tous les documents nécessaires pour signer le bail. Mais finalement, j'ai pu avoir l'appartement. Après mes études en France, je retournerai au Brésil pour devenir professeur à l'université.

▷ **Corrigé a.** Fabio est un étudiant brésilien, il prépare un doctorat en linguistique, il est aussi lecteur de portugais à l'université de Poitiers. Après ses études, il veut retourner au Brésil pour devenir professeur à l'université. Il parle de son parcours et de son expérience en France. **b.** Études suivies : doctorat en linguistique ; Travail : lecteur de portugais ; Projet professionnel : devenir professeur à l'université au Brésil.

Activité 3 🎧▶49
Modalité : par deux

▌**Objectif :** affiner la compréhension d'un témoignage

– Faire lire la consigne et réaliser l'activité par deux.
– Procéder à la mise en commun en grand groupe. Interroger un apprenant et faire valider la réponse par la classe. Noter au tableau l'ordre des étapes relevées par les binômes ainsi que les justifications.

▷ **Corrigé** 1. Enfance : Quand j'étais petit, j'aimais déjà beaucoup la France. 2. Avant de partir en France : Avant de partir, j'avais demandé des renseignements par mél à l'université et ils m'ont envoyé une liste de logements. 3. Arrivée en France : Alors c'est comme ça que je suis arrivé ici, à Poitiers. 4. Installation en France : J'ai eu des difficultés à trouver un logement, mais grâce à l'université, j'ai finalement réussi. 5. Études et travail en France : Ici, on a des cours avec des professeurs et j'ai aussi des rendez-vous réguliers avec ma directrice de recherche pour me guider et pour m'aider... Je suis aussi le lecteur brésilien du département de portugais. Je donne des cours de civilisation brésilienne et de langue portugaise aux étudiants de licence. 6. Projet : Après mes études en France, je retournerai au Brésil pour devenir professeur à l'université.

Activité 4 🎧▶50
Modalité : par deux

▌**Objectif :** vérifier la compréhension globale d'un témoignage

– Faire lire la consigne et faire écouter le témoignage de Ibtissame. Faire réaliser l'activité en binôme.
– Procéder à la mise en commun en grand groupe : interroger des binômes, faire valider la réponse par la classe et l'écrire au tableau.

▷ **Transcriptions**

Ibtissame : Après avoir obtenu mon bac série sciences / maths au lycée Moulay Youssef à Rabat, j'ai fait les classes préparatoires scientifiques aux grandes écoles Maths sup / Maths spé. J'ai intégré par la suite l'école Hassania des travaux publics pour obtenir mon diplôme d'ingénieur d'État en génie informatique. J'ai ensuite décidé de poursuivre mes études en préparant un diplôme spécialisé en management des systèmes d'information à l'École centrale de Paris. J'ai choisi de faire mes études en France parce que le système éducatif français est l'un des meilleurs en Europe par sa variété, sa qualité et sa souplesse. Les diplômes délivrés par les grandes écoles d'ingénierie françaises sont très appréciés dans le monde entier. La France propose également de nombreuses aides pour les étudiants étrangers : aide au logement, assurance maladie, des offres spéciales pour les étudiants lors des événements culturels, par exemple.

▷ **Corrigé** Elle parle de son parcours dans l'enseignement supérieur au Maroc, puis en France.

Activité 5 🎧▶50
Modalité : par deux

▌**Objectif :** affiner la compréhension d'un témoignage

– Faire lire la consigne et faire réaliser l'activité par deux.
– Procéder à la mise en commun en grand groupe. Interroger un apprenant et faire valider la réponse par la classe. Noter au tableau les extraits des témoignages relevés par les binômes.

▷ **Corrigé a.** Elle a fait les classes prépa aux grandes écoles, puis un diplôme d'ingénieur. **b.** En France, elle prépare un diplôme spécialisé en management des systèmes d'information à l'École centrale de Paris. **c.** Elle a choisi la France parce que le système éducatif est l'un des meilleurs d'Europe et que les diplômes délivrés par les grandes écoles sont très appréciés dans le monde.

FOCUS LANGUE

Situer les différentes étapes de son parcours dans le temps   page 88

▌**Objectif :** conceptualiser l'utilisation et la valeur des temps utilisés pour raconter son parcours

a – Faire lire la consigne et proposer aux apprenants en binôme de recopier le tableau. Leur demander d'ajouter deux colonnes supplémentaires : *Temps* et *Valeurs*, et de répondre en complétant la colonne des temps du tableau.

  – Procéder à la mise en commun en grand groupe : interroger des apprenants et compléter le tableau reproduit.

b – Faire lire la consigne et en vérifier la compréhension. Demander aux binômes de répondre en complétant la colonne des valeurs du tableau.

  – Procéder à la mise en commun en grand groupe : interroger des apprenants et compléter le tableau reproduit.

▷ **Corrigé**

	Extraits	Temps	Valeurs
1. Enfance	Quand j'étais petit, j'aimais déjà beaucoup la France.	Imparfait	Une description dans le passé
2. À la fin du lycée	Après avoir obtenu mon bac, j'ai fait les classes préparatoires scientifiques aux grandes écoles.	Infinitif passé / Passé composé	La postérité d'une action par rapport à une autre
3. Arrivée en France	Alors c'est comme ça que je suis arrivé ici, à Poitiers.	Passé composé	Un événement accompli dans le passé
4. Études et travail en France	Ici, on a des cours avec des professeurs. Je donne des cours de civilisation brésilienne et de langue portugaise.	Présent	Un fait ou une action qui se déroule au moment où on parle
5. Avant de partir en France	Avant de partir, j'avais demandé des renseignements par mél à l'université.	Plus-que-parfait	La postérité d'une action par rapport à une autre
6. Projet	Après mes études en France, je retournerai au Brésil pour devenir professeur à l'université.	Futur	Une action à venir

▸ **Précis de grammaire p. 207**

▸ **S'exercer p. 172**

Activité 6 📖   Modalité : en grand groupe

▌**Objectif :** affiner la compréhension d'un témoignage

– Faire observer le **document 4** (si possible le projeter) et le faire identifier (*c'est un schéma des certifications universitaires en Europe*). Si les apprenants sont étudiants ou ont fait des études, leur faire situer leur niveau d'étude sur ce schéma.

– Leur demander de lire la consigne et de retrouver quelles sont les filières ou les diplômes mentionnés par Fabio et Ibtissame.

  ▷ **Corrigé** Fabio : doctorat ; Ibtissame : bac et grandes écoles.

FOCUS LANGUE

Les termes pour désigner les filières et les diplômes   p. 89

▌**Objectif :** conceptualiser les termes pour désigner les filières et les diplômes

– Projeter le **Focus langue** ou recopier les exemples au tableau.

– Faire lire la consigne et laisser les apprenants répondre à la question individuellement. Les inviter à comparer leurs réponses par deux.

– Procéder à la mise en commun en grand groupe : interroger des apprenants et noter leurs réponses au tableau.

  ▷ **Corrigé** B. Fabio. C. Ibtissame.

▸ **S'exercer p. 172**

Activité 7

Modalité : en petits groupes

▌**Objectif :** échanger sur son parcours professionnel
– Constituez des groupes de trois ou quatre apprenants, faire lire la consigne (en vérifier la compréhension) et faire réaliser l'activité. Demander à chaque groupe de désigner un secrétaire et un porte-parole.
– Procéder à la mise en commun en grand groupe : demander au porte-parole de chaque groupe de répondre.

Activité 8

Modalités : en groupe puis par deux

▌**Objectif :** comprendre une lettre de motivation
Projeter la lettre au tableau (si possible).
a – Avant de proposer de lire la lettre (**document 5**), la faire observer afin de déterminer l'expéditeur (qui écrit ?), le destinataire (à qui ?), la date et le lieu (quand ? où ?), l'objet (pour quoi faire ?). Faire repérer ces éléments dans la lettre en grand groupe.
b – Faire lire la consigne et la lettre, et faire réaliser l'activité par deux. Procéder à la mise en commun en grand groupe : noter les noms des différentes parties de la lettre sur le document projeté, sinon, noter au tableau les numéros 1 à 8 et les noms des parties.

> **Corrigé a. Qui écrit ?** Lahela Abhay, une étudiante (elle vient de valider sa licence). **À qui ?** Au service des admissions de l'université de Tours, UFR de Sciences et Techniques. **Quand ?** Le 6 avril 2018. **Où ?** De Ventiane (Laos). **Pour quoi faire ?** Pour s'inscrire au master Sciences, Technologies et Santé.
> **b.** 1 : expéditeur ; 2. destinataire ; 3. date et ville ; 4. objet de la lettre ; 5. formule d'appel ; 6. corps de la lettre ; 7. formule de politesse ; 8. signature

Activité 9

Modalité : par deux

▌**Objectif :** affiner la compréhension d'une lettre de motivation
– Faire lire les consignes. Demander aux apprenants de relire le corps de la lettre de motivation de Lahela.
– Faire réaliser les activités par deux.
– Procéder à la mise en commun en grand groupe : interroger quelques apprenants. Pour l'activité **b**, si la lettre est projetée, les inviter à venir au tableau pour souligner les expressions (articulateurs) dans le corps de la lettre. Ce relevé constituera le corpus pour la conceptualisation des articulateurs (**Focus langue**). Leur faire faire des hypothèses sur la fonction de ces expressions.

> **Corrigé a.** Paragraphe 1 : annoncer son projet ; paragraphe 2 : expliquer sa motivation pour étudier en France ; paragraphe 3 : préciser pourquoi cette formation en particulier est importante pour son projet professionnel. **b.** Expressions utilisées : pour (*j'ai choisi la France pour la qualité de son enseignement supérieur*) ; de plus (*De plus, mes études de français (...) française.*) ; enfin (*Enfin, la rencontre (...) m'enrichir*) ; parce qu'il (*Mon choix s'est porté sur le master parce qu'il présente...*) ; en effet (*En effet, plusieurs stages sont proposés*) ; car (*Il est très important pour moi de mettre en pratique mes connaissances car je n'ai pas de véritable expérience professionnelle.*)

▌FOCUS LANGUE

Les articulateurs pour structurer la lettre de motivation   **page 88**
▌**Objectif :** conceptualiser l'utilisation des articulateurs
– Projeter le **Focus langue** ou faire lire les extraits au tableau.
– Inviter les apprenants à vérifier leurs hypothèses sur la fonction des articulateurs.
▶ **Précis de grammaire p. 216**
▶ **S'exercer p. 172**

À nous ! Activité 10 – Nous présentons notre parcours et notre projet

Modalités : en petits groupes puis seul

▌**Objectif :** transférer les acquis de la leçon
Présenter la tâche aux apprenants, faire lire les étapes et en vérifier la compréhension. Reprendre les groupes de trois ou quatre apprenants formés lors de l'activité 7.
a Demander à chaque groupe de reprendre leur réponse à l'activité 7 (leurs projets professionnels ou leurs projets d'études). Les inviter à réfléchir à ce qu'ils vont dire en introduction.
b Laisser aux apprenants un temps suffisant pour s'entraîner à communiquer sur leur projet. Les inciter à utiliser les structures vues dans la leçon. Puis inviter chacun à présenter son projet à son groupe qui évalue la présentation.

Leçon **2 Valoriser sa candidature**

Tâche finale : donner des conseils pour présenter ou valoriser des compétences			
Savoir-faire et savoir agir	**Grammaire**	**Lexique**	**Sons et intonation**
– Comprendre l'outil « portfolio professionnel »		– Les différentes parties du portfolio professionnel	– Passé composé, imparfait ou conditionnel ?
– Comprendre et donner des conseils pour un entretien d'embauche	– Les structures pour comprendre et donner des conseils	– Les termes pour désigner des compétences professionnelles	

Activité 1 ⌑

▌**Objectif** : faire des hypothèses sur le destinataire et le but d'un article

– Faire observer le **document 1** (si possible, projeter uniquement le titre, le chapeau et la photo de l'article). Le faire identifier (*c'est un article sur le site Internet du journal* Métro, *journalmetro.com*).

– Demander aux apprenants de faire des hypothèses sur le destinataire et le but de l'article, sur le thème (*le portfolio professionnel*). Noter les mots-clés au tableau.

> ⊳ **Corrigé a.** Le journaliste s'adresse aux lecteurs demandeurs d'emploi. **b.** Il présente le mode d'emploi du portfolio professionnel (*l'ABC*).

Activité 2 ⌑

▌**Objectif** : vérifier la compréhension globale d'un article

Faire lire l'article du **document 1** (si possible, le projeter).

a Faire valider les hypothèses élaborées à l'activité 1 en grand groupe.

b et c Faire répondre aux questions **b** et valider les informations du **c** en binôme. Procéder à la mise en commun en grand groupe : interroger plusieurs apprenants, faire valider leurs réponses par la classe.

> ⊳ **Corrigé a.** Le portfolio présente les réalisations et les forces du candidat. Il est centré sur les compétences. C'est un exercice personnel pour l'aider à analyser son expérience et à préparer un entretien. Il montre le fil conducteur de l'expérience et peut servir de référence pendant l'entretien. **c.** 1. **Vrai :** *Oubliez le portfolio sophistiqué (...) sobre.* 2. **Faux :** *Il est centré sur les compétences du candidat (...) Il ne retrace pas la chronologie des postes que le candidat a occupés.* 3. **Vrai :** *Il prépare bien à l'entretien d'embauche, où il peut servir de référence.* 4. **Faux :** *L'arrivée du portfolio professionnel dans le monde de l'emploi est récente. (...) habitués.* 5. **Vrai :** *En lisant le CV par compétences, le recruteur imagine le candidat en action.* 6. **Faux :** *Les spécialistes proposent aussi de créer un site web (...) mises en valeur.*

Activité 3 ⌑

▌**Objectif** : affiner la compréhension d'un article

– Demander de relire le paragraphe « Mettre en valeur ses compétences » (**document 1**).

– Faire lire la consigne et faire réaliser l'activité par deux.

– Procéder à la mise en commun en grand groupe : interroger des apprenants et noter au tableau les différentes parties et les exemples de compétences donnés.

> ⊳ **Corrigé a.** partie 1 : couverture ; partie 2 : CV ; partie 3 : corps ; partie 4 : annexes. **b.** Définir une stratégie, recruter des personnels, élaborer un budget, piloter des groupes de projet, négocier un contrat.

> **FOCUS LANGUE**

Les différentes parties du portfolio professionnel   **page 89**

▌**Objectif** : conceptualiser les composants du portfolio professionnel

– Faire lire la consigne. Si possible, projeter l'article de *Métro* (**document 1**) ainsi que les réponses à l'activité **3**.

– Faire réaliser l'activité en binôme puis procéder à la mise en commun en grand groupe : interroger quelques apprenants et noter les réponses dans le tableau du portfolio après validation par la classe.

> **Corrigé**

	1. Couverture	2. CV	3. Corps	4. Annexes
	Coordonnées		Compétence A → description des tâches Exemple : *élaborer un budget*	Lettres de recommandation
	Table des matières		Compétence B → description des tâches Exemple : *piloter des groupes de travail*	Travaux dont on est fier
			Compétence C → description des tâches Exemple : *négocier un contrat*	

▸ **S'exercer p. 173**

Activité 4

Modalité : en petits groupes

▌ **Objectif :** échanger sur ses compétences
– Constituer des groupes de trois ou quatre apprenants. Désigner un secrétaire et un porte-parole dans chaque groupe.
– Faire lire la consigne. Dans un premier temps, demander aux apprenants de réfléchir individuellement à leurs compétences et d'en lister trois. Puis, leur demander d'échanger à l'oral sur ces compétences et la façon dont ils les ont mises en œuvre.
– Procéder à la mise en commun en grand groupe : interroger le porte-parole de chaque groupe. Conserver ces réponses pour la tâche finale (activité **8**).

Activité 5 ⌂▸51

Modalité : en groupe

▌ **Objectif :** vérifier la compréhension globale d'une émission de radio
– Si possible, projeter le visuel du **document 2**. Le faire observer.
– Faire identifier le nom de la radio (*Radio France International, RFI*) et de l'émission (*7 milliards de voisins*).
– Faire élaborer des hypothèses sur la photo (*on voit un jeune, peut-être un étudiant, face à un homme plus âgé qui regarde un portfolio. C'est peut-être celui du jeune. Il passe peut-être un entretien d'embauche*).
a Faire lire la consigne et procéder à une première écoute de l'émission afin d'en identifier le thème (*l'entretien d'embauche*).
b Faire lire la consigne et les propositions puis faire choisir la réponse correcte et justifier.

> **Transcriptions**
Emmanuelle Bastide : Bonjour, Emmanuelle Bastide, sur « 7 milliards de voisins », aujourd'hui nous parlons de l'entretien d'embauche. Yves Gautier, bonjour.
Yves Gautier : Bonjour Emmanuelle.
Emmanuelle Bastide : Alors, par exemple, quand un recruteur dit « présentez-vous », quelle est l'erreur classique des candidats ?
Yves Gautier : C'est de commencer à raconter leur CV : « Alors voilà, en 2002 j'ai fait ceci, en 2003 j'ai fait cela », et on endort le recruteur. C'est donc une erreur de faire une présentation chronologique. Tout le monde fait ce type de présentation, et si vous avez des parcours longs, ce que vous faites aujourd'hui n'a pas forcément de rapport avec ce que vous avez fait il y a dix ans.
Emmanuelle Bastide : Selon vous, quel type de présentation faut-il privilégier ?
Yves Gautier : L'idée, c'est de privilégier une présentation compacte de son parcours, et une présentation par compétences.
Emmanuelle Bastide : Et comment faire une présentation compacte de son parcours ?
Yves Gautier : Premier cas de figure : vous avez une formation et quelques années d'expérience. Vous direz par exemple : « pour me situer, BTS d'action commerciale, puis j'ai travaillé trois ans à *Ouest France* au service publicité, où je vendais des espaces publicitaires. »

Emmanuelle Bastide : Et si le candidat a un parcours plus long ?

Yves Gautier : Alors là, l'idée, c'est de se situer par grandes tranches. Il ne faut pas tout dire. Par exemple : « J'ai une formation d'ingénieur, dix ans d'expérience dans l'automobile, en particulier chez Renault, où j'encadrais une équipe de trente personnes ; cinq ans dans une société de conseil aux entreprises souhaitant se développer à l'étranger ; et depuis trois ans, je forme des ingénieurs dans une société de décoration intérieure. »

Emmanuelle Bastide : Et les compétences dont vous parliez tout à l'heure ?

Yves Gautier : Une fois que le recruteur vous a situé, vous pouvez avoir une approche par compétences. « Alors voilà, à l'issue de ce parcours, aujourd'hui, j'apporte trois compétences clés : premièrement, l'encadrement d'équipes, deuxièmement, le contrôle qualité, et troisièmement, la formation des ingénieurs. » Et pour chaque compétence, vous pouvez citer un exemple de projet que vous avez mené. Cette façon de faire va permettre au recruteur de se projeter.

Emmanuelle Bastide : Yves Gautier, merci beaucoup pour ces conseils.

Yves Gautier : Merci à vous.

> ▷ **Corrigé a.** L'entretien d'embauche. **b.** L'invité donne des conseils à la radio pour se présenter à un recruteur : *Alors là, l'idée, c'est de se situer par grandes tranches. Il ne faut pas tout dire. C'est donc une erreur de faire une présentation chronologique.*

Activité 6 🎧 ▶51
Modalité : par deux

▌ **Objectif :** affiner la compréhension d'une émission de radio

a et **b** – Faire lire les consignes. Si possible, projeter les modèles A, B, C, D au tableau. Procéder à une seconde écoute de l'émission. Faire réaliser l'activité par deux.

– Procéder à la mise en commun des réponses en grand groupe : interroger des apprenants, faire valider les réponses par la classe et les écrire au tableau.

> ▷ **Corrigé a.** 1. C ; 2. D ; 3. A ; **b.** Le modèle déconseillé est le B.

▐ Infos culturelles ▌

Radio France internationale (RFI) est une station de radio publique française à diffusion internationale, créée le 6 janvier 1975. Elle diffuse en français et dans 13 langues étrangères. Ses programmes sont également repris par plusieurs centaines de radios partenaires à travers le monde. En 2014, RFI est écoutée chaque semaine par 37,3 millions d'auditeurs, principalement africains, et son site web est visité par 9,4 millions d'internautes en moyenne chaque mois.

> ▶ **FOCUS LANGUE**

Les termes pour désigner des compétences professionnelles   **page 89**

▌ **Objectif :** conceptualiser les termes pour désigner des compétences professionnelles

– Conserver les binômes de l'activité **6**.

– Faire lire la consigne et l'exemple, faire réaliser l'activité par deux.

– Procéder à la mise en commun en grand groupe : noter les compétences au tableau en face de chaque action.

> ▷ **Corrigé a.** Vendre des espaces publicitaires. = la vente. **b.** Former des ingénieurs. = la formation. **c.** Élaborer un budget. = l'élaboration de budget. **d.** Évaluer des compétences. = l'évaluation de compétences. **e.** Piloter des groupes de projet. = le pilotage. **f.** Négocier un contrat. = la négociation.

▶ **S'exercer p. 173**

Activité 7 📖
Modalité : par deux

▌ **Objectif :** conceptualiser l'expression du conseil

– Faire lire la consigne et procéder à une autre écoute de la première partie de l'émission et faire reprendre les conseils du **document 1**.

– Faire réaliser l'activité par deux.

– Procéder à la mise en commun en grand groupe : noter les réponses au tableau.

> ▷ **Corrigé Dans l'article :** Oubliez le portfolio sophistiqué. Le portfolio professionnel doit être sobre. Il faut le voir comme un exercice personnel. Attention toutefois à ne pas trop en mettre. Les spécialistes proposent aussi de créer un site web… **Dans l'interview :** L'idée, c'est de privilégier une présentation compacte de son parcours, et une présentation par compétences. L'idée, c'est de se situer par grandes tranches. Il ne faut pas tout dire. Vous pouvez avoir une approche par compétences.

> **FOCUS LANGUE**

Les structures pour comprendre et donner des conseils   **page 88**

■ **Objectif :** conceptualiser les structures pour donner des conseils
– Projeter la liste de conseils extraits de la leçon 2. La faire observer : faire porter l'attention sur les structures soulignées et leur construction.
– Faire lire les consignes et demander de réaliser les activités en binôme.
– Procéder à la mise en commun en grand groupe. Pour la consigne **b**, mettre en évidence (en couleur par exemple) les deux types de structures (*conseiller + nom / conseiller de + infinitif*).

> **Corrigé a.** Simple suggestion : 3 (« plutôt » atténué), 4 (« proposer » est moins directif), 5 (« l'idée » est plus suggestive), 7 (« pouvoir » offre une possibilité). Recommandation forte : 1 (« oubliez » : impératif), 2 (« devoir » : injonctif), 6 (« il faut » : injonctif).

b.

Conseiller quelque chose	Conseiller de <u>faire</u> quelque chose
*<u>**Oubliez**</u> le portfolio sophistiqué.* *Le portfolio **doit être** sobre.* *<u>**Les spécialistes conseillent**</u> plutôt le CV par compétences.* *<u>**Il ne faut pas**</u> tout dire.* *<u>**Vous pouvez avoir**</u> une approche par compétences.*	*<u>**Ils proposent de**</u> créer un site web.* *<u>**L'idée, c'est de**</u> privilégier une présentation compacte.*

Dans la colonne 2, le mode utilisé est l'**infinitif**.

▸ S'exercer p. 173

> **FOCUS LANGUE**   Sons et intonation

Passé composé, imparfait ou conditionnel ? 🔊 ►52   **page 89**

■ **Objectif :** différencier la prononciation de verbes conjugués au passé composé, à l'imparfait et au conditionnel présent.
– Faire écouter l'exemple en proposant aux apprenants de fermer les yeux. Leur demander de dire s'ils entendent des verbes conjugués à deux ou trois temps différents et d'identifier ces temps.
– Après avoir identifié les trois temps entendus, indiquer aux apprenants que la principale différence entre l'imparfait et le conditionnel est la prononciation ou non de la consonne [R]. Au conditionnel (comme au futur simple), la lettre « e » au milieu du mot n'est en effet pas prononcée. Donc, entre « je travaillais » et « je travaille**r**ais », expliquer que seule la prononciation ou non de la consonne [R] permet de distinguer l'imparfait du conditionnel. Le nombre de syllabes prononcées est en effet identique. Ensuite, leur indiquer que la différence entre le passé composé et l'imparfait peut se situer à différents niveaux. Pour l'exemple, la différence se situe au niveau de la prononciation de « je » : bouche arrondie ou « j'ai » : bouche souriante d'une part, et sur la voyelle finale « ... é » : bouche souriante un peu fermée → [e] ou « ...ais » : bouche souriante un peu ouverte → [ɛ] d'autre part.
– Faire écouter les huit items et demander aux apprenants de se mettre d'accord par deux sur le nombre de temps différents entendus. On peut leur demander d'écrire les verbes sur un cahier, afin de contrôler le passage à l'écrit.
– Demander aux apprenants de relire les verbes dans le **livret des transcriptions**, p. 13.
Pour plus d'explications sur la prononciation des voyelles [e] et [ɛ], se reporter au **Précis de phonétique** pp. 197 et 198 pour voir des exemples de relation phonie-graphie.

> **Transcriptions**
> *Exemple : je travaillais – j'ai travaillé – je travaillerais ;* 1. elle choisissait – elle choisirait – elle choisissait ;
> 2. on étudiait – on a étudié – on étudierait ; 3. je le présentais – je l'ai présenté – je le présentais ;
> 4. nous devrions – nous devions – nous devrions ; 5. il imaginerait – il imaginait – il a imaginé ;
> 6. vous le vouliez – vous le voudriez – vous le vouliez ; 7. il réalisait – il réalisait – il l'a réalisé ;
> 8. je commençais – j'ai commencé – je commencerais

> **Corrigé** 1. 2 temps (imparfait / conditionnel / imparfait) ; **2.** 3 temps (imparfait / passé composé / conditionnel) ; **3.** 2 temps (imparfait / passé composé / imparfait) ; **4.** 2 temps (conditionnel / imparfait / conditionnel) ; **5.** 3 temps (conditionnel / imparfait / passé composé) ; **6.** 2 temps (imparfait / conditionnel / imparfait) ; **7.** 2 temps (imparfait / imparfait / passé composé) ; **8.** 3 temps (imparfait / passé composé / conditionnel)

L'activité des pages S'exercer permet de renforcer ce point en travaillant à nouveau la différenciation entre les trois temps : passé composé, imparfait et conditionnel présent. Proposer d'enchaîner avec l'activité 9 qui est une activité interactive permettant de s'entraîner à prononcer des verbes conjugués à ces trois temps.

À nous ! **Activité 8 – Nous donnons des conseils pour présenter ou valoriser des compétences.** 💬 ✏️

Modalités : en petits groupes puis en groupe

▌ **Objectif** : transférer les acquis de la leçon

Présenter la tâche aux apprenants, faire lire les différentes étapes et en vérifier la compréhension.

a Constituer des groupes de trois ou quatre apprenants, leur demander de reprendre les conseils relevés à l'activité **7** et de se mettre d'accord, en petits groupes, sur ceux qu'ils trouvent les plus pertinents. Puis, demander à chaque groupe de les présenter à la classe.

b – Diviser la classe en deux : certains groupes travailleront sur le portfolio, les autres sur l'entretien d'embauche. Annoncer la tâche que les deux groupes vont devoir réaliser.

– Passer dans les groupes pour veiller au bon déroulement de l'activité. Les inviter à utiliser les structures du conseil.

c Pour la mise en commun en grand groupe, demander à chaque groupe de présenter ses conseils à la classe puis de les noter dans un recueil propre à la classe.

Leçon **3** Acquérir une expérience professionnelle

pages 90-91

Tâche finale : Réaliser un bilan personnel et professionnel		
Savoir-faire et savoir agir	**Lexique**	**Sons et intonation**
– Prendre des risques	– Donner ses impressions	– La mise en relief de certains mots
– Valoriser son expérience	– Faire un bilan personnel et professionnel	

Activité 1 💬

Modalité : en groupe

▌ **Objectif** : vérifier la compréhension globale d'une page Internet

– Faire observer le **document 1** (si possible, le projeter). Demander aux apprenants de l'identifier (*c'est le site Internet d'une radio, Radio Dijon Campus ; rubrique Podcast*).

– Faire lire les questions et réaliser l'activité en grand groupe à l'oral.

– Noter au tableau les réponses (ou les mettre en évidence en les surlignant si le document est projeté).

> **Corrigé** 1 **a.** C'est une radio universitaire (campus) française (basée à Dijon). **b.** Ce sont deux jeunes Européennes qui ont fait un stage à l'université de Bourgogne.

Activité 2 🎧 H53

Modalité : par deux

▌ **Objectif** : vérifier la compréhension globale de témoignages

– Annoncer aux apprenants qu'ils vont écouter les témoignages des deux étudiantes.

– Faire lire les consignes et faire une première écoute des témoignages en marquant une pause entre les deux.

– Demander aux apprenants de réaliser l'activité par deux.

– Procéder à la mise en commun en grand groupe. Noter les réponses au tableau.

> **Transcriptions**

Présentateur : Bonjour ! Aujourd'hui, dans notre rubrique internationale, nous donnons la parole à Arla, qui nous vient de Finlande, et à Jacqueline, d'Allemagne. Elles viennent de terminer leur stage au pôle international de l'université de Bourgogne. Arla, Jacqueline, parlez-nous du stage que vous venez d'effectuer. Que pouvez-vous nous dire de cette expérience ? Oui, Arla ?

Arla : Je pense que tout le monde devrait sortir de sa zone de confort de temps en temps pour se rendre compte de ses forces et de ses faiblesses et pour avoir plus confiance en soi. Mon stage au pôle international m'a été très utile. J'avais peur de ne pas comprendre la langue suffisamment bien pour pouvoir travailler. Il est vrai qu'au début, c'était difficile, mais après deux semaines je me suis habituée. Avant d'arriver à Dijon, j'avais le niveau B2 en français et pendant les six mois de stage, j'ai beaucoup amélioré mon français, surtout en expression orale.

Présentateur : Et en quoi consistait ton travail ?

Arla : Je traitais les documents des étudiants de l'université qui partaient à l'étranger et je participais à l'organisation d'événements culturels. Je suis contente d'avoir vécu cette expérience qui m'a permis de me développer au niveau personnel et professionnel.

Présentateur : Merci, Arla. Et pour toi, Jacqueline, comment ça s'est passé ?

Jacqueline : Avant, je ne pouvais pas imaginer de travailler dans un bureau de l'administration publique mais au final, ça m'a beaucoup plu. Ce que j'ai préféré, c'est encadrer les tuteurs étrangers au centre de langues. J'apprends le français depuis l'âge de sept ans, mais cette expérience de stage m'a vraiment beaucoup aidée pour me sentir plus à l'aise à l'oral. À l'université, pendant nos études, on ne parle pas beaucoup, on lit souvent des textes, mais on n'a pas l'habitude de parler. Et en France, j'ai pu mener de vraies conversations et je n'ai plus peur de parler français.

Présentateur : Pourquoi as-tu choisi de faire ce stage ?

Jacqueline : Pour être obligée de parler français au travail chaque jour. Les collègues français pouvaient me corriger. C'est beaucoup plus utile que d'être tout le temps avec les autres étudiants internationaux, qui parlent souvent français en faisant des fautes. L'ambiance au travail a été agréable, j'ai été bien accueillie, c'était très convivial. On prenait les cafés ensemble et je décrirais cette relation plus comme une relation d'amitié qu'une relation professionnelle.

▷ **Corrigé** a. Expérience plutôt positive : Arla → Mon stage au pôle international m'a été très utile. Je suis contente **d'avoir vécu** cette expérience qui m'a permis de me développer au niveau personnel et professionnel. **Expérience très positive :** Jacqueline → ça m'a beaucoup plu. L'ambiance au travail a été agréable, j'ai été bien accueillie, c'était très convivial. b. **Tâches effectuées par : Arla** → Je traitais les documents des étudiants de l'université qui partaient à l'étranger et je participais à l'organisation d'événements culturels. **Jacqueline** → travailler dans un bureau de l'administration publique (...) ce que j'ai préféré, c'est encadrer les tuteurs étrangers au centre de langues.

Activité 3 🎧53

Modalité : par deux

▌**Objectif :** affiner la compréhension de témoignages

– Faire lire la consigne et réaliser l'activité en binôme : proposer deux écoutes dont une première écoute séquentielle pour que les apprenants aient le temps de prendre des notes. Leur proposer de remplir le tableau ci-dessous.
– Procéder à la mise en commun en grand groupe. Noter les réponses sous la dictée des apprenants.

▷ **Corrigé**	Comment elle se sentait avant le stage	Comment elle se sent après le stage
Arla	*J'avais peur de ne pas comprendre la langue suffisamment bien pour pouvoir travailler et il est vrai qu'au début, c'était difficile.*	*Avant d'arriver à Dijon j'avais le niveau B2 en français et pendant les six mois de stage, j'ai beaucoup amélioré mon français, surtout en expression orale.*
Jacqueline	*Avant, je ne pouvais pas imaginer de travailler dans un bureau de l'administration publique. À l'université pendant nos études, on ne parle pas beaucoup, on lit souvent des textes mais on n'a pas l'habitude de parler.*	*... cette expérience de stage m'a vraiment beaucoup aidée pour me sentir plus à l'aise à l'oral. (...) en France j'ai pu mener de vraies conversations et je n'ai plus peur de parler français.*

▶ FOCUS LANGUE

Donner ses impressions   **page 95**

▌**Objectif :** conceptualiser des expressions pour donner ses impressions

– Faire lire la consigne et l'exemple. Faire réaliser l'activité par deux. Proposer de consulter la transcription du **document 1** (livret p. 13).
– Procéder à la mise en commun en grand groupe. Si possible, projeter au tableau les items : demander à un apprenant de les associer ou bien noter les réponses sous la dictée des apprenants.

▷ **Corrigé** a. 2 ; b. 4 ; c. 5 ; d. 6 ; e. 3

▶ **S'exercer p. 173**

Activité 4 📖

▌**Objectifs** : affiner la compréhension de témoignages et échanger

Constituer des groupes de trois ou quatre apprenants. Faire lire les consignes et réaliser l'activité.

a Demander aux groupes de lire l'extrait et de le reformuler avec leurs propres mots. Lors de la mise en commun, comparer les différentes reformulations.

b – Dans chaque groupe, nommer un secrétaire et un rapporteur. Demander à chaque membre du groupe de répondre aux questions (de raconter son expérience / de donner son opinion), le secrétaire prend des notes.

– Procéder à la mise en commun en grand groupe : interroger le rapporteur de chaque groupe.

Activité 5 🎧

▌**Objectif** : échanger sur ses expériences professionnelles ou universitaires

– Conserver les groupes de l'activité **4**. Faire lire la consigne et réaliser l'activité.

– Procéder à la mise en commun en grand groupe : interroger les rapporteurs de chaque groupe ; lister les différentes expériences évoquées.

Activité 6 📖

▌**Objectif** : formuler des hypothèses sur un site Internet

– Faire observer le **document 2** (le projeter si possible). Veiller à ce que les apprenants ne lisent pas l'article.

– Faire lire les consignes et réaliser l'activité individuellement puis faire comparer les réponses à deux.

– Procéder à la mise en commun en grand groupe. Noter les réponses au tableau sous la dictée des apprenants. Noter / Souligner (si la page est projetée) les termes clés (*bénévole/bénévolat, valoriser mon expérience, faire un don*) ainsi que les rubriques (*Devant un recruteur : des atouts à mettre en avant ; Pour l'acquisition d'un diplôme : une expérience qui compte ; Dans votre carrière : une passerelle vers de nouvelles possibilités*).

> **Corrigé a.** C'est un mode d'emploi pour valoriser son expérience dans une association. Il s'adresse aux étudiants qui sont déjà membres d'une association ou veulent le devenir. **b.** Les rubriques : Devant un recruteur : des atouts à mettre en avant – Pour l'acquisition d'un diplôme : une expérience qui compte – Dans votre carrière : une passerelle vers de nouvelles possibilités. **c.** Les titres de ces rubriques expriment une incitation, un encouragement.

Activité 7 📖

▌**Objectifs** : vérifier des hypothèses sur un site Internet ; affiner la compréhension d'un article

– Inviter les apprenants à lire l'article. Avant de réaliser l'activité, demander à un ou deux apprenants de reformuler ce qu'ils ont compris. Vérifier que la classe est d'accord.

– Faire lire les consignes et réaliser l'activité par deux.

– Procéder à la mise en commun en grand groupe : interroger des apprenants et écrire les réponses au tableau. Vérifier la compréhension des termes clés (*la formation et l'expérience professionnelle : formation initiale/continue, compétences, aptitudes, la validation des acquis, une carrière*).

> **Corrigé a.** Parler de la formation initiale et continue (rubrique 2) ; Parler de compétences et d'aptitudes (rubrique 1) ; Parler de l'expérience professionnelle (rubrique 3) ; **b. 1. Vrai :** *Dans votre CV, l'expérience acquise ou les recommandations de vos responsables associatifs sont autant d'atouts pour décrocher un entretien.* **2. Faux :** *Trop souvent, les candidats écrivent dans la rubrique « centres d'intérêt » une implication associative. Pourtant, celle-ci fait appel à de nombreuses compétences.* **3. Faux :** il faut justifier d'une expérience d'au moins trois ans dans une activité en rapport direct avec le titre ou le diplôme souhaité. **4. Vrai :** *Votre implication auprès d'une association met en valeur non seulement vos savoir-faire techniques et sociaux, mais également votre savoir être. Des travaux universitaires solides attestent que les bénévoles développent des aptitudes appréciées dans le monde de l'entreprise. Écoute, sens de l'autre, empathie, travail en équipe, montage et gestion de projets...* **5. Vrai :** *L'expérience acquise auprès d'associations peut vous aider à vous réorienter vers de nouveaux métiers, que ce soit dans le cadre d'une réorientation professionnelle ou d'un bilan de compétences.* **c. 1.** L'auteur s'adresse directement au lecteur : il utilise le « vous » de politesse *(dans votre CV ; votre implication ; vos savoir-faire ; votre savoir être / engagement).* **2.** L'auteur essaie d'attirer le lecteur, de lui donner envie, de le motiver en l'interpellant *(Savez-vous que... ?)* et en le conseillant *(Vous souhaitez... ? ; grâce au bénévolat...).*

> **FOCUS LANGUE**

Faire un bilan personnel et professionnel   **page 95**

▌**Objectif** : conceptualiser des expressions pour faire un bilan personnel et professionnel

– Faire lire la consigne et faire lire les expressions en grand groupe.

– Former des binômes et demander aux groupes de trouver d'autres expressions dans le **document 2** et l'activité **7b**.

– Procéder à la mise en commun en grand groupe : interroger des apprenants et noter les formules dans la rubrique correspondante sous la dictée des apprenants, après validation par la classe. En vérifier la compréhension.

  ▷ **Corrigé** **Parler de la formation initiale et continue** : valider des acquis de l'expérience (VAE) ; **Parler de son
  expérience professionnelle** : valoriser son expérience dans une association ; une réorientation
  professionnelle

▶ **S'exercer p. 174**

Activité 8 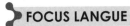   Modalité : en petits groupes

▌**Objectif** : échanger sur le thème du bénévolat

– Constituer des groupes de trois ou quatre apprenants. Leur demander de lire les questions puis d'y répondre en groupe.
Passer auprès des groupes pour les guider si besoin.

– Procéder à la mise en commun en grand groupe : interroger un apprenant de chaque groupe qui présentera les réponses
de son groupe.

▐À nous▐ Activité 9 – Nous réalisons notre bilan personnel et professionnel.

Modalités : seul puis par deux

▌**Objectif** : transférer les acquis de la leçon

Présenter la tâche aux apprenants, faire lire les étapes et en vérifier la compréhension.

a Demander aux apprenants de reprendre la liste des expériences de l'activité **5** et d'en choisir deux. Puis, à l'aide du
« Bilan de compétences » (projeté si possible), leur laisser le temps de rédiger un bref bilan personnel et professionnel.
Les inciter à noter des exemples.

b Leur demander de présenter, à l'oral, leur mini-bilan à leur partenaire et d'échanger avec elle/lui sur leurs expériences
personnelles et professionnelles.

Leçon **4** Le monde du travail vu par...   **pages 92-93**

Tâche finale : décrire le début de sa journée			
Savoir-faire et savoir agir	**Grammaire**	**Lexique**	**Sons et intonation**
– Comprendre un métier		– Les termes pour désigner les compétences d'un chargé de clientèle	– La mise en relief de certains mots
– Décrire le début de sa journée de travail	– Le pronom *où* (2) pour donner des précisions sur le lieu ou sur le temps – Le gérondif pour exprimer la simultanéité – Différencier le gérondif et le participe présent		

Activité 1

Objectif : formuler des hypothèses sur une émission

– Faire observer le visuel du **document 1**. Le projeter si possible. Faire formuler des hypothèses sur le nom de la chaîne diffusant l'émission (*TV5 Monde*), le nom (*DF = Destination Francophonie ; Destination Antananarivo*) et le type d'émission (*un reportage dans une ville francophone, Antananarivo ; l'homme à gauche doit être un journaliste*), puis sur le thème de l'émission : *sur la photo de droite, on peut voir des personnes devant un ordinateur, avec un casque audio et un micro (peut-être des employés au téléphone) ainsi qu'un homme debout en chemise bleue, qui semble les surveiller (peut-être leur responsable). On va peut-être voir un reportage sur une entreprise à Antananarivo (dans la pièce, il y a beaucoup de bureaux avec un ordinateur, c'est peut-être un centre d'appels).* Faire expliquer le terme *francophonie*.

– Écrire les hypothèses au tableau sous la dictée des apprenants.

> **Corrigé** : Thème de l'émission : un centre d'appels à Antananarivo.

Infos culturelles

La ville d'Antananarivo ou Tananarive est la capitale de Madagascar. La République de Madagascar est un État insulaire d'Afrique situé dans l'océan Indien. C'est une ancienne colonie française, devenue indépendante en 1960, ce qui explique pourquoi l'on y parle français. Elle fait aujourd'hui partie de l'Organisation internationale de la francophonie (OIF), institution dont les membres partagent ou ont en commun la langue française.

Activité 2 ▶ 5

Objectifs : vérifier la compréhension globale d'une émission ; identifier la structure du discours

– Faire lire les consignes **a** et **b**, en vérifier la compréhension et faire visionner la vidéo dans son intégralité.

– Faire réaliser les activités en binôme.

– Avant de procéder à la mise en commun en grand groupe, faire valider les hypothèses élaborées à l'activité 1 (*l'émission Destination francophonie présente un reportage sur un centre d'appels à Antananarivo, la capitale de Madagascar*). Puis, interroger des apprenants et noter les réponses de l'activité au tableau. Pour la question **a**, noter les éléments dans l'ordre dans lequel ils apparaissent dans la vidéo ; faire visionner la vidéo en marquant une pause pour identifier chacune des étapes.

> **Transcriptions**

Voix off : Cette semaine, Destination francophonie vous emmène à Tananarivo, la capitale de Madagascar.

Yvan Kabacoff : Bonjour. Quand vous arrivez à Tananarivo ou tout simplement « Tana » comme on dit ici, vous êtes étonné parce que vous avez l'impression de parcourir une série de villages accrochés à des collines (il y en a dix-huit) entourées de magnifiques rizières... Alors là, nous sommes au cœur du quartier des affaires de Tana et c'est là que nous allons rencontrer Raphaël Andrianirina ; il est responsable des opérations chez EasyCo, c'est l'un des principaux centres d'appels de Madagascar. Mais avant de le retrouver, voici son histoire.

Voix off : Raphaël a travaillé pendant plusieurs années dans un centre d'appels en France. Avec l'essor rapide de cette activité à Madagascar, il décide de revenir dans son pays où il est engagé tout de suite par EasyCo. Il y a deux ans, cette société française fait le pari de s'installer à Antananarivo pour le service de relation client d'entreprises françaises. Car dans le Maghreb, où l'on trouve de très nombreux centres d'appels, le marché francophone est de plus en plus saturé. De plus, le réseau de fibres optiques installé récemment sur l'île permet des connexions de très haut débit. EasyCo décide alors d'investir, techniquement d'abord, avec des installations dernier cri, et surtout en recrutant trois cents jeunes Malgaches.

Yvan Kabacoff : Quand vous entrez dans cette salle, c'est impressionnant ! Vous avez l'impression d'être dans une ruche où tout le monde est en train de parler français. Bonjour Raphaël !

Raphaël Andrianirina : Bonjour Ivan.

Yvan Kabacoff : Alors, ce métier de travailler dans un centre d'appels, pourquoi il est valorisé ? Pourquoi il est recherché ?

Raphaël Andrianirina : C'est un métier qui est tout récent à Madagascar et où ceux qui sont dans ce domaine-là ont la possibilité justement de valoriser cette langue qui est la langue française, et qui est une langue de travail. Alors, qu'est-ce qui fait la spécificité d'un Francophone ? C'est qu'il a un accent qui se rapproche le plus possible d'un Français lorsqu'il parle français. On ne reconnaît pas et on est d'emblée confiant lorsqu'on est pris en charge par un chargé de clientèle à Madagascar.

Yvan Kabacoff : Pour travailler dans un centre d'appels, il faut bien sûr maîtriser parfaitement le français, mais il faut aussi apprendre un métier. Et pour cela EasyCo a même créé une académie et son directeur est juste ici en train de faire une formation. Il s'appelle Jean-Michel Frachet. Bonjour Jean-Michel !

Jean-Michel Frachet : Bonjour Ivan.

Yvan Kabacoff : Jean-Michel, pourquoi c'est important de bien former ses personnels dans un centre d'appels comme le vôtre ?

Jean-Michel Frachet : Tout simplement, parce qu'il est essentiel que nos chargés de clientèle qui sont de jeunes professionnels talentueux puissent acquérir un niveau de compétences et de performances optimal, de telle sorte que la satisfaction du client qui vient chercher chez nous une réponse à une situation parfois problématique, eh bien que cette satisfaction soit au top et qu'on puisse leur apporter la solution. Tous ces jeunes Malgaches, qui pour la plupart parlent très bien le français, sont dans l'attente à la fois de métiers de contact éventuellement avec l'extérieur, et puis, utiliser le français comme langue de travail, c'est quand même une occasion rêvée, parce que souvent on apprend le français pendant de longues années et, arrivés sur le marché de l'emploi, on n'est pas toujours amenés à l'utiliser, à l'exploiter finalement.

> **Corrigé a.** introduction du journaliste de TV5 Monde – parcours de Raphaël Andrianirina – historique de la société EasyCo – témoignage de Raphaël Andrianirina – témoignage du responsable de la formation ;
b. EasyCo est l'un des principaux centres d'appels de Madagascar. Des chargés de clientèle exécutent cette mission.

Activité 3 ▶ 5

▌**Objectif :** affiner la compréhension d'un reportage
– Faire lire la consigne et visionner à nouveau la première partie de la vidéo (du début à 1'36 « *tout le monde est en train de parler français* »).
– Faire réaliser l'activité par deux.
– Procéder à la mise en commun en grand groupe : interroger des apprenants et écrire les réponses au tableau sous leur dictée.

> **Corrigé** a. 2 ; b. 3

Activité 4 ▶ 5

▌**Objectifs :** affiner la compréhension d'un reportage ; découvrir une profession
– Faire lire la consigne et les informations. Puis faire visionner la seconde partie de la vidéo (de 1'36 « *tout le monde est en train de parler français* » à la fin).
– Faire réaliser l'activité par deux.
– Procéder à la mise en commun en grand groupe : interroger des apprenants et écrire les réponses au tableau sous leur dictée.

> **Corrigé a.** Les deux principales missions d'un chargé de clientèle : résoudre des problèmes et satisfaire le client. → JMF : *Tout simplement, parce qu'il est essentiel que nos chargés de clientèle qui sont de jeunes professionnels talentueux puissent acquérir un niveau de compétences et de performances optimal, de telle sorte que la satisfaction du client qui vient chercher chez nous une réponse à une situation parfois problématique, et bien que cette satisfaction soit au top et qu'on puisse leur apporter la solution.*
b. Le métier de chargé de clientèle est recherché et valorisé à Madagascar car selon Raphaël Andrianirina, *c'est un métier qui est tout récent. Les Malgaches ont la possibilité de valoriser la langue française* ; et selon Jean-Michel Frachet : *Les jeunes Malgaches sont en attente de métiers de contact avec l'extérieur. (...) Utiliser le français comme langue de travail, c'est une occasion rêvée parce que souvent on apprend le français pendant de longues années et arrivés sur le marché de l'emploi, on n'est pas toujours amenés à l'utiliser, à l'exploiter.* **c.** Les atouts des jeunes Malgaches pour ce métier : selon Raphaël Andrianirina, *les Malgaches sont francophones et c'est un accent qui se rapproche le plus possible d'un Français, qu'on ne reconnaît pas et on est d'emblée confiant lorsqu'on est pris en charge par un chargé de clientèle à Madagascar.* Selon Jean-Michel Frachet, ce sont de jeunes professionnels talentueux.

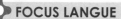

FOCUS LANGUE

Les termes pour désigner les compétences d'un chargé de clientèle   **page 95**

■ **Objectif** : conceptualiser des termes pour désigner des compétences professionnelles

– Faire lire la consigne et l'exemple. Faire observer l'image extraite de la vidéo 5 (si possible, la projeter), demander de la lire et de réaliser l'activité par deux.

– Procéder à la mise en commun : interroger des apprenants et lister les compétences du chargé de clientèle. Noter les compétences au tableau (à l'infinitif comme dans l'exemple) sous leur dictée après validation par la classe. En vérifier la compréhension.

    ▷ **Corrigé** Coordonner, informer, apporter de la valeur ajoutée, avoir le sens de l'écoute, s'adapter, s'informer sur le sujet et le client, se contrôler, personnaliser son client et son appel

▶ **S'exercer p. 175**

Activité 5

Modalités : seul puis en petits groupes

■ **Objectif** : présenter ses compétences professionnelles ou universitaires

a – Faire lire la consigne. Projeter au tableau le dessin de l'activité du **Focus langue** précédent afin de proposer un modèle aux apprenants.

– Leur demander de lister de la même manière les tâches et les compétences nécessaires pour leurs études/leur métier. Passer dans la classe pour s'assurer que chaque apprenant réalise ainsi l'activité.

b – Constituer des groupes de trois ou quatre apprenants. Désigner un secrétaire et un rapporteur par groupe. Demander à chaque apprenant de présenter ses compétences (professionnelles ou universitaires) à son groupe.

– Procéder à la mise en commun : interroger le rapporteur de chaque groupe ; constituer une liste de compétences (à l'infinitif ; voir les réponses du **Focus langue** précédent). Demander aux apprenants de conserver leurs réponses pour la tâche finale (activité **8**).

Activité 6

Modalité : seul

■ **Objectif** : élaborer des hypothèses sur le thème d'un livre

– Si possible, projeter le **document 2** au tableau. Le faire observer et identifier (*c'est la présentation et l'extrait d'un livre de Zoé Shepard dans les pages « Livres » d'un magazine*), faire retrouver le titre du livre (en bas à droite : *Absolument dé-bor-dée ! ou le paradoxe du fonctionnaire*).

– Faire lire les questions et réaliser l'activité seul.

– Procéder à la mise en commun en grand groupe : interroger quelques apprenants ; favoriser les interactions entre eux, les échanges à propos du thème ; noter les hypothèses élaborées. Vérifier la compréhension des termes *débordé, paradoxe, fonctionnaire*.

Activité 7

Modalité : par deux

■ **Objectif** : vérifier des hypothèses sur le thème d'un livre

– Demander de lire la présentation du livre (partie gauche du **document 2**) et de confirmer, en binôme, les hypothèses élaborées lors de l'activité **6**.

– Procéder à la mise en commun en grand groupe : interroger des apprenants ; noter les réponses retenues après validation par la classe.

    ▷ **Corrigé** On comprend d'après la présentation qu'elle n'a pas beaucoup de travail à effectuer et qu'elle pourrait faire beaucoup plus que ce qu'elle fait. À la place de 35 heures par semaine, elle fait en réalité 35 heures par mois (*Au lieu de 35 heures par semaine, c'est à peine 35 heures par mois qu'elle effectue en multipliant les réunions inutiles et en travaillant sur un seul et unique dossier...*).

Activité 8

Modalité : par deux

■ **Objectif** : affiner la compréhension d'un article

– Faire lire la consigne et en vérifier la compréhension.

– Demander de lire à nouveau la présentation du livre (partie gauche du **document 2**) et faire réaliser l'activité par deux.

– Procéder à la mise en commun en grand groupe : interroger des apprenants ; noter les expressions relevées au tableau (ou, si le document est projeté, souligner les expressions relevées dans le texte de présentation) ; en vérifier la compréhension.

▷ **Corrigé** Un service fourre-tout ; un quotidien devenu infernal ; les réunions inutiles ; travaillant sur un seul et unique dossier

Activité 9 📖

Modalité : par deux

▌ **Objectif :** affiner la compréhension d'un extrait de livre

– Faire lire les consignes et demander aux apprenants de lire l'extrait du livre de Zoé Shepard (partie droite du **document 2**).
– Faire réaliser l'activité par deux.
– Procéder à la mise en commun en grand groupe : interroger des apprenants ; si le document est projeté, les inviter à venir au tableau pour souligner de deux couleurs différentes les passages sur les deux catégories de personnes décrites dans l'extrait.

▷ **Corrigé a.** Les attitudes des deux catégories de personnes sont décrites avec précision, voire exagération, de façon très visuelle : *Il y a certaines personnes qui sont capables de se lever à la première sonnerie du réveil, de filer sous la douche (…) et d'enfiler des vêtements parfaitement repassés avant d'aller prendre le petit déjeuner…* Et les personnes comme l'auteure : *Et il y a moi. Qui me rendors toujours après avoir éteint la sonnerie, me lève à l'heure où je devrais être installée à mon bureau prête à démarrer ma journée de labeur, attrape les vêtements de la veille à l'endroit où je les ai laissés avant de me coucher, soit en tas près du lit, et dévale les escaliers en enfilant mon manteau et en me promettant que ce soir, je me coucherai plus tôt.* **b.** L'opposition entre ces personnes produit un effet comique, humoristique. Il y a un grand décalage entre les deux catégories de personnes. Les personnes de la première catégorie évoquée font tout parfaitement : se lever tôt, consommer bio/écolo, s'habiller bien (vêtements repassés), laver et ranger la vaisselle, aller au travail avec bonheur. Pour celles de la seconde, c'est tout le contraire : se lever en retard, mettre les vêtements de la veille, courir pour aller au travail, ne pas prendre ni douche ni petit déjeuner, partir fatiguée.

▶ FOCUS LANGUE

Le pronom *où* (2) pour donner des précisions sur le lieu ou sur le temps   **page 94**

▌ **Objectif :** conceptualiser la fonction du pronom relatif *où*

– Si possible, projeter l'extrait du livre de Zoé Shepard, p. 94. Faire lire la consigne et l'exemple. Demander de relire l'extrait du livre et de réaliser l'activité (faire repérer les trois pronoms *où* en vert dans le texte). Inciter les apprenants à comparer leur réponse par deux.
– Procéder à la mise en commun en grand groupe : demander aux apprenants interrogés de dire la fonction des pronoms relatifs *où* présents dans l'extrait et de justifier comme dans l'exemple (souligner le complément de lieu ou de temps qu'ils remplacent).

▷ **Corrigé** 1 → complément de temps. Justification : **Quand** est-ce je me lève ? À l'heure où je devrais être installée à mon bureau. 3 → complément de lieu. Justification : **Où** est-ce que j'occupe un poste depuis six mois ? Devant l'entrée principale de la mairie où j'occupe depuis six mois le poste de chargée de mission.

▶ **Précis grammatical p. 201**
▶ **S'exercer p. 174**

▶ FOCUS LANGUE

Le gérondif pour exprimer la simultanéité   **page 94**

▌ **Objectif :** conceptualiser la formation et l'emploi du gérondif

– Laisser projeter l'extrait au tableau. Faire lire la consigne et à nouveau l'extrait du livre de Zoé Shepard afin de réaliser l'activité. Faire repérer les éléments A et B (en bleu dans le texte).
– Faire réaliser l'activité par deux.
– Procéder à la mise en commun en grand groupe : interroger des apprenants, noter leurs réponses au tableau après validation par la classe. Vérifier la compréhension de la règle (activité **b**) : faire illustrer les différents emplois du gérondif par des exemples.

▷ **Corrigé a.** 1. la simultanéité ; 2. le même ; **b.** Pour former le gérondif, j'utilise *en* + la base de la 1ʳᵉ personne du pluriel du présent à laquelle j'ajoute *ant*.

▶ **Précis grammatical p. 211**
▶ **S'exercer p. 175**

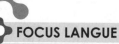

FOCUS LANGUE

Différencier le gérondif et le participe présent **page 94**

■ **Objectif :** conceptualiser la différence entre le gérondif et le participe présent

– Faire lire la consigne, les items et l'extrait du livre de Zoé Shepard proposé. Faire observer l'élément en bleu dans le texte ainsi que les éléments soulignés.
– Faire répondre aux questions par deux.
– Procéder à la mise en commun en grand groupe : interroger des apprenants, noter leurs réponses au tableau après validation par la classe. Faire remarquer la différence entre les éléments A et B (activité précédente) et l'élément C : gérondif / participe présent. Rappeler la note en rouge : *Le sujet des deux verbes peut être le même ou différent.* Vérifier que la différence entre les deux soit bien comprise : faire illustrer par d'autres exemples.

> **Corrigé a.** Il n'y a pas « en » devant mais la formation est la même que celle du gérondif : c'est un participe présent. **b.** Différent. **c.** Par une proposition relative (avec « qui » + verbe au présent) : *les cents derniers mètres qui me séparent du bâtiment.*

▶ **Précis grammatical p. 211**

▶ **S'exercer p. 175**

Activité 10 💬

Modalité : en petits groupes

■ **Objectif :** échanger sur ses comportements et ses attitudes

– Constituer des groupes de quatre apprenants ; nommer un rapporteur. Faire lire la consigne et réaliser l'activité : les apprenants répondent d'abord à la question à l'oral ; puis, ils complètent individuellement à l'écrit l'amorce proposée (les inciter à réemployer les termes vus dans les **Focus langue** 1, 2 et 3 p. 94) : *Il y a certaines personnes dans le groupe qui... Et il y a moi. Qui...* Enfin, ils classent chaque membre du groupe dans une des deux catégories évoquées par Zoé Shepard.
– Procéder à la mise en commun en grand groupe : interroger le rapporteur de chaque groupe et noter qui (ou combien d'apprenants du groupe) appartient à quelle catégorie.

FOCUS LANGUE   Sons et intonation

La mise en relief de certains mots 🎧▶54 **page 94**

■ **Objectif :** reconnaître la mise en relief et l'accentuation de certains mots

Ce point sur la prosodie a déjà été travaillé dans le **dossier 2**, pour exprimer le mécontentement et dans le **dossier 4**, pour persuader.

– Expliquer que l'accentuation, c'est-à-dire le renforcement en intensité et en durée d'une syllabe, permet justement de mettre en relief certains mots du discours. Ici, le support audio n'est pas un enregistrement mais l'émission originale extraite d'un reportage de TV5 Monde.
– Faire écouter l'exemple en regardant directement dans le **livret des transcriptions** et faire remarquer que pour les deux mots mis en relief (*EasyCo* et *principaux*), l'accentuation porte sur la première syllabe.
– Puis faire écouter les autres extraits et demander aux apprenants par deux de déterminer les mots mis en relief pour chaque extrait.
– Faire répéter chaque phrase par un apprenant volontaire après l'avoir réécoutée.

> **Transcriptions**

Exemple : Raphaël Andrianirina ; il est responsable des opérations chez EasyCo, c'est l'un des principaux centres d'appels de Madagascar. 1. Raphaël a travaillé pendant plusieurs années dans un centre d'appels en France. 2. Avec l'essor rapide de cette activité à Madagascar, il décide de revenir dans son pays où il est engagé tout de suite par EasyCo. 3. EasyCo décide alors d'investir, techniquement d'abord avec des installations dernier cri et surtout en recrutant trois cents jeunes Malgaches. 4. Alors ce métier, de travailler dans un... dans un centre d'appels, pourquoi il est valorisé, pourquoi il est recherché ? 5. Jean-Michel, pourquoi est-ce si important de bien former ses personnels dans un centre d'appels comme le vôtre ?

> ▷ **Corrigé**

1. <u>Ra</u>phaël a travaillé pendant <u>plu</u>sieurs années dans un centre d'appels en <u>France</u>. → *3 mots sont mis en relief par un accent d'insistance.* 2. Avec l'essor rapide de cette activité à Madagascar, il décide de revenir dans <u>son</u> pays où il est engagé tout de suite par <u>EasyCo</u>. → *2 mots sont mis en relief.* 3. EasyCo décide alors d'<u>in</u>vestir, <u>techni</u>quement d'abord, avec des installations dernier cri, et <u>surtout</u> en <u>recrutant</u> <u>trois</u> cents jeunes Malgaches. → *5 mots sont mis en relief.* 4. Alors, <u>ce</u> métier, de <u>tra</u>vailler dans un centre d'appels, pourquoi il est <u>valorisé</u> ? Pourquoi il est <u>recherché</u> ? → *4 mots sont mis en relief.* 5. Jean-Michel, pourquoi c'est important de <u>bien</u> former ses personnels dans un <u>centre</u> d'appels comme le vôtre ? → *2 mots sont mis en relief.*

▸ **Précis de phonétique p. 199**

▸ **S'exercer p. 175**

Pour aller plus loin

Proposer d'enchaîner avec l'activité des pages S'exercer qui est plus interactive puisque les apprenants vont choisir plusieurs mots à accentuer dans un petit texte (un monologue) puis faire trouver à leur partenaire les mots qu'ils ont choisi d'accentuer. L'activité peut servir pour une théâtralisation des deux textes en insistant sur les mots à mettre en relief choisis par les apprenants. Plusieurs groupes pourront ainsi proposer plusieurs versions avec probablement juste quelques variantes.

À nous ! Activité 11 – Nous décrivons le début de notre journée.

Modalités : seul puis en petits groupes

▌ **Objectif :** transférer les acquis de la leçon

Présenter la tâche aux apprenants, faire lire les étapes et en vérifier la compréhension. Leur annoncer qu'ils vont écrire le récit de leur journée et que la classe votera pour le plus original ou le plus drôle. Les inciter à adopter un ton humoristique, à la manière de Zoé Shepard.

a Demander aux apprenants de rédiger leur texte individuellement puis de lister les tâches qu'ils réalisent dans leur journée en s'aidant de leurs réponses à l'activité **5**. Les inciter à employer les expressions et les structures grammaticales vues dans cette leçon (le pronom relatif *où*, le gérondif…). Passer dans la classe afin de veiller au bon déroulement de l'activité.

b – Former des groupes de trois ou quatre apprenants. Désigner un rapporteur par groupe. Après la lecture de leur récit à leur groupe, faire comparer et voter pour le plus original ou le plus drôle.

– Procéder à la mise en commun en grand groupe : le rapporteur de chaque groupe présente le récit gagnant et raconte le début de journée de la personne. Les autres groupes doivent deviner qui en est l'auteur.

Pour aller plus loin

Rassembler les récits des apprenants dans un recueil et le mettre à disposition de la classe.

STRATÉGIES

Rédiger un curriculum vitæ efficace

Activité 1

▌ **Objectif :** donner son avis sur un CV

Si possible, projeter le CV au tableau. Le faire observer. Demander aux groupes de lire la consigne et les questions. En vérifier la compréhension. Demander à chaque groupe de répondre aux questions. Inciter les apprenants à échanger.

Activités 2 et 3

▌ **Objectif :** faire un bilan professionnel pour rédiger un CV

– Faire lire les consignes et l'exemple. Leur faire repérer sur le CV les différentes rubriques qu'ils vont devoir compléter (rubrique 1 puis rubriques 2, 3 et 4).
– Demander à chaque binôme d'échanger et de se mettre d'accord sur un type de poste à rechercher. Puis, proposer de lister les expériences, les compétences clés et les qualités professionnelles pour ce poste et de rédiger la rubrique 1.
– Procéder de la même façon pour rédiger les rubriques 2 à 4. Inviter à employer les mots et expressions acquis dans ce dossier.
– Lors de la mise en commun, demander à chaque binôme de présenter ses rubriques, proposer aux autres groupes de les valider ou de les corriger.

▌ Pour aller plus loin

Imaginer un forum des métiers. La classe est divisée en deux groupes : un groupe en recherche d'emploi / de stage (groupe 1) va à la rencontre de professionnels de l'emploi / de la formation (groupe 2) afin de présenter leur CV et de se faire conseiller sur le type de poste recherché.

Activité 4 – Apprenons ensemble !

▌ **Objectif :** partager des stratégies pour enrichir son lexique

a Demander aux apprenants de lire le message de Juan Pablo (le projeter si possible). Les interroger sur l'objet de son message (*Juan Pablo demande de l'aide pour réaliser une activité que son professeur de français lui a donné et qu'il n'arrive pas à faire : il doit trouver des stratégies pour améliorer son lexique*).

b – Faire réaliser l'activité en groupe de trois ou quatre apprenants. Demander à chaque groupe de choisir un rédacteur qui se chargera de prendre des notes.
  – Demander d'abord d'échanger à l'oral sur le thème, puis de lister les propositions pour enrichir son lexique.
  – Lors de la mise en commun en grand groupe, faire une liste des idées et techniques pour enrichir son lexique.

> ▹ **Corrigé** *Exemples de réponse.* Classer les mots par famille (ou champ lexical) ; faire des cartes mentales par thème ; chercher des mots inconnus dans le dictionnaire ; trouver des synonymes, des contraires à des mots connus ; écouter la radio / regarder la télévision en français ; regarder des films sous-titrés en français ; lire en français (des livres, des journaux, des magazines…).

Projet de classe

Il est conseillé de réaliser le projet de classe avant le projet ouvert sur le monde

Nous créons une carte des compétences et des savoir-faire de notre classe

Annoncer aux apprenants qu'ils vont créer une carte mentale des compétences et des savoir-faire de la classe, sur le modèle de la carte mentale des *compétences et aptitudes au travail* p. 97. Leur présenter les étapes du projet. En binômes, ils vont observer la carte mentale, enrichir les champs lexicaux. En petits groupes, ils vont échanger sur les qualités, les savoirs ou savoir être qu'ils jugent importants au travail ; créer une carte pour leur groupe ; préparer un témoignage oral pour expliquer l'utilité de certaines qualités ou compétences au travail ; réaliser une carte mentale avec la classe.

1. Faire lire la consigne et réaliser l'activité en grand groupe. Demander d'observer la carte mentale des *compétences et aptitudes au travail* (la projeter si possible). Faire identifier les quatre principales compétences et aptitudes au travail.

2. et 3. Par deux, faire compléter les définitions a, b, c, d (activité 2) puis la carte mentale avec les items de l'activité 3. Procéder à la mise en commun en grand groupe : interroger des apprenants, faire valider les réponses par la classe.

4. et 5. Constituer des groupes de quatre apprenants. Nommer un secrétaire et un rapporteur dans chaque groupe. Faire lire les consignes et réaliser les activités. Leur faire ensuite créer la carte des *savoir être, savoir-faire, savoirs* et *leadership* de leur groupe.

6. Les apprenants choisissent ensuite deux qualités ou compétences importantes pour leur groupe. À partir des notes prises par le secrétaire, ils préparent un témoignage oral : les inciter à réinvestir les structures grammaticales, les mots et expressions des **Focus langue** afin d'expliquer l'utilité de ces qualités/compétences. Laisser le temps aux rapporteurs des groupes de s'entraîner à présenter ce témoignage.

7. Interroger les rapporteurs pour partager avec la classe les anecdotes et cartes mentales élaborées par chaque groupe.

8. Demander à la classe de se mettre d'accord pour choisir le modèle de présentation de la carte mentale. Puis, faire rédiger une partie/rubrique de la carte à chaque groupe : savoir – savoir-faire – leadership – savoir être et qualités.

> **Corrigé** 1. Savoir être, savoir, savoir-faire, leadership ; 2. **a.** savoir être ; **b.** savoir-faire ; **c.** savoir ; **d.** leadership ; 3. s'intégrer dans une équipe (4) – être autonome (1) – maîtriser les langues nécessaires (en fonction du poste occupé) (8) – déléguer les tâches (7) – être compréhensif (1) – être organisé (6) – être diplomate (3) – avoir du respect pour les autres (2)

Projet ouvert sur le monde

Nous formulons un projet d'études ou un projet professionnel et nous préparons un dossier de candidature.

Le projet ouvert sur le monde peut se faire en dehors de la classe : il est conseillé de présenter le projet aux apprenants en groupe pour s'assurer de la bonne compréhension de l'ensemble et de la répartition des tâches.

Annoncer aux apprenants qu'ils vont imaginer un projet d'études ou un projet professionnel et préparer un dossier de candidature. Préciser qu'ils vont devoir faire un bilan personnel et professionnel afin de choisir et préparer un projet ; ils devront aussi rédiger un CV et une lettre de motivation.

1. Former des groupes de quatre apprenants. Faire lire et répondre aux questions.

2. **a.** En fonction de leur réponse à la question 1., demander à chaque apprenant de choisir un projet parmi ceux proposés : bénévolat, emploi, formation continue, formation initiale, reconversion professionnelle, spécialisation ou stage. Reformer des groupes : regrouper les apprenants par type de projet.

   b. Demander de faire des recherches (leur laisser accès à l'Internet ou mettre à disposition des documents provenant de sites institutionnels).

3. – Demander aux apprenants de préparer leur dossier : leur demander de rédiger un curriculum vitæ et une lettre de motivation en échangeant avec les membres du groupe. Leur proposer de prendre comme modèle le CV p. 96 et de consulter la boîte à outils *Curriculum vitæ* et *Lettre de motivation*. Les inciter à réinvestir les mots et expressions des **Focus langue** p. 89 (les termes pour désigner des compétences) et p. 95 (faire un bilan personnel et professionnel).

   – Après avoir accordé un temps d'échange suffisant aux groupes, demander à quelques apprenants de présenter leur projet à la classe. Laisser les apprenants commenter les projets de chacun.

4. En fonction du temps disponible, faire publier aux apprenants leur dossier de candidature. On pourra également leur demander de s'entraîner à l'entretien d'embauche.

Projet ouvert sur le monde

En petits groupes.

1. Répondez aux questions suivantes.

a. Qu'aimons-nous faire ? Quelles sont nos passions ? Qu'est-ce que nous souhaitons faire ?

....

....

b. Qu'est-ce que nous savons faire ? Quelles sont nos compétences, savoir-faire, connaissances ?

....

....

c. Que sommes-nous capables de faire en fonction de nos objectifs et de notre niveau de français ?

....

....

2. a. **En fonction de vos réponses à l'activité 1, choisissez votre projet parmi la liste ci-dessous. Formez de nouveaux groupes par projet.**

Le bénévolat

La formation initiale

La spécialisation

Le stage

La reconversion professionnelle

La formation continue

b. **Renseignez-vous sur les différentes possibilités qui existent pour le projet que vous avez choisi.**

> Quelques pistes pour vous aider à vous repérer dans le monde francophone :
> **Emploi :** http://cursus.edu/institutions-formations-ressources/formation/16722/repertoire-des-sites-francophones-offres-emploi/#.WP3KJNPzKSY
> **Études :** http://www.campusfrance.org/fr/rubrique/etudier-en-france
> **Stages :** http://www.emploi.org/fr/stages-international/recherche-stage-international
> **Volontariat :** http://www.servicevolontaire.org/
> **Reconversion :** http://www.reconversionprofessionnelle.org/

Vous pouvez également réaliser votre projet dans un environnement francophone, dans votre pays.

3. **Préparez votre dossier. Il doit contenir un curriculum vitæ et une lettre de motivation. Chacun rédige ses documents en échangeant avec les membres du groupe.**

4. Si vous comptez réaliser votre projet, envoyez votre dossier par mél ou par courrier.

Boîte à outils

Curriculum Vitæ	*Lettre de motivation*
Le CV doit être personnel, exact et clairement structuré, et doit contenir : – des informations personnelles – les activités professionnelles (employeurs, missions, lieux et dates) – les études (cursus, niveau) – les formations complémentaires (cours, formation continue…) – des connaissances particulières (informatique, bureautique, loisirs…) – les niveaux de langue (langue maternelle ; langues étrangères).	Elle doit : – montrer son intérêt – décrire son expérience – décrire ses points forts – demander une date pour un entretien (vous pouvez aussi prévoir de téléphoner) – rendre le destinataire curieux de vous rencontrer !

DELF 5

1. Compréhension des écrits   **10 points**

– Faire lire la consigne de l'exercice, le document et le questionnaire. S'assurer de leur bonne compréhension (si certains termes ne sont pas compris, l'enseignant pourra les expliquer mais en français).

– Laisser 20 minutes aux apprenants pour réaliser l'activité de compréhension.

> **Corrigé** 1. Faux : *Aujourd'hui, dans 70 % des cas, le recruteur demande uniquement un CV, et, dans les 30 % restants, il demande un CV et une lettre de motivation.* 2. c. 3. Le style copier / coller. 4. c. 5. Pour voir quel est le style de rédaction de la personne. Pour vérifier les qualités de synthèse à l'écrit de la personne. 6. Parce qu'elle peut apporter des précisions dans le parcours professionnel d'une personne ou éclairer sa situation actuelle (en reconversion ou en reprise d'activité). 7. Vrai : *Le recruteur pourra donc vérifier si un réel effort a été fourni ou si le candidat s'est contenté de recopier une lettre standard.* 8. La version en ligne est plus courte (quelques lignes seulement). 9. À la fin de son article, l'auteur conseille de rédiger une lettre de motivation « de base » qui sert de modèle pour l'adapter au profil du poste auquel on postule.

2. Production écrite   **15 points**

– Faire lire la consigne de l'exercice et s'assurer de sa bonne compréhension. Pour cela, vous pouvez poser les questions suivantes aux apprenants : *quel type d'écrit devez-vous écrire ? (un mél adressé à un ami francophone) ; vous devez écrire sur quel sujet ? (la poursuite des études à l'étranger) ; que devez-vous donner comme informations ? (1. Expliquer l'intérêt d'une expérience à l'étranger dans le cadre de ses études, 2. Donner des conseils pour la constitution d'un dossier d'inscription) ; combien de mots minimums devez-vous écrire ? (160 mots).*

– Rappeler ensuite (ou demander à un apprenant de rappeler) comment compter les mots dans une production écrite : un mot est un ensemble de signes placé entre deux espaces. « C'est-à-dire » = 1 mot ; « parce que » = 2 mots ; « il y a » = 3 mots ; « j'ai 25 ans » = 3 mots. Préciser que le jour de l'examen, il est possible d'écrire plus de 160 mots, mais pas moins (sachant qu'une marge de 10 % en moins est tolérée).

– Laisser environ 30 minutes aux apprenants pour réaliser la tâche demandée.

Guide pour l'évaluation

Respect de la consigne L'apprenant a bien écrit un mél à un ami au sujet de la poursuite des études à l'étranger. L'apprenant a bien écrit <u>au minimum</u> 160 mots (il peut écrire plus de 160 mots).	1 point
Capacité à présenter des faits L'apprenant a bien expliqué l'intérêt d'une expérience à l'étranger dans le cadre de ses études à travers des faits, des événements ou des expériences.	4 points
Capacité à exprimer sa pensée L'apprenant a bien donné son avis sur l'intérêt d'une expérience à l'étranger dans le cadre de ses études et donné au minimum deux conseils en lien avec le sujet de la consigne.	4 points
Cohérence et cohésion Le discours de l'apprenant est cohérent et ses idées s'enchaînent assez bien. On note la présence de quelques connecteurs (articulateurs logiques).	1 point
Compétence lexicale / Orthographe lexicale L'apprenant a correctement utilisé le vocabulaire de la situation présentée dans la consigne. L'apprenant a bien orthographié les mots qu'il a utilisés et qui ont été vus dans le dossier 5. La mise en page et la ponctuation sont fonctionnelles.	3 points
Compétence grammaticale / Orthographe grammaticale L'apprenant maîtrise la structure de la phrase simple. L'apprenant a su utiliser les temps et les modes vus dans les dossiers précédents et a su correctement conjuguer les verbes aux principaux temps de l'indicatif.	2 points

3. Production orale

15 points

Exercice 1

‹2 points›

Faire lire la consigne de l'exercice et s'assurer de sa bonne compréhension.

Guide pour l'évaluation

L'apprenant peut, sans préparation, se présenter et parler de lui **(0,5 point)** et de son parcours **(1,5 point)**. La présentation doit durer au minimum 2 minutes.

Exercice 2

‹5 points›

– Faire lire la consigne de l'exercice en interaction. S'assurer de sa bonne compréhension.
– Demander aux apprenants de former des binômes pour réaliser le jeu de rôle (un responsable d'entreprise et un étudiant souhaitant intégrer l'entreprise pour quelques heures par semaine).
– Laisser 10 minutes aux apprenants pour préparer leur jeu de rôle.
– Demander à un binôme de venir au tableau pour le réaliser. Le jeu de rôle doit durer au minimum 3 minutes.

Guide pour l'évaluation

Les apprenants peuvent faire des propositions et argumenter comme demandé dans la consigne pour arriver à un consensus. L'un des deux apprenants aura pour rôle de faire changer d'avis un responsable d'entreprise. *(Les 5 points sont à répartir selon la quantité des informations échangées entre les apprenants et la façon dont ils sont parvenus à réaliser la tâche demandée.)*

Exercice 3

‹5 points›

– Faire lire la consigne et le sujet du monologue suivi. S'assurer de leur bonne compréhension. L'enseignant pourra expliquer, en français, certains termes non compris.
– Laisser 10 minutes aux apprenants pour faire un brouillon sur le sujet. La production orale de l'apprenant doit durer au minimum 3 minutes. L'enseignant pourra poser quelques questions à l'issue du monologue, il n'interviendra pas avant.

Guide pour l'évaluation

L'apprenant a pu dégager le thème principal du sujet **(1 point)** et a su donner son opinion sous la forme d'un petit exposé, de façon construite et cohérente **(4 points)**.

Pour l'**ensemble des 3 exercices**, l'enseignant s'assurera que les apprenants ont bien acquis les compétences lexicales et morphosyntaxiques vues dans le dossier 5 et les dossiers précédents **(2 points)**.
Il veillera aussi à ce que les apprenants prononcent de manière compréhensible le répertoire d'expressions vues dans le dossier 5 et les dossiers précédents **(1 point)**.

DOSSIER **6**

Informons-nous, exprimons-nous !

- **Un projet de classe**

  À partir d'un sujet d'actualité, écrire un article avec de fausses informations.

- **Un projet ouvert sur le monde**

  Créer la une de notre magazine francophone et choisir un média pour nous faire connaître.

Pour réaliser ces projets, nous allons apprendre à :
- analyser la une d'un magazine
- comparer les médias traditionnels et les médias sociaux
- relater un événement
- structurer un article de presse
- rapporter des faits passés
- repérer des fake news
- analyser des fake news
- capter l'attention d'un public
- expliquer et argumenter

Pages d'ouverture

pages 100-101

▌ **Objectifs** : découvrir la thématique du dossier et présenter le contrat d'apprentissage

Le point sur… les médias

Modalités : par deux puis en petits groupes

Faire observer la double-page, la projeter si possible. Faire dire le thème abordé (*les médias, l'information*). Montrer le titre pour valider la réponse.

1 a Faire observer et identifier le document p. 100 (*un schéma sur les types de médias*).

b – Faire lire la consigne et faire réaliser l'activité par deux.

– Lors de la mise en commun, faire identifier les trois catégories de médias (les trois cercles) et faire observer les pictos. Puis, demander à quelques binômes de proposer leur définition des : *médias traditionnels, médias sociaux, pure players (web)*. Noter les définitions au tableau après validation par la classe.

c et d – Former des groupes de trois ou quatre apprenants, faire lire les consignes et faire réaliser les activités.

– Procéder à la mise en commun en grand groupe : inviter un apprenant de chaque groupe à venir au tableau afin d'écrire la liste des médias francophones connus (ceux du schéma p. 100 et d'autres) ; comparer les listes. Favoriser les interactions : les questionner sur leur usage de ces médias : *les utilisent-ils souvent ? À quel moment de la journée ? Lequel préfèrent-ils ? Utilisent-ils plutôt les médias traditionnels ou Internet ?*

2 Faire observer le document *C'est quoi, une information ?* p. 101. Faire identifier le type de document (*une infographie*) et la source (*francetvinfo.fr*).

a En grand groupe, faire identifier le titre (*C'est quoi, une information ?*) et les sous-titres (*Une information, c'est… ; Une information, ce n'est pas… ; C'est quoi, une fausse information ?*).

b et c – Conserver les groupes de l'activité 1. Demander à chacun de désigner un secrétaire et un porte-parole. Faire lire les consignes et faire réaliser les activités.

– Procéder à la mise en commun en grand groupe : demander au porte-parole de chaque groupe de répondre à la question **b**. Écrire au tableau les définitions proposées. Faire observer les points communs entre les définitions proposées : ont-ils la même définition d'une information, d'une fausse information ? Puis passer à la consigne **c**. Choisir trois apprenants pour lire les définitions proposées dans l'infographie (en vérifier la compréhension). Les faire comparer avec celles données à l'activité **b**.

> **Corrigé** 1. b. *Proposition de réponse.* les médias traditionnels : la télévision, la radio, la presse papier ; les médias sociaux : les nouveaux outils de communication comme Facebook, Twitter… ; pure players (web) : ce sont des sites Internet (web) d'information sans édition papier, que l'on trouve uniquement en ligne (presse en ligne).

Infos culturelles

TV5 Monde est une chaîne généraliste, culturelle, francophone et mondiale. Sa vocation est de promouvoir l'ensemble de la création francophone et la langue française, et de délivrer une information multilatérale et internationale, partout dans le monde. Créée en 1984, c'est la première chaîne mondiale en français. Elle diffuse en français, avec des sous-titres en 14 langues. Elle met à disposition un portail multimédia gratuit et interactif pour apprendre et enseigner le français.

Annoncer les deux projets (projet de classe et projet ouvert sur monde) puis les objectifs du dossier. Pour illustrer la démarche, on part des projets et, pour les réaliser, on acquiert et/ou on mobilise des savoirs, savoir-faire, savoir agir, des compétences générales et des compétences langagières.

Leçon 1 Vous avez dit « médias » ?

pages 102-103

Tâche finale : relater un événement			
Savoir-faire et savoir agir	**Grammaire**	**Lexique**	**Sons et intonation**
– Analyser la une d'un magazine	– L'expression de la concession pour débattre d'un sujet	– Analyser la une d'un magazine	– Les sons [o] et [œ]
– Comparer les médias traditionnels et les médias sociaux			
– Relater un événement	– La voix passive pour insister sur le résultat d'une action / L'accord du participe passé		

Activité 1 📖

Modalités : en groupe puis en petits groupes

▌**Objectif** : vérifier la compréhension globale d'une une de magazine

Faire observer le **document 1** (si possible le projeter) et le faire identifier (*c'est la une d'un magazine,* L'Écho des rizières).

a Faire lire la consigne et faire répondre aux questions. Écrire les réponses au tableau sous la dictée des apprenants. Faire dire le pays de publication (*le Vietnam*), le type de lecteur (*des francophones, plutôt adultes, Vietnamiens ou habitants au Vietnam : en bas de page, on peut lire « Le magazine de l'Association des Francophones au Vietnam »*), le prix (*c'est un magazine gratuit ; on peut lire la traduction en anglais « Free – Take me home »*), la fréquence de parution (*il parait trois fois par an ; ce numéro est celui de juin-septembre 2017*), le numéro (*n° 112 ; en petit, en haut à droite*) et l'éditeur (*l'Association des Francophones au Vietnam ; en bas de page*). Vérifier la compréhension du terme *rizière* (faire le lien avec le Vietnam).

b Constituer des groupes de trois ou quatre apprenants. Faire lire la consigne et échanger. Procéder à la mise en commun en grand groupe.

> **Corrigé a.** Le pays dans lequel ce magazine est publié : le Vietnam. Le public auquel il s'adresse : les francophones du Vietnam. Le prix : *Gratuit*. Le numéro et la fréquence de parution du magazine : 112. Il paraît tous les quatre mois (juin-septembre), c'est-à-dire trois fois par an. L'éditeur : l'Association des Francophones au Vietnam.

Activité 2 📖

▌ **Objectif** : repérer les éléments qui composent la une d'un magazine
– Faire observer le **document 2**. Faire dire que c'est un article. Annoncer qu'il explique ce qu'est la une d'un magazine, d'un journal.
– Demander de lire le paragraphe 1. Puis, faire lire la consigne et faire réaliser l'activité par deux.
– Procéder à la mise en commun en grand groupe : interroger des apprenants et écrire les réponses au tableau. Si le **document 1** est projeté, mettre en évidence les éléments sur la une du magazine. Ces éléments serviront à la conceptualisation des mots et expressions de la p. 107 *(analyser la une d'un magazine ; les termes de l'écriture journalistique)*.

> ▷ **Corrigé** Image → le petit bateau. Position → en diagonale sur toute la couverture (traverse toute la couverture). Les couleurs → fond vert clair, contraste avec le fond noir du petit bateau et le rouge du « L » de *L'Écho des rizières*. Tous les textes sont en blanc. Le bandeau noir en bas rappelle le fond noir du bateau. Le titre → c'est le nom du magazine. Les polices → il y a plusieurs tailles de police (plus la police est grande, plus on veut attirer l'attention ; le titre a la police la plus grande). La composition de la page → le texte est autour de la photo pour la mettre en valeur et pour que les rubriques soient assez lisibles.

Activité 3 📖

▌ **Objectif** : repérer les éléments qui composent la une d'un magazine
– Faire lire la consigne puis le paragraphe 2 du **document 2**. Faire réaliser l'activité par deux.
– Procéder à la mise en commun en grand groupe, de la même façon que pour l'activité **1**.

> ▷ **Corrigé** L'accroche : c'est la partie d'un article/de la une d'un journal destinée à attirer l'attention. Sur cette une de *L'Écho des rizières*, c'est le titre du *dossier* (en majuscules) : LE VIETNAM ET LA FRANCOPHONIE. Les thèmes = les sujets (des articles) : la photographie, l'œnologie, l'engagement social, la francophonie. Les rubriques : ce sont les catégories dans lesquelles on classe les articles (souvent par thème) : *Grand angle, Rencontres, Solidarité* et *Dossier*.

> ▌ **FOCUS LANGUE**

Analyser la une d'un magazine   **page 107**
▌ **Objectif** : conceptualiser les éléments de la une d'un magazine
1 – Projeter le **Focus langue** ou recopier les mots et expressions au tableau. Faire lire la consigne. Laisser les apprenants observer puis leur demander de les associer à la une du magazine, par deux.
  – Procéder à la mise en commun en grand groupe : interroger des apprenants et noter leurs réponses au tableau sur la une projetée.

> ▷ **Corrigé** Polices (normal, *italique*, **gras**) : normal (un photographe) ; italique (Grand Angle) ; gras (Réhahn). Nom du magazine : *L'Écho des rizières*. Accroche : Dossier – Des animaux et des hommes au Vietnam. Thèmes : photographie ; avenir ; coaching ; des animaux et des hommes. Rubriques : Grand Angle, Solidarité, Rencontres, Dossier. Numéro : 111. Périodicité (fréquence de diffusion) : tous les trois mois (trimestriel). Message incitatif : Gratuit – Emportez-moi. L'éditeur : l'Association des Francophones au Vietnam.

▸ S'exercer p. 176

Activité 4 🔊

▌ **Objectif** : donner son avis sur des thèmes à la une d'un magazine
– Constituez des groupes de trois ou quatre apprenants. Désigner un secrétaire et un rapporteur dans chaque groupe. Faire lire les questions et faire réaliser l'activité.
– Procéder à la mise en commun en grand groupe : interroger chaque rapporteur, lui demander de justifier les réponses. Noter les réponses au tableau de façon à pouvoir comparer les réponses des différents groupes (ces thèmes peuvent-ils intéresser un public de francophones ? → oui / non + justification).

Activité 5 📖

▌ **Objectif** : vérifier la compréhension globale d'une page Internet
Si possible projeter le **document 3**. Le faire observer et identifier (*c'est une page Internet d'un journal,* La Libre.be). Demander ce que signifie *.be* pour nommer le pays de d'origine du journal (*.be = Belgique*). Faire lire le titre pour identifier

le thème (*Débats – Médias traditionnels, médias sociaux*). Demander qui sont Guillaume, Lionel et Christophe (*des lecteurs du journal qui participent au débat*).

> ▷ **Corrigé** C'est un forum de débat d'idées, sur le site du journal *La Libre Belgique*. Le thème, c'est l'opposition entre les médias traditionnels et les médias sociaux.

Activité 6 📖
Modalité : par deux

▌ **Objectif** : affiner la compréhension de commentaires sur un forum

– Faire lire la consigne et les commentaires sur le forum du **document 3**, puis faire réaliser l'activité par deux.
– Procéder à la mise en commun en grand groupe : interroger des apprenants et écrire les réponses au tableau après validation par la classe.

> ▷ **Corrigé** Guillaume : sur les réseaux sociaux, l'information est co-construite par les différents utilisateurs. Lionel : il est important que nous soyons exposés à des informations qui s'opposent, pour nous faire notre propre opinion. Christophe : les réseaux sociaux ont désormais plus d'influence que les médias traditionnels.

Activité 7 📖
Modalité : par deux

▌ **Objectif** : affiner la compréhension de commentaires sur un forum

– Faire lire la consigne et l'exemple. Vérifier la compréhension du terme *contradiction*. Faire réaliser l'activité par deux.
– Procéder à la mise en commun en grand groupe : pour chaque commentaire, inviter un apprenant à venir au tableau afin de noter ses réponses (si le document est projeté, faire souligner les extraits exprimant une contradiction : utiliser deux couleurs pour mettre en évidence les faits qui se contredisent et les mots articulateurs – *malgré, bien que, pourtant, cependant, quand même*) ; les faire valider par la classe. Ces réponses constitueront le corpus de la conceptualisation de l'expression de la concession (**Focus langue** p. 106).

> ▷ **Corrigé** **Pourtant**, les réseaux sociaux témoignent des mêmes défauts que les médias traditionnels. **Cependant**, une chose fait toute la différence. On peut comprendre l'intention, mais **quand même**, il vaut mieux que nous soyons sans cesse exposés à des informations qui s'opposent. **Bien que** les journalistes les aient accusés de contradiction...

> ## ▶ FOCUS LANGUE
>
> **L'expression de la concession pour débattre d'un sujet**   **page 106**
>
> ▌ **Objectif** : conceptualiser les structures pour exprimer la concession
>
> – Faire lire les consignes **a**, **b** et **c**. Projeter si possible la règle (encadré bleu) au tableau.
> – Faire réaliser l'activité par deux. Faire reprendre les réponses à l'activité **7** pour compléter la règle (**a**) et répondre à **b** et **c**.
> – Procéder à la mise en commun en grand groupe. Inviter un apprenant à venir au tableau pour compléter la règle et noter ses réponses à **b** et **c**. Faire valider par la classe.
>
> > ▷ **Corrigé** **a.** Pour exprimer la concession (une contradiction entre deux faits), je peux utiliser les mots ou expressions suivants : *malgré, cependant, quand même, pourtant, bien que*. **b. 1.** Faux : *Bien que* est suivi du subjonctif. → *Bien que les journalistes les aient accusés de contradictions...* **2.** Vrai : *Malgré des campagnes très dures de la part des médias d'information*. **c.** Signe de ponctuation : une virgule, pour mettre en relief.
>
> ▶ **Précis grammatical p. 217**
> ▶ **S'exercer p. 176**

Activité 8 💬
Modalité : en petits groupes

▌ **Objectif** : donner son avis sur les médias

– Annoncer aux apprenants qu'ils vont participer à un débat sur la comparaison entre médias traditionnels et médias sociaux.
– Diviser la classe en trois groupes : « médias traditionnels » (pour), « médias sociaux » (pour) et « médiateurs » (expliquer leur rôle). Leur laisser un temps de préparation en petits groupes puis leur demander de comparer les deux types de médias. Favoriser les interactions entre les groupes. Les inciter à utiliser l'expression de la concession.

– Lors du débat, noter au tableau les arguments clés avancés par chaque groupe (les avantages et inconvénients de chaque média).

Activité 9 🎧►55   Modalité : seul

■ **Objectif** : vérifier la compréhension globale d'une émission de radio
– Annoncer aux apprenants qu'ils vont entendre une émission de radio diffusée sur *Europe 1,* une radio française (**document 4**).
– Procéder à une ou deux écoutes. Faire réaliser l'activité individuellement : retrouver le titre et le thème de l'émission, la date et les villes de l'événement présenté. Demander aux apprenants de comparer leurs réponses par deux.
– Procéder à la mise en commun en grand groupe : interroger des apprenants, faire valider les réponses par la classe et les écrire au tableau.

> ### Transcriptions
Animateur : « Aujourd'hui dans l'histoire », notre voyage quotidien dans le temps avec vous, Marc Parent. Bonjour Marc.
Marc Parent : Bonjour.
Animateur : Alors, à quel 18 février vous a déposé votre machine à remonter le temps ?
Marc Parent : Le 18 février 2002. C'était le jour de la première parution en France d'un journal gratuit, *Métro,* alors c'était une première nationale, et rappelez-vous, ça ne s'est pas fait sans difficultés.
Animateur : Comme c'est de l'histoire contemporaine, je m'en souviens à peu près...
Marc Parent : Oui...
Animateur : C'était à Marseille et à Paris si je me rappelle bien ?

> ▷ **Corrigé a.** Titre : « Aujourd'hui dans l'histoire ». Thème : la première parution en France d'un journal gratuit, *Métro*. Les difficultés liées à cette parution. **b.** Date de l'événement : 18 février 2002. Villes de l'événement : Marseille et Paris.

Infos culturelles

Europe 1 est une radio privée généraliste française créée en 1955. Un sondage officiel la place en terme d'audience après RTL, France Inter, NRJ, France Info et RMC, soit en sixième position.

Activité 10 🎧►56   Modalité : par deux

■ **Objectif** : affiner la compréhension d'une émission de radio
Annoncer aux apprenants qu'ils vont écouter la deuxième partie de l'émission.
a et **b** – Faire lire la consigne et répondre aux questions par deux.
– Procéder à une écoute séquentielle de la deuxième partie de l'émission : faire des pauses afin que les apprenants aient le temps de noter.
– Procéder à la mise en commun en grand groupe, noter les réponses au tableau.

> ### Transcriptions
Marc Parent : Oui, oui, Marseille et Paris dont les rues ont été recouvertes de papier. 200 000 exemplaires avaient été imprimés au Luxembourg et transportés par camion. Le syndicat CGT du livre ne comptait pas laisser diffuser un journal qui menaçait, selon lui, le métier des ouvriers du livre. Des distributeurs de ce journal gratuit dans le métro et dans la rue ont même été menacés par des syndiqués.
Animateur : Ils n'étaient pas les seuls à s'inquiéter, cela dit ?
Marc Parent : Non, non : les journaux traditionnels, les payants, avaient déjà été bousculés par Internet et se sont angoissés, eux aussi. *Le Monde*, dans un édito, a violemment critiqué, je cite, « ces pseudo-journaux pour vrais faux journalistes ».

> ▷ **Corrigé a. Le premier jour,** les rues ont été recouvertes de papier. Le syndicat du livre ne voulait pas laisser diffuser le journal. Des distributeurs de ces journaux gratuits dans le métro et dans la rue ont même été menacés par des syndiqués. **b. Les journaux traditionnels** se sont angoissés parce qu'ils avaient déjà été bousculés par Internet.

Activité 11 🎧►57   Modalité : par deux

■ **Objectif** : affiner la compréhension d'une émission de radio
– Annoncer l'écoute de la troisième partie de l'émission. Faire lire la consigne. Procéder à une ou deux écoutes.
– Faire réaliser l'activité par deux.
– Noter les réponses au tableau lors de la mise en commun.

> **Transcriptions**

Animateur : Cela dit, ça n'a pas bloqué la presse gratuite, bien au contraire.

Marc Parent : Non, non. *20 minutes* est arrivé quelques semaines plus tard, d'autres ont suivi. Il faut se souvenir que si les Français découvrent, à cette époque-là, la presse gratuite, elle existe depuis plusieurs années déjà, en Suède, en Suisse, au Canada. Il y en a d'autres. *Métro*, par exemple, a été édité en seize langues. Aujourd'hui, *Métro* n'existe plus en France dans sa version papier. Il a été relégué au virtuel. Il s'appelle *Métro News* : on appelle ça un « pure player », c'est-à-dire qu'il ne dispose pas de son équivalent physique en papier ; enfin ça, c'est une autre histoire !

> **Corrigé** *Métro* a été édité en seize langues. Aujourd'hui, il n'existe plus dans sa version papier. Il a été relégué au virtuel. Il s'appelle *Métro News*.

FOCUS LANGUE

La voix passive pour insister sur le résultat d'une action / L'accord du participe passé 🎧 ▶61   **page 106**

■ **Objectifs :** conceptualiser une fonction de la voix passive ; conceptualiser l'accord du participe passé

– Faire lire les consignes. Faire écouter l'enregistrement et faire réaliser l'activité par deux : faire reproduire le tableau (**a**) afin de le compléter ; demander aux binômes de se reporter à la transcription (livret p. 14) pour vérifier leurs réponses.

– Procéder à la mise en commun en grand groupe : interroger des apprenants et écrire les réponses sous leur dictée après validation par la classe.

> **Transcriptions**

– Les rues ont été recouvertes de papier.

– 200 000 exemplaires avaient été imprimés au Luxembourg et transportés par camion.

– Des distributeurs de ce journal gratuit dans le métro et dans la rue ont même été menacés par des syndiqués.

– Les journaux traditionnels, les payants, avaient déjà été bousculés par Internet.

– *Métro*, par exemple, a été édité en seize langues.

– Il a été relégué au virtuel. Il s'appelle *Métro News*.

> **Corrigé** a.

les rues (féminin pluriel)	les exemplaires (masculin pluriel)	des distributeurs (masculin pluriel)	les journaux traditionnels (masculin pluriel)	*Métro* (masculin singulier)	il (masculin singulier)
ont été recouvertes	*avaient été imprimés et transportés*	*ont même été menacés*	*avaient déjà été bousculés*	*a été édité*	*a été relégué*

b. Vrai : recouvertes/les rues (féminin pluriel) ; imprimés et transportés/les exemplaires (masculin pluriel) ; menacés/les distributeurs (masculin pluriel) ; bousculés/les journaux (masculin pluriel) ; édité/*Métro* (masculin singulier) ; relégué/il (masculin singulier).

▶ **Précis grammatical p. 213**

▶ **S'exercer p. 176**

À nous ! **Activité 12 – Nous relatons un événement.** 💬   **Modalités :** en groupe puis en petits groupes

■ **Objectif :** transférer les acquis de la leçon

Présenter la tâche aux apprenants, faire lire les étapes et en vérifier la compréhension. Reprendre les groupes de trois ou quatre apprenants formés lors de l'activité **8**.

a Chaque groupe se met d'accord sur le choix d'un média (de leur pays ou qu'ils connaissent bien).

b, c et d Faire répondre aux questions. Passer dans les groupes pour apporter d'éventuelles corrections. Inviter les apprenants à employer la voix passive (se reporter au **Focus langue** précédent).

e Procéder à la mise en commun en grand groupe : chaque groupe présente le média choisi.

Pour aller plus loin

Demander aux apprenants d'illustrer leur présentation par des documents liés au média choisi : si c'est un journal / un magazine papier, en apporter un exemplaire ; si c'est un média en ligne, montrer son site Internet.

Leçon **2** Tous journalistes ?

pages 104-105

Tâche finale : raconter une histoire			
Savoir-faire et savoir agir	**Grammaire**	**Lexique**	**Sons et intonation**
– Structurer un article de presse	– Les indicateurs de temps pour préciser le moment où on parle	– Les termes de l'écriture journalistique – Les termes des médias traditionnels / participatifs	– Les sons [o] et [œ]
– Rapporter des faits passés			

Activité 1 📖

Modalité : en groupe

▌ **Objectif :** identifier le thème d'un article de presse

– Faire observer le **document 1** (si possible, le projeter). Demander aux apprenants de l'identifier (*c'est un article sur le site Internet de l'École publique de journalisme de Tours – EPJT, à l'occasion des Assises du journalisme*). Faire dire le nom de l'auteure et le thème de l'article. Noter le thème (*Médias participatifs*) au tableau et en vérifier la compréhension (*on parle aussi de journalisme ou média citoyen ; les particuliers peuvent y participer*). Demander aux apprenants s'ils connaissent des médias participatifs ; noter quelques noms au tableau (*Agoravox, Rue 89, Mediapart*).

> ▹ **Corrigé** C'est le site de l'École publique de journalisme de Tours (EPJT). L'auteure : Laura Bannier (probablement une élève de l'école). Le thème : les médias participatifs.

Activité 2 📖

Modalité : par deux

▌ **Objectif :** affiner la compréhension d'un article de presse

– Faire lire le texte du **document 1** puis la consigne et l'exemple. Faire réaliser l'activité par deux.
– Procéder à la mise en commun en grand groupe. Interroger quelques apprenants. Noter leurs réponses au tableau après validation par la classe.

> ▹ **Corrigé** Le développement des faits : n° 6 ; la légende : n° 3 ; la conclusion : n° 7 ; le titre : n° 1 ; le chapeau : n° 2 ; le rappel de l'idée principale : n° 5 ; l'introduction : n° 4

Activité 3 📖

Modalité : par deux

▌ **Objectif :** repérer la structure d'un article de presse

– Annoncer aux apprenants qu'ils vont analyser la structure de l'article (**document 1**). Faire lire la consigne et l'exemple. En vérifier la compréhension. Demander de relire l'article et de réaliser l'activité par deux.
– Procéder à la mise en commun en grand groupe : si l'article est projeté, inviter un apprenant à venir au tableau, lui demander de noter ses réponses à côté du numéro de chaque partie. Faire valider par la classe.

> ▹ **Corrigé** a. n° 6 : *Apparu en 2000... Le mouvement s'est ensuite accentué... On distingue deux types de médias participatifs... Aujourd'hui, le journalisme participatif... il devient parfois difficile de discerner média participatif et média traditionnel.* b. n° 1, le titre : *Dans 10 ans, tous journalistes ?* c. n° 5, le rappel de l'idée principale : *Sommes-nous tous amenés à être journalistes ?* d. n° 7, la conclusion (dernière phrase de l'article) : *Nous ne sommes pas tous journalistes, mais nous pouvons tous apprendre les codes pour le devenir.* e. n° 3, la légende : *Certains sites comme AgoraVox n'hésitent pas à recruter des contributeurs depuis leur page d'accueil.* f. n° 2, le chapeau : *Ces sites participatifs ont révolutionné l'information en invitant le lecteur à contribuer.*

Les termes de l'écriture journalistique   page 107

▌**Objectif** : conceptualiser les termes de l'écriture journalistique

– Faire lire la consigne. Si possible, projeter les items.

– Faire réaliser l'activité par deux puis procéder à la mise en commun en grand groupe : interroger quelques apprenants et noter les réponses au tableau après validation par la classe.

> ▷ **Corrigé** a. 3 ; b. 1 ; c. 4 ; d. 5 ; e. 6 ; f. 2

▸ S'exercer p. 177

FOCUS LANGUE

Les termes des médias traditionnels / participatifs   page 107

▌**Objectif** : conceptualiser les mots et expressions des médias traditionnels / participatifs

– Faire lire la consigne et l'exemple. Demander de classer les items dans trois catégories (médias traditionnels / médias participatifs / les deux).

– Faire réaliser l'activité par deux puis procéder à la mise en commun en grand groupe : interroger quelques apprenants et noter les réponses au tableau après validation par la classe.

> ▷ **Corrigé** Médias traditionnels : c, g, h ; médias participatifs : d, e, f, i, j ; les deux : a, b, k

▸ S'exercer p. 177

Activité 4 ⬚

Modalité : en petits groupes

▌**Objectif** : échangez sur les médias participatifs

– Constituer des groupes de trois ou quatre apprenants ; désigner un rapporteur dans chaque groupe. Faire lire la consigne et faire répondre aux questions. Inciter les apprenants à utiliser les mots et expressions conceptualisés dans les **Focus langue** précédents.

– Procéder à la mise en commun en grand groupe : interroger les rapporteurs de chaque groupe pour partager avec la classe.

Activité 5 ⬚

Modalité : en petits groupes

▌**Objectif** : analyser un article de presse

– Conserver les groupes de l'activité **4**. Désigner un secrétaire et un rapporteur (différent de celui de l'activité **4**).

– Faire lire la consigne et en vérifier la compréhension. Expliquer aux apprenants qu'ils vont devoir choisir leur article préféré dans le manuel. (L'enseignant aura préparé une sélection au préalable : document 2 p. 13, document 2 p. 48, document 1 p. 54, document 1 p. 66, document 2 p. 68, document 3 p. 73, document 1 p. 86, document 2 p. 90.) Inciter les apprenants à reprendre les éléments de l'activité **2** p. 104, ainsi que les termes de l'analyse journalistique (**Focus langue** n° 2 p. 107).

– Procéder à la mise en commun : interroger le rapporteur de chaque groupe pour présenter l'article analysé.

Variante : Demander aux groupes d'échanger entre eux leur analyse d'article. Chaque groupe devra valider l'analyse de ses camarades avant de la présenter à la classe et d'expliquer s'il est d'accord ou non avec cette analyse, et pourquoi.

Activité 6 📖

Modalité : en groupe

▌**Objectif** : vérifier la compréhension globale de pages Internet

– Si possible, projeter le **document 2**. Le faire observer.

– Demander à la classe ce qu'il présente (*trois sites Internet : celui du Petit Journal, celui de Radio Élan et celui de La Suède en kit*).

– Faire dire le lien entre ces trois extraits de pages Internet.

> ▷ **Corrigé** Ce sont trois sites à destination des Français et/ou francophones vivant en Suède (trois médias francophones en Suède).

Activité 7 🎧 58

▌ **Objectif** : vérifier la compréhension globale d'une émission de radio
– Faire lire la consigne et les indications.
– Procéder à une première écoute globale de l'introduction du journaliste (**document 2**). Faire dire qui parle (*un journaliste et son invitée, Noémie*), sur quelle radio (*Radio Élan*). Proposer une deuxième écoute si nécessaire.
– Faire répondre aux items individuellement puis inviter les apprenants à comparer leurs réponses par deux.
– Procéder à la mise en commun en grand groupe et noter les réponses au tableau.

> ▷ **Transcriptions**
> **Journaliste** : Bonjour Noémie et bienvenue sur *Radio Élan*, dans notre émission « Tendez l'oreille, on parle de vous ».
> **Noémie** : Bonjour, merci de votre invitation.
> **Journaliste** : Vous écrivez des articles pour *Le Petit Journal Stockholm* et pour *La Suède en kit*. Comment êtes-vous devenue journaliste ?
> > ▷ **Corrigé a.** L'émission s'appelle « Tendez l'oreille, on parle de vous ». **b.** Noémie est journaliste. Elle écrit des articles pour *Le Petit Journal Stockholm* et *La Suède en kit*.

Activité 8 🎧 59

▌ **Objectif** : affiner la compréhension d'une émission de radio
– Faire lire la consigne et les items **a**, **b**, **c**. Procéder à deux écoutes : une première écoute séquentielle (afin de laisser le temps aux apprenants de prendre des notes) puis une continue.
– Faire réaliser l'activité par deux.
– Procéder à la mise en commun en grand groupe. Dans un premier temps, vérifier la compréhension globale de l'interview : faire dire que Noémie raconte son parcours, son histoire de journaliste pour *Le Petit Journal*. Interroger ensuite trois apprenants (un par item), faire valider les réponses par la classe. Les noter au tableau : mettre en évidence les marqueurs temporels (en gras dans le corrigé ; si la transcription est projetée, les souligner) afin de préparer le corpus pour la conceptualisation des indicateurs de temps (**Focus langue**).

> ▷ **Transcriptions**
> **Noémie** : En 2015, j'ai été contactée par la rédactrice en chef du *Petit Journal Stockholm*, qui m'a demandé si je voulais intégrer l'équipe des bénévoles. À ce moment-là, j'étais plutôt disponible et je lui ai répondu que j'étais partante. Deux ans auparavant, j'avais écrit quelques articles pour un autre journal en ligne, ça me faisait une petite expérience. À l'époque, on m'avait fait remarquer que j'écrivais plutôt bien. Alors je me suis lancée...
> **Journaliste** : Pourquoi avoir tenté cette expérience ?
> **Noémie** : Je suis arrivée en Suède en 2012. L'année précédente, j'avais commencé à chercher du travail. On m'avait prévenue que ce ne serait pas facile d'en trouver. Alors je me suis dit que si je ne trouvais pas de travail, je chercherais un moyen de me rendre utile. Écrire pour ces médias, pour moi, ça a été un peu comme construire un pont entre la France et la Suède. Ça m'a ouvert les portes du milieu culturel suédois.
> > ▷ **Corrigé a. En 2015**, elle a été contactée par la rédactrice en chef. **À ce moment-là**, elle était plutôt disponible et elle lui a répondu qu'elle était partante. **b. Deux ans auparavant**, elle avait écrit quelques articles pour un autre journal en ligne, ça lui faisait une petite expérience et **à l'époque** on lui avait fait remarquer qu'elle écrivait plutôt bien. Elle avait décidé que si elle ne trouvait pas de travail à son arrivée en Suède, elle chercherait un moyen de se rendre utile. **c.** Écrire pour ces médias a été pour elle comme construire un pont entre la France et la Suède.

Activité 9 🎧 60

▌ **Objectif** : affiner la compréhension d'une émission de radio
– Annoncer aux apprenants qu'ils vont entendre la suite de l'interview de Noémie.
– Faire lire la consigne et les affirmations du Vrai/Faux. Procéder à une ou deux écoutes. Faire dire que dans cette partie de l'émission, Noémie raconte son expérience de journaliste à *La Suède en kit*. Puis, faire réaliser l'activité par deux.
– Procéder à la mise en commun en grand groupe. Interroger des apprenants, faire valider leurs réponses par la classe et les noter au tableau (si la transcription est projetée, montrer les extraits qui servent à la justification). Comme dans l'activité **8**, mettre en évidence les indicateurs de temps (en gras dans le corrigé).

> **Transcriptions**

Journaliste : Et pour *La Suède en kit*, ça s'est passé quand et comment?

Noémie : C'était la veille de la rentrée scolaire, l'année dernière. On s'est retrouvé avec quelques amis et on a décidé de créer *La Suède en kit*. On avait observé depuis un moment que les francophones, et même les francophiles, attendaient une sorte de guide, un répertoire de « bons plans », ou de curiosités.

Journaliste : Un souvenir de votre première conférence de rédaction ?

Noémie : Elle s'est très bien passée. J'avais publié un article sur les cinq cafés où sortir avec des enfants. Pendant la conférence de rédaction, le lendemain de la publication, on m'a informée que mon article était déjà en tête du nombre de vues. Ça m'a fait très plaisir !

> **Corrigé** **a.** Vrai. Les francophones, et même les francophiles, attendaient une sorte de guide, un répertoire de « bons plans », ou de curiosités. **b.** Faux. C'était **la veille** de la rentrée scolaire, **l'année dernière**. **c.** Faux. **Le lendemain** de la publication, on l'a informée qu'il était déjà en tête du nombre de vues.

FOCUS LANGUE

Les indicateurs de temps pour préciser le moment où on parle 🎧 62 et 63   **page 106**

■ **Objectif** : conceptualiser les indicateurs de temps pour préciser le moment où on parle

a – Faire lire la consigne et faire écouter les extraits. Proposer deux écoutes (première écoute séquentielle, faire une pause entre chaque extrait ; deuxième écoute en continu).

– Faire réaliser l'activité individuellement et comparer les réponses par deux. Puis procéder à la mise en commun en grand groupe : interroger des apprenants, faire valider les réponses par la classe et les écrire au tableau. Mettre les indicateurs de temps en évidence (en couleur / les souligner) afin d'aider au repérage et à la conceptualisation.

b – Procéder de la même façon que pour **a**.

– Pour la mise en commun, si les items sont projetés, inviter un apprenant à venir au tableau pour compléter les extraits.

c – Si possible, projeter le tableau et la règle. Les faire lire. En vérifier la compréhension. Demander à la classe de formuler d'autres exemples pour illustrer l'emploi des indicateurs de temps conceptualisés.

Transcriptions

a. – En 2015, la rédactrice en chef m'a demandé si je voulais intégrer l'équipe des bénévoles.
– Deux ans auparavant, j'avais écrit quelques articles.
– À l'époque, on m'avait fait remarquer que j'écrivais plutôt bien.
– À ce moment-là, j'étais plutôt disponible et je lui ai répondu que j'étais partante.

b. – Je suis arrivée en Suède en 2012. L'année précédente, j'avais commencé à chercher du travail.
– C'était la veille de la rentrée scolaire, l'année dernière.
– La conférence de rédaction s'est tenue le lendemain de la publication.

> **Corrigé** **a.** 1 B ; 2 A ; **b.** 1. L'année précédente ; 2. la veille ; 3. le lendemain

▶ **Précis grammatical p. 214**

▶ **S'exercer p. 176**

FOCUS LANGUE   Sons et intonation

Les sons /O/ et /Œ/ 🎧 64   **page 107**

■ **Objectifs** : distinguer et prononcer les sons /O/ et /Œ/

Ce point permet de travailler la discrimination entre les deux voyelles centrales **[ø]** – **[œ]** (position médiane de la langue) et les deux voyelles postérieures **[o]** – **[ɔ]** (position arrière de la langue).

– Expliquer cette différence de position de la langue aux apprenants et écrire au tableau quelques exemples de mots cités par les apprenants, qui contiennent ces sons vocaliques. Faire remarquer que selon les graphies, les régions de la francophonie et la position dans le mot, on peut prononcer [o] un peu fermé ou [ɔ] un peu ouvert, et de la même manière on peut prononcer [ø] un peu fermé ou [œ] un peu ouvert, d'où l'utilisation des archiphonèmes /O/ et /Œ/. Pour plus d'explications et des exemples, se reporter au *Précis de phonétique* pp. 196 à 198.

– Demander aux apprenants de reproduire le tableau à compléter, faire écouter les mots de l'activité et leur demander de les placer dans la bonne colonne.

– Avant de procéder à la correction, leur demander de vérifier les graphies en cherchant les mots dans la double-page 102-103 et de vérifier la cohérence de leur choix : les graphies « eau – au – o » se prononcent /O/ tandis que les graphies « eu – œu – œi » se prononcent /Œ/.

– Pendant la correction, souligner toutes les graphies des sons /O/ et /Œ/ puis faire une lecture des mots, colonne par colonne.

▷ **Transcriptions**

écho – couleur – historique – leur – photographe – composition – œil – dossier – association – réseaux – deux – assembleur – électeur – exposé – mieux – fameuse – cœur – important – opposer – contrôler – utilisateur – plusieurs

▷ **Corrigé**

/O/ → [o] – [ɔ]		/Œ/ → [ø] – [œ]	
écho	réseaux	couleur	mieux
historique	exposé	leur	fameuse
photographe	important	œil	cœur
composition	opposer	deux	utilisateur
dossier	contrôler	assembleur	plusieurs
association		électeur	

▶ **Précis de phonétique pp. 196 à 198**

▶ **S'exercer p. 177**

Pour aller plus loin

Enchaîner avec l'activité des pages S'exercer *qui renforce le travail de discrimination de ces sons et l'intégration de la relation entre phonie et graphie. L'activité peut être faite individuellement pour commencer avec une comparaison des réponses par deux avant une mise en commun.*

À nous ! **Activité 10 – Nous racontons notre histoire.** 💬 ✏️   **Modalité : en petits groupes**

▌**Objectif :** transférer les acquis de la leçon

– Présenter la tâche aux apprenants, faire lire les étapes et en vérifier la compréhension. Leur annoncer que comme Noémie, ils vont répondre à l'interview du journaliste de *Radio Élan*.
– Constituer des groupes de trois ou quatre apprenants (différents de ceux de l'activité 5). Désigner un secrétaire pour la prise de notes.
– Demander à chaque groupe de lire les consignes et d'y répondre.
a, b et c – Faire repérer les questions du journaliste de « Tendez l'oreille, on parle de vous », dans la transcription de l'interview de Noémie (livret p. 14 ; la projeter si possible). Puis demander à chaque membre du groupe de répondre à l'oral aux questions en les adaptant à sa situation professionnelle. On peut faire poser les questions par un autre membre du groupe (chaque membre devient journaliste à son tour) ; le secrétaire prend des notes.
   – Inciter les apprenants à réinvestir les acquis de la leçon (les indicateurs de temps pour préciser le moment où on parle, pour indiquer des faits passés). Circuler dans les groupes pour veiller au bon déroulement de l'activité.
e Laisser un temps de préparation suffisant aux apprenants pour s'entraîner à raconter leur histoire, à partir des notes prises par le secrétaire. Puis, demander à chacun d'enregistrer son histoire (sur un enregistreur ou un Smartphone) et de l'envoyer au professeur.

Pour aller plus loin

Enregistrer les interviews « en direct » : annoncer aux apprenants qu'ils vont participer à l'émission de radio « Tendez l'oreille, on parle de vous » et qu'ils vont être interviewés par un journaliste. Dans chaque groupe, nommer un journaliste qui interviewera les membres de son groupe en adaptant les questions à la situation professionnelle de chacun et enregistrer.

Leçon **3** **Info ou intox ?**   **pages 108-109**

Tâche finale : analyser des fake news			
Savoir-faire et savoir agir	**Grammaire**	**Lexique**	**Sons et intonation**
– Repérer des fake news			– Troncation et niveau de langue
– Analyser des fake news	– Quelques verbes prépositionnels pour parler de l'information et de la désinformation	– Les termes de l'information et de la désinformation	

Activité 1 📖

▌**Objectifs** : vérifier la compréhension globale d'une page Internet ; formuler des hypothèses sur un média

– Faire observer le **document 1** (si possible, le projeter).

– Demander aux apprenants de l'identifier (*c'est un article sur le site Internet du* Gorafi) puis de faire des hypothèses sur le type de site (peut-être que certains apprenants diront que ça leur fait penser à un journal connu, *Le Figaro*) et le contenu (*le titre est certainement humoristique : il met l'accent sur le fait que les Français se plaignent beaucoup ; sur la photo, le jeune homme sourit, il n'a pas l'air de se plaindre*). Noter les réponses au tableau.

> ▷ **Corrigé** Le nom du site : Le Gorafi. Le titre : *Un Français va tenter de vivre pendant un an sans se plaindre*. La photo ne va pas avec le titre (le jeune homme sourit, il n'a pas l'air de se plaindre).

▐ Infos culturelles ▌

Le Gorafi (anagramme de *Le Figaro*, un des grands quotidiens français) est un site d'information parodique, créé en mai 2012 durant la campagne présidentielle française sur le modèle de *The Onion*, un journal satirique américain diffusant de fausses informations. Le site est interactif : il permet aux lecteurs de réagir, eux-mêmes agissant de façon parodique (langage SMS, utilisation inappropriée des majuscules, faux militants politiques...). Les identités de ses créateurs et ses rédacteurs étaient inconnues jusqu'en janvier 2014.

Activité 2 📖

▌**Objectif** : vérifier la compréhension globale du site Internet d'un média

– Faire lire le chapeau de l'article du *Gorafi* (**document 1**).

– Faire répondre aux questions par deux.

– Procéder à la mise en commun en grand groupe. Noter les réponses au tableau.

> ▷ **Corrigé** Cette information est sûrement fausse. Le sujet de l'étude ne semble pas sérieux. Il ne correspond pas aux sujets d'études de l'ASA. C'est humoristique. Ce n'est pas possible qu'une agence spatiale fasse ce genre de test. L'intention du site : diffuser de fausses informations dans un but humoristique, et aussi : interpeller le lecteur, le faire réfléchir par rapport aux informations qu'il reçoit.

Activité 3 📖

▌**Objectif** : identifier l'objectif d'un article

– Faire observer le **document 2** (si possible, le projeter). Veiller à ce que les apprenants ne lisent pas l'article.

– Demander aux apprenants de l'identifier (*c'est un article extrait du site Internet leparisien.fr*). Faire dire l'objectif de l'article. Noter le titre (*Comment repérer une « fake news » ?*) et la réponse au tableau. Faire traduire « fake news » en français (*fausse information*).

> ▷ **Corrigé** L'objectif de cet article est d'informer les internautes/lecteurs et de leur apprendre à identifier une fake news.

Activité 4 📖

▌**Objectif** : affiner la compréhension d'un article

– Faire lire les consignes. Demander de lire l'article et faire réaliser l'activité par deux.

– Procéder à la mise en commun en grand groupe. Noter les réponses au tableau.

> ▷ **Corrigé** **a.** Des fumeurs négligents auraient mis le feu à une forêt. **b. Un chapeau :** il résume le propos qui va être développé (définition des fausses informations et mode de diffusion via les réseaux sociaux). **Quatre paragraphes**, avec des flèches : chaque flèche pointe vers le post central qui sert d'exemple, donc chaque paragraphe commente un élément du post. Le but est de repérer qui publie l'information, localiser l'auteur qui publie, définir dans quel but cet auteur publie et vérifier si l'information est plausible. **La rubrique « Le saviez-vous ? »** (en rouge, en bas de page) ajoute une information complémentaire : l'origine de la popularité du terme *fake news*.

Activité 5 📖 💬

▌**Objectif** : échanger sur le contenu d'une rubrique

– Constituer des groupes de trois ou quatre apprenants. Nommer un secrétaire et un porte-parole par groupe.

– Demander de relire la rubrique « Le saviez-vous ? » (**document 2**) puis de répondre aux questions.

– Procéder à la mise en commun en grand groupe. Interroger les porte-parole de chaque groupe. Partager avec la classe. Favoriser les interactions. Pour conclure l'échange, faire dire que l'intention des personnes qui diffusent des fake news est de désinformer, de manipuler (d'orienter) les lecteurs/l'opinion (noter ces termes clés au tableau).

Activité 6 📖

▮ **Objectif** : repérer le lexique de l'information et la désinformation

– Conserver les groupes formés lors de l'activité précédente. Faire lire les consignes et les exemples. S'assurer de leur compréhension.

– Faire relire le **document 2** puis faire réaliser l'activité.

– Procéder à la mise en commun en grand groupe : interroger les porte-parole de chaque groupe. Noter au tableau les expressions relevées dans le **document 2** (consigne **a**) sous la dictée des apprenants. Faire la liste de ce qu'il faut faire pour s'assurer de la véracité d'une information (consigne **b**).

> ▷ **Corrigé a.** Des **mensonges** ressemblant à de vraies infos, diffusés par un individu ou une organisation. Le commentaire de William **n'est pas neutre**. Il souhaite **orienter ses lecteurs**. Des **contradictions** facilement repérables. Cette photo **a été sortie de son contexte** pour diffuser l'idée de l'incendie provoqué par des fumeurs imprudents. **b.** Vérifier qu'elles ne sont pas manipulées. Vérifier que les médias locaux parlent de ces informations.

▶ FOCUS LANGUE

Les termes de l'information et la désinformation   **page 113**

▮ **Objectif** : Conceptualisation des mots et expressions de l'information et de la désinformation

Faire observer la carte mentale INFORMER / DÉSINFORMER. Demander de lire à nouveau le **document 2** ainsi que les réponses à l'activité 6 pp. 108-109 afin de retrouver les termes de la carte. En vérifier la compréhension. Faire commenter le message de William Damien en utilisant les formulations de la carte mentale.

▶ **S'exercer p. 178**

Activité 7 💬

▮ **Objectif** : réinvestir les termes de l'information et de la désinformation

– Conserver les groupes formés lors des activités précédentes. Demander à chaque groupe de consulter un ou deux médias de leur choix (parmi ceux abordés dans le dossier) afin de sélectionner des informations vraies et des fake news (leur demander de choisir une information par groupe).

– Procéder à la mise en commun en grand groupe : chaque groupe présente aux autres l'information qu'il a sélectionnée (les inviter à donner le titre, le chapeau et à montrer une illustration) ; les autres groupes doivent distinguer les vraies informations des fausses.

▌ Pour aller plus loin

Proposer la mise en commun sous forme de jeu : donner aux apprenants un temps limité pour dire si l'information présentée est vraie ou fausse ; compter un point par bonne réponse ; le groupe gagnant est celui qui comptabilise le plus de points.

Activité 8 📖

▮ **Objectifs** : identifier le thème d'un reportage ; émettre des hypothèses sur le sens de mots

Faire observer le **document 3**, le projeter si possible. Le faire identifier (*c'est la page d'accueil de l'émission* 15 minutes *de RTS*).

a Faire lire la présentation du reportage. Faire dire le titre (*Info ou intox ?*) et le thème du reportage (*l'information et la désinformation ; les médias à l'école*) ; les noter au tableau.

b Poser la question et laisser la classe formuler des hypothèses sur le sens des termes « info » et « intox ». Faire remarquer que ces deux mots sont tronqués (procédé de troncation) : info < information, intox < intoxication ; leur demander de retrouver des exemples qu'ils connaissent (bac, fac, apéro, ciné, moto...).

> ▷ **Corrigé a.** La désinformation (info ou intox) : l'éducation aux médias à l'école. **b.** Une info = une information ; une intox = une fausse information.

FOCUS LANGUE — Sons et intonation

Troncation et niveau de langue 🎧 66   **page 112**

■ **Objectif** : jouer avec la troncation et les niveaux de langue

Cette activité permet de faire le lien entre la prononciation et les niveaux de langue avec un exemple d'une des caractéristiques du français parlé qui consiste à tronquer des mots dans une conversation à la fois familière et informelle. La plupart des mots de cette activité sont présents dans les différents dossiers de *Cosmopolite 3*. Après l'écoute de l'exemple, noter au tableau les mots « info » et « télé » et faire retrouver oralement les mots complets. Faire écouter ensuite les cinq mini-dialogues et demander aux apprenants, par deux, de retrouver tous les mots tronqués entendus. Vérifier à l'aide de la transcription.

▷ **Transcriptions**

1. – Tu me passes ton ordi portable pour aller à la fac cet après-m ?
   – Oui, si tu veux, je reste à l'appart aujourd'hui, j'utiliserai le fixe.
2. – On fait quoi ce soir ? Je propose un ciné.
   – Ok, et après, on va au resto !
3. – Après le bac, je voudrais faire Sciences Po. Et toi ?
   – Je ne sais pas encore, peut-être une fac de philo...
4. – Tu passes prendre l'apéro avec Steph ?
   – Oui, mais on vient avec nos deux ados.
5. – Sympa ta nouvelle moto ! Elle est neuve ?
   – Non, je l'ai achetée à un prof de techno rencontré à une manif.

▷ **Corrigé** **1. ordi** = ordinateur ; **fac** = faculté ; **2. après-m** = après-midi ; **appart** = appartement ; **fixe** = téléphone fixe ; **2. ciné** = cinéma ; **resto** = restaurant ; **3. bac** = baccalauréat ; **Sciences Po** = Sciences Politiques ; **fac** = faculté ; **philo** = philosophie ; **4. apéro** = apéritif ; **Steph** = Stéphane ou Stéphanie ; **ados** = adolescents ; **5. moto** = motocyclette ; **prof** = professeur(e) ; **techno** = technologie ; **manif** = manifestation

▸ **Précis de phonétique p. 200**
▸ **S'exercer p. 178**

Pour aller plus loin

L'activité des pages **S'exercer** *propose la démarche inverse de celle proposée dans l'activité des pages* **Focus langue**. *Il s'agit en effet cette fois, de retrouver les mots tronqués à partir des mots complets écrits. Le prolongement de l'activité est de placer librement plusieurs mots tronqués dans une phrase, voire une conversation, qui pourra ensuite être jouée.*

Activité 9 🎧 65   Modalité : par deux

■ **Objectif** : identifier les intervenants d'un reportage

– Annoncer aux apprenants qu'ils vont écouter le reportage « Info ou intox ? ». Faire lire la consigne.
– Proposer une première écoute globale, puis une seconde si nécessaire. Faire réaliser l'activité par deux.
– Procéder à la mise en commun en grand groupe : interroger quatre apprenants sur le rôle des quatre intervenants entendus (la présentatrice, l'enseignante, la journaliste, l'élève). Noter les réponses au tableau.

▷ **Transcriptions**

Présentatrice : Bienvenue dans votre « 15 minutes ». Le reportage du jour : info ou intox ? Depuis quelques années, les fake news, ou fausses nouvelles, se multiplient. « 15 minutes » s'intéresse cette semaine aux moyens de lutter contre la désinformation. Une lutte qui commence dans les écoles et plus particulièrement dans les écoles genevoises. Elles dispensent une heure de cours sur les médias et l'image, en dernière année du secondaire. Francesca Ligano s'y est rendue.

Farida Ramani : Alors, je vais vous distribuer... donc... un journal, vous allez travailler par groupes de quatre... quatre ici, quatre là-bas avec Benjamin...

Francesca Ligano : Farida Ramani est enseignante au cycle d'orientation de Montbrillant, ses élèves ont 14-15 ans.

Farida Ramani : Le but, notre objectif, c'est de leur proposer une méthodologie pour analyser et développer leur esprit critique. Qu'est-ce que je lis ? Comment je le lis ? Je vais vérifier la source d'information, est-ce qu'elle est fiable ou pas, etc., etc.

Francesca Ligano : Mais les élèves ne sont pas dupes : ils ont beau consommer Internet et les réseaux sociaux à haute dose, ils savent faire preuve d'esprit critique, et parfois, comme Michi, ils finissent même par douter de tout !

Michi : Sur les réseaux sociaux, par exemple, on voit beaucoup de choses qui sont fausses... Du coup, ça m'donne quand même moins envie de... de regarder les journaux... J'ai pas envie de tout vérifier, quoi... C'est pas... Bon après, quand il y en a de plus en plus, eh ben on doute, justement, de tout ça, enfin, des médias, et puis... au final, on sait pas qui croire... et c'est quelque chose pas très bien.

Farida Ramani : Il y a tellement d'informations qui circulent, et puis les journalistes veulent avoir le scoop, alors c'est la... Ils comprennent aussi que c'est la recherche du scoop, la recherche du buzz, et donc, là, effectivement, il y a une certaine défiance.

Francesca Ligano : Pour Farida Ramani, lutter contre la défiance est parfois encore plus difficile que lutter contre la désinformation. Peut-on lutter contre la désinformation ? Vous en saurez plus demain si vous suivez le sujet de « 15 minutes » à entendre dans ce journal à 12 heures 40.

> **Corrigé** La présentatrice : elle introduit le reportage. Elle souhaite la bienvenue, elle présente le thème du reportage (les moyens de lutter contre la désinformation) et plus précisément l'éducation aux médias dans les écoles genevoises. L'enseignante : elle organise la séance de travail avec les élèves. Elle présente son travail. La journaliste : elle présente l'enseignante, elle introduit le commentaire d'un élève, elle conclut le reportage. L'élève : il donne son opinion sur les médias. Il explique pourquoi il doute.

Activité 10 🎧►65   Modalité : par deux

▎**Objectif :** affiner la compréhension d'un reportage

– Faire lire la consigne et les propositions ; en vérifier la compréhension. Faire réaliser l'activité par deux.

– Faire écouter à nouveau le reportage : proposer une première écoute séquentielle (faire des pauses pour laisser aux apprenants le temps de prendre des notes) puis une autre en continu.

– Procéder à la mise en commun en grand groupe : interroger quelques apprenants ; noter les réponses au tableau après validation par la classe (si la transcription est projetée, surligner les extraits servant de justification). Préparer le corpus pour la conceptualisation des verbes prépositionnels pour parler de l'information et de la désinformation : les mettre en évidence dans les extraits relevés (voir corrigé, en gras).

> **Corrigé a.** Vrai. Une lutte qui commence dans les écoles. **b.** Faux. Mais les élèves ne sont pas dupes, ils ont beau consommer Internet et les réseaux sociaux à haute dose, **ils savent faire preuve d'esprit critique**, et parfois, comme Michi, **ils finissent même par douter de tout !** **c.** Faux. Et puis les journalistes veulent avoir le scoop, alors c'est la... ils comprennent aussi que c'est la recherche du scoop, la recherche du buzz... **d.** Vrai : Pour Farida Ramani, **lutter contre** la défiance est parfois encore plus difficile que lutter contre la désinformation.

▶ FOCUS LANGUE

Quelques verbes prépositionnels pour parler de l'information et de la désinformation   **page 112**

▎**Objectif :** conceptualiser des verbes prépositionnels pour parler de l'information et de la désinformation

Faire lire les consignes et les phrases.

a – Proposer aux apprenants de reprendre leurs réponses à l'activité **10** p. 109 afin de compléter les phrases individuellement. Leur demander de comparer leurs réponses par deux.

– Procéder à la mise en commun : interroger quelques apprenants, noter leurs réponses après validation par la classe. Leur demander d'observer les verbes et leur construction : ce sont des verbes suivis d'une préposition *(de, par, contre...)*. Faire nommer ces types de verbes : *ce sont des verbes prépositionnels* (déjà vu en **dossier 4** leçon 3 : des verbes prépositionnels pour exprimer le but d'une action).

b – Faire relire le **document 2** pp. 108-109 et faire relever par deux les verbes prépositionnels qu'il contient.

– Procéder à la mise en commun en grand groupe : lister ces verbes sous la dictée des apprenants en les classant par catégorie (selon la préposition qui les suit).

> **Corrigé a.** 1. d' ; 2. par ; 3. de ; 4. contre / contre ; **b.** Verbes suivis de *par* : diffuser par (chapeau) ; provoquer par (partie 3) ; verbes suivis de *de* : parler de (partie 2)

▶ S'exercer p. 177

🔵 À nous ! Activité 11 – Nous analysons des fake news. 💬 ✏   Modalités : en petits groupes puis en groupe

▎**Objectif :** transférer les acquis de la leçon

Présenter la tâche aux apprenants, faire lire les étapes et en vérifier la compréhension. Reprendre les groupes formés lors de l'activité **7** p. 109 (désigner un nouveau secrétaire et un nouveau porte-parole).

a Demander à chaque groupe de choisir une fake news en se connectant à un site d'information. Si la classe n'est pas connectée, l'enseignant aura au préalable sélectionné des fausses informations pour les soumettre aux apprenants.

b Proposer à chaque groupe d'analyser cette fake news et de démontrer pourquoi elle est fausse. Les inviter à se reporter au **document 2** pp. 108-109 pour procéder à cette analyse : les inciter à se demander *qui publie l'information ? Où se trouve l'auteur ? Publie-t-il dans un but précis ? Cette information semble-t-elle plausible ? Présente-t-elle des contradictions facilement repérables ?*

c et d – Demander de mettre en forme la fake news choisie sous forme de post avec une photo (Twitter, Facebook…).
  – Procéder à la mise en commun en grand groupe : inviter chaque porte-parole à présenter son info à la classe. Les inciter à réinvestir les mots et expressions de l'information et la désinformation découverts dans la leçon (voir le **Focus langue** p. 113).
  – Pour rendre la mise en commun plus ludique, on pourra proposer aux apprenants de voter pour la fake news la plus vraisemblable ou invraisemblable.

e En grand groupe, interroger la classe sur la façon de lutter contre la désinformation. Favoriser les interactions. Élaborer ensemble la liste des moyens de lutter contre la désinformation.

Leçon 4 Des vies de journalistes

Tâche finale : se mettre en scène			
Savoir-faire et savoir agir	**Grammaire**	**Lexique**	**Sons et intonation**
– Capter l'attention d'un public	– Les procédés de mise en évidence pour capter l'attention : l'emphase		– Troncation et niveau de langue
– Expliquer et argumenter		– Insister sur des faits significatifs et interpeller l'interlocuteur	

Activité 1 📖

Modalités : seul puis en petits groupes

▌ **Objectifs** : formuler des hypothèses sur le thème d'une émission télévisée ; vérifier la compréhension de procédés journalistiques

Faire observer le **document 1**. Le projeter si possible.

a Poser la question à la classe. Écrire les hypothèses au tableau sous la dictée des apprenants.

b Faire lire la consigne. Demander à chaque apprenant d'associer une définition à une image puis de comparer par deux. Procéder à la mise en commun en grand groupe : noter les réponses sous la dictée des apprenants.

c – Constituer des groupes de trois ou quatre apprenants. Faire répondre aux questions.
  – Procéder à la mise en commun en grand groupe : interroger quelques apprenants pour exposer les avis de leur groupe ; faire observer le type de procédé préféré dans la classe (les apprenants sont-ils plutôt micro-trottoir, journal télévisé ou édition spéciale ?).

Activité 2 ▶ 6

Modalité : seul

▌ **Objectif** : vérifier la compréhension globale d'une émission télévisée

Faire lire les consignes et réaliser l'activité individuellement.

a Faire visionner la vidéo dans son intégralité afin de faire identifier le type d'émission et le thème.

b – Si besoin, procéder à un second visionnage séquentiel ; faire des pauses pour laisser le temps de répondre à la question. Faire retrouver individuellement l'ordre des éléments proposés. Puis, demander de comparer les réponses par deux.
  – Procéder à la mise en commun en grand groupe : interroger quelques apprenants ; noter leurs réponses **a** et **b** au tableau après validation par la classe. On pourra proposer un visionnage partiel afin de vérifier l'ordre des éléments.

▷ **Transcriptions**

Christelle Floricourt, 24 ans, journaliste. J'ai commencé après le bac par faire une année de prépa littéraire. Ensuite, je me suis réorientée en fac d'histoire. C'est là que j'ai connu l'existence de la filière Info Com, toujours à La Réunion, donc j'ai intégré la licence Info Com et puis j'ai poursuivi jusqu'au master 2 Info Com qui s'est terminé l'année dernière. Alors ce métier de journaliste, je l'ai découvert grâce à mon grand-père qui était lui-même journaliste. Cet aspect découverte, cet aspect curiosité et touche-à-tout m'a vraiment plu dans ce métier-là. Le plus dur, moi, en tant que pigiste, c'est de ne pas savoir quand est-ce que tu vas travailler, et puis les horaires, je pense que, voilà, ça peut être un frein pour certaines personnes, ne pas savoir quand est-ce que tu termines le soir. Alors les compétences que j'ai développées, la principale, c'est vraiment la curiosité, et de m'intéresser vraiment à tout. Même les choses que tu aimes moins, il faut savoir t'y intéresser, parce que ce métier te demande justement de t'intéresser à tous les domaines. Le domaine que je préfère couvrir, c'est le domaine « société », si on peut dire ça comme ça. Découvrir des personnes, vraiment, c'est ce qui me plaît le plus. Dans ce métier, j'aimerais bien évoluer, alors, je sais pas comment, peut-être devenir grand reporter, oui, ça me plairait. Oui, je conseillerais ce métier aux jeunes, parce que... il faut qu'il continue à exister, sous différentes formes. Certes, je pense que ça évolue et que ce sera plus les formes basiques qu'on connaît aujourd'hui, mais oui, bien sûr, je conseillerais ce métier aux jeunes. Dans ce métier-là, c'est sûr qu'il faut, comme je le disais, s'intéresser à tout et puis se tenir au courant de l'actualité qui se passe autour de nous, à commencer par La Réunion. Je sais qu'il y a plein de jeunes aujourd'hui qui ne s'intéressent pas forcément aux actualités, on dit que de toute façon c'est toujours la même chose, on va entendre toujours... Mais j'pense qu'il faut quand même un minimum, il faut connaître une base, faut pas hésiter à aller se renseigner sur Internet, essayer d'attraper quelques petites informations sur différents sites, à droite à gauche, au niveau du local, au niveau du national, comme de l'international, et pas se cantonner qu'à des sites comme Facebook, où l'information peut être souvent pas exactement la bonne.

▷ **Corrigé** **a.** Type d'émission : c'est un reportage dans un journal télévisé, sur le métier de journaliste. Thème : le métier de journaliste. **b.** Ordre des éléments : 1. Études : *J'ai commencé après le bac par faire une année de prépa littéraire. (...) j'ai poursuivi jusqu'au master 2 Info Com qui s'est terminé l'année dernière.* 2. Découverte du métier : *Alors ce métier de journaliste, je l'ai découvert (...) dans ce métier-là.* 3. Difficultés du métier : *Le plus dur, moi, en tant que pigiste, c'est de ne pas savoir quand est-ce que tu vas travailler (...) quand est-ce que tu termines le soir.* 4. Compétences développées : *Alors les compétences que j'ai développées, la principale, c'est vraiment la curiosité, et de m'intéresser vraiment à tout. (...) t'intéresser à tous les domaines.* 5. Domaine préféré : *Le domaine que je préfère couvrir, c'est le domaine « société », si on peut dire ça comme ça. Découvrir des personnes, vraiment, c'est ce qui me plaît le plus.* 6. Évolution de carrière : *Dans ce métier, j'aimerais bien évoluer, alors, je sais pas comment, peut-être devenir grand reporter, oui, ça me plairait.* 7. Conseils et recommandations aux jeunes : *Oui, je conseillerais ce métier aux jeunes, parce que... il faut qu'il continue à exister, sous différentes formes. (...) pas exactement la bonne.*

Activité 3 ▶ 6

Modalité : par deux

▌**Objectif** : affiner la compréhension d'un témoignage sur une profession

– Faire lire la consigne et l'exemple, visionner à nouveau la vidéo et réaliser l'activité par deux.
– Procéder ensuite à la mise en commun en grand groupe : interroger des apprenants et écrire les réponses au tableau sous leur dictée.

▷ **Corrigé** Questions posées par le journaliste sur : la découverte du métier → Comment avez-vous découvert ce métier ? ; les difficultés du métier → Qu'est-ce qui est le plus dur pour vous dans ce métier ? ; les compétences développées → Quelles compétences avez-vous développées ? ; le domaine préféré → Quel est le domaine que vous préférez couvrir ? / Quel est le sujet sur lequel vous préférez travailler ? ; l'évolution de carrière → Comment peut évoluer votre carrière de journaliste ? ; les conseils et recommandations aux jeunes → Conseilleriez-vous ce métier aux jeunes ? Quels conseils leur donneriez-vous ?

Activité 4 ▶ 6

Modalité : par deux

▌**Objectif** : affiner la compréhension d'un témoignage

– Faire lire la consigne et les propositions ; en vérifier la compréhension.
– Visionner à nouveau la vidéo et faire réaliser l'activité par deux.
– Procéder ensuite à la mise en commun en grand groupe : interroger plusieurs apprenants, noter les réponses au tableau après validation par la classe (si la transcription est projetée, souligner les extraits permettant de justifier les réponses). Les éléments relevés serviront de corpus à la conceptualisation de l'emphase pour capter l'attention (**Focus Langue** p. 112).

▷ **Corrigé** a. Vrai : *Alors ce métier de journaliste, je l'ai découvert grâce à mon grand-père qui était lui-même journaliste.* b. Faux : *Cet aspect découverte, cet aspect curiosité et touche-à-tout m'a vraiment plu dans ce métier-là.* c. Vrai : *Alors les compétences que j'ai développées, la principale, c'est vraiment la curiosité, et de m'intéresser vraiment à tout.* d. Faux : *Le domaine que je préfère couvrir, c'est le domaine « société », si on peut dire ça comme ça.* e. Vrai : *Même les choses que tu aimes moins, il faut savoir t'y intéresser, parce que ce métier te demande justement de t'intéresser à tous les domaines. / Dans ce métier-là, c'est sûr qu'il faut, comme je le disais, s'intéresser à tout...*

FOCUS LANGUE

Les procédés de mise en évidence pour capter l'attention : l'emphase   **page 112**

■ **Objectif** : conceptualiser le procédé de l'emphase

a – Faire observer les extraits de la **vidéo 6** (les projeter si possible) ainsi que les structures employées pour capter l'attention (en couleur dans les extraits).

  – Veiller à faire expliquer par la classe le procédé de l'emphase (leur demander à quoi servent ces structures) : *on utilise ces structures pour mettre en évidence / en relief un élément de la phrase sur lequel on veut insister, attirer l'attention...* En vérifier la compréhension : pour chaque structure, faire formuler un exemple.

b Faire lire la consigne. Vérifier la compréhension des termes *émetteur* et *récepteur*. Faire réaliser l'activité par deux. Procéder à la mise en commun en grand groupe : noter les réponses au tableau sous la dictée des apprenants.

    ▷ **Corrigé** b. 1. a, c, d ; 2. b, e

▸ **Précis grammatical p. 202**

▸ **S'exercer p. 178**

Activité 5

Modalité : en petits groupes

■ **Objectif** : décrire une profession

Diviser la classe en petits groupes de trois ou quatre apprenants. Parmi ces groupes, définir des groupes A et des groupes B.

a, b et c – Faire lire les consignes et les exemples. Expliquer que les groupes A et les groupes B vont réaliser des tâches différentes : chaque groupe A devra choisir une profession à présenter aux groupes B (**a**) puis devra préparer des réponses aux questions des groupes B (**c**) ; chaque groupe B doit préparer des questions à poser aux groupes A pour deviner la profession présentée (**b**).

  – Faire réaliser l'activité. Inviter les apprenants des groupes A à utiliser des procédés pour capter l'attention (vus dans le **Focus langue** p. 112 n° 2).

d Procéder ensuite à la mise en commun en grand groupe : les groupes A présentent la profession qu'ils ont choisie ; les groupes B leur posent des questions pour faire deviner la profession. Proposer cette mise en commun sous forme de jeu : faire deviner la profession en temps limité ; attribuer un point pour chaque profession nommée.

Activité 6

Modalité : en groupe

■ **Objectifs** : comprendre le titre d'une bande dessinée ; émettre des hypothèses sur le thème

Si possible, projeter le **document 2** au tableau. Faire lire le titre de la bande dessinée (*Correspondante de guerre*), nommer les auteurs (*ce sont deux femmes, Anne Nivat et Daphné Colignon*) et émettre des hypothèses sur le thème (*à votre avis, qu'est-ce qu'une correspondante de guerre ? De quoi parle cette BD ?*).

    ▷ **Corrigé** Titre de la BD : *Correspondante de guerre*. Hypothèses sur le thème : cette BD parle peut-être de la profession de reporter de guerre / de journaliste reporter. / Cette BD raconte l'histoire d'une femme journaliste / reporter pendant la guerre.

Infos culturelles

Un(e) **correspondant(e) de guerre** est un(e) journaliste qui rapporte des faits relatifs à un conflit militaire. Son objectif est de témoigner.

Activité 7

Modalité : par deux

■ **Objectif** : vérifier des hypothèses sur le thème d'une bande dessinée

Si possible, projeter le **document 2** au tableau. Faire lire la présentation de la bande dessinée (*Correspondante de guerre*) afin de vérifier par deux les hypothèses émises à l'activité **6**.

▷ **Corrigé** Le thème : cette BD parle du métier de journaliste reporter en tant que femme à travers Anne Nivat, célèbre grand reporter. *Correspondante de guerre* est née de la rencontre entre Anne Nivat et Daphné Collignon, auteur de bandes dessinées.

Activité 8 📖

Modalité : par deux

▌**Objectif** : vérifier la compréhension globale d'un extrait de bande dessinée

Si possible, projeter le **document 3** au tableau. Demander de l'identifier *(C'est une planche/un extrait de* Correspondante de guerre, *la bande dessinée d'Anne Nivat et Daphné Collignon).*

a et b – Faire lire les consignes. Demander aux apprenants de lire la bande dessinée par deux puis faire réaliser l'activité.

– Procéder à la mise en commun en grand groupe : interroger quelques apprenants, faire valider les réponses par la classe et les noter au tableau (**a**). Pour la consigne **b**, écouter le résumé de quelques binômes et en noter un au tableau.

▷ **Corrigé a.** Daphné est la jeune femme aux cheveux longs roux (c'est celle qui pose les questions) ; Anne est la femme aux cheveux courts. **b.** *Proposition de réponse.* Anne a fait son premier reportage en Tchétchénie, pendant la guerre. Elle avait 28 ans. Elle voulait absolument montrer ce qui se passait là-bas, recueillir les témoignages d'habitants.

Activité 9 📖🗣

Modalité : en petits groupes

▌**Objectif** : interpréter des dessins dans une bande dessinée

– Faire lire les consignes. En vérifier la compréhension. Former des groupes de trois ou quatre apprenants ; désigner un secrétaire et un rapporteur dans chaque groupe.

– Leur demander d'analyser le portrait d'Anne (le choix du lieu, l'ambiance, les personnages, les expressions des visages...) et de donner leur avis sur les choix de la dessinatrice (Daphné).

– Procéder ensuite à la mise en commun en grand groupe : interroger le rapporteur de chaque groupe ; comparer les réponses des différents groupes.

▷ **Corrigé** La rencontre entre la reporter et la journaliste a lieu dans un café, un endroit neutre mais public, où une relation intime entre les deux femmes se créent (seules les deux femmes sont en couleur, donc mises en relief, le reste est en noir et blanc). Sur neuf cases, quatre constituent un gros plan de la reporter, deux les montrent toutes les deux . Quand la reporter parle de son investissement dans son métier, il s'agit de gros plans, où on la voit se souvenir et le regard profond. Il s'agit d'un tête à tête : la journaliste l'écoute attentivement. La reporter quant à elle semble s'animer à l'évocation de son métier : les points de vue de son visage varient (gros plan, trois quarts, de profil). Le lecteur par les techniques graphiques ressent l'émotion de la reporter. Daphné, l'auteur de la BD, par ce biais, cherche à donner de la force et de l'émotion au personnage de la reporter.

Activité 10 📖

Modalité : par deux

▌**Objectif** : relever les moyens graphiques et les expressions pour capter l'attention d'un public

– Faire lire la consigne. En vérifier la compréhension. Faire relire le **document 3** et réaliser l'activité par deux.

– Procéder à la mise en commun en grand groupe. Faire dire aux apprenants que textes et dessins concourent à capter l'attention et à dessiner un portrait passionné.

▷ **Corrigé a.** Tu imagines ? / ... même pas ! / Toute seule ! / Mais la guerre justement ! / Je me disais... **b.** Il faut absolument y aller, il faut aller enquêter sur le terrain, je vais aller chercher des histoires ! / C'était ça, avoir quelque chose à écrire ! (...) Et pour avoir quelque chose à écrire, il faut aller le chercher ! / Mais c'est la seule raison d'être du journalisme !!! **c.** Le point d'exclamation (parfois même trois points d'exclamation : !!!) ; les points de suspension (quand elle évoque des souvenirs et cherche l'expression juste).

▶ FOCUS LANGUE

Insister sur des faits significatifs et interpeller l'interlocuteur   **page 113**

▌**Objectif** : conceptualiser les termes pour insister et interpeller l'interlocuteur

– Faire lire la consigne. Demander aux apprenants de relire leurs réponses à l'activité **10** et de réaliser l'activité par deux (si possible, projeter les items au tableau). Au préalable, faire expliquer par la classe ce qu'est une « intention de communication ».

– Procéder à la mise en commun en grand groupe : interroger quelques apprenants, leur demander de venir au tableau pour noter leurs réponses ou associer les items entre eux (s'ils sont projetés) ; faire valider par la classe.

▷ **Corrigé a.** 2 ; **b.** 4, 6, 7 ; **c.** 1 ; **d.** 3, 5 ; **e.** 8

▶ **S'exercer p. 178**

À nous ! Activité 8 – Nous nous mettons en scène. 💬

Modalité : par deux

▌**Objectif** : transférer les acquis de la leçon

Présenter la tâche aux apprenants : leur annoncer qu'ils vont préparer une miniscène à jouer devant la classe, à la manière de l'extrait de la BD *Correspondante de guerre*. Faire lire les étapes et en vérifier la compréhension. Faire réaliser l'activité par deux.

a Demander aux apprenants de reprendre la profession choisie lors de l'activité **5**.

b Leur demander ensuite d'imaginer le scénario de la planche de BD dont ils interpréteront les personnages, puis de préparer le dialogue.

c – Leur demander de se répartir les rôles : l'un jouera l'intervieweur (sur le modèle de Daphné), l'autre le professionnel qui répond à ses questions (sur le modèle d'Anne). Les inciter à utiliser les intentions de communication vues dans la leçon (**Focus langue** p. 113 et activité **9**).

– Leur demander de préparer leur interprétation avant de jouer devant la classe.

d Procéder à la mise en commun en grand groupe : chaque binôme joue son scénario puis la classe vote pour le plus convaincant.

Pour aller plus loin

Si l'on dispose du temps nécessaire, demander de dessiner la BD correspondant au scénario choisi par la classe (en groupes de trois ou quatre apprenants ; attribuer une (ou plusieurs) case(s) à chaque groupe).

STRATÉGIES

Écrire un bon article

Activité 1
Modalité : en groupe

▌ **Objectif** : découvrir l'objectif d'une carte mentale

Faire observer la carte mentale (si possible, la projeter) et identifier son objectif.

> ⯈ **Corrigé** Objectif : transmettre une méthode pour écrire un bon article.

Activité 2
Modalité : par deux

▌ **Objectif** : compléter une carte mentale

– Faire lire la consigne. Demander de compléter la carte mentale avec les actions listées par deux.
– Lors de la mise en commun, inviter des apprenants à venir au tableau pour noter les actions manquantes (n° 1, 3, 4, 5, 7, 8). Vérifier la compréhension de ces actions.

> ⯈ **Corrigé** 1. Trouver. 3. Analyser. 4. Choisir un angle. 5. Publier. 7. Écrire. 8. Structurer.

Activité 3
Modalité : par deux

▌ **Objectif** : vérifier la compréhension des éléments d'une méthode

– Faire lire la consigne et l'exemple, en vérifier la compréhension. Faire réaliser l'activité par deux : demander aux apprenants de chercher des exemples pour illustrer la méthode dans le **dossier 6**.
– Procéder à la mise en commun en grand groupe.

> ⯈ **Corrigé** *Proposition de réponse.* **a.** Sélectionner un bon canal : presse papier ou presse numérique, médias traditionnels ou médias sociaux. **b.** Structurer un article : trouver des accroches, choisir un thème. **c.** Réussir une interview : faire évoquer les sujets dans l'ordre, mettre en valeur son interlocuteur, l'interpeller et relancer son propos. **d.** Choisir le bon ton : choisir le mot exact ; et pour créer de l'émotion : renforcer et accentuer.

Activité 4
Modalité : en petits groupes

▌ **Objectif** : illustrer les éléments d'une méthode par d'autres exemples

– Constituer des groupes de trois ou quatre apprenants. Faire répondre à la question.
– Demander d'abord d'échanger à l'oral sur le thème, puis de rédiger une liste de rubriques qui pourraient être ajoutées.
– Procéder à la mise en commun en grand groupe : interroger quelques apprenants, faire valider leurs propositions par la classe et lister au tableau les rubriques à ajouter.

> ⯈ **Corrigé** *Propositions de réponse.* Retranscrire des émotions ; donner de la force à son article ; persuader ; convaincre

Activité 5 – Apprenons ensemble !
Modalités : en petits groupes puis en groupe

▌ **Objectif** : user de stratégies pour identifier des éléments de la une d'un magazine

– Conserver les groupes constitués lors de l'activité **4**.
– Faire lire la consigne et en vérifier la compréhension. Faire réaliser l'activité **a**. Annoncer que chaque groupe devra chronométrer le temps qu'il met pour faire cette activité et le noter (**b**). Si la classe n'est pas connectée, sélectionner au préalable plusieurs unes de magazines francophones parmi lesquelles les apprenants pourront faire leur choix.
– Procéder à la mise en commun en grand groupe : chaque groupe présente sa une en identifiant clairement les éléments présents selon la liste proposée ; il annonce le temps qu'il a mis pour faire l'activité et partage avec la classe les stratégies qui lui ont permis de faire ce travail.

PROJETS

Projet de classe

Il est conseillé de réaliser le projet de classe avant le projet ouvert sur le monde.

À partir d'un sujet d'actualité, nous écrivons un article avec de fausses informations.
Annoncer aux apprenants qu'ils vont écrire un article avec de fausses informations : ils vont lire un *Mode d'emploi pour créer une fake news réaliste*, analyser un article et une fake news à l'aide de ce mode d'emploi, choisir un thème et lister des fausses informations à diffuser, enfin ils vont rédiger un article et le présenter à la classe. Leur présenter les étapes du projet.
1. Faire lire la consigne et réaliser l'activité par deux. Demander de lire le *Mode d'emploi pour créer une fake news réaliste* (le projeter si possible) et d'associer chaque rubrique aux éléments de la carte mentale p. 114.
2. – Constituer des groupes de quatre apprenants : des groupes « Islande » qui travailleront sur l'article A et des groupes « riz » qui travailleront sur l'article B.
   – Faire lire les articles individuellement puis faire réaliser l'activité en petits groupes. Demander de se reporter au *Mode d'emploi pour créer une fake news réaliste*.
   – Procéder à la mise en commun en grand groupe : interroger quelques apprenants, faire valider par la classe et noter les réponses.
3. Demander à chaque groupe d'échanger à l'oral afin de choisir un thème et de lister les fausses informations qu'il souhaite diffuser. Puis, faire rédiger l'article, lui donner un titre et l'illustrer.
4. Procéder à la mise en commun en grand groupe : inviter chaque groupe à présenter son article à la classe qui les comparera et votera pour le plus original et pour le plus vraisemblable. Faire publier l'article choisi par la classe sur un réseau social.
   ▷ **Corrigé** 1. a. 4 ; b. 7 ; c. 6 ; d. 1

Projet ouvert sur le monde

Nous créons la une de notre magazine francophone et nous choisissons un média pour nous faire connaître.
Le projet ouvert sur le monde peut se faire en dehors de la classe : il est conseillé de présenter le projet aux apprenants en groupe pour s'assurer de la bonne compréhension de l'ensemble et de la répartition des tâches.
Annoncer aux apprenants qu'ils vont imaginer un magazine francophone, en créer la une et la diffuser pour faire connaître leur magazine.
a Former des groupes de quatre apprenants. Faire lire la consigne et réaliser l'activité en petits groupes : observer la une du magazine (la projeter si possible) et l'analyser.
b Demander d'imaginer un magazine francophone : choisir un nom, un logo, des thèmes, des rubriques, des images, la périodicité, la présence ou non d'un message incitatif, les polices utilisées (reprendre les éléments de liste de l'activité **a**). Pour la sélection des images : indiquer aux apprenants qu'ils doivent veiller à sélectionner des images libres de droits (*Stocklib*, par exemple) ou bien proposer leurs propres photos.
c Demander aux groupes de mettre en forme la une de leur magazine : la faire dessiner (sur papier ou sur ordinateur) afin de choisir la disposition des informations, des images, etc. Puis, la faire maquetter à l'aide d'un logiciel de traitement de texte (*Open Office*) ou de retouche d'images (*Gimp*). Pour le logo, on pourra utiliser un logiciel de création de logo (*Logo Design Studio*).
d Demander à chaque groupe d'imprimer et d'afficher dans la classe la une de son magazine francophone.
e Procéder à la mise en commun en grand groupe : chaque groupe présente sa une, les autres la commentent / critiquent et choisissent celles qui donnent le plus envie de lire le magazine (faire justifier). Favoriser les échanges.
f Si la classe est connectée, faire publier les unes préférées de la classe sur un site de partage d'images (*Pinterest* ou *Instagram*, par exemple). Voir celles qui récoltent le plus de *likes*.

Nous créons la une de notre magazine francophone et nous choisissons un média pour nous faire connaître.

En petits groupes.

a. Observez la une de ce magazine francophone.
Déterminez :
– le nom du magazine, le logo ;
– l'image, la composition de la page, les couleurs ;
– l'accroche ;
– le thème ;
– les rubriques ;
– les polices utilisées ;
– la périodicité ;
– la présence ou non de message incitatif

b. Choisissez le nom de votre magazine, un logo, des thèmes, des rubriques, des images… (liste ci-dessus). Veillez à sélectionner des images libres de droits (*Stocklib*, par exemple), ou proposez vos propres photos.

Nom : ....

Logo : ....

Thèmes : ....

Rubriques : ....

....

....

....

Accroche: ....

c. Dessinez sur une feuille de papier (ou sur votre ordinateur) la maquette de votre une (voir l'exemple ci-dessous). Maquettez-la en fonction des logiciels dont vous disposez.

d. Imprimez et affichez vos unes dans la classe.

e. En groupe. Échangez. Quelles unes vous donnent le plus envie de lire le magazine ? Pourquoi ?

f. Publiez les unes préférées de la classe sur un site de partage d'images (*Pinterest* ou *Instagram*, par exemple).

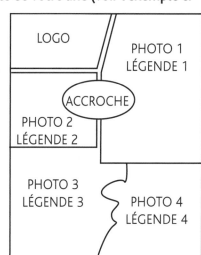

1. Compréhension de l'oral 🎧H67

10 points

– Faire lire la consigne de l'exercice et les questions et s'assurer de leur bonne compréhension.
– Faire écouter l'enregistrement deux fois (30 secondes de pause entre les deux écoutes).
– Laisser deux minutes aux apprenants pour qu'ils vérifient leurs réponses.

> ### Transcriptions

Journaliste : Aujourd'hui, il est possible de s'informer de différentes façons grâce à la multiplication des plates-formes de lecture et à l'accès permanent à Internet. La presse est un secteur qui a su s'adapter aux attentes du public et évoluer grâce au numérique. Presque 40 % des Français affirment lire régulièrement un quotidien national ou régional ou un magazine d'information générale, que cela soit sous format papier ou numérique. Ils ne sont que 20 % à affirmer ne jamais le faire. Cependant, 65 % d'entre eux lisent au moins une fois par semaine de la presse écrite, peu importe le sujet. La fréquence de lecture de la presse écrite est évidemment influencée par les nouveaux modes de lecture et d'accès à l'information. On peut observer que les personnes d'une cinquantaine d'années et plus sont ceux qui s'informent le plus régulièrement. Plus de la moitié des Français a déclaré que le lieu préféré de lecture de la presse quotidienne nationale était le domicile, suivi du lieu de travail et des transports en commun. Plus de 60 % affirment que lire la presse en ligne leur permet de suivre les informations à tout moment. Malgré ce qu'on pourrait penser, la fin de la presse écrite n'a pas encore sonné : 64 % des Français n'envisagent pas d'abandonner la presse papier pour ne lire que la presse numérique, alors que seulement 7 % sont certains de ne lire que la presse digitale d'ici trois ans.

> **Corrigé** 1. De s'informer de différentes façons. *(1 point)* 2. D'évoluer et s'adapter aux attentes du public. *(2 points)* 3. c *(1 point)* 4. 20 %. *(1 point)* 5. c *(1 point)* 6. a *(1 point)* 7. Cela leur permet de suivre les informations à tout moment. *(2 points)* 8. c *(1 point)*

2. Production écrite

15 points

– Faire lire la consigne de l'exercice et s'assurer de sa bonne compréhension. Pour cela, vous pouvez poser les questions suivantes aux apprenants : *quel type d'écrit devez-vous rédiger ? (Un courrier formel à la direction du journal de l'université.) Sur quel sujet devez-vous écrire ? (Les fausses informations que vous avez pu lire dans le journal de l'université.) Quelles informations devez-vous donner ? (**1.** Citer les fausses informations que vous avez lues dans le journal de l'université, **2.** Expliquer l'intérêt de s'assurer que les informations à publier sont bien réelles, **3.** Donner des conseils pour vérifier la véracité de l'information.) Combien de mots minimums devez-vous écrire ? (160 mots.)*
– Rappeler ensuite (ou demander à un apprenant de rappeler) comment compter les mots dans une production écrite : un mot est un ensemble de signes placé entre deux espaces. « C'est-à-dire » = 1 mot ; « parce que » = 2 mots ; « il y a » = 3 mots ; « j'ai 25 ans » = 3 mots. Préciser que le jour de l'examen, il est possible d'écrire plus de 160 mots, mais pas moins (sachant qu'une marge de 10 % en moins est tolérée).
– Laisser environ 30 minutes aux apprenants pour réaliser la tâche demandée.

Guide pour l'évaluation

Respect de la consigne L'apprenant a bien écrit une lettre formelle adressée à la direction du journal de l'université. L'apprenant a bien écrit <u>au minimum</u> 160 mots (il peut écrire plus de 160 mots).	1 point
Capacité à présenter des faits L'apprenant a bien cité les fausses informations lues dans le journal de l'université.	2 points
Capacité à exprimer sa pensée L'apprenant a bien : – expliqué l'intérêt de s'assurer que les informations à publier sont bien réelles ; – donné des conseils pour vérifier la véracité de l'information.	6 points

Cohérence et cohésion Le discours de l'apprenant est cohérent et ses idées s'enchaînent assez bien. On note la présence de quelques connecteurs (articulateurs logiques).	1 point
Compétence lexicale / Orthographe lexicale L'apprenant a correctement utilisé le vocabulaire de la situation présentée dans la consigne. L'apprenant a bien orthographié les mots qu'il a utilisés et qui ont été vus dans le dossier 6 et les dossiers précédents. La ponctuation et la mise en page sont assez justes pour être suivies facilement le plus souvent.	3 points
Compétence grammaticale / Orthographe grammaticale L'apprenant maîtrise la structure de la phrase simple. L'apprenant a su utiliser les temps et les modes vus dans les dossiers précédents et a su correctement conjuguer les verbes aux principaux temps de l'indicatif.	2 points

3. Production orale
15 points

Exercice 1
◀5 points▶

Faire lire la consigne de l'exercice et s'assurer de sa bonne compréhension.

Guide pour l'évaluation

L'apprenant peut, sans préparation, parler de lui et de ses centres d'intérêt **(0,5 point)** et parler des médias qu'il utilise pour s'informer **(1,5 point)**. L'enseignement n'hésitera pas à préciser à l'apprenant d'expliquer pourquoi il utilise un média plus qu'un autre, ou pourquoi il n'utilise aucun média, le cas échéant. L'entretien dirigé doit durer au minimum 2 minutes.

Exercice 2
◀5 points▶

– Faire lire la consigne de l'exercice en interaction. S'assurer de sa bonne compréhension.
– Demander aux apprenants de constituer des binômes pour réaliser le jeu de rôle.
– Laisser 10 minutes aux apprenants pour préparer leur jeu de rôle.
– Demander à un binôme de venir au tableau pour le réaliser. Le jeu de rôle doit durer au minimum 3 minutes.

Guide pour l'évaluation

Les apprenants peuvent faire des propositions et argumenter comme demandé dans la consigne pour arriver à un consensus. L'un des deux apprenants aura pour rôle de faire changer d'avis son ami(e). *(Les 5 points sont à répartir selon la quantité des informations échangées entre les apprenants et la façon dont ils sont parvenus à réaliser la tâche demandée.)*

Exercice 3
◀5 points▶

– Faire lire la consigne et les deux sujets du monologue suivi. S'assurer de leur bonne compréhension.
  L'enseignant pourra expliquer, en français, certains termes non compris.
– Demander aux apprenants de choisir un des deux sujets (sujet 1 ou sujet 2).
– Laisser 10 minutes aux apprenants pour faire un brouillon sur le sujet qu'ils auront choisi. La production orale de l'apprenant doit durer au minimum 3 minutes. L'enseignant (ou d'autres apprenants de la classe) pourra poser quelques questions à l'issue du monologue, il n'interviendra pas avant.

Guide pour l'évaluation

L'apprenant a pu dégager le thème principal du sujet **(1 point)** et a su donner son opinion sous la forme d'un petit exposé de façon construite et cohérente **(4 points)**.

Pour **l'ensemble des 3 exercices**, l'enseignant s'assurera que les apprenants ont bien acquis les compétences lexicales et morphosyntaxiques vues dans le dossier 6 **(2 points)**.
Il veillera aussi à ce que les apprenants prononcent de manière compréhensible le répertoire d'expressions vues dans le dossier 6 et les dossiers précédents **(1 point)**.

DOSSIER 7

Nous nous intéressons à l'innovation française

- **Un projet de classe**

  Réaliser la carte de nos innovations françaises préférées de la classe.

- **Un projet ouvert sur le monde**

  Imaginer les conséquences d'une découverte dans un article à publier en ligne.

Pour réaliser ces projets, nous allons apprendre à :
- comprendre une émission qui présente une innovation scientifique
- découvrir de jeunes talents francophones et leurs réalisations
- expliquer simplement une découverte scientifique
- présenter une innovation technologique
- faire comprendre un concept innovant
- exprimer une opinion
- imaginer le futur
- envisager les conséquences positives et négatives d'une innovation

Pages d'ouverture

pages 118-119

▌ **Objectifs** : découvrir la thématique du dossier et présenter le contrat d'apprentissage

Le point sur… les innovations françaises et francophones

Modalités : en groupe, en petits groupes puis par deux

Faire observer la double-page, la projeter si possible. Faire dire le thème abordé (*les innovations scientifiques/technologiques françaises*). Montrer le titre pour valider la réponse.

1 a – Faire observer et identifier le document p. 118 (*c'est la page Internet du réseau CURIE, présentant des innovations de notre quotidien ; il y a six encadrés – six dates pour six innovations*).
   – Faire lire la consigne et dire le point commun entre ces innovations.
b – Faire lire la consigne. Faire associer chaque innovation à un domaine par la classe.
   – Écrire les réponses au tableau. Vérifier la compréhension du lexique (des innovations) : le faire illustrer ou expliquer par les apprenants.
c Poser les questions à la classe. Favoriser les interactions.
d – Former des groupes de trois ou quatre apprenants et faire répondre à la question : demander de faire une liste d'innovations françaises ou francophones.
   – Procéder à la mise en commun en grand groupe. Écrire la liste au tableau.

> **Corrigé** **1 a.** Ce sont toutes des innovations technologiques qui ont changé notre quotidien. **b.** Médecine : la greffe de visage / le cœur artificiel autonome. Transport : le premier métro automatique / le TGV. Logement : la construction d'une maison avec une imprimante 3D. Commerce : la carte à puce.

2 Faire observer le document p. 119. Demander ce qu'il présente (*il présente la French Tech ; des photos montrent des innovations technologiques présentées au CES en 2017*). Expliquer ce qu'est le CES (*Consumer Electronics Show*).
a – Demander de lire la consigne et le texte (document p. 119) et faire réaliser l'activité par deux.
   – Procéder à la mise en commun en grand groupe : interroger un apprenant, noter les réponses après validation par la classe.

b – Faire lire la consigne et le quiz. En vérifier la compréhension. Faire répondre au quiz par deux : associer chaque objet à sa fonction. Demander de vérifier les réponses avec le corrigé du quiz (à l'envers, à la fin du quiz).

– Lors de la mise en commun, s'assurer que les apprenants n'ont pas rencontré de difficultés pour répondre au quiz.

c Poser la question à la classe. Favoriser les interactions. Conclure en établissant le podium des objets les plus innovants.

  ▷ **Corrigé** a. 1, 2

Annoncer les deux projets (projet de classe et projet ouvert sur monde) puis les objectifs du dossier. Pour illustrer la démarche, on part des projets et, pour les réaliser, on acquiert et/ou on mobilise des savoirs, savoir-faire, savoir agir, des compétences générales et des compétences langagières.

Leçon **1** Jeunes talents francophones

pages 120-121

Tâche finale : présenter une innovation / une réalisation exceptionnelle			
Savoir-faire et savoir agir	**Grammaire**	**Lexique**	**Sons et intonation**
– Comprendre une émission qui présente une innovation scientifique	– Les pronoms relatifs composés pour éviter les répétitions	– Introduire un sujet dans une émission / un reportage (1)	– Les sons [r] et [l]
– Découvrir de jeunes talents francophones et leurs réalisations	– Quelques structures pour expliquer l'utilité et le fonctionnement d'une innovation		

Activité 1 📖

Modalité : par deux

▌**Objectif** : vérifier la compréhension globale d'un document

– Faire observer le **document 1** (si possible le projeter) et le faire identifier (*c'est la carte d'identité de la fondatrice de Glowee, Sandra Rey*).

– Faire lire la consigne : faire dire par deux les éléments clés de son parcours et repérer les informations sur la société Glowee.

– Procéder à la mise en commun en grand groupe : noter les réponses au tableau après validation par la classe.

  ▷ **Corrigé** a. Deux éléments clés : elle a créé / elle est fondatrice de Glowee (décembre 2014) ; elle est reconnue par le MIT Technology Review parmi les 10 meilleurs innovateurs français de moins de 35 ans (mars 2016). b. Créée en décembre 2014. Slogan : « c'est la mer qui nous éclaire ». Logo : un poisson. En anglais, « to glow » signifie « briller », premières 24 heures de lumière, COP 21 : on peut en déduire que Glowee crée naturellement de la lumière / des produits en relation avec la lumière.

Activité 2 📖

Modalité : en groupe

▌**Objectif** : faire des hypothèses sur le lien entre deux documents

– Faire identifier le **document 2** (le projeter si possible) : l'encart « Vous le saviez ? » (certainement une rubrique dans un magazine scientifique) donne une définition de la bioluminescence.

– Poser la question en grand groupe. Faire repérer les éléments permettant de trouver le lien entre la bioluminescence et Glowee : le logo et le slogan de Glowee « c'est la mer qui nous éclaire » ; « permet [...] de produire de la lumière » dans la définition de la bioluminescence. Noter les hypothèses au tableau (*l'entreprise Glowee et Sandra Rey ont un rapport avec la bioluminescence*).

  ▷ **Corrigé** La société Glowee utilise une réaction chimique, la bioluminescence, pour créer de la lumière.

Activité 3 🎧68

Modalité : par deux

▌**Objectif** : trouver le lien entre deux documents

– Annoncer aux apprenants qu'ils vont écouter l'introduction d'une émission de radio (**document 3**).

– Faire lire la consigne et proposer une à deux écoutes pour faire retrouver aux apprenants par deux le lien avec le **document 1**.

– Procéder à la mise en commun, interroger un groupe et noter au tableau sa réponse après validation par la classe.

> **Transcriptions**

Journaliste : La lumière qui vient de la mer ou comment éclairer des villes grâce à des bactéries. On dirait un programme tout droit sorti d'un film de science-fiction et pourtant une start-up française planche déjà dessus. Sa fondatrice, Sandra Rey, a été mise à l'honneur notamment par le célèbre MIT de Boston. Alors comment lui est venue l'idée de son entreprise Glowee ? Écoutez-la !

> **Corrigé** Dans cette émission, Sandra Rey, fondatrice de la société Glowee, est invitée pour parler de son entreprise et notamment de bioluminescence.

▶ FOCUS LANGUE

Introduire un sujet dans une émission / un reportage (1) 🎧▶68   **page 125**

▌**Objectif :** conceptualiser la structure de l'introduction d'un sujet d'émission

a Projeter le **Focus langue**. Faire lire la consigne et laisser les apprenants observer l'organisation de l'introduction d'une émission radio. Vérifier la compréhension des différents éléments du tableau.

b – Faire lire la consigne. Faire réécouter l'introduction de l'interview de Sandra Rey : proposer une écoute séquentielle pour laisser aux apprenants par deux le temps de noter les extraits correspondant aux parties du tableau.

– Procéder à la mise en commun en grand groupe : interroger des apprenants et noter leurs réponses sous la forme d'un tableau.

> **Corrigé**

1ʳᵉ partie :	*La lumière qui vient de la mer ou comment éclairer des villes grâce à des bactéries.* (+ accroche → *on dirait un programme tout droit sorti d'un film de science-fiction.*)
2ᵉ partie :	**Qui ?** : Sandra Rey. **Quoi ?** : une start-up française (Glowee). **Quand ?** : en ce moment (planche déjà dessus). **Pourquoi ?** : pour éclairer des villes grâce à des bactéries.
3ᵉ partie :	Une interview → *Alors comment lui est venue l'idée de Glowee son entreprise ? Écoutez-la !*

▶ S'exercer p. 180

Activité 4 🎧▶69

Modalité : seul

▌**Objectif :** vérifier la compréhension globale d'une interview

– Annoncer aux apprenants qu'ils vont écouter la première partie de l'interview de Sandra Rey.

– Faire lire la consigne. Proposer une à deux écoutes : une première écoute globale puis une seconde écoute séquentielle.

a et b – Faire réaliser l'activité seul puis demander de comparer les réponses par deux.

– Procéder ensuite à la mise en commun en grand groupe. Interroger des apprenants. Noter les réponses au tableau après validation par la classe.

> **Transcriptions**

Sandra Rey : En 2013, j'étais étudiante dans une école de design et j'ai participé à un concours dont le thème était la biologie synthétique. Devant une vidéo sur les espèces sous-marines capables de produire de la lumière, donc le phénomène de bioluminescence, je me suis dit que c'était peut-être un vrai moyen de diminuer à la fois la consommation d'énergie et la pollution. Finalement la réponse était peut-être dans la nature. Alors, j'ai commencé à travailler autour de l'utilisation de la bioluminescence pour illuminer les villes de demain.

Journaliste : On parle souvent d'éléments naturels dans la mer… Mais comment est-ce qu'on en arrive à penser que finalement, ça pourrait éclairer des villes, des vitrines, des bâtiments ?

Sandra Rey : La bioluminescence, c'est un phénomène qui est très connu, un phénomène sur lequel il y a beaucoup de littérature. Et c'est surtout un phénomène pour lequel on a identifié plusieurs gènes. Donc aujourd'hui, on a des technologies, comme la biologie synthétique, grâce à laquelle on peut coder l'ADN. On peut maintenant reproduire l'ADN en laboratoire et l'améliorer pour en faire une vraie solution durable.

> **Corrigé a.** Sandra Rey a eu l'idée de créer Glowee en regardant une vidéo sur les espèces sous-marines capables de produire de la lumière. **b. Le contexte :** elle était étudiante dans une école de design. Elle a participé à un concours sur la biologie synthétique. **L'événement à l'origine de l'initiative :** elle a vu une vidéo sur les espèces sous-marines capables de produire de la lumière. **L'idée innovante :** elle s'est dit que c'était peut-être un vrai moyen de diminuer à la fois la consommation d'énergie et la pollution.

Activité 5 🎧69

▋**Objectif** : affiner la compréhension d'une interview

– Faire lire la consigne et les propositions. En vérifier la compréhension.

– Faire réécouter la première partie de l'interview de Sandra Rey ; faire répondre au Vrai / Faux par deux. Demander de justifier par des extraits de l'interview.

– Procéder à la mise en commun en grand groupe : interroger trois apprenants, noter leurs réponses (et justifications) au tableau après validation par la classe.

> **Corrigé** a. Faux : *la bioluminescence, c'est un phénomène qui est très connu, un phénomène sur lequel il y a beaucoup de littérature.* b. Vrai : *et c'est surtout un phénomène pour lequel on a identifié plusieurs gènes.* c. Vrai : *on a des technologies, comme la biologie synthétique, grâce à laquelle on peut coder l'ADN.*

▶ FOCUS LANGUE

Les pronoms relatifs composés pour éviter les répétitions 🎧73   page 124

▋**Objectif** : conceptualiser la formation et l'emploi des pronoms relatifs composés

Faire lire les consignes et en vérifier la compréhension.

a et b – Faire écouter l'enregistrement (extraits de l'interview de Sandra Rey, **document 3** p. 120) et faire réaliser l'activité par deux.

– Procéder à la mise en commun en grand groupe. Inviter des apprenants à venir au tableau pour noter les structures relevées (**a**). Faire valider par la classe. Puis, compléter la règle sur les pronoms relatifs composés sous la dictée des apprenants (**b**).

– Lire avec la classe la note intitulée « Avec la préposition *à* ».

> **Transcriptions**
> – La bioluminescence, c'est un phénomène qui est très connu, un phénomène sur lequel il y a beaucoup de littérature.
> – Et c'est surtout un phénomène pour lequel on a identifié plusieurs gènes.
> – Donc aujourd'hui, on a des technologies, comme la biologie synthétique, grâce à laquelle on peut coder l'ADN.

> **Corrigé** a. 1. On a identifié plusieurs gènes pour ce phénomène. → C'est un phénomène pour lequel on a identifié plusieurs gènes. 2. Aujourd'hui, on a des technologies comme la biologie synthétique. On peut coder l'ADN grâce à la biologie synthétique. → Aujourd'hui, on a des technologies, comme la biologie synthétique, grâce à laquelle on peut coder l'ADN. b. J'utilise *lequel* (masculin singulier) ; *laquelle* (féminin singulier) ; *lesquels* (masculin pluriel) ; *lesquelles* (féminin pluriel) après une préposition (*sur, pour, sous, avec, dans*, etc.) et après l'expression *grâce à*.

▶ **Précis grammatical p. 201**
▶ **S'exercer p. 179**

Activité 6 🎧70

▋**Objectif** : vérifier la compréhension globale d'une émission de radio

– Annoncer aux apprenants qu'ils vont écouter la deuxième partie de l'interview de Sandra Rey (**document 3**).

– Faire lire les questions **a** et **b** ; faire écouter l'enregistrement et y répondre par deux (proposer une à deux écoutes).

– Procéder à la mise en commun en grand groupe : interroger des apprenants et écrire les réponses au tableau après validation par la classe.

> **Transcriptions**
> **Journaliste :** D'accord. Donc ce serait dans les prochains mois qu'on pourrait avoir, par exemple, un bâtiment éclairé grâce aux bactéries ?
> **Sandra Rey :** Disons que, dans les deux prochaines années, l'objectif est de faire un premier projet pilote en ville et puis ensuite de développer le système de manière industrielle.
> **Journaliste :** Et est-ce que vous pensez le faire dans des pays où l'accès à l'énergie est encore plus compliqué – je pense aux pays africains – et dans certains pays asiatiques ?
> **Sandra Rey :** Oui bien sûr, c'est une vraie ambition qu'on a, à long terme. Mais il faut que la technologie soit parfaite et fonctionne extrêmement bien dans des conditions les plus extrêmes. Donc il y a encore du travail en terme de performance. Mais c'est évidemment un de nos objectifs.

Journaliste : C'était Sandra Rey, de la société Glowee qui compte actuellement quinze personnes. Si vous voulez réentendre ce magazine *Économie et Développement*, eh bien c'est simple : allez sur notre site, puis allez dans la rubrique « Médiathèque ». Merci de nous avoir suivis ! À la semaine prochaine.

> **Corrigé** **a. Objectifs à court terme :** faire un premier projet pilote en ville puis développer le système de manière industrielle. **Objectifs à long terme :** le faire (développer le système de manière industrielle) dans des pays où l'accès à l'énergie est encore plus compliqué (pays africains et certains pays asiatiques). **b.** Il faut que la technologie soit parfaite et fonctionne extrêmement bien dans des conditions les plus extrêmes.

Activité 7

Modalité : en petits groupes

▌**Objectif :** affiner la compréhension d'une interview

– Constituer des groupes de trois ou quatre apprenants. Désigner un secrétaire et un porte-parole dans chaque groupe.
– Faire lire les consignes **a** et **b** et en vérifier la compréhension. Proposer aux groupes de faire leur recherche sur Internet puis de déterminer la catégorie à laquelle leur talent appartient.
– Procéder à la mise en commun en grand groupe : inviter chaque porte-parole à présenter les jeunes talents (et leurs réalisations) sélectionnés par son groupe ; sous sa dictée, noter leur nom et leur talent/profession dans la catégorie correspondante (arts, culture et mode, environnement, service public, technologie...). Demander à la classe d'observer quelle est la catégorie la plus représentée.

Activité 8

Modalité : en groupe

▌**Objectif :** vérifier la compréhension globale d'un article

a – Faire observer le **document 4** (le projeter si possible) et le faire identifier (*c'est une page du site Internet francophonie3535. com*). Veiller à ce que les apprenants ne lisent pas les textes.
– Faire lire le titre (*Les 35 jeunes qui font bouger l'espace francophone en 2017*) et demander ce qu'il présente (*les Prix Jeunesse 3535*). Puis, faire repérer les éléments qui composent l'image (si possible, zoomer sur l'image). Noter les réponses au tableau.
b Poser la question à la classe et noter au tableau les hypothèses formulées par les apprenants.

> **Corrigé** **a.** Des photos de jeunes francophones (une mosaïque de photos) ; un prix/un trophée ; le titre : *Les 35 personnes qui font bouger l'espace francophone*.

Activité 9

Modalité : seul

▌**Objectif :** vérifier des hypothèses sur un article

– Demander aux apprenants de lire la consigne et le texte afin de vérifier les hypothèses émises à l'activité **8**.
– Faire réaliser l'activité individuellement.
– Procéder à la mise en commun en grand groupe, noter la réponse au tableau.

> **Corrigé** Les personnes récompensées : 35 jeunes francophones âgés de 18 à 35 ans qui ont à leur actif des réalisations exceptionnelles dans leur communauté.

Activité 10

Modalité : par deux

▌**Objectif :** affiner la compréhension d'un article

a, b, c – Faire lire les consignes et les présentations des lauréats (encadrés gris : **document 4**). Faire réaliser l'activité par deux. Pour chaque lauréat, on peut proposer de remplir une fiche comprenant les éléments suivants : nom du lauréat, pays d'origine, caractéristiques de l'innovation, réalisation(s), projet(s).
– Procéder à la mise en commun en grand groupe : interroger des apprenants ; noter les réponses au tableau après validation par la classe. Si le document est projeté, souligner dans le texte.
d Faire lire la consigne. Laisser les apprenants s'exprimer librement en justifiant leur choix.

> **Corrigé** **a.** Une mini-éolienne ; un sac solaire. Point commun : apporter l'éclairage dans des pays/zones où les gens n'ont pas accès à l'électricité.

b.

	Yebhe Mamadou Bah	Evariste Akoumian
Pays d'origine	la Guinée	la Côte-d'Ivoire
Nom	mini-éolienne Eol-Guinée	sac solaire Solarpak
Points forts / Caractéristiques	Démarre avec des vents très faibles, ne nécessite presque pas d'entretien.	Il est doté d'une plaquette solaire et d'une batterie qui se recharge à la lumière du jour. L'énergie stockée tout au long de la journée permet d'alimenter la lampe LED.

c.

	Yebhe Mamadou Bah	Évariste Akoumian
Réalisation(s)	A déjà installé quatorze mini-éoliennes en Guinée depuis 2014.	500 sacs ont été distribués gratuitement dans des villages sans électricité.
Projet(s)	Être représenté un peu partout en Afrique de l'Ouest.	Conquérir toute l'Afrique et le Moyen-Orient.

FOCUS LANGUE

Quelques structures pour expliquer l'utilité et le fonctionnement d'une innovation **page 124**

❚ **Objectif** : conceptualiser les structures pour expliquer l'utilité et le fonctionnement d'une innovation

– Faire lire la consigne et en vérifier la compréhension. Faire lire les extraits du **document 4**, activité **10b** (p. 121) et demander de les classer par deux dans le tableau (le projeter ou le faire reproduire).

– Procéder à la mise en commun en grand groupe : inviter des apprenants à venir au tableau pour classer les structures relevées. Faire valider par la classe. Faire observer les quatre types de structures découverts (pronom relatif ; verbe + préposition + nom ; adjectif + préposition ; verbe prépositionnel + infinitif). Si nécessaire, demander de les illustrer par d'autres exemples.

➢ **Corrigé**

Pour préciser l'utilité, la fonction, le fonctionnement d'une innovation, j'utilise...	
un pronom relatif	**un verbe + une préposition + un nom**
Une batterie **qui** se recharge à la lumière du jour... Une structure **qui** apporte l'éclairage de base.	Eol-Guinée **est spécialisée** <u>dans</u> la conception et la fabrication de mini-éoliennes. Ces éoliennes **démarrent** <u>avec</u> des vents très faibles.
un adjectif + une préposition	**un verbe prépositionnel + infinitif**
Une lampe LED **connectée** <u>à</u> la plaquette. Un sac **doté** <u>d'</u>une plaquette solaire et <u>d'</u>une batterie.	L'énergie stockée **permet** <u>d'</u>alimenter la lampe.

▶ S'exercer p. 179

À nous ! Activité 11 – **Nous présentons une innovation / une réalisation exceptionnelle.** 🗨️

Modalité : en petits groupes

❚ **Objectif** : transférer les acquis de la leçon

Présenter la tâche aux apprenants, faire lire les étapes et en vérifier la compréhension. Reprendre les groupes de trois ou quatre apprenants formés lors de l'activité **7**.

a, b et c – Demander à chaque groupe de reprendre leur réponse à l'activité **7** et de lister les éléments clés pour la présenter (les écrire au tableau : *nom et catégorie de l'innovation, pays d'origine, contexte, événement à l'origine, idée innovante, caractéristiques, objectif(s), contraintes pour réaliser les objectifs, utilité et fonctionnement*). Proposer aux groupes de réaliser l'activité sous forme de fiche.

– Passer dans les groupes pour vérifier le bon déroulement de l'activité. Inviter les apprenants à utiliser les pronoms relatifs composés ainsi que les structures pour expliquer l'utilité et le fonctionnement d'une innovation (**Focus Langue** p. 124 n° 1 et 2).

d et e Procéder à la mise en commun en grand groupe : chaque groupe présente son innovation ; la classe vote pour l'innovation la plus écologique ou sociale.

Leçon **2 Innovations françaises**

Tâche finale : vulgariser une découverte scientifique		
Savoir-faire et savoir agir	**Lexique**	**Sons et intonation**
– Expliquer simplement une découverte scientifique	– Quelques activités pour faire du sport et se relaxer – Partager une découverte scientifique	– Les sons [r] et [l]
– Présenter une innovation technologique	– Introduire un sujet dans une émission / un reportage (2)	

Activité 1 ▭

Modalité : en groupe

▌**Objectif** : vérifier la compréhension globale d'une une de magazine

Faire observer le **document 1** (si possible, le projeter). Demander aux apprenants de l'identifier (*c'est la une du magazine* Le Figaro santé) ; faire repérer le titre (*Prendre soin de son cerveau*) et les mots-clés (*mémoire, méditation, relaxation, sommeil*), en vérifier la compréhension, les noter au tableau ; faire dire le thème. S'assurer que toute la classe est d'accord. Noter le thème de l'article au tableau.

> ▷ **Corrigé** Le cerveau (prendre soin de son cerveau).

Activité 2 ▭

Modalité : en groupe

▌**Objectif** : identifier le lien thématique entre deux documents

Faire observer la photo du scanner **document 1** (si possible, la projeter et cacher la légende). Demander aux apprenants s'ils savent ce qu'est un scanner (*c'est un appareil d'imagerie médicale*) et à quoi il sert (*à créer des images du cerveau*).

a Faire lire la consigne et répondre à la question en grand groupe : faire identifier le lien avec la une du *Figaro santé* (**document 1**) (*avec un scanner, on peut étudier le cerveau*).

b Demander aux apprenants de lire la légende. Faire valider les hypothèses sur le scanner élaborées lors de l'activité **a**.

> ▷ **Corrigé** C'est la photo d'un aimant qui équipe le plus puissant scanner du monde consacré à l'étude du cerveau humain.

Activité 3 ▭

Modalité : par deux

▌**Objectif** : vérifier la compréhension globale d'un édito

– Faire observer le **document 2**. Le faire identifier (*c'est un article/un édito de Christophe Doré dans le magazine* Le Figaro santé).

– Faire lire les consignes, en vérifier la compréhension et faire réaliser l'activité par deux.

– Procéder à la mise en commun en grand groupe : pour la question **a**, interroger un apprenant et noter la réponse après validation par la classe ; pour le point **b**, si le document est projeté, inviter un apprenant à venir au tableau pour montrer les éléments composant l'édito.

> ▷ **Corrigé a.** C'est l'éditorial (édito) du magazine *Le Figaro santé*, un texte au début du magazine qui reflète l'orientation générale des articles du numéro et présente la thématique. **b.** L'abréviation « Édito » en haut à droite, la photo de l'auteur en haut à gauche, le titre de l'article au centre qui est une accroche pour séduire le lecteur, une phrase en gras au début de chaque paragraphe qui est l'idée principale du paragraphe (1. Annonce d'une information, introduction : installation d'un nouveau scanner ; 2. L'intérêt scientifique ; 3. De nouvelles découvertes sur le cerveau ; 4. Annonce de conseils pour améliorer le fonctionnement cérébral en terme de prévention, conclusion), la signature de l'auteur et son mél en bas à droite.

Activité 4 ▭

Modalités : seul puis en groupe

▌**Objectif** : identifier le lien entre deux documents

Faire lire l'introduction de l'édito (**document 2**). Faire répondre à la question en grand groupe.

> ▷ **Corrigé** Dans le premier paragraphe de cet édito, l'auteur donne une information : *passée relativement inaperçue : en mai dernier le centre NeuroSpin, situé près de Paris, et unique en Europe, a installé le plus gros scanner IRM humain jamais réalisé. Il s'agit du scanner présenté sur la photo du document 1.*

Activité 5 📖

▌ **Objectif :** affiner la compréhension d'un éditorial

– Faire lire les consignes **a** et **b** et en vérifier la compréhension. Faire lire le deuxième paragraphe de l'édito (**document 2**, n° 2) et faire répondre aux questions individuellement. Demander aux apprenants de comparer leurs réponses par deux.
– Procéder à la mise en commun en grand groupe : interroger des apprenants, noter les réponses au tableau (ou les mettre en évidence en les soulignant dans l'édito s'il est projeté) après validation par la classe. Pour le point **b**, élucider le lexique en proposant des illustrations à faire associer aux expressions utilisées pour décrire l'entretien d'une voiture. Faire remarquer que l'utilisation de ces expressions (connues de tous) est un moyen d'expliquer simplement (de vulgariser) ce que les spécialistes en neurosciences peuvent faire actuellement grâce à leurs connaissances.

> **Corrigé** **a.** On compare le cerveau au moteur à explosion d'une voiture, dans le but de vulgariser pour faire mieux comprendre le fonctionnement cérébral. **b.** Ce que la connaissance actuelle du cerveau permet de faire : on peut réaliser l'« entretien » du cerveau (comme pour le moteur d'une voiture : ajuster le niveau d'huile, remettre de l'eau dans le radiateur). Cependant on ne sait pas encore vraiment comment il fonctionne. Il est difficile d'effectuer des réparations plus importantes. *Cela sauve déjà des milliers de vies, réduit des handicaps, ouvre des perspectives sur des pathologies lourdes comme les maladies d'Alzheimer ou de Parkinson.* Ce que le scanner pourrait apporter : faire reculer d'autres maladies. *Dans les dix prochaines années, grâce à ces nouvelles connaissances, l'épilepsie, la schizophrénie, des risques de dépression vont reculer, espèrent les chercheurs.*

Activité 6 📖

▌ **Objectif :** affiner la compréhension d'un éditorial

– Faire lire les consignes **a** et **b** et le troisième paragraphe de l'édito (**document 2**, n° 3) et faire réaliser l'activité par deux.
– Procéder à la mise en commun en grand groupe : interroger des apprenants, faire valider les réponses par la classe et les écrire au tableau.

> **Corrigé** **a. Similitudes :** Il n'est pas si différent des autres organes du corps humain. Il se muscle, évolue et gère son énergie en fonction des sollicitations et de son environnement. **Différences :** Sa plasticité est exceptionnelle. Il ne s'use que si l'on ne s'en sert pas, il se fatigue plus vite si on le nourrit mal ou si ses besoins essentiels ne sont pas respectés. **b.** La méditation, la sophrologie, l'hypnose, les arts martiaux, le yoga.

> ▌ **FOCUS LANGUE**

Quelques activités pour faire du sport et se relaxer   **page 125**

▌ **Objectif :** conceptualiser les mots et expressions pour faire du sport et se relaxer

– Constituer des groupes de trois ou quatre apprenants ; désigner un secrétaire et un porte-parole dans chaque groupe. Faire lire les consignes, en vérifier la compréhension et faire réaliser l'activité.
– Procéder à la mise en commun en grand groupe. On pourra proposer une mise en commun sous forme de jeu (type Pictionnary) : le porte-parole d'un groupe vient dessiner au tableau, les autres groupes doivent deviner à quelle pratique son dessin correspond et donner leur définition.

> **Corrigé** **a.** La méditation : pratique mentale ou spirituelle d'approfondissement de la pensée. La sophrologie : méthode fondée sur l'hypnose et la relaxation, utilisée en thérapeutique. L'hypnose : état de conscience particulier, entre la veille et le sommeil, provoqué par la suggestion. Les arts martiaux : ensemble de sports de combat, d'origine japonaise et chinoise (le judo, l'aïkido, le karaté, etc.). Le yoga : discipline spirituelle et corporelle qui vise à libérer l'esprit des contraintes du corps par la maîtrise de son mouvement, de son rythme et du souffle. L'assouplissement : exercices pour rendre son corps plus souple.

▶ S'exercer p. 180

Activité 7 📖

▌ **Objectif :** affiner la compréhension d'un éditorial

– Faire lire la consigne et la conclusion de l'édito (**document 2**, n° 4) et faire réaliser l'activité par deux.
– Procéder à la mise en commun en grand groupe : interroger des apprenants, faire valider la réponse par la classe et la noter au tableau.

▷ **Corrigé** Comme on fait ses exercices d'assouplissement ou de gainage, pour conserver souplesse et musculature, quelques heures consacrées au bien-être du cerveau devraient s'imposer dans notre quotidien, de manière préventive.

▶ FOCUS LANGUE

Partager une découverte scientifique   **page 125**

■ **Objectif** : conceptualiser les mots et expressions pour vulgariser

Demander aux apprenants de prendre connaissance de ce **Focus langue** (si possible le projeter). Pour une meilleure compréhension, proposer à plusieurs apprenants de lire cet encadré pendant que la classe se reporte au **document 2**. Pour chaque point, demander aux apprenants de citer un extrait du document.

Activité 8

Modalité : en petits groupes

■ **Objectif** : échanger des opinions sur un thème

– Constituer des groupes de trois ou quatre apprenants ; désigner un porte-parole dans chaque groupe. Faire lire la consigne (en vérifier la compréhension) et faire répondre. Inciter les apprenants à utiliser les mots et expressions des **Focus langue** p. 125 pour préciser leur propos.

– Procéder à la mise en commun en grand groupe : interroger les porte-parole pour partager les échanges de chaque groupe avec la classe. Pour l'activité **b**, noter au tableau les exemples cités par les apprenants.

Activité 9 ∩▸71

Modalité : seul

■ **Objectif** : vérifier la compréhension globale d'une émission de radio

– Faire observer le visuel du **document 3** et demander au groupe ce que l'on va écouter (*une émission de radio sur France Musique*). Valider en annonçant aux apprenants qu'ils vont écouter la première partie de l'émission *Musique et web* diffusée sur France Musique.

– Faire lire les consignes. Procéder à une ou deux écoutes. Faire réaliser l'activité individuellement. Demander aux apprenants de comparer les réponses par deux.

– Procéder à la mise en commun en grand groupe. Interroger des apprenants, faire valider leurs réponses par la classe et les noter au tableau (mettre en évidence le thème : *l'impression 3D* ; faire dire que 3D = trois dimensions).

> ▷ **Transcriptions**
>
> **Journaliste :** Bonjour Sophie Dupuis.
>
> **Sophie Dupuis :** Bonjour à tous.
>
> **Journaliste :** Ce matin, vous nous parlez de l'impression 3D, une technologie qui s'invite dans le domaine musical.
>
> **Sophie Dupuis :** Avez-vous entendu parler de saxophones ultra-légers en Nylon, de violons futuristes en résine, de guitares en aluminium ou de clarinettes en Plexiglas ? Eh bien, ces instruments existent et sont fabriqués grâce à une imprimante 3D. Cette machine, née dans les années 2000, permet d'imprimer de vrais objets. Figurez-vous que de plus en plus de luthiers utilisent ce type d'imprimantes pour fabriquer leurs instruments. Un vent d'innovation souffle sur la fabrication instrumentale et, cocorico !, les Français sont à la pointe. D'ailleurs, écoutez ceci.
>
> > ▷ **Corrigé a.** L'impression 3D, une technologie qui s'invite dans le domaine musical. **b.** Des saxophones, des violons, des guitares, des clarinettes. **c.** Ils sont fabriqués grâce à une imprimante 3D (cette machine née dans les années 2000) qui permet d'imprimer de vrais objets.

Activité 10 ∩▸71

Modalité : par deux

■ **Objectif** : affiner la compréhension d'une émission de radio

– Faire lire les consignes. Faire réécouter l'enregistrement et faire réaliser l'activité par deux.

– Procéder à la mise en commun en grand groupe. Interroger des apprenants, noter les réponses au tableau après validation par la classe. Vérifier la compréhension du lexique (question **a** : instruments et matériaux ; question **c** : adjectifs utilisés pour qualifier l'instrument entendu).

> ▷ **Corrigé a.** Parce qu'ils sont réalisés à l'aide de matériaux très originaux : un saxophone en Nylon, une guitare en aluminium, une clarinette en Plexiglas, un violon en résine. **b.** « Cocorico » est l'onomatopée illustrant le cri du coq, emblème de la France. Les Français sont à la pointe dans le domaine de l'impression 3D musicale. **c.** L'instrument entendu est un violon électrique. Il est futuriste, moderne, étrange, désagréable, etc.

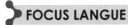

FOCUS LANGUE

Introduire un sujet dans une émission / un reportage (2)   page 125

▌**Objectif** : conceptualiser les mots et expressions pour introduire un sujet

a Faire lire l'extrait de l'émission *Musique et web* (**document 3** et activité **10** p. 123). S'il est projeté, mettre en évidence les expressions soulignées dans l'extrait (les souligner en couleur par exemple) afin d'aider au repérage et à la conceptualisation (**b**).

b Faire réaliser l'activité par deux. Puis procéder à la mise en commun en grand groupe : interroger des apprenants, faire valider les réponses par la classe et les écrire au tableau.

▹ **Corrigé**

1. Expliquer ou justifier une information donnée.	*D'ailleurs...*
2. Demander à son interlocuteur s'il connaît quelque chose.	*Avez-vous entendu parler de...*
3. Introduire un élément d'information que l'on veut communiquer.	*Eh bien...*
4. Attirer l'attention de son interlocuteur, en soulignant la nature surprenante d'une information.	*Figurez-vous (que)...*

▶ S'exercer p. 180

Activité 11 🎧▸72

Modalités : en groupe puis par deux

▌**Objectif** : affiner la compréhension d'une émission de radio

Annoncer aux apprenants qu'ils vont écouter la deuxième partie de l'émission *Musique et web* diffusée sur France Musique.

a Procéder à une première écoute globale. Faire répondre à la question en grand groupe. Noter les réponses pertinentes au tableau.

b et **c** – Faire lire les consignes et demander de réaliser les activités par deux. Proposer une à deux écoutes supplémentaires (d'abord séquentielle puis continue).

– Procéder à la mise en commun en grand groupe : interroger trois apprenants pour énoncer les trois étapes de la fabrication du 3DVarius et le temps nécessaire. Après validation par la classe, noter les réponses au tableau. Mettre en évidence les marqueurs temporels qui permettent d'établir la chronologie de la fabrication *(d'abord, puis, ensuite)*.

▹ **Transcriptions**

Journaliste : Et... qu'est-ce que c'est ?

Sophie Dupuis : Ça vous plaît ?

Journaliste : J'adore !

Sophie Dupuis : Eh bien, il s'agit du son produit par un 3DVarius, le premier violon électrique réalisé grâce à une imprimante 3D. Ce modèle a été mis au point en 2016 par Laurent Bernadac, ingénieur et musicien. Bon, le son n'est clairement pas celui des fameux violons italiens...

Journaliste : On ne va pas se mentir !

Sophie Dupuis : Mais niveau design, ça décoiffe ! On se croirait dans un film de Luc Besson : transparent et épuré, le 3Dvarius est fabriqué dans une résine liquide solidifiée au laser. Rien que ça.

Journaliste : Alors, combien de temps prend la fabrication de ce 3DVarius ?

Sophie Dupuis : Plusieurs jours. Il y a d'abord l'impression de l'instrument par la machine, en vingt-quatre heures. Puis certaines parties sont polies pendant deux jours. Ensuite, une demi-journée est nécessaire au montage. Malgré tout, réaliser un instrument sur une imprimante 3D est encore difficile : ces machines coûtent 5 000 euros – pour les moins chères – et le prix n'est pas le seul obstacle.

Journaliste : C'est-à-dire ?

Sophie Dupuis : La plupart des instruments acoustiques, difficiles à fabriquer, sont aujourd'hui impossibles à imprimer en 3D car les machines manquent encore de précision. Les instruments risquent de sonner faux, comme ce saxophone en Nylon...

▹ **Corrigé** **a.** C'est le premier violon électrique, réalisé grâce à l'impression 3D (par un Français en 2016). Son nom vient de 3D et du Stradivarius en référence au violon italien. **b.** Étape 1 : il y a d'abord l'impression de l'instrument par la machine, en 24 heures. Étape 2 : puis certaines parties sont polies pendant deux jours. Étape 3 : ensuite, une demi-journée est nécessaire au montage.
c. Le prix : *réaliser un instrument sur imprimante 3D est encore difficile : ces machines coûtent 5 000 euros.* La qualité : *La plupart des instruments acoustiques sont aujourd'hui impossibles à imprimer en 3D car les machines manquent encore de précision. Les instruments risquent de sonner faux.*

Les sons [r] et [l] 🎧 ⏵74   **page 124**

Objectifs : distinguer et prononcer les sons [r] et [l]

Ce point permet de travailler la discrimination entre les deux sons [r] et [l] et d'insister sur la prononciation de la consonne *r* dans des groupes consonantiques notamment.

– Faire écouter les trois exemples et les noter au tableau afin d'identifier les deux consonnes *r* et *l* contenues dans ces trois mots. Faire remarquer que le premier mot *transparent* contient deux fois le son [r], le mot *complexe* contient une fois le son [l] et le mot *clarinette* contient les deux sons, avec le son [l] en première position.

– Demander aux apprenants de reproduire le tableau à compléter, faire écouter les mots de l'activité et leur proposer de placer les mots dans la bonne colonne en petits groupes de trois ou quatre apprenants.

– Procéder à la mise en commun en grand groupe. Faire relire chaque colonne séparément en petits groupes, puis en classe entière.

    ▷ **Transcriptions**

    transparent – complexe – clarinette – obstacle – ultra – souffler – extraordinaire – instrumental – imprimante – plexiglas – fabrication – électrique

    ▷ **Corrigé**

[r]	[l]	[r] et [l]
transparent	complexe	clarinette
imprimante	plexiglas	ultra
fabrication	souffler	instrumental
extraordinaire	obstacle	électrique

▶ **Précis de phonétique p. 196**

▶ **S'exercer p. 180**

Pour aller plus loin

L'activité des pages S'exercer *est un renforcement pour différencier les deux sons* [r] *et* [l] *et pour renforcer l'articulation du son* [r].

À nous ! **Activité 12 – Nous vulgarisons une découverte scientifique.** 🗨 ✏

                                                             Modalités : en petits groupes puis en groupe

▌**Objectif** : transférer les acquis de la leçon

Présenter la tâche aux apprenants, faire lire les étapes et en vérifier la compréhension. Reprendre les groupes formés lors de l'activité **8**. Désigner un nouveau secrétaire et un nouveau rapporteur dans chaque groupe.

a Demander à chaque groupe de choisir un sujet dans la liste de sujets traités dans des magazines / émissions élaborée à l'activité **8b**.

b Demander à chaque groupe de faire des recherches sur ce sujet (si la classe est connectée, sur Internet ; sinon, prendre le temps de les orienter vers une bibliothèque ou une médiathèque).

c – Diviser chaque groupe en deux et attribuer à chaque petit groupe une tâche : les groupes A devront préparer une introduction et une présentation audio du sujet choisi et s'enregistrer ; les groupes B devront rédiger un article de vulgarisation sur le sujet.

   – Passer dans les groupes pour veiller au bon déroulement de l'activité. Inciter les apprenants à réinvestir les structures, les mots et les expressions vus dans la leçon 2 (structures pour introduire un sujet dans une émission / un reportage, lexique pour partager une découverte scientifique).

d Procéder à la mise en commun : inviter chaque groupe à présenter son travail à la classe, puis regrouper l'ensemble des présentations pour réaliser le recueil des découvertes scientifiques de la classe.

Leçon **3** Économie de l'innovation

Tâche finale : rédiger un billet d'opinion			
Savoir-faire et savoir agir	**Grammaire**	**Lexique**	**Sons et intonation**
– Faire comprendre un concept innovant		– Parler de l'économie de l'innovation – Expliquer quelque chose à quelqu'un	– La prononciation ou non du « e »
– Exprimer une opinion	– Établir une progression chronologique dans une argumentation	– Identifier les caractéristiques du texte d'opinion	

Activité 1 🎧»76

Modalité : en groupe

▌**Objectif** : vérifier la compréhension globale d'une émission

Annoncer aux apprenants qu'ils vont écouter une émission diffusée sur une radio belge (**document 1**). Dans un premier temps, ils vont entendre la première partie. Proposer une écoute globale afin de faire identifier par le groupe la situation de communication (*Qui parle ? Un animateur et un invité, Hugo Vanhecker. De quoi parle-t-on ? De Creatis, un incubateur de projets à Bruxelles.* Noter ces informations au tableau. Faire formuler le sujet du jour.

> ▹ **Transcriptions**

Voix off : Vous écoutez Radio Belgique.

Animateur : On parle économie à 7 heures 40 et vous nous parlez, Hugo Vanhecker, incubateur d'entreprises. Mais d'abord, un petit rappel : c'est quoi un incubateur ?

Hugo Vanhecker : Eh bien, c'est un espace physique qui accueille des porteurs de projets pendant une période dite d'incubation – c'est logique – au cours de laquelle ils vont recevoir des conseils, un accompagnement. Ils vont être mis en contact avec celles et ceux qui peuvent les aider à démarrer leur entreprise. L'objectif étant, bien sûr, d'accélérer le processus de création mais aussi d'augmenter leurs chances de succès.

Animateur : Un nouvel incubateur a vu le jour hier à Bruxelles. C'est un incubateur un peu particulier, non ?

Hugo Vanhecker : Le nouveau venu, appelé Creatis, est spécialisé dans l'incubation de projets culturels et créatifs. Pourquoi ? Eh bien parce que de plus en plus de ces projets sont abordés et mis sur le marché comme des entreprises. Pourtant, ils ont encore des besoins particuliers, et les promoteurs de Creatis ont voulu leur consacrer un incubateur spécialisé.

> ▹ **Corrigé** La création d'un incubateur (de projets culturels) à Bruxelles, Creatis.

Activité 2 🎧»76

Modalité : seul

▌**Objectif** : vérifier la compréhension globale d'une émission de radio

– Faire lire les consignes, faire réécouter l'enregistrement : proposer une écoute séquentielle (faire des pauses pour que les apprenants aient le temps de repérer les éléments), et faire réaliser l'activité individuellement.
– Proposer aux apprenants de comparer leurs réponses par deux puis procéder à la mise en commun en grand groupe. Noter les réponses au tableau.

> ▹ **Corrigé a.** *Un incubateur, c'est…* un espace physique qui accueille des porteurs de projets pendant une période d'incubation (au cours de laquelle), ils vont recevoir des conseils, un accompagnement. **b.** 1. Accélérer le processus de création et augmenter les chances de succès (en mettant en contact les porteurs de projets et ceux qui peuvent les aider à démarrer leur entreprise). 2. C'est un incubateur spécialisé dans l'incubation de projets culturels et créatifs. 3. Les projets culturels ont des besoins particuliers, ils nécessitent parfois une approche particulière.

FOCUS LANGUE

Parler de l'économie de l'innovation   **page 131**

▌**Objectif** : conceptualiser les mots et expressions pour parler de l'économie de l'innovation

– Constituer des groupes de trois apprenants. Faire lire la consigne et les mots du nuage (les projeter si possible) ; en vérifier la compréhension. Faire réaliser l'activité.

– Procéder à la mise en commun en grand groupe : demander à chaque groupe de lire sa définition du terme « incubateur d'entreprises ». Les noter. Reformuler avec les apprenants afin d'arriver à une seule définition commune.

> ▹ **Corrigé** *Proposition de réponse.* Un incubateur d'entreprises accueille les porteurs de projets pendant une période d'incubation. Il propose un accompagnement et aide les porteurs de projets à démarrer leur entreprise. L'incubateur augmente les chances de succès et accélère le processus de création. Il existe aussi des incubateurs spécialisés dans différents domaines, par exemple dans le domaine culturel. Ils s'adaptent aux besoins des porteurs de projets culturels. Ils les aident à mieux aborder, lancer et mettre sur le marché leurs projets avec une approche particulière.

▸ S'exercer p. 181

Activité 3 🎧 ▶77   Modalité : par deux

▌**Objectif** : affiner la compréhension d'une émission de radio

– Annoncer aux apprenants qu'ils vont écouter la deuxième partie de l'émission : proposer une première écoute globale puis une écoute séquentielle afin de laisser le temps de la prise de notes. Faire lire les consignes et réaliser l'activité par deux.

– Procéder à la mise en commun en grand groupe. Faire noter les réponses au tableau. Pour le **c**, recopier la définition au tableau et inviter un apprenant à la compléter.

> ▹ **Transcriptions**
>
> **Animateur :** Et qui est à l'origine de ce projet ?
>
> **Hugo Vanhecker :** Eh bien, cet incubateur existait déjà en France et les parrains français se sont alliés avec la banque ING et avec KissKissBankBank.
>
> **Animateur :** Pardon ?
>
> **Hugo Vanhecker :** KissKissBankBank… Bank avec un K, comme une banque en anglais. C'est en fait une plate-forme de crowdfunding – souvenez-vous, on en avait parlé récemment, ce financement par la foule, par des micro-investisseurs – eh bien c'est un partenaire de Creatis.
>
> **Animateur :** Joli jeu de mots ! KissKissBankBank. Quels sont les secteurs qui seront concernés ?
>
> **Hugo Vanhecker :** Eh bien, les incubés pourront couvrir une grosse dizaine de domaines tels que les médias, l'animation, la musique, l'architecture, la mode, les arts culinaires, etc. Mais l'incubateur va privilégier des activités innovantes liées au numérique et qui ont vraiment un potentiel de croissance. Bref, à suivre, on en reparlera certainement dans les prochains mois.
>
> ▹ **Corrigé** **a.** Ce sont les partenaires français de Creatis. **b.** Il ne comprend pas le nom « KissKissBankBank ». Il dit : « Pardon ? » **c.** D'abord, il épelle *Bank* avec un *K*, ensuite il traduit : *comme une banque en anglais*, puis il explique : *C'est en fait une plate-forme de crowdfunding.* Enfin, il fait appel à la mémoire du présentateur et des auditeurs : *Souvenez-vous, on en avait parlé récemment…*

FOCUS LANGUE

Expliquer quelque chose à quelqu'un   **page 131**

▌**Objectif** : conceptualiser les mots et expressions pour expliquer quelque chose à quelqu'un

– Faire lire la consigne et les extraits du **document 1** (activités **3b** et **3c**, p. 126). Les faire associer à une des trois fonctions listées dans le tableau (le projeter si possible sinon le reproduire).

– Demander aux apprenants de recopier le tableau et de le compléter par deux.

– Procéder à la mise en commun en grand groupe : demander à un apprenant de venir compléter le tableau. Faire valider ses réponses par la classe. Faire expliquer les différentes fonctions.

> ▹ **Corrigé**

Fonction	Extrait
Exprimer une incompréhension (en français soutenu)	*Pardon ?*
Définir simplement quelque chose	C'est en fait… ; eh bien c'est…
Rappeler quelque chose à quelqu'un	Souvenez-vous… ; On en avait parlé…

▸ S'exercer p. 181

Activité 4 🎧»77

▌ **Objectif** : affiner la compréhension d'une émission de radio

– Faire lire la consigne et réécouter la deuxième partie de l'émission dans son intégralité afin de faire lister les domaines concernés par le projet.
– Demander aux apprenants de réaliser l'activité par deux.
– Procéder à la mise en commun en grand groupe. Noter les réponses au tableau.

> ▷ **Corrigé** Une grosse dizaine de domaines tels que les médias, l'animation, la musique, l'architecture, la mode, les arts culinaires, des activités innovantes liées au numérique.

Activité 5 📖

▌ **Objectif** : justifier le choix d'un titre de brève

– Faire observer le **document 2** (le projeter si possible) et le faire identifier *(c'est un article intitulé* 300 Under 30 Europe : la génération montante*)*. Dire que ce genre d'article est *une brève* et faire expliquer le terme *(l'article est court / bref)*.
– Faire lire la brève et demander de justifier le choix du titre. Faire ressortir au tableau les termes clés *(classement, jeunes de moins de 30 ans, prometteurs, 300 jeunes à suivre, intelligence artificielle, start-up)*. En vérifier la compréhension.

> ▷ **Corrigé** Le titre : *300 Under 30 Europe : la génération montante*. L'article présente le classement *Forbes* des jeunes Européens de moins de 30 ans qui ont ou vont réaliser des choses exceptionnelles / innovantes dans les domaines des sciences et des arts, des nouvelles technologies et du sport.

Activité 6 📖

▌ **Objectif** : vérifier la compréhension globale d'une brève

– Faire relire le **document 3** (le projeter si possible). Faire répondre aux questions individuellement puis faire comparer les réponses par deux.
– Procéder à la mise en commun en grand groupe. Noter les réponses au tableau sous la dictée des apprenants.

> ▷ **Corrigé** **a.** Marjolaine Grondin a 27 ans. Elle fait partie des 26 Français qui figurent dans le classement européen. Elle est la fondatrice de Jam, une application utilisant l'intelligence artificielle, développée au sein d'un incubateur. **b. Les critères retenus pour ce classement :** avoir moins de 30 ans, s'illustrer ou être prometteur dans le domaine des sciences et des arts, des nouvelles technologies ou du sport.

Activité 7 💬

▌ **Objectif** : échanger sur un thème

– Constituer des groupes de trois ou quatre apprenants ; désigner un secrétaire qui prendra des notes sur les échanges, et un porte-parole qui fera part de ces échanges lors de la mise en commun.
– Faire lire la consigne. Après en avoir vérifié la compréhension, inviter les apprenants à répondre aux questions.
– Procéder à la mise en commun en grand groupe : demander au porte-parole de chaque groupe de présenter les échanges de son groupe à la classe.

Activité 8 📖

▌ **Objectif** : vérifier la compréhension globale d'un article

– Faire observer le **document 3**. Le faire identifier *(c'est un article publié dans le magazine* Forbes*)*.
– Faire lire les consignes et en vérifier la compréhension. Puis faire réaliser l'activité individuellement et faire comparer les réponses par deux.
– Procéder à la mise en commun en grand groupe : interroger des apprenants et noter les réponses après validation par la classe. Faire dire que l'article est un billet d'opinion et expliquer en quoi ce type d'écrit consiste *(prendre position/ donner son opinion sur un sujet)*.

> ▷ **Corrigé** **a.** Auteur : Xavier Niel ; profession : entrepreneur pour le groupe Iliad. **b.** Intention de l'auteur : donner son opinion sur un sujet important et présenter le concept de Station F. **c.** Paragraphe 1 : introduire sa prise de position et donner des arguments pour convaincre ; paragraphe 2 : présenter un problème et la solution proposée ; paragraphe 3 : mettre en avant Station F et conclure sur une note positive.

Activité 9 📖

▌**Objectif** : affiner la compréhension d'un article

– Demander de relire le premier paragraphe du billet d'opinion de Xavier Niel (**document 3**).

– Faire lire les consignes **a** et **b**, en vérifier la compréhension et faire réaliser les activités par deux.

– Procéder à la mise en commun en grand groupe. Pour la question **a**, si le texte est projeté au tableau, inviter un apprenant à venir souligner les arguments ; sinon, les noter. Ces extraits serviront de corpus à la conceptualisation dans le **Focus langue** p. 130.

c – Demander aux apprenants de lire la question et d'échanger en petits groupes. Puis lister les arguments de chaque groupe lors de la mise en commun.

> ▷ **Corrigé** **a.** Argument 1 : *Tout a déjà changé avec l'explosion du numérique.* Argument 2 : *Il est devenu beaucoup plus facile de créer une entreprise.* **b.** Argument 1 : *Prenez l'exemple de Google ou de Snapchat, le coût de leur création n'excède pas quelques dizaines de milliers d'euros.* Argument 2 : *Alors que, dans ma jeunesse, un entrepreneur en bâtiment, ou dans les télécoms, ou dans n'importe quel métier, devait acheter des machines, faire de lourds investissements...*

▶ FOCUS LANGUE

Établir une progression chronologique dans une argumentation   **page 130**

▌**Objectif** : conceptualiser les structures pour établir une progression chronologique

– Faire lire la consigne. Proposer de se reporter au billet d'opinion de Xavier Niel (**document 3** p. 127). Faire réaliser l'activité par deux. Si possible, projeter le tableau à compléter, sinon le faire reproduire.

– Procéder à la mise en commun en grand groupe. Noter les réponses des apprenants. Faire expliquer les différentes fonctions découvertes.

> ▷ **Corrigé**

*Cela **fait** trente ans **que** je suis entrepreneur.*	préciser le contexte
*Mon expérience **n'**est **plus** un exemple.*	parler d'un fait qui n'est plus actuel
***Tout** a **déjà** changé avec l'explosion du numérique.*	souligner un changement
***Alors que**, dans ma jeunesse..., il est devenu...* (*Alors que* + marqueur temporel + imparfait..., *il est devenu...*)	comparer une situation actuelle et une situation passée
*ce qui **est** en train de se passer* (être en train de + infinitif)	parler d'une action en cours
*Il commence **à**...* (commencer à + infinitif) *Quelque chose se met **à** bouger...* (se mettre à + infinitif)	parler d'une action qui commence

▶ **Précis de grammaire p. 212**

▶ **S'exercer p. 181**

Activité 10 📖

▌**Objectif** : affiner la compréhension d'un article

– Faire lire la consigne et le deuxième paragraphe du billet d'opinion (**document 3**).

– Par deux, demander de retrouver dans le texte le problème soulevé par l'auteur et la solution proposée.

– Procéder à la mise en commun : noter les réponses des apprenants au tableau.

> ▷ **Corrigé** **Le problème :** c'est qu'il n'y a pas aujourd'hui un Facebook ou un Snapchat français susceptibles de constituer un exemple. **La solution :** à nous de découvrir ces jeunes, de leur donner envie, de les aider. C'est le rôle de Station F.

Activité 11 📖

▌**Objectif** : affiner la compréhension d'un article

– Constituer des groupes de trois ou quatre apprenants. Leur demander de lire le troisième paragraphe du billet d'opinion (**document 3**).

– Faire lire les consignes et réaliser l'activité.

– Procéder à la mise en commun en grand groupe et noter les réponses au tableau.

> **Corrigé** a. *Le premier incubateur au monde créé par Facebook est à Station F. C'est un lieu différent, sympa, fun… une ville dans la ville. Il y a six rues et tout est encore en travaux. Les quatorze personnes qui gèrent Station F ont six passeports différents et parlent au moins huit langues. Station F, ce n'est pas seulement un gigantesque campus de start-up, ni seulement le premier grand aménagement d'une gare depuis le musée d'Orsay, c'est un phare qui va attirer les regards en Europe et dans le monde… c. Paris devient la troisième ville au monde pour les start-up. Nos plus belles réussites françaises de ces dernières années sont des entreprises qui sont restées en France et ont été rachetées par les États-Unis.*

> **FOCUS LANGUE**

Identifier les caractéristiques du texte d'opinion   **page 131**
▌**Objectif** : identifier les caractéristiques du texte d'opinion
– Projeter le tableau du **Focus langue**. Le faire observer. En vérifier la compréhension : faire illustrer en grand groupe les caractéristiques du texte d'opinion par d'autres exemples.
▸ **S'exercer p. 182**

À nous ▌ **Activité 12 – Nous rédigeons un billet d'opinion.** 💬 ✏   **Modalités** : en petits groupes puis en groupe

▌**Objectif** : transférer les acquis de la leçon
Présenter la tâche aux apprenants, faire lire les étapes et en vérifier la compréhension. Reprendre les groupes formés lors de l'activité **7** p. 126 ; désigner un porte-parole par groupe.
a Demander à chaque groupe de reprendre ses réponses à l'activité **7** p. 126.
b Demander ensuite à la classe de reprendre les critères retenus pour le classement des meilleurs incubateurs (activité **6b** p. 126) et de sélectionner les plus pertinents ou bien d'en choisir d'autres. Les lister au tableau.
c Sur le modèle du billet d'opinion de Xavier Niel, et en reprenant les paragraphes et leurs fonctions (activité **8c**), demander à chaque groupe de rédiger un billet d'opinion sur l'incubateur de son choix. Inciter les apprenants à utiliser les notions découvertes dans la leçon 3 (voir les **Focus langue** n° 1 p. 130 et n° 1, 2 et 3 p. 131). Passer dans les groupes pour vérifier le bon déroulement de l'activité.
d et e Faire afficher les billets dans la classe puis procéder à la mise en commun en grand groupe. Demander à chaque porte-parole de lire le billet rédigé par son groupe. Les autres groupes classent les incubateurs présentés en fonction des critères retenus en **b**.

Leçon **4** Progrès et dérives
                                                                                pages 128-129

Tâche finale : exprimer ses doutes, ses inquiétudes et ses certitudes			
Savoir-faire et savoir agir	**Grammaire**	**Lexique**	**Sons et intonation**
– Imaginer le futur	– L'expression du doute et de la certitude		– La prononciation ou non du « e »
– Envisager les conséquences positives et négatives d'une innovation		– Humaniser un objet – Expliquer l'inquiétude	

Activité 1 📖
                                                                                Modalité : en groupe
▌**Objectif** : décrire une photo
– Faire lire la consigne et observer la photo du **document 1**. La projeter si possible.
– Faire décrire la photo. Noter les réponses au tableau sous la dictée des apprenants.
> **Corrigé** C'est un robot ; il semble grand ; il est blanc et bleu ; il ressemble à un jouet…

Activité 2 📖

Objectif : vérifier la compréhension d'un article

– Avant de réaliser l'activité, faire identifier le **document 1** (*c'est un article publié sur le site Internet Bien vivre chez soi, sur le thème des robots*). Faire élaborer des hypothèses sur le contenu de l'article.

– Faire lire les consignes, le texte et réaliser l'activité par deux.

– Procéder à la mise en commun en grand groupe. Interroger quelques apprenants ; noter leurs réponses au tableau sous leur dictée après validation par la classe. Vérifier la compréhension des termes : *retraités / maisons de retraite, autonomes, compagnons*.

> **Corrigé** **a.** Un (robot) assistant à la personne. **b.** Ces nouveaux compagnons ; l'œuvre de la start-up parisienne ; cet humanoïde d'1 mètre 40 ; un véritable assistant et compagnon personnel ; le robot ; l'humanoïde. **c.** Il peut marcher, voir et parler. Il peut prendre des rendez-vous. Si la personne âgée oublie ses médicaments, il va le lui signaler. Il peut aussi contacter un médecin.

Infos culturelles

SoftBank Robotics est une société de robotique japonaise d'origine française. C'est un des leaders mondiaux dans le domaine de la robotique humanoïde, notamment dans la sphère professionnelle. Elle a développé plusieurs modèles de robots destinés à l'aide à la programmation, l'enseignement et la recherche ou bien à l'aide aux personnes ou encore aux relations clients ou usagers en entreprise.

▶ FOCUS LANGUE

Humaniser un objet   **page 131**

▌**Objectif** : repérer des procédés utilisés pour humaniser un objet

a Faire lire la consigne et l'exemple. Vérifier la compréhension du terme *humaniser (rendre humain)*.

b Demander de relire les extraits du **document 1** (activité **2c** p. 128) et de repérer les différents procédés pour humaniser un robot par deux. Lors de la mise en commun, les noter au tableau sous la dictée des apprenants.

> **Corrigé** On lui a donné un prénom. On lui attribue un métier (assistant à la personne) et on le dote d'un aspect affectif (un compagnon personnel).

Activité 3 📖

▌**Objectif** : extraire des informations d'une image

– Faire observer le visuel du **document 2** (image extraite de la vidéo **7**) et faire lire la consigne.

– Poser la question au groupe. Noter les hypothèses formulées au tableau.

> **Corrigé** Ces images sont des photos des innovations (robots intelligents) qui vont être présentées dans le reportage.

Activité 4 ▶ 7

Objectifs : vérifier la compréhension d'un reportage ; identifier les fonctions d'un robot

Constituer des groupes de trois ou quatre apprenants. Désigner un porte-parole par groupe.

a et b – Avant de réaliser l'activité, visionner la vidéo dans son intégralité afin d'identifier le thème du reportage (*c'est un reportage qui présente des robots intelligents créés par des grandes sociétés internationales et par des start-up françaises*).

– Faire lire les consignes **a** et **b** et réaliser l'activité. Faire reproduire le tableau à compléter ou le projeter. Faire visionner à nouveau la vidéo mais de façon séquentielle : faire des pauses pour laisser aux groupes le temps de compléter les fonctions des différents robots.

– Procéder ensuite à la mise en commun en grand groupe : inviter les porte-parole de chaque groupe à venir compléter le tableau (reproduit ou projeté) ; faire valider les réponses par la classe. Puis, demander aux apprenants de lister les fonctions vues dans le reportage (si besoin, le visionner pour valider les réponses) ; en vérifier la compréhension.

> **Transcriptions**
> **Voix off :** Jérôme Bouteiller est un homme branché.
> **Jérôme Bouteiller :** Ok Google, bonjour !
> **Google Home :** Bonjour Jérôme ! Ça fait plaisir de vous entendre !
> **Voix off :** Depuis deux mois, il utilise sa borne d'assistance vocale.

Jérôme Bouteiller : Quels sont mes prochains rendez-vous ?

Voix off : Plutôt que de se plonger dans les écrans d'Internet, il préfère poser les questions les plus variées.

Jérôme Bouteiller : Quelle est la recette du gâteau au chocolat ?

Google Home : Faire fondre le chocolat...

Voix off : La borne fait maintenant partie de la famille. Mais ce n'est pas qu'un gadget, la domotique révolutionne la vie quotidienne.

Jérôme Bouteiller : On pourra demain dialoguer avec un réfrigérateur connecté, des ampoules ou sa voiture grâce à la voix. C'est vraiment une interface pour dialoguer avec les machines mais une interface universelle.

Voix off : Il n'y a pas que les Américains ou les Asiatiques leaders en intelligence artificielle, en France aussi ! Cette start-up française a créé en 2013 cette petite pyramide. Grâce à l'application du smartphone dès que vous entrez dans la pièce, sans intervention de votre part, elle diffuse sur une enceinte la musique que vous aimez. Une autre personne arrive, la mélodie change. À plusieurs, la pyramide choisit sur Internet parmi des milliers, un titre qui devrait faire l'unanimité. L'objet est intuitif.

Pierre Gochgarian, PDG de Prizm : C'est-à-dire qu'il va comprendre petit à petit que vous aimez du rap mais pas tel artiste, que vous aimez du jazz quand vous vous levez le matin mais pas quand vous rentrez le soir, après le travail. Voilà. Donc c'est toutes ces interactions que vous faites avec l'objet qui vont lui apprendre à mieux vous connaître.

Voix off : Et voici le robot créé par une autre start-up française. Il vous suit partout, obéit au son de votre voix et projette où vous voulez les vidéos ou des films trouvés sur Internet.

Pierre Lebeau, PDG fondateur de Keecker : Projete sur le mur. Projete sur le plafond.

Voix off : Même si les Français n'ont pas encore totalement adopté les robots dans leur intimité, le potentiel est immense.

Pierre Lebeau, PDG fondateur de Keecker : Les perspectives, elles sont très intéressantes parce que c'est la première fois qu'on a une machine qui va nous répondre et faire exactement ce qu'on lui demande. Un peu comme un petit chien... ben là, c'est toute la technologie qui nous obéit au doigt et à l'œil.

Voix off : Capable de se recharger tout seul, il peut veiller à la sécurité grâce à sa caméra intégrée et mettre de l'ambiance dans vos soirées. Avec un investissement de 2 300 000 000 euros et 180 start-up spécialisées, la France a les atouts pour devenir un des leaders en intelligence artificielle. De quoi faire la fête !

▷ **Corrigé**

Type de robot domestique	a. Fonctions	b. Fonctions vues dans le reportage
La borne d'assistance vocale Google Home	Il organise vos rendez-vous.	
	Il répond à vos questions.	✔
La pyramide Prizm	Il diffuse sur une enceinte la musique que vous aimez sans intervention de votre part.	✔
	Il adapte la musique aux personnes qui entrent dans la pièce.	✔
	Il choisit sur Internet parmi des milliers, un titre qui devrait faire l'unanimité dans un groupe.	✔
Le robot Keecker	Il obéit à la voix et vous suit partout.	✔
	Il projette où vous voulez les vidéos ou les films trouvés sur Internet.	✔
	Il est capable de se recharger tout seul.	
	Il veille à la sécurité.	✔
	Il peut mettre l'ambiance dans vos soirées.	✔

Activité 5 ▶ 7

Modalité : en petits groupes

▋**Objectif :** comprendre la description d'objets innovants

– Faire lire les consignes **a**, **b** et **c**, visionner à nouveau la vidéo et réaliser les activités en petits groupes (les mêmes que ceux de l'activité **4**).

– Procéder à la mise en commun en grand groupe : interroger des apprenants et écrire les réponses au tableau sous leur dictée. Pour la question **b**, si la transcription est projetée, souligner les expressions relevées dans le texte ; cela servira de corpus pour la conceptualisation dans le **Focus langue 4b** p. 131.

▷ **Corrigé** **a.** Points communs entre les deux dernières personnes interviewées : elles décrivent un robot. Points communs entre les deux derniers robots présentés : ils diffusent de la musique. **b.** Les personnes soulignent l'intelligence de leur robot en le comparant à un humain (en l'humanisant) ou à un animal domestique : *c'est toutes ces interactions que vous faites avec l'objet qui vont lui apprendre à mieux vous connaître.* ; *c'est la première fois qu'on a une machine qui va nous répondre et faire exactement ce qu'on lui demande. Un peu comme un petit chien... ben là, c'est toute la technologie qui nous obéit au doigt et à l'œil.* **c.** L'expression « De quoi faire la fête ! » vient souligner le fait que les start-up françaises sont nombreuses et ont un grand potentiel pour devenir un des leaders dans le domaine de l'intelligence artificielle : *Avec un investissement de 2 300 000 000 euros et 180 start-up spécialisées, la France a les atouts pour devenir un des leaders en intelligence artificielle.* Les Français pourraient donc célébrer / fêter cela. En outre, la vidéo se termine en musique comme pour une soirée festive.

> **FOCUS LANGUE**

Humaniser un objet   **page 131**

■ **Objectif** : lister des procédés utilisés pour humaniser un objet
– Faire lire la consigne et l'exemple. Vérifier la compréhension du terme *humaniser (rendre humain).*
– Demander aux apprenants de reprendre leurs réponses à l'activité **a** : les différents procédés pour humaniser un robot repérés dans le **document 1**, activité **2c** p. 128.
– Faire lister par deux d'autres procédés. Visionner la vidéo **7** afin de valider les propositions.
   ▷ **Corrigé** Tutoyer le robot, identifier le robot à un membre de la famille, le faire entrer dans son intimité.

Activité 6

Modalité : en petits groupes

■ **Objectif** : donner son opinion sur les robots « intelligents »
Conserver les groupes de l'activité **4**. Chaque groupe change de secrétaire et de porte-parole.
a et **b** Faire lire les consignes. En vérifier la compréhension. Faire réaliser l'activité.
c Procéder à la mise en commun en grand groupe : interroger les porte-parole ; favoriser les interactions ; noter les mots-clés, les avantages et les inconvénients (sous forme de deux colonnes) au tableau.

Activité 7

Modalité : seul

■ **Objectif** : vérifier la compréhension globale d'une page Internet
Faire observer la page Internet (**document 3**) et demander de l'identifier (*la page Internet d'une radio*). La projeter si possible.
a et **b** – Faire lire les consignes. En vérifier la compréhension. Faire réaliser les activités individuellement et comparer les réponses par deux.
   – Procéder à la mise en commun : interroger des apprenants et noter sous leur dictée le nom de la station de radio, le pays de diffusion et le titre de l'émission (**a**). Pour la question **b**, faire expliquer l'expression *être un (bon) pigeon* ; noter la réponse au tableau après validation par la classe.
      ▷ **Corrigé** **a. Nom de la station de radio :** Vivacité. **Le pays de diffusion :** Bruxelles (la Belgique). **Le titre de l'émission :** *On n'est pas des pigeons.* **b.** 2.

Activité 8

Modalité : en groupe

■ **Objectif** : vérifier la compréhension globale d'une émission de radio
– Annoncer aux apprenants qu'ils vont écouter la première partie de l'émission de radio (**document 3**). Procéder à une première écoute globale.
– Faire identifier le thème du reportage en grand groupe. Le noter au tableau.

   ▷ **Transcriptions**
      Animatrice : Samy est avec nous aujourd'hui. Il a décidé d'anticiper, de regarder dans le futur. Précisément dans vingt ans. Voici le premier reportage. Il fait un petit peu peur parce qu'on va vous parler de puces électroniques qu'on implante sous la peau...
      Chroniqueur : Oui, c'est une première. La société NewFusion a décidé d'implanter une puce sous la peau de ses employés, dans leur main. La minipuce a la taille d'un grain de riz. Elle coûte cent euros et contient uniquement vos données personnelles. Il y a deux semaines, huit employés de l'entreprise se sont injecté la puce. C'est facile, on peut même le faire soi-même. Il y a un mode d'emploi sur Internet.

Animatrice : D'accord, mais ça sert à quoi cette puce ? Concrètement ?

Chroniqueur : Pour l'instant, on peut ouvrir la porte de l'entreprise. Rien qu'avec sa main, on allume son ordinateur. C'est un peu comme un badge...

▷ **Corrigé** Des puces électroniques qu'on implante sous la peau.

Activité 9 🎧▸78

▮ **Objectif** : vérifier la compréhension globale d'une émission de radio

– Faire lire la consigne et reproduire le tableau à compléter (le projeter si possible). Faire réécouter la première partie de l'émission de radio (**document 3**) : procéder à une écoute séquentielle afin de laisser aux apprenants le temps de prendre des notes. Faire réaliser l'activité seul.

– Proposer aux apprenants de comparer leurs réponses par deux puis procéder à la mise en commun en grand groupe. Noter les réponses au tableau.

▷ **Corrigé**

Qui ?	Quoi ?	Quand ?	Où ?	Pourquoi ?
La société NewFusion et ses employés.	Une puce qui contient des données personnelles.	Il y a deux semaines.	En Belgique.	Ouvrir la porte de l'entreprise, allumer son ordinateur.

Activité 10 🎧▸79

▮ **Objectif** : affiner la compréhension d'une émission de radio

– Annoncer aux apprenants qu'ils vont écouter la deuxième partie de l'émission (**document 3**).

– Faire lire la consigne, écouter l'enregistrement (proposer une première écoute séquentielle puis une deuxième écoute continue) puis faire réaliser l'activité par deux.

– Procéder à la mise en commun en grand groupe. Noter les réponses au tableau sous forme de deux colonnes (avantages / inconvénients de la puce).

▷ **Transcriptions**

Animatrice : Et la vie privée là-dedans ?

Chroniqueur : Seuls les employés volontaires ont été équipés de la puce, mais il est clair qu'il existe des dérives. Et puis que fait-on des données ? C'est un véritable sujet d'inquiétude...

Animatrice : Et côté santé, vous pensez qu'on ne risque rien ?

Chroniqueur : Eh bien pour le moment, on n'en a aucune idée. Il y a peu d'études sur le phénomène, notamment sur le rejet du corps étranger et sa toxicité. On se demande comment se comporte la puce pour une IRM ou un contrôle à l'aéroport. Je n'en sais rien, on ne sait pas encore...

Animatrice : Oui, bon, ben moi, je ne suis pas persuadée que ce soit sans danger. En tout cas, c'est sûr que c'est assez inquiétant...

Chroniqueur : Oui, mais ça peut aussi aider à l'avenir... Dans cette puce, vous avez toutes vos données médicales... Vous perdez connaissance, les services de secours vous badgent et voilà !

Animatrice : Mais on sait très bien qu'il y a des dérives. Je ne suis pas du tout certaine que ce soit le bien-être des gens qui motive les entreprises. Franchement, il y a de quoi s'inquiéter... Bref, il faut choisir entre la sécurité, le côté pratique ou la vie privée. C'est vraiment une question éthique !

Chroniqueur : Et on vous la pose, cette question, sur la page Facebook de l'émission *On n'est pas des pigeons !*

▷ **Corrigé**

Avantages	Inconvénients
Vous avez toutes vos données médicales. Vous perdez connaissance, les services de secours vous badgent. C'est pratique.	Sécurité et vie privée : risques d'utilisation abusive des données. Risques liés à la santé : rejet du corps étranger, toxicité, comportement inconnu de la puce pour une IRM ou un contrôle à l'aéroport.

Activité 11 🎧▸79

▮ **Objectif** : affiner la compréhension d'une émission de radio

– Faire lire la consigne, écouter à nouveau l'enregistrement et réaliser l'activité par deux.

– Procéder à la mise en commun en grand groupe. Noter les réponses au tableau. Si la transcription est projetée, souligner les justifications dans le texte.

> **Corrigé** a. Vrai : *Je ne suis pas persuadée que ce soit sans danger. En tout cas, c'est sûr, que c'est assez inquiétant.*
> b. Faux : *On n'en a aucune idée... Je n'en sais rien, on ne sait pas encore.* c. Vrai : *Et on vous la pose, cette question, sur la page Facebook de l'émission...*

FOCUS LANGUE

L'expression du doute et de la certitude 🎧▶80   **page 130**

▎**Objectif** : conceptualiser l'expression du doute et de la certitude

Annoncer aux apprenants qu'ils vont entendre des extraits de l'émission *On n'est pas des pigeons* (**document 3**).

a Faire lire la consigne et l'exemple. Faire reproduire le tableau, écouter les extraits et réaliser l'activité par deux.

b Faire compléter la règle par deux.

c – Reprendre le tableau du **a** et faire classer les expressions listées.

– Procéder à la mise en commun en grand groupe : interroger quelques apprenants, leur demander de venir au tableau pour compléter le tableau ainsi que la règle ; faire valider par la classe. Vérifier la compréhension de la règle.

> ▷ **Transcriptions**
> – Il est clair qu'il existe des dérives.
> – Oui, bon, ben moi, je ne suis pas persuadée que ce soit sans danger.
> – C'est sûr que c'est relativement préoccupant.
> – Mais on sait très bien qu'il y a des dérives.
> – Je ne suis pas du tout certaine que ce soit le bien-être des gens qui motive les entreprises.

> ▷ **Corrigé** a.

Pour exprimer la certitude	Pour exprimer le doute
Il est clair qu'il existe des dérives. *C'est sûr que c'est relativement préoccupant.* *Mais on sait très bien qu'il y a des dérives.*	*Oui, bon, ben moi, je ne suis pas persuadée que ce soit sans danger.* *Je ne suis pas du tout certaine que ce soit le bien-être des gens qui motive les entreprises.*

b. Quand j'exprime une certitude, j'utilise le mode **indicatif**. *Exemple : En tout cas, c'est sûr que c'est assez inquiétant.* Quand j'exprime un doute, j'utilise le mode **subjonctif**. *Exemple : je ne suis pas persuadée que ce soit sans danger.*

c.

Pour exprimer la certitude	Pour exprimer le doute
je suis certain que ; je suis persuadé que ; je suis sûr que ; je sais très bien que	*je ne crois pas que ; je ne suis pas sûr que ; je ne pense pas que ; je doute que*

▶ **Précis grammatical p. 211**

▶ **S'exercer p. 182**

FOCUS LANGUE

Exprimer l'inquiétude   **page 131**

▎**Objectif** : vérifier la compréhension de termes pour exprimer l'inquiétude

Projeter le tableau du **Focus langue**. Le faire observer. En vérifier la compréhension : faire employer ces expressions en contexte.

▶ **S'exercer p. 182**

FOCUS LANGUE   Sons et intonation

La prononciation ou non du « e » 🎧▶81   **page 130**

▎**Objectif** : s'entraîner à prononcer ou non la lettre « e »

Cette activité a pour objectif de sensibiliser les apprenants à la prononciation ou non du « e » muet ou « e » caduc. Selon la place du « e » dans le mot ou selon la situation de communication, le « e » **est** prononcé, **peut être** prononcé, **n'est pas** prononcé.

– Avant d'écouter l'enregistrement, proposer aux apprenants de lire le texte dans le livre, d'entourer les « e » qu'ils prononcent et de rayer les « e » qu'ils ne prononcent pas.

– Leur demander de comparer leurs propositions par deux.
– Faire écouter l'enregistrement pour vérifier si la lecture correspond à leurs propositions. Préciser que tous les « e » non prononcés pourraient l'être tandis que les trois exemples de « e » prononcés le sont obligatoirement. En effet, le nombre de consonnes sans voyelle serait trop important et nécessite la prononciation du « e ».
– Écrire au tableau « samedi » et « mercredi » et demander aux apprenants de lire les deux mots. Dans le premier mot, je peux prononcer « samedi » (prononciation la plus courante) tandis que pour le mot « mercredi », je prononce systématiquement le « e ».

> **Corrigé** Dans la ville de demain, on sera tous hyperconnectés, on se déplacera moins pour le travail, on dépensera moins d'énergie, on achètera de la nourriture sans sortir de la maison... Bref, on fera plein de choses différentes de maintenant.

▶ **Précis de phonétique p. 200**
▶ **S'exercer p. 182**

Pour aller plus loin

On peut enchaîner directement sur l'activité des pages S'exercer qui propose quatre phrases à lire à tour de rôle par deux. Un apprenant va choisir de prononcer ou non les « e » de la phrase qu'il lit à voix haute et son partenaire va retrouver les « e » prononcés et les « e » non prononcés.

À nous ! **Activité 12 – Nous exprimons nos doutes, nos inquiétudes et nos certitudes.**

Modalité : en groupe

❚ **Objectif :** transférer les acquis de la leçon

Présenter la tâche aux apprenants (annoncer qu'ils vont débattre sur une innovation), faire lire les étapes et en vérifier la compréhension.

a Demander aux apprenants de choisir ensemble l'une des innovations évoquées dans la leçon (par exemple : *un robot domestique, une minipuce contenant des données personnelles et implantable sous la peau*). Leur proposer d'échanger à l'oral afin de se mettre d'accord.

b – Préparer le débat. Diviser la classe en trois groupes A, B et C et leur expliquer les différentes tâches.
– Laisser un temps de préparation suffisant à chaque groupe avant de lancer le débat. Les inciter à utiliser les expressions vues dans la leçon (**Focus langue** p. 130-131 : établir une progression chronologique dans une argumentation ; exprimer le doute et la certitude ; exprimer l'inquiétude).

c Lors du débat, favoriser les interactions.

Progresser à l'écrit (2)

Activité 1

Modalité : seul

Objectifs : lire une lettre et donner son impression sur la lettre

Si possible, projeter la *Lettre ouverte adressée à M. Alphand*. Faire lire les consignes et le texte puis faire répondre aux questions. Lors de la mise en commun, interroger quelques apprenants, noter leurs réponses après validation par la classe.

▷ **Corrigé** a. La date : 14 février 1887 ; les signataires : Garnier, Huysmans, Maupassant, Zola.

Activité 2

Modalité : en petits groupes

▌**Objectifs** : identifier et corriger des éléments dans une production écrite

– Constituer des groupes de trois ou quatre apprenants.

– Faire relire la lettre afin de compléter le tableau (le projeter si possible).

– Procéder à la mise en commun : inviter une personne de chaque groupe à venir compléter le tableau. Faire valider les réponses par la classe.

▷ **Corrigé**

Structure de la lettre ouverte	
Situation de communication	Extraits de la lettre
Les auteurs ont une intention et un but précis.	*Nous venons, écrivains, peintres, sculpteurs, architectes, protester de toutes nos forces... monstrueuse tour Eiffel.*
Qualité de l'argumentation / Cohérence du texte	
Les auteurs interpellent et/ou nomment le destinataire.	*C'est à vous, Monsieur et cher compatriote, à vous qui aimez tellement Paris, de la défendre une fois de plus.*
Les auteurs sont « présents » dans la lettre.	***Nous*** *venons, écrivains, peintres, sculpteurs, architectes... /* ***Nous*** *avons le droit de dire... / Pour se rendre compte de ce que* ***nous*** *décrivons... / Cette protestation* ***nous*** *honore.*
Il y a une progression logique dans l'argumentation.	**1. But de la lettre :** *Protester de toutes nos forces contre la construction de la tour Eiffel.* **2. Justification :** *en plein cœur de notre capitale, l'inutile et monstrueuse tour Eiffel.* **3. Exemple :** *Imaginez un instant une tour ridicule dominant Paris, Notre-Dame, le dôme des Invalides, l'Arc de triomphe.* **4. Appel du destinataire :** *C'est à vous, Monsieur et cher compatriote, à vous qui aimez tellement Paris, de la défendre une fois de plus.* **5. Conclusion :** *Si notre cri d'alarme n'est pas entendu, si Paris se déshonore, cette protestation nous honore.*
Les auteurs de la lettre utilisent des connecteurs logiques pour structurer la lettre.	**Opposition :** *au nom de l'histoire et de l'art,* ***contre*** *la construction...* **Conséquence :** *La ville de Paris va-t-elle* ***donc*** *s'associer...* **Cause :** ***Car*** *la tour Eiffel, c'est le déshonneur de Paris.* **Condition :** *Et* ***si*** *notre cri d'alarme n'est pas entendu,* ***si*** *Paris se déshonore...*

Activité 3

▎**Objectif** : rédiger une lettre ouverte pour critiquer

– Faire lire la consigne et faire réaliser l'activité en petits groupes. Demander à chaque groupe de choisir un rédacteur qui se chargera de prendre des notes et de rédiger le texte.

– Demander d'abord de choisir une innovation puis de rédiger une lettre ouverte pour la critiquer. Laisser suffisamment de temps aux groupes pour rédiger.

Activité 4

▎**Objectif** : s'auto-évaluer

Proposer à chaque groupe de s'auto-évaluer (de corriger lui-même sa lettre) à l'aide du tableau « Structure de la lettre » (activité **2**).

Activité 5 – Apprenons ensemble !

▎**Objectif** : réfléchir à des stratégies pour améliorer son expression écrite en français

Garder les groupes constitués lors des activités précédentes (2 à 4). Désigner un porte-parole.

a Faire lire la consigne. Avant de faire réaliser l'activité, faire lire la lettre de Gizem (si possible, la projeter au tableau). Demander à la classe qui est Gizem et ce qu'il raconte dans la lettre (*Gizem est un jeune qui a découvert l'imprimante 3D*).

b et **c** Faire lire les conseils A, B et C (**b**) et demander de les utiliser afin de corriger les erreurs de Gizem dans la lettre (en rouge). Procéder à la mise en commun : faire venir un apprenant au tableau pour corriger les erreurs, faire valider par la classe.

> ▹ **Corrigé** Une belle invention **que** j'ai découverte cette année, c'est l'imprimante 3D. Il **y a** quelques années, c'était de la science-fiction. J'ai lu que les premières imprimantes 3D sont **arrivées** sur le marché en 1996, mais elles **étaient réservées** aux professionnels. Aujourd'hui, on peut même imprimer des maisons **entières**. J'ai un oncle qui en a **acheté** une récemment. J'ai envie de voir ce que ça donne !

Projet de classe

Il est conseillé de réaliser le projet de classe avant le projet ouvert sur le monde

Nous réalisons la carte des innovations françaises préférées de la classe.

– Annoncer aux apprenants qu'ils vont créer la carte des innovations françaises préférées de la classe : ils vont échanger sur la carte présentée par le site Zoom Zoom Zoom, analyser et donner leur avis sur deux innovations, lister les innovations francophones découvertes dans le dossier, faire l'état des lieux des innovations existantes dans un domaine de leur choix (environnement, innovation technologique, découverte scientifique…), rédiger un texte pour présenter une innovation, leur doute/certitude/inquiétude sur les avantages et les inconvénients de cette innovation.
– Leur présenter les étapes du projet et constituer des groupes de quatre apprenants.
1. et 2. – Faire lire les consignes et réaliser les activités.
– Demander d'observer le document (le projeter si possible) pour l'identifier et répondre aux points **a** et **b**.
– Faire lire la présentation des deux innovations sur la page Internet. Faire donner le pays d'origine et le type d'innovation puis leur avis sur ces innovations.
– Procéder à une première mise en commun en grand groupe : interroger quelques apprenants et noter les réponses et les termes clés au tableau.
3. – Demander de parcourir le dossier afin de relever les innovations francophones découvertes dans celui-ci. Les faire classer par domaine.
– Inviter chaque groupe à se mettre d'accord sur un domaine sur lequel il devra faire des recherches pour trouver deux autres exemples d'innovations francophones. Si la classe est connectée, proposer d'utiliser les sites suivants : https://soonsoonsoon.com/carte ; https://letsgofrance.fr.
– Puis, demander de rédiger un texte pour expliquer à la classe le choix de ces innovations. Inciter les groupes à se reporter aux notions conceptualisées dans les **Focus langue** du dossier.
4. Procéder à la mise en commun : chaque groupe présente les innovations choisies à la classe. Les lister au tableau afin d'établir une liste commune.
5. et 6. – Demander aux apprenants de se mettre d'accord pour choisir leurs innovations préférées dans chaque domaine (parmi celles présentées par les apprenants et parmi celles du dossier).
– Faire réaliser ensuite la carte des innovations francophones de la classe. Chaque groupe rédige un à deux textes présentant une innovation. On peut par exemple, les répartir par pays d'origine ou bien par domaine.

> **Corrigé** **1.** Le site Zoom Zoom Zoom présente une localisation des innovations dans le monde. **2.** Ces innovations vont se développer dans le futur. **3.** En Suisse, les boîtes d'échange entre voisins. Au Cameroun, une tablette qui permet de mesurer et de transmettre les constantes cardiaques d'un patient.

Projet ouvert sur le monde

Nous imaginons les conséquences d'une découverte dans un article à publier en ligne.

Le projet ouvert sur le monde peut se faire en dehors de la classe : il est conseillé de présenter le projet aux apprenants en groupe pour s'assurer de la bonne compréhension de l'ensemble et de la répartition des tâches.
Annoncer aux apprenants qu'ils vont imaginer les conséquences d'une découverte dans un article à publier en ligne. Préciser qu'ils vont devoir exprimer une opinion sur une innovation, envisager les conséquences négatives et positives de cette innovation. Ils devront aussi savoir expliquer quelque chose à quelqu'un, établir une progression chronologique dans un texte d'opinion, exprimer le doute et la certitude.
a Faire lire la consigne et observer le visuel du **document 1** (le projeter si possible) ; faire identifier le titre, le thème et le concept de l'émission, l'innovation dont elle parle.

b – Former des groupes de quatre apprenants. Faire lire la consigne et le texte (**document 2**) ; le projeter si possible.
  – Demander d'échanger sur le thème de l'article (les robots domestiques dans la vie des personnes âgées) et de réagir par rapport à l'opinion du journaliste sur les conséquences du développement des robots domestiques.

c – Faire lire les titres et en vérifier la compréhension (ils correspondent à des innovations).
  – Demander à chaque groupe de choisir parmi ces titres l'innovation qu'ils préfèrent (la plus innovante / futuriste...). Veiller à ce que les apprenants soient d'accord entre eux.
  – Leur proposer ensuite de lister les conséquences (positives/négatives) du développement de l'innovation qu'ils ont choisie. Favoriser les échanges : se mettre d'accord sur les avantages et les inconvénients et les classer selon leur importance.
  – Demander à chaque groupe de nommer un secrétaire pour rédiger l'article : inviter les apprenants à prendre pour modèle l'article du **document 2**. Les inciter à réinvestir les acquis du dossier (exprimer leurs doutes et leurs certitudes, leurs inquiétudes ; exprimer leur opinion de manière argumentée...).
  – Leur proposer d'illustrer l'article de façon originale.

d Demander aux groupes de présenter leur article à la classe. Accorder un temps d'échange entre les groupes pour leur permettre de commenter et de valider les articles de chacun. Puis, chaque groupe publie son article sur un réseau social. Si la classe n'est pas connectée, leur proposer d'imaginer « Le journal du futur » de la classe comme support de publication.

> **Corrigé** **a.** 1. Le journaliste imagine et présente le journal du futur. 2. On parle des robots domestiques. Un robot domestique a sauvé une senior des flammes.

Nous imaginons les conséquences d'une découverte dans un article à publier en ligne.

Document 1

LE JOURNAL DU FUTUR   MERCREDI 17 AOÛT À 12 H   Rechercher

3 septembre 2054, un robot domestique sauve un senior des flammes

REPLAY – Le développement des robots domestiques change complètement la vie des personnes âgées.

Document 2

Le nombre d'humains âgés de plus de 60 ans a été multiplié par quatre entre 2017 et 2057. Il est donc nécessaire de laisser les seniors le plus longtemps chez eux car **les places en résidence sont limitées et coûtent affreusement cher**. Les pouvoirs publics encouragent donc l'acquisition de robots domestiques qui accompagnent, soignent et aident les personnes âgées. **Capables de porter des objets lourds, de rappeler un rendez-vous ou la prise de médicaments**, ils sont d'une aide précieuse. Ils cohabitent parfaitement avec les personnes âgées. Taille, **capacité à comprendre les réactions d'humeur**, les robots changent la vie des humains. Le 3 septembre 2054, un robot a sauvé la vie de la personne dont il s'occupe…

a. **Lisez le titre et le thème de cette émission de radio (document 1).**
   1. Quel est le concept de l'émission ? ....
   2. De quelle innovation parle-t-on le 3 septembre 2054 ? Pourquoi ?

   ....

   ....

En petits groupes.

b. **Lisez l'article publié sur la page de l'émission (document 2).**
   À votre avis, les robots domestiques changeront-ils complètement la vie des personnes âgées ? Partagez-vous l'opinion du journaliste sur les conséquences du développement des robots domestiques ?

   ....

   ....

   ....

   ....

   ....

   ....

   ....

c. **Lisez ces titres développés dans l'émission « Le Journal du futur ».**

> **18 mai 2026 : une triple greffe d'organes grâce à une imprimante 3D**

> **10 octobre 2041 : un robot intelligent à la tête d'une start-up**

> **2 juillet 2028 : imaginons la Ligne Grande Vitesse commerciale entre Wuhan et Lyon**

> **18 avril 2020 : les objets connectés au service de votre vie amoureuse**

> **2030 : les hommes interdits de conduire au profit des voitures autonomes**

1. Choisissez un titre : ....

2. Imaginez les changements apportés par cette innovation dans votre vie quotidienne : listez les conséquences positives et négatives liées à son développement.

Conséquences positives	Conséquences négatives
....	....
....	....
....	....
....	....
....	....
....	....

3. Rédigez un article dans lequel vous exprimerez vos doutes, vos certitudes et vos inquiétudes. Exprimez votre opinion de manière argumentée.

....

....

....

....

....

....

....

4. Accompagnez votre article d'une illustration originale.

d. **Choisissez un réseau social et publiez votre article.**

DELF 7

1. Compréhension des écrits   10 points

– Faire lire la consigne de l'exercice, le support et le tableau.
– Préciser que si les deux cases « oui » et « non » sont cochées, aucun point n'est attribué. (0,5 point par case correctement cochée.)

▷ **Corrigé** 1.

	Globe terrestre		Enceintes connectées		Projecteur Deluxe		Guismo, le robot connecté	
	OUI	NON	OUI	NON	OUI	NON	OUI	NON
Utile à toute la famille		✗	✗		✗		✗	
Facile d'utilisation		✗	✗		✗		✗	
Prend peu de place		✗	✗		✗		✗	
Apprécié des utilisateurs		✗		✗	✗		✗	
Maximum 100 €		✗	✗		✗			✗

2. L'objet correspondant à tous les critères de choix : Projecteur Deluxe.
(On retirera 1 point si la réponse à cette question n'est pas cohérente avec les réponses apportées dans le tableau.)

2. Production écrite   15 points

– Faire lire la consigne de l'exercice et le document déclencheur. S'assurer de leur bonne compréhension. Rappeler (ou demander à un apprenant de rappeler) comment compter les mots dans une production écrite : un mot est un ensemble de signes placé entre deux espaces. « C'est-à-dire » = 1 mot ; « parce que » = 2 mots ; « il y a » = 3 mots ; « j'ai 25 ans » = 3 mots. Préciser que le jour de l'examen, il est possible d'écrire plus de 160 mots, mais pas moins (sachant qu'une marge de 10 % en moins est tolérée).
– Laisser environ 30 minutes aux apprenants pour réaliser la tâche demandée.

Guide pour l'évaluation

Respect de la consigne L'apprenant a bien écrit un texte pour présenter l'innovation scientifique qui lui semble être la plus importante. L'apprenant a bien écrit au minimum 160 mots (il peut écrire plus de 160 mots).	1 point
Capacité à présenter des faits L'apprenant a bien écrit des faits, événements ou expériences relatifs à l'innovation scientifique, notamment ses conséquences sur la société.	4 points
Capacité à exprimer sa pensée L'apprenant a pu présenter ses idées, ses sentiments et/ou ses réactions et donner son opinion comme demandé dans la consigne.	4 points
Cohérence et cohésion Le discours de l'apprenant est cohérent et ses idées s'enchaînent assez bien. On note la présence de quelques connecteurs (articulateurs logiques).	1 point
Compétence lexicale / Orthographe lexicale L'apprenant a correctement utilisé le vocabulaire de la situation présentée dans la consigne. L'apprenant a bien orthographié les mots qu'il a utilisés et qui ont été vus dans le dossier 7 et les dossiers précédents. La ponctuation et la mise en page sont assez justes pour être suivies facilement le plus souvent.	3 points
Compétence grammaticale / Orthographe grammaticale L'apprenant maîtrise la structure de la phrase simple. L'apprenant a su utiliser les temps et les modes vus dans le dossier 7 et les dossiers précédents et a su correctement conjuguer les verbes aux principaux temps de l'indicatif.	2 points

3. Production orale   **15 points**

Exercice 1   **◀ 2 points ▶**
Faire lire la consigne de l'exercice et s'assurer de sa bonne compréhension.

Guide pour l'évaluation
L'apprenant peut, sans préparation, se présenter et parler de lui, de ses centres d'intérêt **(1 point)** et de ses projets **(1 point)**.
La présentation doit durer au minimum 2 minutes.

Exercice 2   **◀ 5 points ▶**
– Faire lire la consigne de l'exercice en interaction. S'assurer de sa bonne compréhension.
– Demander aux apprenants de former des binômes pour réaliser le jeu de rôle.
– Laisser 10 minutes aux apprenants pour préparer leur jeu de rôle.
– Demander à un binôme de venir au tableau pour le réaliser. Le jeu de rôle doit durer au minimum 3 minutes.

Guide pour l'évaluation
Les apprenants peuvent échanger leurs points de vue, faire des propositions et argumenter comme demandé dans la consigne pour arriver à un consensus. L'un des deux apprenants aura pour rôle de faire changer d'avis son ami(e). *(Les 5 points sont à répartir selon la quantité des informations échangées entre les apprenants et la façon dont ils sont parvenus à réaliser la tâche demandée.)*

Exercice 3   **◀ 5 points ▶**
– Faire lire la consigne et le sujet du monologue suivi. S'assurer de leur bonne compréhension. L'enseignant pourra expliquer, en français, certains termes non compris.
– Laisser 10 minutes aux apprenants pour faire un brouillon sur le sujet. La production orale de l'apprenant doit durer au minimum 3 minutes. L'enseignant pourra poser quelques questions à l'issue du monologue, il n'interviendra pas avant.

Guide pour l'évaluation
L'apprenant a pu dégager le thème principal du sujet **(1 point)** et a su donner son opinion sous la forme d'un petit exposé, de façon construite et cohérente **(4 points)**.

Pour **l'ensemble des 3 exercices**, l'enseignant s'assurera que les apprenants ont bien acquis les compétences lexicales et morphosyntaxiques vues dans le dossier 7 **(2 points)**.
Il veillera aussi à ce que les apprenants prononcent de manière compréhensible le répertoire d'expressions vues dans le dossier 7 **(1 point)**.

DOSSIER **8**

Nous nous intéressons à la culture

- **Un projet de classe**

  Organiser une exposition d'un de nos artistes francophones préférés.

- **Un projet ouvert sur le monde**

  Réaliser une carte de découvertes culturelles francophones et la partager avec d'autres étudiants de français.

Pour réaliser ces projets, nous allons apprendre à :
- faire une critique positive d'un événement culturel
- présenter une œuvre
- exprimer son enthousiasme
- parler des spectacles vivants
- nous informer sur la carrière d'un artiste
- comprendre un palmarès
- commenter des films
- réagir à une critique
- trouver des livres francophones
- nous interroger sur l'importance de la lecture

Pages d'ouverture

pages 136-137

▌ **Objectifs** : découvrir la thématique du dossier et présenter le contrat d'apprentissage

Le point sur… la production culturelle francophone

Modalités : en groupe puis en petits groupes

Faire observer la double-page, la projeter si possible. Faire dire le thème abordé. Montrer le titre pour valider la réponse.

1 a – Faire observer et identifier le document p. 136 (*ce sont des photos de lieux culturels et d'œuvres d'artistes français*).
- Faire dire le point commun entre ces photos (*à l'exception de la villa Médicis, les lieux ou objets représentés ont tous été créés par un Français, artiste ou architecte ; ils se trouvent à l'étranger*).
- Faire lire la consigne et répondre en grand groupe.

b – Faire lire la consigne, en vérifier la compréhension. Faire réaliser l'activité par deux.
- Procéder à la mise en commun en grand groupe. Écrire les réponses au tableau afin d'établir la liste des activités et événements culturels préférés de la classe.

> **Corrigé** 1. a. 2. Lieu de diffusion culturelle : le nouvel opéra de Pékin et la villa Médicis ; Architecture : le nouvel opéra de Pékin, le palais de l'Assemblée de Chandigarh ; Art : la statue de Niki de Saint Phalle.

La villa Médicis est un palais situé à Rome, qui héberge l'Académie de France. Fondée en 1666 par Colbert, c'est Napoléon Bonaparte qui transfère cette institution artistique française à la villa Médicis en 1803 afin que les jeunes artistes puissent s'inspirer des chefs-d'œuvre de l'Antiquité ou de la Renaissance. Aujourd'hui, la villa Médicis accueille des artistes en résidence (recrutés sur dossier pour une durée de six à dix-huit mois) et promeut leurs créations à travers des expositions et des spectacles.

Niki de Saint Phalle (1930-2002) est une plasticienne, peintre, sculptrice et réalisatrice franco-américaine. S'inspirant de plusieurs courants (art brut, art outsider), elle a commencé à peindre en 1952. En 1961, elle devient membre du groupe des Nouveaux réalistes, comme Gérard Deschamps, César, Mimmo Rotella, Christo et Yves Klein. Outre les *Tirs* (années 1960), performances qui l'ont rendue internationalement célèbre, elle a créé un très grand nombre de sculptures monumentales que l'on peut voir essentiellement dans des parcs.

Paul Audreu, né le 10 juillet 1938, est un architecte français, spécialiste des constructions aéroportuaires. Il est aussi écrivain. Parmi ses réalisations les plus emblématiques, on trouve l'Arche de la Défense (1990) à Paris, l'aéroport de Paris-Charles de Gaulle (2004) et l'opéra de Pékin (2007). En 2006, il reçoit pour l'ensemble de son œuvre le Grand prix du Globe de cristal, la plus haute distinction de l'Académie internationale d'architecture.

Charles-Édouard Jeanneret dit Le Corbusier (1887-1965), suisse naturalisé français, est architecte, urbaniste, peintre, sculpteur et designer. À travers de nombreux voyages, il découvre les bases solides de l'architecture classique et s'éveille aux autres cultures. Au long de son parcours, il mêle héritage et modernité. On trouve ses édifices dans douze pays sur quatre continents. Son œuvre est aujourd'hui considérée comme l'emblème international du Mouvement moderne en architecture. Ses œuvres les plus célèbres sont : la Cité radieuse (Marseille, France, 1945-1952), le Musée national d'Art occidental (Tokyo, Japon, 1957), le palais de l'Assemblée (Chandigarh, Inde, 1955).

2 Faire observer le document p. 137. Demander ce qu'il présente (*c'est une infographie des industries culturelles et créatives en France*).
a – Demander à la classe ce que sont *Les industries culturelles et créatives* ; noter les hypothèses émises.
 – Procéder à la mise en commun : interroger un apprenant, noter les réponses après validation par la classe.
b – Faire lire la consigne et l'infographie afin de vérifier les hypothèses élaborées en **a**. Faire répondre aux questions individuellement et demander de comparer les réponses par deux.
 – Lors de la mise en commun, interroger des apprenants et noter leurs réponses après validation par la classe.
c – Constituer des groupes de trois ou quatre apprenants. Faire lire la consigne et réaliser l'activité.
 – Procéder à la mise en commun en grand groupe : interroger un apprenant par groupe afin de compiler les réponses de la classe ; noter les produits cités dans la catégorie à laquelle ils appartiennent. Puis, faire voter la classe pour élaborer le classement de ses produits préférés.

> **Corrigé** **2. b. 1.** Domaines représentés : la musique, le livre, les jeux vidéo, l'art (peinture, sculpture, etc.), le cinéma et les films d'animation (dessins animés). **2.** Par exemple : la musique → les États-Unis, le Royaume-Uni ; le cinéma → les États-Unis, le Royaume-Uni, l'Espagne, l'Italie, le Japon, l'Inde ; les jeux vidéo → le Japon, la Corée du Sud ; l'art → la Suisse, l'Italie. **3.** Universal Music France → des disques ; Deezer → de la musique en ligne ; Hachette Livre → des livres ; Ubisoft → des jeux vidéo ; TF1 → des films d'animation.

Deezer est un service français d'écoute de musique en *streaming* sous la forme d'un site Internet et d'applications mobiles, lancés en août 2007. Il propose un service (par abonnement) permettant une écoute illimitée sur ordinateur, tablette et smartphone.

Annoncer les deux projets (projet de classe et projet ouvert sur monde) puis les objectifs du dossier. Pour illustrer la démarche, on part des projets et, pour les réaliser, on acquiert et/ou on mobilise des savoirs, savoir-faire, savoir agir, des compétences générales et des compétences langagières.

Leçon **1** **De l'art pour tous**

Tâche finale : présenter une œuvre d'art qui enthousiasme			
Savoir-faire et savoir agir	**Grammaire**	**Lexique**	**Sons et intonation**
– Faire une critique positive d'un événement culturel	– Exprimer la manière et la ressemblance	– Exprimer un jugement positif	– L'expression de l'enthousiasme
– Présenter une œuvre			
– Exprimer son enthousiasme	– Le superlatif pour exprimer l'enthousiasme		

Activité 1 📖

Modalité : en groupe

▍ **Objectif** : élaborer des hypothèses sur le sujet d'une émission de radio

Faire observer le bandeau du site Internet **document 1** (si possible le projeter) et faire identifier le nom de la radio, demander qui sont Y. Calvi et M. Younès (*les journalistes qui ont élaboré l'émission*) et de quoi va parler l'émission (*Un été au Havre*). Noter les hypothèses des apprenants.

> **Corrigé** C'est le site de la radio RTL. L'émission va parler d'un événement peut-être culturel qui se passe en été au Havre.

▐ Infos culturelles

RTL (Radio Télé Luxembourg) est une station de radio généraliste privée française. Lancée en 1933 sous le nom de Radio Luxembourg, elle émet alors depuis le Luxembourg pour échapper à la réglementation française. En 1966, elle devient RTL et adopte une nouvelle programmation essentiellement basée sur l'information et le divertissement. Elle déménage définitivement dans l'Hexagone en 1991 et diffuse principalement en France (grandes ondes, FM, satellite, Internet). Elle est régulièrement classée première radio de France en terme d'audience (6,3 millions d'auditeurs quotidiens en 2016).

Le Havre est un port important situé en Normandie, une région du nord de la France. C'est ici que la Seine rejoint la Manche. Après la Seconde Guerre mondiale, le centre-ville grandement endommagé a été redessiné par le célèbre architecte belge Auguste Perret.

Activité 2 🎧 82

Modalité : en groupe

▍ **Objectif** : vérifier des hypothèses sur le contenu d'une émission

– Annoncer aux apprenants qu'ils vont écouter la première partie de l'émission de RTL (**document 1**) afin de vérifier leurs hypothèses. Faire lire les questions. Proposer une à deux écoutes.

– Poser les questions en grand groupe. Noter les réponses au tableau après validation par la classe.

> **Transcriptions**

Monique Younès : Cet « été au Havre », nous le devons à Édouard Philippe qui, comme vous le savez, était maire du Havre. Et pour fêter les cinq cents ans de sa ville, il avait demandé à un des grands concepteurs de festivités culturelles en France, monsieur Jean Blaise, de réfléchir à un projet artistique d'exposition et d'installation dans les musées et les espaces publics pour faire du Havre la grande destination culturelle...

> **Corrigé a.** L'émission parle d'un événement culturel au Havre : des expositions et des installations dans les musées, mais aussi dans les espaces publics. La ville du Havre organise cet événement pour fêter ses cinq cents ans, et pour devenir la grande destination culturelle du moment. **b.** Édouard Philippe a organisé l'événement en tant que maire du Havre. Jean Blaise, un des grands concepteurs de festivités culturelles en France, a réalisé le projet.

Activité 3 🎧 83

Modalité : en petits groupes

▍ **Objectif** : comprendre la description d'une œuvre

Annoncer aux apprenants qu'ils vont écouter la deuxième partie de l'émission de RTL (**document 1**) afin de remplir, en petits groupes, les fiches techniques de deux œuvres. Constituer des groupes de trois ou quatre apprenants. Désigner un rapporteur par groupe.

a Proposer une à deux écoutes : une première globale, une seconde séquentielle pour laisser le temps aux apprenants de noter.

b Demander aux groupes d'associer chaque œuvre à une photo (**documents 2 et 3**) et de leur donner un titre. Procéder à la mise en commun : interroger deux rapporteurs, noter leurs réponses au tableau après validation par la classe (si les fiches techniques sont projetées, les inviter à venir les compléter au tableau). Faire dire les titres qui ont été choisis par les groupes et les noter au tableau. Leur communiquer les titres des deux œuvres (document 2 : *Accumulation of power / Accumulation d'énergie* ; document 3 : *Catène de containers*), les faire comparer avec ceux qui ont été listés.

▷ **Transcriptions**

Yves Calvi : ... Le slogan étant : « Le Havre prend l'art. »

Monique Younès : Oui ! Et le résultat est bluffant ! Partout dans la ville vous serez par exemple émerveillés sur le quai de Southampton par les arches de trente mètres de haut que l'artiste Vincent Ganivet a réalisées, écoutez bien, avec vingt-six containers multicolores de deux tonnes chacun. C'est vraiment une prouesse technique formidable. Mais mon œuvre préférée se trouve à l'intérieur de l'église Saint-Joseph qui est, croyez-moi, si vous ne l'avez pas encore visitée, une des sept merveilles du monde ! L'artiste japonaise Chiharu Shiota a tissé à la main, avec des milliers de fils rouge sang, un tourbillon qui s'élève de l'autel jusqu'à la flèche de l'église. Et la vision de ce maelstrom est à tomber, mais à tomber à genoux, ce qui je vous le rappelle est très bien vu dans une église.

▷ **Corrigé** a

Artiste : Vincent Ganivet	Artiste : Chiharu Shiota
Lieu d'exposition : quai de Southampton	Lieu d'exposition : église Saint-Joseph
Taille de l'œuvre : 30 mètres de haut	Taille de l'œuvre : de l'autel jusqu'à la flèche de l'église
Technique utilisée : 26 containers multicolores de deux tonnes chacun assemblés en deux arches	Technique utilisée : des milliers de fils rouge sang tissés à la main pour faire un grand tourbillon

b Document 2 : Chiharu Shiota ; document 3 : Vincent Ganivet.

Pour aller plus loin

Demander aux apprenants : Quel slogan entendez-vous : « Le Havre prend l'art » ou « Le Havre prend l'air » ? *Vérifiez la réponse avec la transcription et leur demander de réfléchir sur le sens du jeu de mots :* La ville s'aère avec un événement artistique ? La ville s'ouvre à l'extérieur avec un événement artistique ? La ville achète des œuvres d'art ?

Activité 4 🎧 ⏵83

Modalité : par deux

▌**Objectif :** affiner la compréhension d'une émission de radio

– Faire réécouter la deuxième partie de l'émission et lire la consigne. En vérifier la compréhension. Faire relever par deux les impressions de la journaliste et répondre aux questions. Proposer une à deux écoutes.

– Procéder à la mise en commun en grand groupe. Interroger des apprenants. Noter les réponses au tableau après validation par la classe. Si la transcription est projetée, souligner les expressions clés.

▷ **Corrigé** Monique Younès est *bluffée* et *émerveillée* par la forme, la taille et la technique des œuvres. *C'est vraiment une prouesse technique formidable,* dit-elle concernant l'œuvre de Vincent Ganivet. Globalement, elle est très enthousiaste. Elle préfère l'œuvre de Chiharu Shiota, qui est selon elle, *une des sept merveilles du monde* et dont la vision est *à tomber à genoux.*

▶ FOCUS LANGUE

Exprimer un jugement positif   **page 143**

▌**Objectif :** conceptualiser les expressions pour exprimer un jugement positif

Conserver les groupes formés pour l'activité **3**.

a – Projeter le **Focus langue**. Faire lire la consigne. Laisser les apprenants observer puis retrouver la définition correspondant à chaque expression.

– Procéder à la mise en commun en grand groupe : interroger des apprenants et noter leurs réponses. Vérifier la compréhension des expressions.

b En grand groupe, demander aux apprenants de compléter la liste d'expressions pour parler de ses sentiments et pour parler d'une œuvre.

▷ **Corrigé** a. C'est magnifique ! → la vision de ce maelstrom est à tomber à genoux. C'est vraiment étonnant. → Le résultat est bluffant. C'est très bien fait. → C'est vraiment une prouesse technique formidable.

▶ **S'exercer p. 184**

Activité 5 💬

▌ **Objectifs** : présenter un événement culturel et exprimer un jugement positif

– Conserver les groupes formés pour l'activité **3**. Désigner d'autres rapporteurs.

– Faire lire la consigne et en vérifier la compréhension. Faire réaliser l'activité.

– Procéder à la mise en commun en grand groupe : chaque rapporteur présente l'événement culturel choisit par son groupe.

Activité 6 📖

▌ **Objectif** : vérifier la compréhension globale d'un article

– Faire observer le **document 4** (le projeter si possible) et le faire identifier (*c'est un article paru dans* Le Journal du Dimanche). Veiller à ce que les apprenants ne lisent pas le texte.

– Faire lire le titre qui est une citation (*Jean Nouvel : « Ce musée ne pourrait pas exister à Paris. »*) et demander d'élaborer des hypothèses sur Jean Nouvel et le thème de l'article. Inviter les apprenants à s'appuyer sur les éléments qui composent l'article (les photos). Noter au tableau les hypothèses.

> ▹ **Corrigé** C'est un article sur l'architecte Jean Nouvel et sur un musée qu'il a conçu.

▐ Infos culturelles

Jean Nouvel (né en 1945) est un architecte français. Diplômé de l'École nationale supérieure des beaux-arts de Paris, il ouvre sa première agence en 1970. Il est connu internationalement pour ses prises de position engagées ainsi que pour la singularité des projets et des bâtiments qu'il réalise dans le monde entier. En France, il est l'architecte notamment de l'Institut du Monde arabe, de la Fondation Cartier pour l'art contemporain et du musée du Quai Branly/Jacques Chirac à Paris. Récemment, il a réalisé le Louvre Abu Dhabi (Émirats arabes unis). De nombreux prix et distinctions, en France comme à l'étranger, témoignent de la reconnaissance de son œuvre.

Activité 7 📖

▌ **Objectif** : affiner la compréhension d'un article

a – Inviter un apprenant à lire l'article à la classe. Vérifier en grand groupe les hypothèses émises à l'activité **6**.

– Constituer des groupes de trois ou quatre apprenants. Désigner un secrétaire et un rapporteur dans chaque groupe.

b à e – Faire lire les consignes et en vérifier la compréhension. Faire réaliser l'activité en petits groupes : demander aux secrétaires de prendre des notes pour faciliter la présentation à la classe par les rapporteurs.

– Procéder à la mise en commun en grand groupe : interroger des rapporteurs ; sous leur dictée, noter les réponses. Si l'article est projeté, souligner les passages dans le texte.

> ▹ **Corrigé a.** C'est un article sur l'architecte Jean Nouvel et sur un musée qu'il a conçu (le musée du Louvre d'Abu Dhabi). **b.** 1. Abu Dhabi crée son Louvre pour se positionner sur la scène culturelle internationale ; 2. Ce musée fait penser à un palais de l'Antiquité. **c. Image a** : le musée est protégé par un dôme ; le dôme repose sur quatre bâtiments, comme s'il flottait dans l'air. **Image b** : le musée est protégé par un dôme avec des trous pour laisser passer 2 à 3 % du soleil comme s'il pleuvait de la lumière. **d.** Le site est conçu à la manière d'un lieu de vie avec des espaces de rencontre. Le musée est protégé du soleil par un dôme avec des trous qui laisse passer un peu de lumière. Pour protéger les œuvres, on peut adapter ou fermer les salles d'exposition de manière à ce que les œuvres trop fragiles ne soient pas exposées au soleil. **e.** L'architecte du musée a conçu ce bâtiment pour qu'il se mêle au paysage et à la couleur du sable, et qu'il appartienne à la culture arabe. Il est adapté au lieu où il est construit.

▶ FOCUS LANGUE

Exprimer la manière et la ressemblance   page 142

▌ **Objectif** : conceptualiser les structures pour exprimer la manière et la ressemblance

Proposer aux apprenants de reprendre leurs réponses aux activités **7b, c** et **d** de la leçon 1 (**document 4** p. 139). Projeter le **Focus langue**. Faire lire les consignes. Vérifier la compréhension des termes *manière* et *ressemblance*.

a – Laisser le temps aux apprenants de relever individuellement les formules qui expriment la manière et la ressemblance.

– Procéder à une première mise en commun en grand groupe : noter les réponses dans deux colonnes (manière / ressemblance) sous la dictée des apprenants.

b et c – Demander aux apprenants d'observer les structures et les temps qui les composent (soulignés au préalable dans les expressions relevées) et faire compléter la règle.

– Procéder à la mise en commun en grand groupe : interroger des apprenants et noter leurs réponses après validation par la classe.

> **Corrigé** **a.** La manière : *à la manière d'*un lieu de vie avec des espaces de rencontre ; *de manière à ce que* les œuvres trop fragiles ne soient pas exposées au soleil. La ressemblance : *Le musée **ressemble à** un palais de l'Antiquité ; **comme s'**il pleuvait de la lumière ; **comme s'**il flottait dans l'air.* **b.** *à la manière d'*un lieu de vie et de rencontre → pas de verbe ; *de manière à ce que* les pièces fragiles *ne soient pas exposées au soleil.* → subjonctif présent ; *Le musée ressemble à un palais de l'Antiquité* → présent de l'indicatif ; *comme s'*il *pleuvait* de la lumière ; *comme s'*il *flottait* dans l'air → imparfait.

c.

Pour exprimer la manière, j'utilise :			Pour exprimer la ressemblance, j'utilise :		
à la manière	*de, d'*	+ nom	*ressembler*	*à*	+ nom
de manière	*à ce que*	+ subjonctif	*comme*	*si*	+ imparfait

▸ **Précis grammatical p. 212**
▸ **S'exercer p. 183**

Activité 8 🗨

▌ **Objectif** : présenter une œuvre d'art

– Conserver les groupes formés pour l'activité **7**. Désigner d'autres rapporteurs.
– Faire lire la consigne et réaliser l'activité en petits groupes.
– Procéder à la mise en commun en grand groupe : chaque rapporteur présente l'œuvre choisie par son groupe ; les autres groupes réagissent. Les inviter à utiliser les structures pour exprimer la manière et la ressemblance, les expressions pour exprimer un jugement positif (**Focus langue** pp. 142 et 143).

Activité 9 📖

▌ **Objectif** : vérifier la compréhension globale d'un rapport

Faire observer le **document 5** (le projeter si possible) et le faire identifier (*c'est un rapport sur le marché de l'art contemporain en 2017*).

a, b et c – Faire lire le texte et les consignes et faire réaliser l'activité individuellement. Demander aux apprenants de comparer leurs réponses par deux.

– Procéder à la mise en commun en grand groupe : interroger des apprenants et noter les réponses au tableau après validation par la classe.

> **Corrigé** **a.** Source : ce rapport est tiré de celui d'Artprice. Thème : il rend compte des ventes dans le domaine de l'art contemporain en 2017. **b.** Le succès de l'art contemporain s'explique par son dynamisme sur le marché de l'art. Il attire beaucoup d'investisseurs : les ventes s'accélèrent et les prix augmentent. La diversité d'origines et de sexes des artistes est une condition favorable à ce dynamisme. **c.** On cite J.-M. Basquiat parce que la vente récente d'une de ses œuvres a marqué un nouveau record de prix : c'est l'œuvre la plus chère jamais vendue (110,5 millions de dollars).

Activité 10 📖

▌ **Objectif** : affiner la compréhension d'un rapport

– Constituer des groupes de trois ou quatre apprenants (différents de ceux des activités précédentes). Demander aux apprenants de lire à nouveau le rapport. Faire lire la consigne puis faire réaliser l'activité.
– Procéder à la mise en commun en grand groupe : interroger quelques apprenants, noter les réponses au tableau après validation par la classe. Si le rapport est projeté, souligner les justifications **(b)** dans le texte au tableau. Ces réponses serviront au corpus du **Focus langue**.

> **Corrigé** **a.** Le rapport est enthousiaste. **b.** Justifications : L'art contemporain est **le domaine le plus dynamique du marché de l'art**. La création contemporaine se distingue aujourd'hui par **la diversité la plus grande jamais rencontrée au niveau des origines et du sexe des artistes**. Les prix de l'art contemporain montent parfois **jusqu'aux sommes les plus élevées**. Le prix d'*Untitled* (1982) **a dépassé les prévisions les plus folles !** C'est **l'un des artistes les plus chers qu'on connaisse aujourd'hui**.

FOCUS LANGUE

Le superlatif pour exprimer l'enthousiasme   page 142

▌**Objectif** : conceptualiser les superlatifs et les procédés pour exprimer l'enthousiasme

Si possible, projeter le **Focus langue**.

a et b – Faire lire les consignes, et en vérifier la compréhension. Faire observer les extraits du **document 5** et les réponses à l'activité **10b** (p. 139). Faire réaliser l'activité par deux.

– Procéder à la mise en commun en grand groupe : interroger des apprenants, faire valider leurs réponses par la classe, les noter au tableau. Faire observer les structures relevées (l'ordre des éléments, les temps employés…).

c Constituer des groupes de trois ou quatre apprenants. Demander à chacun de se mettre d'accord sur un « record » (vérifier la compréhension du terme) puis de le présenter à la classe à l'aide des procédés de renforcement du superlatif.

> **Corrigé** **a.** 1. Articles ; 2. Noms ; 4. Adjectifs. **b.** 1. b ; 2. c ; 3. a

▸ **Précis grammatical p. 207**

▸ **S'exercer p. 184**

FOCUS LANGUE   Sons et intonation

L'expression de l'enthousiasme 🎧 ▶85   page 143

▌**Objectifs** : reconnaître un ton neutre et s'entraîner à s'exprimer avec enthousiasme

Comme dans le **dossier 2**, il s'agit ici de différencier une lecture faite sur un ton neutre d'une lecture faite avec la volonté d'exprimer un sentiment, ici l'enthousiasme. L'intonation expressive, comme vu précédemment, est marquée par l'accentuation d'une syllabe qui permet de mettre en relief un mot-clé. Rappeler aux apprenants que généralement, on accentue la première syllabe d'un mot composé de plusieurs syllabes mais qu'on accentue également des mots monosyllabiques.

– Faire écouter la phrase de l'exemple lue tour à tour avec un ton neutre puis un ton marquant l'enthousiasme et demander aux apprenants de noter les spécificités de la lecture avec enthousiasme, à savoir une ou plusieurs syllabe(s) accentuée(s).

– Faire écouter les huit items et demander aux apprenants de se mettre d'accord, par deux, pour dire si la lecture est faite avec un ton neutre ou si elle marque l'enthousiasme.

– Faire relire les phrases à l'aide des transcriptions.

> **Transcriptions**

1. Cet artiste de street art est le plus incroyable de tous ceux que je connaisse. 2. Je trouve que ces créations artistiques sont magnifiquement mises en valeur. 3. Nous venons d'assister à une représentation théâtrale d'une qualité rare. 4. Le Festival de danse africaine a reçu un accueil très chaleureux du public. 5. J'aime beaucoup l'art contemporain et je visite des galeries de créations artistiques dès que j'en ai la possibilité. 6. Nous avons passé une excellente soirée pour le concert annuel de l'orchestre philharmonique de Radio France. 7. Ce spectacle de danse contemporaine était unique et la chorégraphie s'accordait parfaitement avec la musique. 8. Une pièce de théâtre qui dure plus de quatre heures, c'est une véritable prouesse de la part des comédiens.

> **Corrigé**

1. Cet artiste de street art est le plu**s in**croyable de **tous** ceux que je connaisse. → lecture avec enthousiasme. 2. Je trouve que ces créations artistiques sont **ma**gnifiquement mises en valeur. → lecture avec enthousiasme. 3. Nous venons d'assister à une représentation théâtrale d'une qualité rare. → lecture neutre. 4. Le Festival de danse africaine a re**çu** un accueil **très** chaleureux du public. → lecture avec enthousiasme. 5. J'aime beaucoup l'art contemporain et je visite des galeries de créations artistiques dès que j'en ai la possibilité. → lecture neutre. 6. Nous avons passé une excellente soirée pour le concert annuel de l'orchestre philharmonique de Radio France. → lecture neutre. 7. Ce spectacle de danse contemporaine était **u**nique et la chorégraphie s'accordait **par**faitement avec la musique. → lecture avec enthousiasme. 8. Une pièce de théâtre qui dure plus de quatre heures, c'est une véritable prouesse de la part des comédiens. → lecture neutre

▸ **Précis de phonétique p. 199**

▸ **S'exercer p. 185**

Pour aller plus loin

Enchaîner avec l'activité des pages **S'exercer,** *qui permet aux apprenants de mettre en pratique l'expression de l'enthousiasme en créant eux-mêmes des phrases pour faire des commentaires sur des spectacles artistiques, à l'aide d'une liste d'exemples de spectacles et d'une liste d'adjectifs qualificatifs.*

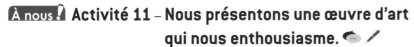

À nous ! **Activité 11 – Nous présentons une œuvre d'art qui nous enthousiasme.** 💬 ✏

Modalités : par deux puis en groupe

▌**Objectif :** transférer les acquis de la leçon

Présenter la tâche aux apprenants, faire lire les étapes et en vérifier la compréhension.

a Demander aux apprenants de choisir une œuvre présentée lors de l'activité **8** et de rédiger, par deux, une fiche de présentation de cette œuvre.

b Procéder à la mise en commun en grand groupe : chaque binôme présente sa fiche ; les groupes comparent les fiches entre elles et votent pour la présentation la plus convaincante. Demander aux groupes de justifier leur choix : les inviter à utiliser les structures du superlatif conceptualisées dans le **Focus langue** p. 142 n° 2.

Leçon **2 Que le spectacle commence !**

pages 140-141

Tâche finale : présenter la carrière d'un artiste que l'on aime			
Savoir-faire et savoir agir	Grammaire	Lexique	Sons et intonation
– Parler des spectacles vivants	– Les temps de l'infinitif pour comprendre une chronologie	– Les termes pour parler des spectacles vivants	– L'expression de l'enthousiasme
– S'informer sur la carrière d'un artiste			

Activité 1 📖

Modalité : seul

▌**Objectif :** vérifier la compréhension globale d'un avant-programme

– Faire observer le **document 1** (si possible, le projeter). Demander à la classe de l'identifier (*c'est la programmation d'une salle de spectacles*) ; faire repérer les éléments clés (le nom de la salle : *Les Gémeaux, Scène nationale de Sceaux* ; la saison : *2017-2018* ; les types de spectacles programmés).

– Faire lire les consignes, en vérifier la compréhension et faire réaliser l'activité individuellement. Puis, demander aux apprenants de comparer leurs réponses par deux.

– Procéder à la mise en commun en grand groupe : interroger des apprenants, noter les réponses au tableau sous leur dictée et après validation par la classe. Si le document est projeté, entourer les éléments de réponse (types de spectacles programmés, moyens de réserver, metteurs en scène, chef d'orchestre, chorégraphe).

> **Corrigé** **a.** Le lieu des représentations : Les Gémeaux, Scène nationale de Sceaux. Les types de spectacles vivants programmés : théâtre, musique, cirque et danse. Réservation : par téléphone ou sur le site Internet. **b.** Deux metteurs en scène : Benjamin Porée, Philippe Découflé. Un chef d'orchestre : Bernard Labadie. Un chorégraphe : Philippe Découflé. **c.** *Nouvelles pièces courtes* de Philippe Découflé est une création originale parce qu'il s'agit de « nouvelles pièces ». Le spectacle de Benjamin Porée est aussi une création originale parce qu'il a été créé pendant une résidence de production aux Gémeaux.

▶ FOCUS LANGUE

Les termes pour parler des spectacles vivants **page 143**

▌**Objectifs :** découvrir des termes et mobiliser ses connaissances lexicales pour parler des spectacles vivants

Constituer des groupes de trois ou quatre apprenants. Projeter le **Focus langue** si possible. Faire observer le nuage de mots et le schéma du *spectacle vivant*.

a Demander de classer les mots du nuage dans le schéma, avec leur article (faire repérer les mots masculins et féminins).

b – Faire compléter les champs lexicaux par des mots déjà connus.

– Procéder à la mise en commun en grand groupe : interroger des apprenants, noter leurs réponses au tableau après validation par la classe. Si le schéma est projeté, les inviter à venir le compléter au tableau.

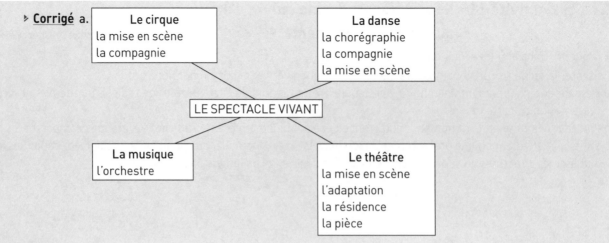

▷ **Corrigé** a.

Le cirque	La danse
la mise en scène	la chorégraphie
la compagnie	la compagnie
	la mise en scène

LE SPECTACLE VIVANT

La musique	Le théâtre
l'orchestre	la mise en scène
	l'adaptation
	la résidence
	la pièce

Activité 2

Modalité : en petits groupes

▋**Objectif** : parler de spectacles vivants et d'artistes

– Constituer des groupes de trois ou quatre apprenants ; désigner un porte-parole dans chaque groupe. Faire lire la consigne (en vérifier la compréhension) et faire répondre à la question. Inciter les apprenants à utiliser les mots et expressions du **Focus Langue** précédent (p. 143 n° 2).

– Procéder à la mise en commun en grand groupe : interroger les porte-parole pour présenter à la classe les échanges qui ont eu lieu dans le groupe. On pourra demander aux autres groupes de prendre des notes sur les spectacles/artistes présentés (titre et type de spectacle, metteur en scène/chorégraphe/chef d'orchestre…). Noter au tableau les spectacles et artistes mentionnés par les apprenants.

Activité 3

Modalité : en groupe

▋**Objectif** : identifier un type de spectacle

Faire observer l'affiche du **document 2** (si possible, la projeter). Faire identifier le nom du spectacle (*Les Misérables*) et élaborer des hypothèses sur le type de spectacle (*un concert ; une comédie musicale*). Demander aux apprenants ce qu'est une comédie musicale, quels éléments permettent de l'identifier (*concert, 30 chanteurs, orchestre symphonique*) et s'ils connaissent cette œuvre de Victor Hugo.

▷ **Corrigé** C'est une comédie musicale.

▋ **Infos culturelles** ▋

Les Misérables est un roman de Victor Hugo paru en 1862. Dans ce roman emblématique de la littérature française qui décrit la vie de miséreux dans Paris et la France provinciale du XIXᵉ siècle, l'auteur s'attache plus particulièrement au destin du bagnard Jean Valjean. C'est un roman historique, social et philosophique dans lequel on retrouve les idéaux du romantisme et ceux de Victor Hugo concernant la nature humaine. Il a donné lieu à de nombreuses adaptations au cinéma.

Activité 4 🎧▶84

Modalité : par deux

▋**Objectif** : vérifier la compréhension globale d'une émission de radio

Annoncer aux apprenants qu'ils vont écouter une émission de radio. Faire lire les consignes, en vérifier la compréhension.

a Faire écouter l'enregistrement : dans un premier temps, proposer une écoute globale afin de vérifier les hypothèses élaborées à l'activité **3** et d'élucider la situation de communication (qui parle ? où ? pourquoi ?...).

b – Proposer une seconde écoute séquentielle (faire des pauses pour que les apprenants aient le temps de repérer les éléments) et faire réaliser l'activité par deux. Projeter la fiche du spectacle ou la faire reproduire.

– Procéder à la mise en commun en grand groupe : pour le point **a**, interroger un apprenant et noter la réponse après validation par la classe ; pour le point **b**, si la fiche est projetée, inviter un apprenant à venir au tableau pour la compléter.

▷ **Transcriptions**

Éric Tanglais : Avant d'être sur la scène du Dôme à Marseille, vendredi 10 mars, pour *Les Misérables*, Jean Rol est notre invité. Bonjour Jean.

Jean Rol : Bonjour, bonjour Éric.

Éric Tanglais : Alors, *Les Misérables* seront bientôt à Marseille ; et vous, Jean, vous faites partie de ce prestigieux spectacle. Vous allez jouer Marius. Vous avez passé un casting ?

Jean Rol : Un casting très conséquent : il y a eu deux mille candidats. C'était l'année dernière. On a eu une annonce qui était un peu énigmatique avec beaucoup de… de personnages différents, de voix et aussi d'âges différents. Et puis bon, moi, je me suis dit : « Allez, on tente. » Et en fait, ils m'ont annoncé, une fois retenu, que c'était pour *Les Misérables*. Donc… mon cœur a fait boum !

Éric Tanglais : En version française.

Jean Rol : En version française ; version originale, en fait, puisque cette comédie musicale a été d'abord écrite en français. Elle est tirée de l'œuvre de Victor Hugo, bien sûr. Mais elle est surtout écrite en français. Les paroles sont d'Alain Boublil et de Jean-Marc Natel. Et la musique est de Claude-Michel Schönberg…

Éric Tanglais : … Que l'on connaît bien sûr, entre autres, pour *Le Premier Pas*.

Jean Rol : Voilà. Et donc, ça a été créé en 1981 au Palais des sports, avec une mise en scène de monsieur Robert Hossein.

Éric Tanglais : Avec trente chanteurs.

Jean Rol : Des chanteurs semi-lyriques ou lyriques, donc c'était vraiment des chanteurs dits « à voix ». Et la chance, surtout, c'est de pouvoir le faire avec des costumes, et un vrai orchestre.

Éric Tanglais : L'orchestre Victor Hugo, bien sûr.

Jean Rol : Oui. C'est celui du pays de Besançon. Alors, on a la chance d'avoir un orchestre symphonique de trente personnes aussi. Trente musiciens instrumentistes.

Éric Tanglais : Quand on parle des costumes, il y a Yves Guinhut qui s'est chargé de faire de nombreuses recherches pour aller trouver les vrais costumes de l'époque. Ce spectacle est aussi visuel, non ? Parce qu'il n'y a pas que le chant. Mais quand on le voit en tenues d'époque, c'est assez impressionnant…

Jean Rol : Pour nous, c'est un vrai bonheur. D'autant plus que les costumes ont été faits par une personne qui a l'habitude de faire des reconstitutions historiques. Donc, on s'approche vraiment de l'histoire. Je crois que c'était un souhait aussi de la production d'être le plus proche de l'époque dans laquelle se situe l'œuvre. On a des costumes qui ont été faits sur mesure, qui sont magnifiques avec des draps de laine, des beaux cotons… Enfin, c'est du luxe, du grand luxe de costume !

Éric Tanglais : Jean Rol était notre invité cet après-midi dans « L'Aïolive ». Il joue Marius dans *Les Misérables*, *Misérables* que vous pourrez voir vendredi 10 mars au Dôme de Marseille à 20 heures.

▷ **Corrigé** a. C'est une comédie musicale. b. Nom du spectacle : *Les Misérables.* D'après le roman de : Victor Hugo. Version : originale (en français). Metteur en scène : Robert Hossein. Paroles : Alain Boublil et Jean-Marc Natel. Orchestre : « Victor Hugo » (Besançon). Costumes : Yves Guinhut

Activité 5 🎧»84   Modalité : en petits groupes

▌**Objectif :** affiner la compréhension d'une émission de radio

– Conserver les groupes constitués lors de l'activité **2**. Faire lire les questions, en vérifier la compréhension. Écouter à nouveau l'enregistrement : proposer éventuellement une écoute séquentielle pour que les apprenants aient le temps de repérer les éléments, puis une écoute continue.

– Procéder à la mise en commun en grand groupe : interroger des apprenants et noter les réponses au tableau après validation par la classe.

▷ **Corrigé** a. Les artistes ont été recrutés en passant un casting où il y avait deux mille candidats.
b. La première mise en scène date de 1981 (au Palais des sports à Paris). c. Il y a eu un travail de recherche historique sur les costumes pour se rapprocher le plus possible de l'époque où se situe l'œuvre.

❯ FOCUS LANGUE

Les termes pour parler des spectacles vivants   **page 143**

▌**Objectif :** mobiliser ses connaissances lexicales pour parler des spectacles vivants

Projeter le tableau du **Focus langue**. Le faire observer et en vérifier la compréhension. Le faire compléter en grand groupe avec des mots ou expressions déjà connus des apprenants (par exemple, les types de spectacles : théâtre, cirque, danse ; l'œuvre : une adaptation ; la musique : un orchestre philharmonique).

▸ **S'exercer p. 184**

Activité 6 🔊

▌**Objectif :** échanger des opinions sur les comédies musicales

– Conserver les groupes constitués lors des activités **2** et **5** ; désigner un porte-parole dans chaque groupe. Faire lire la consigne (en vérifier la compréhension) et faire réaliser l'activité. Inciter les apprenants à utiliser les mots et expressions des **Focus langue** p. 143 pour préciser leurs propos.

– Procéder à la mise en commun en grand groupe : interroger les porte-parole qui résument le contenu des échanges dans leur groupe à la classe. Noter au tableau les comédies musicales citées par les apprenants.

Activité 7 📖

▌**Objectif :** vérifier la compréhension globale d'une biographie

– Projeter le **document 4**. Le faire identifier (*il s'agit d'un article sur le site Internet du* Figaroscope, *rubrique musique et danse*). Faire lire le titre et identifier le type d'article (*il s'agit d'une biographie sur Anne Teresa de Keersmaeker*).

– Faire lire les consignes **a** et **b** et en vérifier la compréhension. Faire lire la biographie et répondre aux questions individuellement. Demander aux apprenants de comparer leurs réponses par deux.

– Procéder à la mise en commun en grand groupe : interroger des apprenants, noter les réponses au tableau (ou les mettre en évidence en les soulignant dans la biographie si le document est projeté) après validation par la classe.

  ▷ **Corrigé a.** L'artiste s'appelle Anne Teresa de Keersmaeker. C'est une danseuse et chorégraphe belge. Elle s'est d'abord formée à Bruxelles avec Maurice Béjart, puis à New York où elle a découvert la danse américaine postmoderne. **b.** Elle travaille sur le rapport entre la musique et la danse. La particularité de son travail, c'est qu'il est en constante évolution. La chorégraphe réalise un changement important dans sa carrière avec la pièce *The Song* qui est construite autour du silence et de quelques sons.

Activité 8 📖

▌**Objectif :** affiner la compréhension d'une biographie

– Faire lire les consignes **a** et **b** et relire la biographie. Faire réaliser l'activité par deux.

– Procéder à la mise en commun en grand groupe : interroger des apprenants, faire valider les réponses par la classe et les écrire au tableau. Reproduire le tableau proposé en **b**, il sera utile pour la conceptualisation du **Focus langue**.

  ▷ **Corrigé a.** Années 1990 : collaboration avec le théâtre de la Monnaie à Bruxelles et création de l'école P.a.r.t.s. 2007 : création de *Soirée Steve Reich* au Théâtre de la Ville de Paris en hommage au musicien, puis écriture de *The Song*. Festival d'Avignon : *En attendant* et *Cesena*. 2013 : création de *Partita 2* avec Boris Charmatz. 2015 : Lion d'or à la Biennale de Venise puis collaboration avec l'Opéra de Paris.

b.

D'abord	Ensuite
elle suit les cours de l'école de danse bruxelloise de Maurice Béjart	elle continue sa formation à New York
elle présente sa création *Soirée Steve Reich*	elle réalise un changement important dans sa manière de chorégraphier avec *The Song*
elle crée ses deux spectacles : *En attendant* et *Cesena*	elle revient au Festival d'Avignon avec Boris Charmatz
elle est invitée par le Festival de Marseille et à Montpellier Danse	elle débute une collaboration avec l'Opéra de Paris

⟩ FOCUS LANGUE

Le temps de l'infinitif pour comprendre une chronologie   **page 142**

▌**Objectif :** conceptualiser le temps de l'infinitif dans une chronologie

Former des groupes de trois ou quatre apprenants. Demander aux apprenants de lire les consignes et de relire le **document 4** et les réponses à l'activité **8b**.

a, b et c – Proposer aux groupes de réaliser les activités (compléter à partir des réponses à l'activité **8b**, observer les structures à l'infinitif, relever les verbes à l'infinitif).

– Procéder à la mise en commun en grand groupe. Noter les réponses de quelques groupes au tableau après les avoir fait valider par la classe.

d En grand groupe, faire compléter la règle après avoir souligné les structures à l'infinitif au tableau.

> **Corrigé a.** 1. **avant de** <u>réaliser</u> un changement important dans sa manière de chorégraphier ; 2. **après** <u>avoir créé</u> ses deux spectacles ; 3. **après** <u>avoir suivi</u> les cours à l'école de danse bruxelloise ; 4. **avant de débuter** une collaboration avec l'Opéra de Paris ; **b.** un fait antérieur (d'abord) : *avant de* + infinitif présent ; un fait postérieur (ensuite) : *après* + infinitif passé ; **c.** Infinitif présent : réaliser ; débuter ; infinitif passé : avoir créé ; avoir suivi ; **d.** J'utilise *avant de* + **infinitif présent** pour exprimer une antériorité par rapport à un fait. J'utilise *après* + **infinitif passé** pour exprimer la postérité par rapport à un fait.

À nous ! Activité 9 – Nous présentons la carrière d'un artiste que nous aimons. 💬 ✏️

Modalités : en petits groupes puis en groupe

▌ **Objectif** : transférer les acquis de la leçon

Présenter la tâche aux apprenants, faire lire les étapes et en vérifier la compréhension. Reprendre les groupes formés lors de l'activité **6** p. 141. Désigner un secrétaire et un rapporteur dans chaque groupe.

a Demander à chaque groupe de choisir un artiste de spectacle vivant qu'il aime (proposer de reprendre les artistes nommés aux activités **2** et **6**).

b Demander à chaque groupe de faire des recherches sur cet artiste : faire relever trois ou quatre événements majeurs de sa carrière et de son travail ; le secrétaire prend des notes. Si la classe est connectée, faire faire des recherches sur Internet (sur Google ou bien sur d'autres sites – Pariscope, Figaroscope, par exemple) ; sinon, préparer au préalable des documents informatifs (livret de présentation d'un spectacle ; biographie…) sur les artistes cités par les élèves lors des activités **2** et **6**.

c – Demander à chaque groupe de rédiger, à partir des notes prises, une biographie de l'artiste choisi.
  – Passer dans les groupes pour veiller au bon déroulement de l'activité. Inciter les apprenants à réinvestir les structures, les mots et les expressions vus dans la leçon 2 (les temps de l'infinitif pour comprendre une chronologie, les mots et les expressions pour parler des spectacles vivants).

d Procéder à la mise en commun : inviter chaque groupe à présenter son travail à la classe, puis regrouper l'ensemble des présentations pour réaliser le recueil des artistes de la classe.

Leçon **3** Qu'en pensez-vous ?

pages 144-145

Tâche finale : donner son avis sur un film			
Savoir-faire et savoir agir	**Grammaire**	**Lexique**	**Sons et intonation**
– Comprendre un palmarès		– Les termes pour récompenser et féliciter	La liaison obligatoire et la liaison facultative
– Commenter des films	– La double pronominalisation pour éviter de répéter		
– Réagir à une critique		– Les jugements positifs et négatifs pour commenter	

Activité 1 📖

Modalité : en groupe

▌ **Objectif** : vérifier la compréhension globale d'une annonce de concours

Faire observer l'annonce de concours (**document 1**) ; si possible, la projeter. Faire lire les consignes et répondre en grand groupe à l'oral ; noter les réponses au tableau sous la dictée des apprenants.

a et b Faire identifier le nom de la radio qui organise le concours (*Virgin Radio*) et le genre de musique qu'elle diffuse (en rouge, sous le logo : *Pop Rock Electro*) ; puis l'événement associé au concours (*les Victoires de la musique 2017*) et les cinq artistes récompensés (en photo : *Vianney, Amir, Kungs, Julien Doré, Jain*).

c Poser la question afin de faire identifier la phrase : « Votez pour votre artiste préféré et gagnez vos albums ! » qui explique le fonctionnement des Victoires de la musique ; comment les auditeurs peuvent participer et ce qu'ils peuvent recevoir. Demander aux apprenants si ce type de concours existe dans leur pays.

> **Corrigé** **a.** Ce concours est organisé par *Virgin Radio* qui diffuse de la musique pop, rock et électro. **b.** 1. Ce concours est associé aux Victoires de la musique. 2. Les cinq artistes nominés sont : Vianney, Amir, Kungs, Julien Doré et Jain. **c.** Les auditeurs peuvent participer au concours en votant pour leur artiste préféré. Ils pourront recevoir des albums de musique.

Activité 2 🎧 ►86
Modalité : en petits groupes

▌ **Objectif** : vérifier la compréhension d'un palmarès
– Constituer des groupes de trois ou quatre apprenants.
– Leur annoncer qu'ils vont entendre le palmarès des Victoires de la musique (**document 2**) ; vérifier la compréhension du terme *palmarès*. Faire lire les consignes. Proposer une écoute intégrale dans un premier temps puis une écoute séquentielle ; faire réaliser l'activité en petits groupes.
– Procéder à la mise en commun en grand groupe : interroger des apprenants, noter leurs réponses au tableau après validation par la classe.

> ### Transcriptions
> **Voix off :** LEJ, un nom qui vous est déjà familier, accompagné par Ibrahim Maalouf, est la révélation scène de ces trente-deuxièmes Victoires de la musique. Mais cette année, c'est Jain qui fait une entrée remarquée dans le palmarès. Sacrée artiste féminine, l'auteure-interprète remporte également la Victoire du clip pour cette chanson. Après sept ans d'absence, c'est un retour gagnant pour Renaud. Sacré artiste masculin, cette Victoire est la sixième de sa carrière. Dans un message enregistré à Nantes, Renaud remercie son public, mais aussi...
> **Renaud :** Je dédie aussi cette Victoire à mon fils Malone et à ma fille Lolita.
> **Voix off :** Vianney est récompensé pour sa chanson originale *Je m'en vais*. Plusieurs autres récompenses au palmarès reflètent une diversité musicale : Kungs dans la catégorie électronique, en passant par le rock signé Louise attaque, et la musique du monde envoûtante du trompettiste franco-libanais Ibrahim Maalouf.
>
> > **Corrigé** **a.** 1. Artistes récompensés nominés par Virgin Radio : Vianney, Kungs, Jain ; 2. les autres artistes récompensés : L.E.J, Renaud, Ibrahim Maalouf, Louise attaque. **b.** Artiste féminine : Jain ; artiste masculin : Renaud ; révélation scène : L.E.J ; musique électronique : Kungs ; album rock : Louise attaque ; clip : Jain ; chanson originale : Vianney ; musique du monde : Ibrahim Maalouf. **c.** 3

Activité 3 🎧 ►86
Modalité : par deux

▌ **Objectif** : affiner la compréhension d'un palmarès
– Faire lire les consignes et réécouter l'enregistrement. Faire réaliser l'activité par deux : pour la question **a**, si possible projeter la transcription de l'enregistrement (livret p. 18), sinon inviter les apprenants à se reporter au livret.
– Procéder à la mise en commun en grand groupe. Noter les réponses au tableau ou les souligner dans la transcription si celle-ci est projetée.

> > **Corrigé** **a.** L.E.J : *L.E.J est la révélation scène de ces trente-deuxièmes Victoires de la musique.* Jain : *C'est Jain qui fait une entrée remarquée dans le palmarès. Sacrée artiste féminine, l'auteure-interprète remporte également la Victoire du clip pour cette chanson.* Vianney : *Vianney est récompensé pour sa chanson originale* Je m'en vais. **b.** 3

FOCUS LANGUE

Les termes pour récompenser et féliciter **page 149**

▌ **Objectif** : conceptualiser les mots et expressions pour récompenser et féliciter
Si possible, projeter le **Focus langue**. Faire lire la consigne et les termes du tableau ; en vérifier la compréhension. Proposer de relever d'autres mots et expressions découverts dans le **document 2** et l'activité **3** p. 149 : faire compléter la liste sous la dictée des apprenants.

> > **Corrigé** être nominé(e) ; être récompensé(e) pour
▸ **S'exercer p. 185**

Activité 4 🗨
Modalité : en petits groupes

▌ **Objectif** : échanger sur un thème
– Constituer des groupes de trois ou quatre apprenants (si possible par nationalité) ; désigner un secrétaire qui prendra des notes sur les échanges, et un porte-parole qui fera part de ces échanges lors de la mise en commun.

– Après avoir vérifié la compréhension de la consigne, faire réaliser l'activité : inviter les apprenants à se reporter aux catégories listées dans l'activité **2b** pour classer les artistes sélectionnés. Leur laisser suffisamment de temps pour s'entraîner à présenter leur palmarès : proposer de prendre pour modèle celui de l'enregistrement (**document 2**).
– Procéder à la mise en commun en grand groupe : les porte-parole présentent leur palmarès à la classe. Les noter au tableau.

Activité 5 🎧87
Modalité : seul

▐ **Objectif** : vérifier la compréhension globale d'une conversation téléphonique
– Annoncer aux apprenants qu'ils vont écouter une conversation téléphonique (**document 3**). Faire lire la consigne et réaliser l'activité individuellement. Proposer une à deux écoutes intégrales. Demander aux apprenants de comparer leurs réponses par deux.
– Procéder à la mise en commun en grand groupe : interroger des apprenants et noter les réponses au tableau après validation par la classe.

> **Transcriptions**

Brett : Salut Céline, c'est Brett, je te dérange ?

Céline : Salut Brett, non, pas du tout.

Brett : Je t'appelle pour te demander si tu as vu que les Rendez-vous avec le cinéma français, c'est pour bientôt. Ça te dit ?

Céline : Carrément ! J'ai vu qu'ils allaient passer *L'Odyssée*. Je n'en ai entendu que du bien ! Ça te dirait d'aller le voir ?

Brett : J'allais te le proposer ! Ils présentent aussi plein d'autres films qui ont l'air super : *Rodin, Chocolat*... La programmation est excellente ! On pourrait se faire plusieurs séances !

Céline : *Chocolat*, je l'ai déjà vu. Très touchant. À ne pas rater. Je sais que Sarah avait aussi envie de le voir. Tu pourrais y aller avec elle ? Je vous le conseille. *Rodin*, je te le laisse. Ça ne me dit rien. Donc *L'Odyssée*, oui, et tu as vu qu'il y a aussi *Valérian*, le dernier Besson ? Ça te tente ?

Brett : Il paraît que c'est décevant, mais pourquoi pas... On se ferait ça quand ?

Céline : Ce week-end ?

Brett : Ça marche ! Comment on fait pour les tickets ?

Céline : Je peux nous les réserver sur le site, si tu veux. Donc deux séances, *L'Odyssée* et *Valérian* ?

Brett : OK, cool ! Et on pourrait proposer à Tina et Sanjay de venir avec nous, non ? Je leur en parle ?

Céline : Oui, bien sûr ! Envoie-leur la programmation.

Brett : D'accord, je la leur envoie tout de suite ! Je te tiens au courant pour le nombre de places à réserver. À plus !

> **Corrigé a.** Les personnes qui se parlent sont Brett et Céline, probablement des amis. **b.** C'est une conversation sur les Rendez-vous du cinéma français, leur programmation et sur les films que les deux amis pourraient aller voir. **c.** Ils parlent de trois autres personnes : Sarah, Tina et Sanjay.

Activité 6 🎧87
Modalité : en petits groupes

▐ **Objectif** : affiner la compréhension d'une conversation téléphonique
– Constituer des groupes de trois apprenants. Faire réécouter la conversation afin de faire repérer les films mentionnés, ceux qui sont choisis et la date de la sortie : proposer une écoute séquentielle pour laisser aux apprenants le temps de noter.
– Procéder à la mise en commun en grand groupe. Noter les réponses au tableau.

> **Corrigé a.** Les films mentionnés : *L'Odyssée* ; *Rodin* ; *Chocolat* ; *Valérian*. **b.** Les films choisis : *L'Odyssée* ; *Valérian*. **c.** Quand aura lieu la sortie : le week-end suivant.

Activité 7 🎧87
Modalité : par deux

▐ **Objectif** : affiner la compréhension d'une conversation téléphonique
– Faire réécouter l'enregistrement, lire les consignes et les exemples ; faire réaliser l'activité par deux.
– Procéder à la mise en commun en grand groupe : interroger des apprenants ; noter leurs réponses au tableau après validation par la classe. Pour la consigne **a**, classer les avis dans deux colonnes : positif / négatif. Pour la consigne **b**, mettre en évidence au tableau les doubles pronoms dans les cinq actions relevées ; cela servira de corpus pour la conceptualisation des doubles pronoms (**Focus langue** p. 148 n° 1).

> **Corrigé** **a.** Brett – avis positif sur *Rodin* et *Chocolat* : *d'autres films qui ont l'air super* ; avis positif sur la programmation : *la programmation est excellente* ; avis négatif sur *Valérian* : *il paraît que c'est décevant*. Céline – avis positif sur *L'Odyssée* : *Je n'en ai entendu que du bien !* ; *Chocolat* : *très touchant, à ne pas rater* ; avis négatif sur *Rodin* : *ça ne me dit rien*. **b.** *Je vous le conseille* : Céline conseille le film *Chocolat* à Brett et Sarah. *Rodin, je te le laisse* : Céline laisse le film *Rodin* à Brett. *Je peux nous les réserver* : Céline peut réserver les places pour Brett et pour elle. *Je leur en parle ?* : Brett demande s'il peut parler des deux films choisis et de la sortie à Tina et Sanjay, pour les inviter à venir avec eux. *Je la leur envoie* : Brett va envoyer la programmation à Tina et Sanjay.

FOCUS LANGUE

La double pronominalisation pour éviter de répéter   **page 148**

▌ **Objectif** : conceptualiser la fonction et l'emploi des doubles pronoms

– Conserver les groupes constitués à l'activité **6** p. 144. Faire lire les consignes.
– Proposer aux apprenants de relire les réponses à l'activité **7b** afin de les comparer avec tableau sur les doubles pronoms (si possible, le projeter) et de réaliser les activités **a**, **b** et **c**.
– Procéder à la mise en commun en grand groupe. Noter les réponses des apprenants. Afin de vérifier la compréhension de la double pronominalisation, faire expliquer par les apprenants l'ordre et l'emploi des pronoms ; demander de produire d'autres exemples.

> **Corrigé** **a.** Les pronoms COD sont en violet ; les pronoms COI sont en vert. **b.** Dans une phrase avec deux pronoms, l'ordre est le suivant : 1. COI, 2. COD. Avec le pronom COI (3e personne), l'ordre change : 1. COD, 2. COI. Le pronom *en* est toujours en dernière position. **c.** Exemples : Je *me les* écris sur un papier pour m'en souvenir (à propos de titres de film). Je *les lui* envoie pour avoir son avis (à propos de commentaires sur des films).

▸ **Précis de grammaire p. 203**

▸ **S'exercer p. 185**

Activité 8 🔊

Modalité : par deux

▌ **Objectif** : réaliser un commentaire de film

– Former des binômes et demander aux groupes de lire les consignes.
– Faire réaliser l'activité par deux : choisir trois films et commenter ce choix, dire en quoi ces films plaisent et en quoi ils ne plaisent pas.
– Procéder à la mise en commun en grand groupe : chaque binôme dit ses films et les raisons de son choix. Laisser les apprenants échanger librement sur les films. Les lister au tableau et déterminer avec les apprenants le palmarès des films les plus choisis.

Activité 9 📖

Modalité : en groupe puis seul

▌ **Objectif** : vérifier la compréhension globale d'une critique de film

– Avant de faire lire le **document 4** (le projeter si possible), le faire observer afin de le faire identifier par la classe : faire dire le nom du magazine qui publie l'article (*Les Inrockuptibles*), la source (*d'après l'article de Jean-Marc Lalanne*), la date (*août 2017*), le sujet (le film *Valérian et la Cité des mille planètes*). Faire dire que le texte est une critique du film ; noter l'expression au tableau et faire expliquer le terme *critique*.
– Faire lire les consignes et la critique, et faire réaliser l'activité individuellement puis faire comparer les réponses par deux.
– Procéder à la mise en commun en grand groupe. Noter les réponses au tableau sous la dictée des apprenants.

> **Corrigé** **a.** Le réalisateur est Luc Besson. Le film est adapté de la bande dessinée de Jean-Claude Mézières.
> **b.** 1. Vrai : *La presse américaine a critiqué l'œuvre de mauvaise imitation hollywoodienne.*
> 2. Faux : *C'est quand même dur ; Valérian... ne déçoit pas.*

Infos culturelles

Luc Besson est un réalisateur, producteur et scénariste français. Il a reçu le César du meilleur réalisateur pour *Le Cinquième Élément* en 1998. Il est le fondateur de la Cité du cinéma, un pôle cinématographique ouvert en 2012 qui accueille des studios de tournage et des expositions. Ses œuvres majeures sont en tant que réalisateur : *Le Grand Bleu, Nikita, Léon, Le Cinquième Élément, Jeanne d'Arc, Arthur et les Minimoys, The Lady, Lucy* et *Valérian et la Cité des mille planètes* ; et en tant que producteur : *Taken, Taxi, Le Transporteur*.

Activité 10 📖

▌**Objectif** : identifier les jugements positifs et négatifs d'une critique de film

– Constituer des groupes de trois ou quatre apprenants ; désigner un secrétaire et un porte-parole. Faire lire les consignes et les exemples, en vérifier la compréhension. Faire réaliser l'activité.

– Procéder à la mise en commun en grand groupe : demander au porte-parole de chaque groupe de présenter les réponses à la classe. Noter au tableau après validation par la classe : organiser les avis en deux colonnes (jugements positifs et jugements négatifs).

> ▷ **Corrigé** **a. Les jugements positifs :** *Valérian et la Cité des mille planètes* vaut mieux que ça ; le film surprend par une certaine modestie, et un esprit agréablement détendu et gai ; on perçoit un bel esprit d'enfance ; il y a de vraies réussites dans la reconstitution de cette superbe nature imaginaire et poétique ; il a aussi une belle réussite : une impressionnante scène d'action ; *Valérian…* ne déçoit pas. **Les jugements négatifs :** la presse américaine a critiqué l'œuvre de mauvaise imitation hollywoodienne ; on retrouve aussi chez les personnages une légèreté enfantine, cependant pas toujours drôle ; le nouveau Besson échoue parfois, surtout dans la progression du récit. **b.** Le journaliste conclut sur un avis favorable.

> ▌**FOCUS LANGUE**

Les jugements positifs et négatifs pour commenter   **page 149**

▌**Objectif** : conceptualiser les mots et expressions exprimant des jugements positifs et négatifs

– Faire lire la consigne et les extraits des **documents 3 et 4** de la leçon 3 (si possible, projeter le **Focus langue**). Faire réaliser l'activité par deux.

– Procéder à la mise en commun en grand groupe. Noter les réponses des apprenants. Faire expliquer les différents commentaires du moins bon au meilleur.

> ▷ **Corrigé** **a.** 1. À ne pas rater ! 2. échoue parfois. 3. décevant. 4. ne me dit rien. 5. surprend par une certaine modestie. 6. ne déçoit pas.
>
> **b.**
>
> | | |
> |---|---|
> | 😃 | À ne pas rater ! |
> | 🙂 | Le film vaut mieux que ça. |
> | 😕 | Le film ne me dit rien. |
> | 🙁 | C'est décevant. |

▸ **S'exercer p. 185**

🔊 Activité 11 – **Nous donnons notre avis sur un film.** 💬

▌**Objectif** : transférer les acquis de la leçon

Présenter la tâche aux apprenants, faire lire les étapes et en vérifier la compréhension. Reprendre les groupes formés lors de l'activité **10**.

a Demander à chaque groupe de rechercher sur Internet le palmarès du dernier Festival de Cannes. Parmi les films présentés, leur demander d'en choisir un.

b Diviser chaque groupe en deux équipes A et B et leur présenter leur tâche : préparer cinq arguments positifs (équipes A) et cinq arguments négatifs (équipes B) sur ce film. Les inviter à réinvestir les notions conceptualisées dans les **Focus langue** pp. 148-149 (la double pronominalisation pour éviter de répéter, les jugements positifs et négatifs pour commenter). Passer dans les équipes pour vérifier le bon déroulement de l'activité.

c Procéder à la mise en commun en grand groupe : demander à chaque groupe de présenter ses arguments (par équipe) ; les autres groupes votent pour l'équipe la plus convaincante. On pourra noter au tableau le nom du film présenté ainsi que les différents avis.

Leçon **4** Lire en français

Tâche finale : faire la carte des profils de lecteurs de la classe			
Savoir-faire et savoir agir	**Grammaire**	**Lexique**	**Sons et intonation**
– Trouver des livres francophones		– Les termes pour parler du livre et de la librairie	– La liaison obligatoire et la liaison facultative
– S'interroger sur l'importance de la lecture	– L'interrogation pour organiser sa réflexion		

Activité 1 ▶ 8

Modalité : seul

▌**Objectif** : vérifier la compréhension globale d'un reportage

– Faire observer le visuel du **document 1** (image extraite de la **vidéo 8** ; la projeter si possible) afin de faire identifier le titre du reportage (*Les dessous d'un métier*).

– Faire élaborer des hypothèses sur le thème, demander ce qu'est une Alliance française et quels métiers l'on peut y exercer (*il s'agit peut-être d'un reportage sur le métier de professeur/d'enseignant ou bien sur le métier de directeur dans une Alliance française*).

– Faire lire les consignes et en vérifier la compréhension. Visionner le début de la vidéo sans le son (jusqu'à 1'10''). Faire réaliser les activités **a**, **b** et **c** individuellement puis faire comparer les réponses par deux.

– Procéder à la mise en commun en grand groupe. Interroger des apprenants, noter leurs réponses sous leur dictée après validation par la classe. Pour les questions **c**, lister les hypothèses au tableau.

> **Corrigé a.** Il s'agit de la librairie francophone Mosaïque à l'Alliance française de Toronto. On y voit Happie Testa, copropriétaire et libraire ; Thierry Lasserre, le directeur général de l'Alliance française de Toronto ; une vendeuse ; des clients ; **b.** 1. extérieur ; 2. portrait de femme ; 3. livres rangés ; 4. portrait d'homme ; 5. extérieur ; 6. accueil ; 7. achat de livres ; 8. installation

Activité 2 ▶ 8

Modalité : en groupe

▌**Objectif** : vérifier la compréhension globale d'un reportage

– Visionner à nouveau le début de la vidéo, avec le son cette fois.

– Faire valider les hypothèses élaborées précédemment (activité **1**) : *le reportage présente le métier de libraire à la librairie francophone Mosaïque de l'Alliance française de Toronto*. Puis, interroger des apprenants et noter les réponses de l'activité **b** au tableau.

> **Transcriptions**
>
> **Happie Testa, copropriétaire de la librairie francophone Mosaïque :** Ah… ! Le livre est celui qui nous permet de rêver. Le livre est l'âme des peuples.
>
> **Thierry Lasserre, directeur général de l'Alliance française de Toronto :** Y a quelque chose qui remplacera jamais ce mouvement-là : je prends la quatrième de couverture, je lis ce qui se passe. Et puis, y a une odeur dans les livres. Y a une vie dans un livre. Lorsque je suis arrivé il y a deux ans… je me suis aperçu qu'il n'y avait aucune librairie francophone à Toronto. Donc, avec le soutien de mon conseil d'administration, avec le soutien des équipes autour de moi, on a commencé à réfléchir à comment pouvoir créer, monter une librairie dans la ville reine.
>
> **Happie Testa :** C'est la possibilité de partager avec tout le monde la culture, l'histoire, les rêves. Alors, c'est pour ça qu'on a commencé. Moi, avant, j'étais journaliste… Je travaillais dans le marketing aussi. Mais cela ne me donnait pas la même joie.
>
> > **Corrigé a.** Cette librairie a deux ans au moment de la vidéo. Elle a été créée par le directeur de l'Alliance française avec le soutien du conseil d'administration et des équipes. **b.** 1. La librairie a été créée parce qu'il n'y avait pas de librairie francophone à Toronto. 2. La libraire aime le partage de la culture, de l'histoire et des rêves qu'offrent les livres.

Activité 3  ▶ 8

Modalité : en petits groupes

▌**Objectif** : identifier les missions du métier de libraire

a et b – Former des groupes de trois ou quatre apprenants. Faire lire les consignes **a** et **b** et faire réaliser l'activité (projeter les photos si possible). Faire visionner la suite de la vidéo (de 1'10'' à la fin) : une première fois de façon séquentielle (faire des pauses pour laisser aux apprenants le temps de prendre des notes) et une seconde fois en continu.

– Procéder ensuite à la mise en commun en grand groupe : interroger les groupes ; faire valider les réponses par la classe (vérifier la compréhension du terme *service à la communauté*, terme qui sera repris dans une activité du **Focus langue** p. 149 n° 3). Si besoin, visionner à nouveau la vidéo pour valider les réponses.

▷ Transcriptions

Thierry Lasserre : La librairie, moi, telle que je l'entends, c'est tout d'abord et avant tout un service à la communauté, un service à tous les francophones, un service à tous les francophiles, mais en même temps un service au quartier. C'est un lieu de vie, une librairie. C'est pas seulement un lieu où on vend des livres.

Happie Testa : On devient l'expert du livre pour nos clients. Alors il faut vraiment faire un travail de recherche profonde, connaître les prix, connaître les auteurs, connaître tout le milieu... Je dirais que dans le cas idéal, il faut entre quatre et six mois pour ouvrir une librairie, et avoir une belle collection, et avoir la chance de vraiment développer.

Thierry Lasserre : On ne sait jamais qu'est-ce qui va plaire au public. Donc bien sûr aujourd'hui avec Happie on a travaillé à avoir l'éventail le plus large de livres, mais c'est surtout je pense les lecteurs qui vont nous dire ce dont ils ont envie.

Happie Testa : Il y a beaucoup de choses qui font une bonne librairie : c'est la sélection des livres que l'on trouve dedans, c'est l'ambiance qu'on trouve, le type d'endroit, la décoration et tout ça... Mais il y a aussi la capacité de se lier à la communauté. Alors nous n'allons pas rester seulement dans la librairie : nous allons sortir et nous irons dans la communauté. Beaucoup... Le moment le plus beau, c'est quand tu as quelqu'un qui entre dans ta librairie et vient te dire : « Je cherche un livre qui est très difficile à trouver, mais j'ai pensé te demander quand même : est-ce que tu as ce livre-là ? » Et le moment le plus beau, c'est quand on peut lui dire : « Oui, on l'a. »

▷ **Corrigé a.** 1. Faux : cette librairie est un service à la communauté : aux francophones, aux francophiles et au quartier. 2. Vrai : c'est un lieu de vie, pas seulement un endroit où on vend des livres aux clients.
b. Image 1 : aménager la librairie. Image 2 : réceptionner les commandes. Image 3 : ranger les rayons. Image 4 : accueillir. Image 5 : conseiller. Image 6 : vendre.

Pour aller plus loin

Demander aux apprenants de relever les deux autres étapes citées que les images ne montrent pas : faire des recherches sur les prix, les auteurs ; faire une sélection. En vérifier la compréhension.

Activité 4 ▶ 8

Modalité : par deux

▌**Objectif** : affiner la compréhension d'un reportage

– Faire lire les consignes **a** et **b**, visionner la vidéo dans son intégralité cette fois et faire réaliser l'activité par deux.

– Procéder à la mise en commun en grand groupe : interroger des apprenants et écrire les réponses au tableau sous leur dictée. Pour la question **b**, si la transcription est projetée, souligner les expressions relevées dans le texte afin de préparer le corpus pour la conceptualisation du **Focus langue** p. 149 (les termes pour parler du livre et de la librairie).

▷ Transcriptions

Happie Testa, copropriétaire de la librairie francophone Mosaïque : Ah... ! Le livre est celui qui nous permet de rêver. Le livre est l'âme des peuples.

Thierry Lasserre, directeur général de l'Alliance française de Toronto : Y a quelque chose qui remplacera jamais ce mouvement-là : je prends la quatrième de couverture, je lis ce qui se passe. Et puis, y a une odeur dans les livres. Y a une vie dans un livre. Lorsque je suis arrivé il y a deux ans... je me suis aperçu qu'il n'y avait aucune librairie francophone à Toronto. Donc, avec le soutien de mon conseil d'administration, avec le soutien des équipes autour de moi, on a commencé à réfléchir à comment pouvoir créer, monter une librairie dans la ville reine.

Happie Testa : C'est la possibilité de partager avec tout le monde la culture, l'histoire, les rêves. Alors, c'est pour ça qu'on a commencé. Moi, avant, j'étais journaliste... Je travaillais dans le marketing aussi. Mais cela ne me donnait pas la même joie.

Thierry Lasserre : La librairie, moi, telle que je l'entends, c'est tout d'abord et avant tout un service à la communauté, un service à tous les francophones, un service à tous les francophiles, mais en même temps un service au quartier. C'est un lieu de vie, une librairie. C'est pas seulement un lieu où on vend des livres.

Happie Testa : On devient l'expert du livre pour nos clients. Alors il faut vraiment faire un travail de recherche profonde, connaître les prix, connaître les auteurs, connaître tout le milieu... Je dirais que dans le cas idéal, il faut entre quatre et six mois pour ouvrir une librairie, et avoir une belle collection, et avoir la chance de vraiment développer.

Thierry Lasserre : On ne sait jamais qu'est-ce qui va plaire au public. Donc bien sûr aujourd'hui avec Happie on a travaillé à avoir l'éventail le plus large de livres, mais c'est surtout je pense les lecteurs qui vont nous dire ce dont ils ont envie.

Happie Testa : Il y a beaucoup de choses qui font une bonne librairie : c'est la sélection des livres que l'on trouve dedans, c'est l'ambiance qu'on trouve, le type d'endroit, la décoration et tout ça... Mais il y a aussi la capacité de se lier à la communauté. Alors nous n'allons pas rester seulement dans la librairie : nous allons sortir et nous irons dans la communauté. Beaucoup... Le moment le plus beau, c'est quand tu as quelqu'un qui entre dans ta librairie et vient te dire : « Je cherche un livre qui est très difficile à trouver, mais j'ai pensé te demander quand même : est-ce que tu as ce livre-là ? » Et le moment le plus beau, c'est quand on peut lui dire : « Oui, on l'a. »

▷ **Corrigé** **a.** D'après la libraire, ce qui fait une bonne librairie, c'est : la sélection des livres et des auteurs, l'ambiance et la décoration du lieu. **b.** La libraire est satisfaite quand elle peut dire à quelqu'un qu'elle a un livre difficile à trouver.

FOCUS LANGUE

Les termes pour parler du livre et de la librairie 🎧 ▶89   **page 149**

❙ **Objectif :** découvrir des mots et expressions pour parler du livre et de la librairie

Projeter le **Focus langue** si possible. Présenter les différentes étapes aux apprenants.

a – Faire lire la consigne et les extraits de la **vidéo 8** ; les faire écouter et observer.
  – Demander de classer par deux les termes soulignés dans le tableau (le faire reproduire).
  – Procéder à la mise en commun en grand groupe : inviter des apprenants à venir compléter le tableau ; faire valider les réponses par la classe et vérifier la compréhension des termes.
b – Faire lister par deux des services à la communauté (terme expliqué à l'activité **3** p. 146) importants dans une ville.
  – Procéder à la mise en commun au tableau : élaborer la liste sous la dictée des apprenants.
c Demander de compléter le schéma avec les noms des professionnels du livre puis procéder à la mise en commun en grand groupe au tableau : noter et vérifier la compréhension des termes.

▷ **Transcriptions**
  – Je prends la quatrième de couverture, je lis ce qui se passe.
  – La librairie, moi, telle que je l'entends, c'est tout d'abord et avant tout un service à la communauté.
  – C'est un lieu de vie, une librairie.
  – On devient l'experte du livre.
  – Il faut vraiment faire un travail profond, connaître les prix, connaître les auteurs, connaître tout le milieu.
  – Il faut entre quatre et six mois pour ouvrir une librairie et avoir une belle collection.
  – Mais c'est surtout, je pense, les lecteurs qui vont nous dire ce dont ils ont envie.
  – Il y a beaucoup de choses qui font une bonne librairie : c'est la sélection des livres que l'on trouve dedans, c'est l'ambiance qu'on trouve.

▷ **Corrigé** **a.**

Le livre	Les personnes autour du livre	Le lieu pour le livre
une collection ; la quatrième de couverture ; la sélection	le milieu ; l'expert du livre ; les auteurs ; les lecteurs	la librairie ; un lieu de vie ; l'ambiance

b. *Propositions de réponse.* La librairie, la bibliothèque publique, le centre de santé, les transports.

c.

LES PROFESSIONNELS DU LIVRE

L'auteur(e) — *Il/Elle l'écrit.*
L'éditeur — *Il le publie.*
Le correcteur — *Il le corrige.*
Le critique littéraire — *Il/Elle le critique.*
Le/La libraire — *Il/Elle le vend.*
L'imprimeur — *Il le fabrique.*
L'illustrateur — *Il l'illustre.*
Le/La maquettiste — *Il/Elle fait sa mise en page.*

▶ **S'exercer p. 186**

Activité 5

▌**Objectif** : échanger sur les moyens d'accéder aux livres francophones et les pratiques

– Conserver les groupes de l'activité **3**. Chaque groupe désigne un secrétaire et un porte-parole. Faire lire les consignes **a** et **b**. En vérifier la compréhension. Faire réaliser l'activité.

– Procéder à la mise en commun en grand groupe : interroger les porte-parole ; favoriser les interactions ; lister au tableau les moyens et les pratiques cités. Faire des statistiques sur les pratiques de la classe.

Activité 6

▌**Objectif** : vérifier la compréhension globale d'un extrait de livre

– Faire observer l'extrait (**document 2**) et demander de l'identifier (*un extrait du livre* Comme un roman *de Daniel Pennac*). Le projeter si possible.

– Faire lire les consignes et l'extrait individuellement. Puis, faire répondre à la question.

– Procéder à la mise en commun en grand groupe : interroger un apprenant, faire valider ses réponses par la classe et les noter au tableau.

> **Corrigé a.** Ce livre est un essai. **b.** Il expose une réflexion.

Infos culturelles

Daniel Pennac (Daniel Pennacchioni), né en 1944, à Casablanca au Maroc, est un écrivain français. Il a notamment reçu le prix Renaudot en 2007 pour son roman autobiographique *Chagrin d'école*. Il a également écrit des scénarios pour le cinéma, la télévision et la bande dessinée. Les œuvres qui ont fait sa notoriété en France sont *La Saga Malaussène* (1985-1999), *Comme un roman* (1992) et *Chagrin d'école* (2006).

Activité 7

▌**Objectif** : affiner la compréhension d'un extrait de livre

– Constituer des groupes de trois ou quatre apprenants. Désigner un secrétaire et un porte-parole par groupe.

– Faire lire les consignes **a** et **b**, en vérifier la compréhension. Faire relire l'extrait de *Comme un roman* et réaliser les activités (pour la question **b**, faire reproduire le tableau à compléter ou le projeter).

– Procéder à la mise en commun en grand groupe : interroger les porte-parole de chaque groupe ; faire valider les réponses par la classe et les noter au tableau. Conserver les réponses au point **b**, elles constitueront le corpus pour la conceptualisation de l'interrogation (**Focus langue** p. 148 n° 2).

> **Corrigé a.** 1. Vrai : *A-t-on jamais vu, pourtant, un amoureux ne pas prendre le temps d'aimer ?* 2. Vrai : *rien, jamais, n'a pu m'empêcher de finir un roman que j'aimais.* 3. Faux : *La lecture ne relève pas de l'organisation du temps social, elle est, comme l'amour, une manière d'être.*

b.

Lancer le sujet	*Où trouver le temps de lire ?*
Justifier des arguments	*Pourquoi celle-ci, qui travaille, fait des courses, élève des enfants, conduit sa voiture, aime trois hommes, fréquente le dentiste, déménage la semaine prochaine, trouve-t-elle le temps de lire, et ce chaste rentier célibataire non ?* *Si on devait envisager l'amour du point de vue de notre emploi du temps, qui s'y risquerait ?* *Qui a le temps d'être amoureux ?* *A-t-on jamais vu, pourtant, un amoureux ne pas prendre le temps d'aimer ?*
Reprendre une idée pour faire une transition	*Volé à quoi ?*

⟩ FOCUS LANGUE

L'interrogation pour organiser sa réflexion   **page 148**

▌**Objectif** : conceptualiser les différents types de questions (ouverte / fermée) et leur construction

Projeter le **Focus langue** si possible. Conserver les groupes constitués pour l'activité **3**. Les inviter à relire leurs réponses à l'activité **7b** de la leçon 4 (**document 2** p. 147).

a Faire lire la consigne et faire compléter le tableau. Procéder à la mise en commun en grand groupe : inviter des apprenants à venir compléter le tableau ; faire valider les réponses par la classe.

b, **c** et **d** Faire observer les questions listées en **a** : faire relever les mots interrogatifs et observer leur place (**b**) puis faire repérer le sujet de chaque question (**c**). Lors de la mise en commun, mettre en évidence les mots interrogatifs et les sujets (utiliser par exemple deux couleurs différentes) afin d'aider à la formulation de la règle (**d**).

e Faire formuler les questions à l'oral. Les noter au tableau.

⊳ **Corrigé** a.

Question ouverte	Où trouver le temps de lire ?
	Pourquoi celle-ci [...] trouve-t-elle le temps de lire, et ce chaste rentier non ?
	Volé à quoi ?
	Qui s'y risquerait ?
	Qui a le temps d'être amoureux ?
Question fermée	A-t-on jamais vu un amoureux ne pas prendre le temps d'aimer ?

b. Mots interrogatifs au début de la question : Où trouver le temps de lire ? Pourquoi celle-ci [...] trouve-t-elle le temps de lire, et ce chaste rentier non ? Qui s'y risquerait ? Qui a le temps d'être amoureux ? **Mots interrogatifs à la fin de la question :** Volé à quoi ? **c. Sujets :** Où trouver le temps de lire ? (Impersonnel.) Pourquoi celle-ci [...] trouve-t-elle le temps de lire, et ce chaste rentier non ? Volé à quoi ? (« Le temps », dans la phrase précédente.) Qui s'y risquerait ? Qui a le temps d'être amoureux ? A-t-on jamais vu un amoureux ne pas prendre le temps d'aimer ? **d.** Dans une question ouverte : le mot interrogatif se place au **début** (Ex. *Qui a le temps d'être amoureux ?*) ; sauf pour reprendre une idée : dans ce cas, il se place à **la fin** (Ex. *Le temps de lire est toujours du temps volé.* → *Volé à quoi ?*). Dans une question fermée : quand le verbe est à un temps composé, on place le sujet entre l'auxiliaire et le participe passé (Ex. *A-t-on jamais vu un amoureux ne pas prendre le temps d'aimer ?*). **e. Questions à l'oral :** Où (est-ce qu'on peut) trouver le temps de lire ? Pourquoi celle-ci trouve le temps de lire, et pas ce chaste rentier ? Qui est-ce qui a le temps d'être amoureux ? Volé à quoi ? Qui est-ce qui s'y risquerait ? Est-ce qu'on a jamais vu un amoureux ne pas prendre le temps d'aimer ? / On a déjà vu un amoureux ne pas prendre le temps d'aimer ?

▶ **Précis grammatical p. 215**

▶ **S'exercer p. 186**

▌ **FOCUS LANGUE**   Sons et intonation

La liaison obligatoire et la liaison facultative 🎧»88   **page 148**

▌ **Objectif** : différencier la liaison obligatoire et la liaison facultative selon le contexte

Le premier point de phonétique du **dossier 1** permettait de sensibiliser les apprenants à la différence entre la liaison et l'enchaînement consonantique. Ici, il s'agit de montrer quelques exemples de liaisons facultatives et de demander aux apprenants d'être capables d'identifier à l'oral si cette liaison est faite ou non. On mettra également l'accent sur quelques contextes où la liaison est obligatoire.

– Faire lire les phrases écrites dans le livre et demander aux apprenants par deux de définir ensemble les liaisons obligatoires et celles qui ne le sont pas. Faire écouter tous les items pour qu'ils puissent vérifier leurs hypothèses.

– Reprendre collectivement chaque phrase pour identifier les liaisons obligatoires et les justifier.

⊳ **Transcriptions**

Exemple : LEJ est un nom qui vous est familier. 1. Dans une ville comme Toronto, on a plein de librairies. 2. Il n'y avait pas encore de librairie francophone, mais nous allons changer cette situation. 3. Une librairie, c'est un lieu de vie, c'est donc nécessaire pour les habitants. 4. Si on connaît bien les auteurs, on peut être de bons conseillers pour les clients. 5. Je suis arrivée dans cette ville il y a deux ans. 6. Avec mon amie, on s'est beaucoup investis dans ce projet.

⊳ **Corrigé** :

1. dans une → liaison facultative / liaison faite ; on a → liaison obligatoire ; 2. pas encore → liaison facultative / liaison non faite ; nous allons → liaison obligatoire ; 3. est un → liaison facultative / liaison faite ; les habitants → liaison obligatoire ; 4. les auteurs → liaison obligatoire ; peut être → liaison facultative / liaison non faite ; 5. suis arrivée → liaison facultative / liaison faite ; deux ans → liaison obligatoire ; 6. mon amie → liaison obligatoire ; beaucoup investies → liaison facultative / liaison non faite

▶ **Précis de phonétique p. 199**

▶ **S'exercer p. 186**

Pour aller plus loin

Prolonger avec l'activité des pages **S'exercer** *qui permet de renforcer ce point et de mettre en évidence différents contextes de liaisons obligatoires et facultatives.*

À nous ! **Activité 8 – Nous faisons la carte des profils de lecteurs de la classe.**

Modalités : par deux puis en groupe

Objectif : transférer les acquis de la leçon

Présenter la tâche aux apprenants : annoncer qu'ils vont se poser des questions sur leurs goûts et leurs pratiques en matière de livres et de lecture afin de déterminer les profils de lecteurs des apprenants de la classe. Faire lire les étapes et en vérifier la compréhension. Faire réaliser l'activité en binôme dans un premier temps (**a** et **b**) puis en grand groupe (**c**).

a Demander aux apprenants de se poser des questions par deux et de noter les réponses de leur binôme. Les inviter à réinvestir les notions vues dans le **Focus langue** p. 148 n° 2 sur l'interrogation.

b Procéder à la mise en commun : chaque apprenant récapitule les informations qu'il a notées en interrogeant son binôme ; faire observer les différences dans la classe afin de faire émerger les différents profils de la classe (s'intéressent-ils beaucoup à la lecture ? Fréquentent-ils les mêmes endroits pour acheter/lire des livres ? Quel genre de livre aiment-ils lire ? Quelles sont les habitudes de lecture de chacun ? etc.).

c Établir la carte des profils de lecteurs de la classe.

Rédiger une critique

Activité 1
Modalité : seul

▌**Objectif :** vérifier la compréhension globale d'une critique de spectacle

Si possible, projeter la critique *Poésie et sensations fortes*. Faire lire les consignes et le texte puis faire réaliser l'activité individuellement. Avant de procéder à la mise en commun en grand groupe, faire comparer les réponses par deux. Lors de la mise en commun, interroger quelques apprenants, noter leurs réponses après validation par la classe.

> **Corrigé** 1. Il s'agit de la *Nuit du Cheval 2017*, avec Lorenzo et les Tambours du Bronx. **a.** Ce spectacle est particulier parce qu'il associe la musique des Tambours du Bronx avec un spectacle de chevaux. C'est un spectacle rare. **b.** La critique est positive : **une rencontre originale** ; des **sensations fortes** ; **un spectacle rare** ; Lorenzo **sait les diriger** ; des tableaux **impressionnants** ; il **fait naître l'émotion** du public ; **une identité forte** ; leurs instruments **extraordinaires** ; leurs **étonnantes** compositions ; **parfaitement** chorégraphiée ; une **expérience aussi belle à voir qu'à entendre** ; **ne laisse pas insensible** ; l'association [...] est **étonnante**.

Activité 2
Modalité : en petits groupes

▌**Objectif :** identifier le modèle de critique

– Constituer des groupes de trois ou quatre apprenants. Faire lire les consignes et les quatre modèles de critique (encadrés de couleur ; les projeter si possible) ; vérifier la compréhension. Faire relire la critique afin de réaliser l'activité.

– Procéder à la mise en commun en grand groupe : interroger des apprenants, faire valider les réponses par la classe, les noter au tableau. Faire expliquer le terme *accroche* qui a déjà été vu dans les leçons précédentes.

> **Corrigé** **a.** C'est une critique de spectacle : modèle 3. **b.** Modèle 1 : critique de livre. Modèle 2 : critique d'œuvre d'art. Modèle 4 : critique de film.

Activité 3
Modalité : par deux

▌**Objectif :** rédiger une critique

Faire lire les consignes et faire réaliser l'activité par deux. Demander à chaque binôme de sélectionner un document du **dossier 8** qui présente une œuvre puis de choisir un modèle de critique (voir les modèles 1 à 4) ; enfin, faire rédiger la critique (inviter les apprenants à rédiger l'accroche en dernier) et l'illustrer. Laisser suffisant de temps aux groupes pour rédiger.

Activité 4 – Apprenons ensemble ! 🎧►90
Modalité : en petits groupes

▌**Objectif :** réfléchir à des stratégies pour améliorer son expression écrite en français

Garder les groupes constitués lors de l'activité **2**. Désigner un porte-parole.

a Faire lire la consigne et demander de faire des hypothèses en petits groupes sur ce que peut illustrer le dessin *(la difficulté d'écrire, peut-être l'absence de liberté d'écrire/d'expression)*. Puis procéder à la mise en commun, laisser les groupes d'exprimer sur le sujet.

b Faire lire la consigne et les questions, puis faire écouter l'enregistrement. Demander aux groupes de répondre aux questions. Puis procéder à une mise en commun en grand groupe.

c Faire lire la consigne et les conseils et demander aux groupes de rédiger des conseils pour aider Zafar à rédiger sa critique de film. Leur proposer de se reporter au modèle 4 p. 150. Procéder à la mise en commun en grand groupe : lister les conseils au tableau.

▷ **Transcriptions**

— J'essaie de rédiger une critique du film *L'Odyssée*. C'est pour l'exposition qu'on organise avec la classe. Mais je ne m'en sors pas. Ça fait une heure que je cherche dans mon dictionnaire et je n'avance pas. Tu ne veux pas l'écrire pour moi, s'il te plaît ?

— Ça ne va pas t'aider ! Et de toute façon, je n'ai pas vu le film. Peut-être que tu vas trop vite. Est-ce que tu as déjà préparé ce que tu veux dire ?

▷ **Corrigé** **b.** 1. Zafar ne réussit pas à écrire la critique du film *L'Odyssée* parce qu'il a des difficultés à rédiger en français. 2. Il demande à un camarade de rédiger la critique pour lui. **c.** 2. Préparer ses idées : lister les éléments de la présentation du film (titre, réalisateur, où, quand), les éléments intéressant ou inintéressant du film (scénario, réalisation, bande son, acteurs, costume). 3. Écrire la critique au brouillon, finir par la conclusion (valoriser les éléments essentiels). 4. Rédiger l'accroche (elle doit donner envie de lire la suite de la critique). 5. Se relire, corriger et recopier au propre la critique.

PROJETS

PROJETS

Projet de classe

Il est conseillé de réaliser le projet de classe avant le projet ouvert sur le monde

Nous organisons une exposition d'un de nos artistes francophones préférés

Annoncer aux apprenants qu'ils vont créer une exposition sur les artistes francophones préférés de la classe : ils vont identifier les trois fonctions d'un panneau d'exposition à partir d'une carte mentale, choisir l'artiste préféré de la classe et faire des recherches sur lui/elle, choisir l'œuvre que la classe préfère ; enfin, en petits groupes, ils vont soit rédiger la biographie de l'artiste, soit présenter son travail (œuvres et réalisations qui ont rendu l'artiste célèbre), soit faire une critique d'une de ses œuvres. Leur présenter les étapes du projet.

1. et 2. – Faire lire les consignes et réaliser les activités individuellement.
  – Demander d'observer la carte mentale (la projeter si possible) pour identifier les trois fonctions d'un panneau d'exposition et faire réaliser l'activité **2**.
  – Faire comparer les réponses par deux puis procéder à une première mise en commun en grand groupe : interroger quelques apprenants et noter les réponses et les termes clés au tableau.

3. Demander à la classe de choisir l'artiste francophone préféré de la classe (éventuellement parmi ceux découverts dans ce **dossier 8**) puis de se mettre d'accord sur la date et le lieu de l'exposition.

4. a. Diviser la classe en deux équipes et attribuer des tâches à chacune : l'équipe 1 sélectionnera des photos de l'artiste et fera des recherches sur sa vie et son parcours ; l'équipe 2 sélectionnera des illustrations et des informations sur le travail et les œuvres importantes de l'artiste.

b. Procéder à une deuxième mise en commun en grand groupe : interroger quelques apprenants de chaque équipe pour présenter leurs recherches. Faire voter les apprenants pour déterminer l'œuvre préférée de la classe.

5. – Diviser ensuite la classe en trois groupes A, B et C afin de répartir entre eux les activités à réaliser pour préparer l'exposition : le groupe A rédigera une biographie de l'artiste, le groupe B fera une présentation du travail de l'artiste et le groupe C rédigera une critique de l'œuvre choisie par la classe. À l'issue de ce travail, chaque groupe préparera un panneau d'exposition.
  – Lire les consignes et en vérifier la compréhension avec chaque groupe.
  – Laisser aux apprenants suffisamment de temps pour réaliser ces activités. Les inciter à se reporter aux notions conceptualisées dans les **Focus langue** du dossier (pp. 142-143 et pp. 148-149). Passer dans les groupes pour vérifier le bon déroulement de l'activité.

6. Procéder à la mise en commun en grand groupe : chaque groupe présente ses réalisations à la classe (son panneau d'exposition). Ensemble, procéder à l'accrochage des panneaux dans le lieu choisi au préalable.

> **Corrigé** **1.** être visible, informer, accrocher

Projet ouvert sur le monde

Nous réalisons une carte de découvertes culturelles francophones et nous la partageons avec d'autres étudiants de français.

Le projet ouvert sur le monde peut se faire en dehors de la classe : il est conseillé de présenter le projet aux apprenants en groupe pour s'assurer de la bonne compréhension de l'ensemble et de la répartition des tâches.

Annoncer aux apprenants qu'ils vont réaliser une carte de découvertes culturelles francophones afin de la partager avec d'autres étudiants de français. Préciser qu'ils vont devoir analyser un programme culturel puis lister les œuvres, spectacles et événements culturels découverts dans le **dossier 8** et les classer par domaine artistique. Ensuite, en petits groupes, ils vont faire des recherches pour compléter chaque domaine artistique par d'autres œuvres, spectacles ou événements ; ils détailleront ensuite ces œuvres, spectacles ou événements sous forme de fiche technique (fiche « bon plan »). Enfin, ces fiches serviront à constituer une carte interactive de découvertes culturelles à publier sur un blog ou un réseau social.

1. Faire lire les consignes **a** et **b** et faire observer le document (le projeter si possible) ; le faire identifier (*c'est une page Internet qui présente des bons plans culturels dans le monde*). Puis faire réaliser les activités par deux et procéder à une première mise en commun en grand groupe.
2. Faire lire la consigne et par deux, faire classer les œuvres, spectacles, événements culturels découverts dans le **dossier 8** dans le tableau, puis procéder à une validation du tableau par l'ensemble de la classe.
3. – Former cinq groupes (pour les cinq domaines artistiques). Annoncer que chaque groupe va travailler sur un domaine artistique. Faire lire la consigne.
    – Demander à chaque groupe de faire des recherches pour élargir la liste d'œuvres, de spectacles et d'événements culturels francophones ; les faire détailler (dire qui est l'artiste, l'auteur ou l'organisateur ; la date de création ou de l'événement ; le ou les lieux où on peut les voir). Annoncer aux apprenants qu'ils devront être capables de justifier leurs choix (et ainsi réutiliser les structures vues dans les **Focus langue** pp. 142-143 et pp. 148-149) ; les inciter à réinvestir les acquis du dossier.
    – Procéder à la mise en commun en grand groupe : partager avec la classe ; la classe vote pour les propositions culturelles les plus intéressantes.
4. – Demander aux apprenants de se répartir les œuvres choisies par la classe afin de réaliser une fiche « bon plan » pour chacune, par deux. Veiller à ce que les apprenants soient d'accord entre eux.
    – Procéder à la mise en commun en grand groupe : chaque binôme présente ses « bons plans » à la classe. Accorder un temps d'échange entre les groupes pour leur permettre de commenter et de valider les fiches de chacun.
5. Puis, faire réaliser une carte interactive de la classe : mettre en commun les « bons plans » de chacun. Publier la carte sur un blog ou un réseau social. Répondre aux commentaires des lecteurs s'il y en a. Si la classe n'est pas connectée, proposer d'imaginer un programme des « bons plans » culturels.

Nous réalisons une carte de découvertes culturelles francophones et nous la partageons avec d'autres étudiants de français.

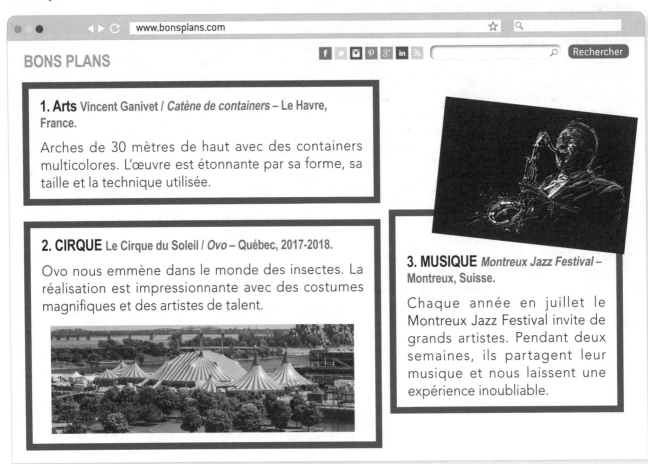

> ### BONS PLANS
>
> **1. Arts** Vincent Ganivet / *Catène de containers* – Le Havre, France.
>
> Arches de 30 mètres de haut avec des containers multicolores. L'œuvre est étonnante par sa forme, sa taille et la technique utilisée.
>
> **2. CIRQUE** Le Cirque du Soleil / *Ovo* – Québec, 2017-2018.
>
> Ovo nous emmène dans le monde des insectes. La réalisation est impressionnante avec des costumes magnifiques et des artistes de talent.
>
> **3. MUSIQUE** *Montreux Jazz Festival* – Montreux, Suisse.
>
> Chaque année en juillet le Montreux Jazz Festival invite de grands artistes. Pendant deux semaines, ils partagent leur musique et nous laissent une expérience inoubliable.

1. Lisez ces bons plans suggérés par un site sur Internet.

Par deux.

a. Associez chaque bon plan à son objet : une œuvre, un spectacle, un événement.

b. Observez la structure de chaque bon plan et identifiez :

Les informations pratiques :

1. ....

2. ....

3. ....

L'appréciation :

1. ....

2. ....

3. ....

2. Listez les œuvres, les spectacles, les événements culturels francophones découverts dans le dossier 8. Classez-les dans le tableau par domaine artistique.

Arts	Spectacle vivant	Architecture	Cinéma	Littérature
....	....	....	....	....
....	....	....	....	....
....	....	....	....	....

Par petits groupes.

3. **Répartissez-vous les domaines artistiques.**
   a. Faites des recherches pour compléter chaque domaine avec d'autres œuvres, spectacles, événements culturels francophones.

   ....

   b. Pour chaque œuvre, spectacle ou événement, notez :
   l'artiste : ....
   l'auteur ou l'organisateur : ....
   la date de création ou de l'événement : ....
   le ou les lieux où on peut le/la voir : ....

   c. Partagez le résultat de vos recherches avec la classe en justifiant vos choix, et sélectionnez les propositions culturelles les plus intéressantes.

4. **Répartissez-vous les œuvres choisies.**
   a. Par deux, pour chaque œuvre, spectacle ou événement, trouvez une illustration et renseignez la fiche « bon plan » :

> Domaine : ....
> Nom / Titre : ....
> Auteur / Artiste : ....
> Localisation : ....
> Site Internet : ....
> Description : ....
> Appréciation : ....

   b. Mettez en commun vos productions pour les valider.
   ▶ *Est-ce que les fiches donnent bien toutes les informations pratiques pour trouver chaque œuvre, spectacle ou événement ?*
   ▶ *Est-ce que les descriptions donnent envie de les découvrir ?*

5. **Réalisez une carte interactive www.thinglink.com de vos bons plans de découvertes culturelles.**
   Publiez-la sur un blog ou un réseau social et répondez aux commentaires.

1. Compréhension de l'oral 🎧»91

10 points

– Faire lire la consigne de l'exercice et les questions et s'assurer de leur bonne compréhension.
– Faire écouter l'enregistrement deux fois (30 secondes de pause entre les deux écoutes). Laisser deux minutes aux apprenants pour qu'ils vérifient leurs réponses.

> **Transcriptions**

Marius : Bonjour Lucile !

Lucile : Marius ! Ça fait longtemps qu'on ne s'est pas vus ! Tu es toujours à Lille ?

Marius : Non, j'ai déménagé l'année dernière à Toulouse, mais comme j'ai trouvé une compagnie de danse contemporaine à Bordeaux, je déménage à nouveau dans un mois !

Lucile : Tu as trouvé une compagnie ? C'est génial ! Je me souviens que tu avais des difficultés à en trouver une. Et tu t'y plais ?

Marius : Oui, tout se passe très bien. Il y a une bonne ambiance entre les danseurs. Le travail est dur car on s'entraîne tous les jours mais surtout parce qu'on est en train de répéter une chorégraphie. Mais tu sais que danser est ma passion, donc, je suis content d'être dans cette compagnie.

Lucile : Et vous allez faire plusieurs représentations de votre spectacle ?

Marius : Oui, d'abord en France : on a déjà une vingtaine de dates ! Et après, en Europe.

Lucile : Félicitations ! C'est une grosse compagnie de danse alors ?

Marius : Pas vraiment, mais c'est la plus importante de la région ! Il y a dix danseurs et quinze danseuses.

Lucile : Je suis très contente pour toi !

Marius : Et toi ? Tu chantes toujours ?

Lucile : Oui ! Après avoir passé plusieurs castings, je suis enfin chanteuse dans un groupe de jazz. Je suis très fière de chanter dans ce groupe car les musiciens sont les meilleurs que je connaisse !

Marius : Eh ben, il s'en est passé des choses pendant un an !

Lucile : Oui ! Et que des bonnes choses ! Si tu veux, tu peux venir m'écouter demain soir : je fais un concert dans un bar en centre-ville.

Marius : Avec plaisir ! Je viendrai certainement avec un copain. Et moi, ce soir, je vais au cinéma voir le dernier film de Guédiguian.

Lucile : Je l'ai vu la semaine dernière ! Il est sublime ! C'est vraiment un beau film, très réussi ! Ça ne me disait rien d'aller le voir, mais je n'ai pas regretté !

Marius : Bon, alors on se retrouve demain soir.

Lucile : À demain Marius !

> **Corrigé** 1. b. *1 point* ; 2. Il est danseur (dans une compagnie). *1 point* ; 3. Parce qu'ils répètent une chorégraphie. *1 point* ; 4. c. *1 point* ; 5. C'est la plus importante de la région. *1 point* ; 6. Elle a passé plusieurs castings. *1 point* ; 7. Ce sont les meilleurs qu'elle connaisse. *1 point* ; 8. b. *1 point* ; 9. Deux réponses parmi : il est sublime, c'est vraiment un beau film, très réussi. *2 points*

2. Production écrite

15 points

– Faire lire les deux consignes des exercices et s'assurer de leur bonne compréhension. Demander aux apprenants de choisir un des deux sujets (sujet 1 ou sujet 2).
– Rappeler (ou demander à un apprenant de rappeler) comment compter les mots dans une production écrite : un mot est un ensemble de signes placé entre deux espaces. « C'est-à-dire » = 1 mot ; « parce que » = 2 mots ; « il y a » = 3 mots ; « j'ai 25 ans » = 3 mots. Préciser que le jour de l'examen, il est possible d'écrire plus de 160 mots, mais pas moins (sachant qu'une marge de 10 % en moins est tolérée).
– Laisser environ 30 minutes aux apprenants pour réaliser la tâche demandée.

Guide pour l'évaluation

Respect de la consigne L'apprenant a bien respecté le type d'écrit demandé dans la consigne et le thème. L'apprenant a bien écrit au minimum 160 mots (il peut écrire plus de 160 mots).	2 points
Capacité à présenter des faits Dans sa production, l'apprenant a décrit une situation et donné des faits de façon variée, précise et détaillée, avec des exemples concrets.	4 points
Capacité à exprimer sa pensée L'apprenant a exprimé des sentiments selon la situation proposée (exercice 1 ou 2).	4 points
Cohérence et cohésion Le discours de l'apprenant est cohérent et ses idées s'enchaînent assez bien. On note la présence de quelques connecteurs (articulateurs logiques).	1 point
Compétence lexicale / Orthographe lexicale L'apprenant a correctement utilisé le vocabulaire de la situation demandée dans la consigne. L'apprenant a bien orthographié les mots utilisés vus dans le dossier 8 et dans les dossiers précédents. La mise en page et la ponctuation sont fonctionnelles.	2 points
Compétence grammaticale / Orthographe grammaticale L'apprenant maîtrise la structure de la phrase simple. L'apprenant a su utiliser les temps et les modes vus dans le dossier 8 et dans les dossiers précédents et a su conjuguer correctement les verbes aux principaux temps de l'indicatif.	2 points

3. Production orale

15 points

Exercice 1

◀ 2 points ▶

Faire lire la consigne de l'exercice et s'assurer de sa bonne compréhension.

Guide pour l'évaluation

L'apprenant peut, sans préparation, parler de lui, de ses activités personnelles et professionnelles et de ses centres d'intérêt. L'entretien dirigé doit durer au minimum 2 minutes.

Exercice 2

◀ 5 points ▶

– Faire lire la consigne des deux exercices en interaction. S'assurer de leur bonne compréhension.
– Demander aux apprenants de choisir un des deux sujets (sujet 1 ou sujet 2) et de constituer un binôme pour réaliser le jeu de rôle choisi.
– Laisser 10 minutes aux apprenants pour préparer leur jeu de rôle.
– Demander à un binôme de venir au tableau pour le réaliser. Le jeu de rôle doit durer au minimum 3 minutes.

Guide pour l'évaluation

Les apprenants peuvent faire des propositions et argumenter comme demandé dans la consigne et, le cas échéant, arriver à convaincre leur interlocuteur, le faire changer d'avis. *(Les 5 points sont à répartir selon la quantité des informations échangées entre les apprenants et la façon dont ils sont parvenus à réaliser la tâche demandée.)*

Exercice 3

◀ 5 points ▶

– Faire lire la consigne et les deux sujets du monologue suivi. S'assurer de leur bonne compréhension. L'enseignant pourra expliquer, en français, certains termes non compris.
– Demander aux apprenants de choisir un des deux sujets (sujet 1 ou sujet 2).
– Laisser 10 minutes aux apprenants pour faire un brouillon sur le sujet qu'ils auront choisi. La production orale de

l'apprenant doit durer au minimum 3 minutes. L'enseignant (ou d'autres étudiants de la classe) pourra poser quelques questions à l'issue du monologue, il n'interviendra pas avant.

Guide pour l'évaluation

L'apprenant a pu dégager le thème principal du sujet **(1 point)** et a su donner son opinion sous la forme d'un petit exposé, de façon construite et cohérente **(4 points)**.

Pour **l'ensemble des 3 exercices**, l'enseignant s'assurera que les apprenants ont bien acquis les compétences lexicales et morphosyntaxiques vues dans le dossier 8 et dans les dossiers précédents **(2 points)**.

Il veillera aussi à ce que les apprenants prononcent de manière compréhensible le répertoire d'expressions vues dans le dossier 8 et dans les dossiers précédents **(1 point)**.

S'EXERCER – CORRIGÉS

DOSSIER 1

pp. 156 à 159

LEÇON 1

1. Natacha, 30 ans, la rêveuse

Adolescente, je suis partie **pour** l'Australie deux mois avec mes parents. J'ai eu un coup de cœur **pour** ce pays, ses grands espaces et sa culture. J'ai décidé **de** vivre là-bas à la fin de mes études. Avant mon départ, j'avais tendance **à** idéaliser le pays, mais j'ai appris à le connaître et je ne regrette pas une minute mon choix !

Fred, 42 ans, l'exilé

Après mes études, j'avais du mal à trouver du travail, je n'arrivais pas **à** trouver ma place professionnellement et j'en avais marre **d'**alterner les périodes de chômage et de petits boulots. Quand je me suis installé **à** Londres, j'ai pris un nouveau départ et ça m'a réussi ! Aujourd'hui, je réfléchis **à** l'avenir : je vais peut-être rentrer en France.

2. a. C'est un quartier très animé où on peut facilement prendre un verre avec des amis : le **nombre de bars par habitant** est impressionnant ! **b.** Paris est une ville où le **taux de célibataires** est très élevé. C'est un paradoxe pour la ville de l'amour ! **c.** Beaucoup de retraités vont vivre dans le sud de la France en raison du climat : le **nombre de jours d'ensoleillement** est le plus important de France. **d.** On mange très bien dans la région : les **restaurants gastronomiques** sont nombreux. **e.** Le **taux de chômage** est en baisse car la région a pris des mesures efficaces pour créer des emplois. **f.** C'est une petite ville mais l'**offre culturelle** y est assez riche : il y a toujours des spectacles ou des concerts à aller voir. **g.** Nous avons quitté Paris à cause du **coût de la vie** : les prix des biens et services y sont supérieurs de 9 % à ceux de la province ! **h.** La création de la **ligne TGV** Paris-Rennes va permettre à Rennes de se développer au niveau national.

3. D'après un récent classement **établi** par *Le Figaro* concernant les villes de plus de 50 000 habitants, c'est Cergy qui **s'impose comme** la ville la plus dynamique économiquement. Neuilly-sur-Seine **se place** en deuxième position, ex æquo avec Issy-les-Moulineaux. Au total, ce sont dix villes du département des Hauts-de-Seine qui **se hissent** dans le top 20. Malgré des atouts évidents, Paris, la capitale, **se classe** seulement vingt-troisième. Les villes du nord-est et du sud méditerranéen **arrivent** en fin de classement. Calais, en dernière position, **perd des points** à cause de son taux de chômage élevé. Ce classement **prend en compte** quatre grands **critères** : le dynamisme démographique, les entreprises et le marché du travail, les infrastructures et les services, le niveau de vie.

4. a. Attention ! **Ce n'est pas si évident que ça** d'obtenir un visa de travail dans certains pays. **b.** Ayez toujours une photocopie de votre passeport. **On ne sait jamais :** si vous perdez votre passeport, vous serez bien content d'en avoir une copie. **c.** Si vous partez à l'étranger parce que vous pensez avoir trouvé le pays idéal, **attention, rien n'est jamais parfait ! d.** Pendant un séjour à l'étranger, il y a souvent des moments difficiles : **tout n'est pas toujours rose. e.** Vivre et travailler dans certains pays peut paraître formidable mais il faut **se méfier** des publicités idylliques.

LEÇON 2

5. a. Nous envisageons de / Nous avons l'intention de / Nous avons envie de déménager. **b. Tu envisages de / Tu as l'intention de / Tu as envie de** trouver un poste à l'étranger. **c. Ils envisagent de / Ils ont l'intention de / Ils ont envie de** partager leur expérience d'expatriés. **d. J'envisage de / J'ai l'intention de / J'ai envie de** faire un échange de maison. **e. Il envisage de/ Il a l'intention de** / Il a envie de changer de métier.

6 a. a. 4 ; b. 1 ; c. 5 ; d. 3 ; e. 2. **b.** a. **Je souhaiterais / J'aimerais / Ça me plairait d'**obtenir des informations sur le logement au Québec. 4. **Pourrais-tu** me renseigner sur les différents modes d'hébergement ? b. **Ils souhaiteraient / Ils aimeraient / Ça leur plairait de** recevoir une réponse au sujet des postes vacants. 1. **Pourrais-tu** leur préciser que nous recherchons trois enseignants ? c. **Nous souhaiterions / Nous aimerions / Ça nous plairait de** connaître la ville où nous allons travailler. 5. **Pourriez-vous** nous la présenter en quelques mots ? d. **Je souhaiterais / J'aimerais / Ça me plairait d'**avoir mon propre véhicule. 3. **Pourrait-il** m'indiquer une agence de location de voitures ? e. **Nous souhaiterions / Nous aimerions / Ça nous plairait de** savoir comment trier les ordures ménagères. 2. **Pourriez-vous** nous expliquer le fonctionnement du tri sélectif ?

7. Bonjour Laura,

Voici une brève description de notre logement. C'est un appartement de trois **pièces**, d'une superficie de 75 m², au 4e étage d'un immeuble récent situé à cinq minutes du tramway. Le séjour a une grande **terrasse** qui donne sur la rue. La **chambre** principale dispose d'une salle d'eau. La deuxième chambre sert aussi de bureau. La **cuisine** est aménagée et dispose de l'équipement de base (**un frigo**, un four et une plaque de cuisson). **Le lave-linge** est dans la salle de bains.

8. a. Quand tu dis que tu vas louer un « char », tu **veux dire** une « voiture » ? **b.** Oui, **tout à fait ! c.** Vous êtes **sûr** que la concierge sera là ? **d. N'oubliez pas que**

les magasins ferment le dimanche. **e. Je voulais vous demander si vous pouviez** déposer les clés dans la boîte à lettres. **f. Ne vous inquiétez pas** : le quartier n'est pas dangereux.

9. 🎧×092 **a.** *Exemple : notre appartement – nos appartements* 1. à votre avis – à mon avis 2. un hôpital – un grand hôpital 3. ils oublient – il oublie 4. cette information – ces informations 5. une épicerie – une grande épicerie 6. une formule exceptionnelle – un avis exceptionnel 7. la ville des expatriés – c'est une ville incroyable 8. de brillantes études – elle a un brillant aveni

1. à vo<u>tre a</u>vis (enchaînement) – à mo<u>n a</u>vis (liaison)
2. u<u>n h</u>ôpital (liaison) – un gran<u>d h</u>ôpital (liaison)
3. il<u>s ou</u>blient (liaison) – i<u>l ou</u>blie (enchaînement)
4. cet<u>te in</u>formation (enchaînement) – ce<u>s in</u>formations (liaison) 5. u<u>ne é</u>picerie (enchaînement) – une gran<u>de é</u>picerie (enchaînement)
6. une formu<u>le e</u>xceptionnelle (enchaînement) – u<u>n a</u>vis exceptionnel (liaison) 7. la ville de<u>s ex</u>patriés (liaison) – c'e<u>st une</u> ville incroyable ! (liaison et enchaînement) 8. de brillante<u>s é</u>tudes (liaison) – el<u>le a</u> un brillan<u>t a</u>venir (enchaînement et liaison).

LEÇON 3

10. **a.** C'est une **nouvelle** habitante du quartier qui travaille pour la radio **anglaise**. **b.** Si vous vous promenez dans le quartier, vous verrez de **vieilles** façades **authentiques**. **c.** Voici une **bonne** adresse qui propose des plats **végétariens originaux**. **d.** J'aimerais essayer ce **petit** restaurant **chinois**. **e.** Quels sont vos **trois** lieux **préférés** dans le quartier ?

11. *Exemple de réponse.* C'est un grand immeuble jaune de cinq étages. Sur cet immeuble plutôt laid, on voit une fresque géante originale. Elle représente un homme qui porte une chemise rose, une veste bleue et un pantalon beige. Il prend une photo.

12. **a. Tu devrais / Vous devriez / Je te (vous) conseillerais de** sortir dans des bars. **b. Vous devriez / Je vous conseillerais de** visiter d'autres villes françaises. **c. Il devrait / Je lui conseillerais d' / Je lui dirais d'**essayer un petit bistrot. **d. Tu devrais / Vous devriez / Je te (vous) conseillerais de** faire un séjour linguistique en France. **e. Vous devriez / Je vous conseillerais de** vous montrer polis.

13. **a.** Si nous **nous installions** dans le sud du pays, nous **choisirions** un petit village de montagne. **b.** S'ils **voyageaient** plus souvent, ils **seraient** plus ouverts sur le monde. **c.** Si tu **prenais** le temps de parler aux gens, tu **verrais** qu'ils sont très sympathiques ! **d.** Si on **me permettait** de partir un mois en France, j'**irais** à Lyon. **e.** Si je **connaissais** mieux les habitudes des habitants, j'**aurais** plus de facilités à m'intégrer. **f.** Si vous **restiez** plus longtemps en France, nous **passerions** nos vacances ensemble. **g.** Si on vous **offrait** un voyage en France, que **feriez**-vous ? **h.** Si elle **s'expatriait**, elle **s'installerait** dans un pays d'Europe.

14. *Exemples de réponse.* **a. Il faudrait / On pourrait** aider financièrement les entreprises pour les inciter à rester. **b. Il faudrait / On pourrait** rénover la piscine.

c. Il faudrait / On pourrait mieux entretenir le patrimoine historique de la ville. **d. Il faudrait / On pourrait** créer un centre culturel. **e. Il faudrait / On pourrait** installer des caméras de surveillance.

15. **a.** authentique ; **b.** avec une âme ; **c.** innovation ; **d.** méconnu ; **e.** sans chichi

16. **a. Vous aimez particulièrement** le quartier du marché. **b. Ils sont très peinés par** la disparition des petits commerces du centre-ville. **c. Je suis très attaché à** la protection des espaces verts. **d. C'est dommage** que la mairie ne développe pas la vie culturelle. **e. Nous sommes amoureux de** notre petit village ! **f. J'ai le souvenir de** concerts gratuits donnés sous le kiosque à musique. **g. Le quartier vous semble** moins animé que dans votre enfance.

LEÇON 4

17. **a.** Nous avons acheté un appartement **dont** nous avons modifié le plan. **b.** Elle habite un très bel immeuble **dont** la porte cochère est remarquable. **c.** Nous sommes allés dans une nouvelle piscine **dont** nous avons oublié le nom. **d.** Nous photographions des immeubles **dont** les façades sont recouvertes de fresques géantes. **e.** J'ai dîné dans un restaurant **où** tous les serveurs parlaient anglais. **f.** Il vit dans un pays **dont** il ne connaît pas la culture.

18. **a.** – Paris est la ville **dont** j'ai toujours rêvé !
– Paris est la ville **où** j'ai rencontré ma femme.
b. – L'hôtel **où** nous sommes descendus se trouve près de la gare Montparnasse.
– L'hôtel **dont** on nous a donné l'adresse est très bien situé.
c. – C'est un supermarché **où** on trouve des produits biologiques.
– C'est un supermarché **dont** l'heure de fermeture est tardive.
d. – Nous louons un appartement **dont** les chambres donnent sur un parc.
– Nous louons un appartement **où** nous pouvons dormir à cinq.
e. – C'est un quartier **où** il y a de nombreux petits restaurants.
– C'est un quartier **dont** on nous a beaucoup parlé.
f. – Le café **dont** le propriétaire a eu un accident a fermé le mois dernier.
– Le café **où** nous avions nos habitudes a changé de propriétaire.

19. 🎧×093 **a.** *Exemple : On ne connaît pas bien ce quartier.* 1. Depuis que j'habite ici, je ne vois pas beaucoup de touristes. 2. Tu crois qu'il y a des restaurants sympas dans ce quartier ? 3. Celui que je préfère est juste en face de l'épicerie du coin : tu le connais ? 4. Il faut se lancer pour parler le français avec les commerçants. 5. Quand on est venus ici pour la première fois, il n'y avait pas de jardin. 6. Ce qui est le plus dur dans notre situation, c'est le premier jour. 7. Dès le premier jour, je me suis sentie bien dans ce quartier. 8. Qu'est-ce que tu as fait quand tu es allé à Genève ?

Exemple : On n<u>e</u> connaît pas bien c<u>e</u> quartier. (Registre familier). 1. Depuis qu<u>e</u> j'habite ici, j<u>e n</u>e vois pas beaucoup de touristes. (familier) 2. Tu crois qu'*il* y a des restaurants sympas dans ce quartier ? (familier) 3. Celui que je préfère est juste en face de l'épicerie du coin, tu le connais ? (standard) 4. Il faut se lancer pour parler le français avec les commerçants. (familier) 5. Quand on est venu ici pour la première fois, il n'y avait pas de jardin. (standard) 6. Ce qui est le plus dur dans notre situation, c'est le premier jour. (standard) 7. Dès le premier jour, je me suis sentie bien dans ce quartier. (standard) 8. Qu'est-ce que tu as fait quand tu es allé à Genève ? (familier)

DOSSIER 2

LEÇON 1

pp. 160 à 163

1. a. Je ne comprends pas que les étudiants soient toujours en retard. **b.** Ça m'étonne que les Français partent très souvent en vacances. **c.** Je ne crois pas que les professeurs aient beaucoup de temps libre. **d.** Je suis étonné que vous mangiez beaucoup de pâtisseries sans grossir ! **e.** Je comprends que tu doives encore t'habituer à ta nouvelle vie en France. **f.** Je ne pense pas que les étudiants puissent frauder facilement aux examens. **g.** C'est bizarre que nous ayons régulièrement des problèmes avec Internet. **h.** Je suis surpris que mon ami japonais fasse de très bonnes quiches. **i.** Ça ne me gêne pas que vous me demandiez souvent de l'aide. **j.** Ça m'énerve qu'elle ne me comprenne pas à cause de mon accent. **k.** Je suis content que vous me présentiez des amis français.

2. a. Permettez-moi de vous dire que votre attitude **est** regrettable. **b.** Nous demandons que vous **fassiez** un geste commercial. **c.** Sachez que je **suis** extrêmement déçu. **d.** Je souhaite que vous me **répondiez** rapidement.

3. a. Ça m'étonne que / Je ne comprends pas que / Je ne crois pas que tout le monde puisse s'inscrire à l'université. **b.** C'est bizarre que / Je ne comprends pas que les professeurs ne veuillent pas échanger avec leurs étudiants. **c.** Je suis surpris que / Je ne comprends pas que / Je ne pense pas que les Français fraudent très souvent dans les transports en commun. **d.** Ça m'étonne qu' / Je ne comprends pas qu' / Je ne crois pas qu'il soit vraiment difficile de se faire des amis en France. **e.** Ça m'étonne que / Je ne comprends pas que / Je ne crois pas que de nombreux étudiants doivent travailler pour financer leurs études. **f.** Je suis surpris qu' / Je ne comprends pas qu' / Je ne pense pas qu'en France, les gens s'invitent souvent à dîner. **g.** C'est bizarre qu' / Je ne comprends pas qu' / Je ne crois pas qu'on ait accès à Internet gratuitement dans tous les lieux publics.

4. Salut Takashi,
Pour ton problème de **connexion** Internet, voilà ce que tu peux faire : **éteins** puis **rallume** ta box. **Le voyant** doit changer de couleur et passer au vert après quelques instants. Si ton téléphone fixe a de **la tonalité** mais que **le débit** est vraiment lent, ta ligne est peut-être endommagée et dans ce cas, tu dois téléphoner à ton opérateur. Tu devras appuyer sur **le bouton** « reset » au

dos de **ta box** pour qu'ils vérifient l'état de ta ligne. Si ça ne marche pas, un technicien passera sûrement chez toi. Bon courage !

LEÇON 2

5. *Exemples de réponse.* **a.** Ces derniers temps, je suis vraiment surmené. C'est pour ça que je fais des malaises. **b.** Il boit plus de sept cafés par jour. Par conséquent, il a des palpitations. **c.** Vous n'avez pas mangé depuis deux jours. Voilà pourquoi vous vous sentez faible. **d.** J'ai repris le sport après six mois d'interruption. C'est la raison pour laquelle j'ai des courbatures partout. **e.** Tu as attrapé la grippe. Du coup, tu dois rester chez toi une semaine. **f.** Le médecin lui a prescrit des médicaments trop forts. Du coup, il s'est senti plus mal. **g.** Je me suis senti très mal en pleine nuit. Alors, j'ai appelé SOS médecin. **h.** Elle a dû rester trois semaines à l'hôpital. Par conséquent, elle s'attendait à des frais importants.

6. a. J'étais si /tellement énervé que j'ai écrit un mél pour réclamer le remboursement de mes soins. / J'ai écrit un mél [...] tellement j'étais énervé. **b.** Il est si /tellement prévoyant qu'il pensera à prendre tous ses papiers en cas de problème à l'étranger. / Il pensera à prendre [...] tellement il est prévoyant. **c.** Elle est si / tellement malade qu'elle ne pourra pas venir. / Elle ne pourra pas venir tellement elle est malade. **d.** Il avait tellement de fièvre que le paracétamol était inefficace. / Le paracétamol était inefficace tellement il avait de fièvre. **e.** J'ai eu si / tellement peur que j'ai appelé les urgences médicales. / J'ai appelé les urgences médicales tellement j'ai eu peur. **f.** Nous avons si /tellement mal aux jambes que nous n'arrivons plus à marcher. / Nous n'arrivons plus à marcher tellement nous avons mal aux jambes.

7. a. 4 ; b. 1 ; c. 5 ; d. 3 ; e. 2.

8. a. Y a-t-il un bon système **d'assurance santé** dans votre pays ? **b.** Si vous n'**êtes pas couverts**, vous risquez d'avoir des frais de santé très lourds. **c.** Après les études, il faut **s'affilier** au régime général de la sécurité sociale. **d.** Quand je suis partie faire mon stage en Allemagne, j'ai demandé une **carte européenne d'assurance maladie**. **e.** As-tu pensé à mettre à jour ta **carte Vitale** ? C'est important pour être remboursé. **f.** C'est à vous d'effectuer les démarches indispensables pour pouvoir **bénéficier** du remboursement de vos soins médicaux. **g.** J'ai perdu **l'ordonnance** que le médecin m'avait donnée.

9. 🎧 ►094 *Exemple : C'est fou ! C'est vraiment fou ! C'est vraiment complètement fou !* **a.** Je ne suis pas content. Je ne suis vraiment pas content ! Je ne suis vraiment pas du tout content ! **b.** C'est pareil ! C'est toujours pareil ! C'est vraiment toujours pareil ! **c.** Ça m'énerve ! Qu'est-ce que ça m'énerve ! Mais qu'est-ce que ça peut m'énerver ! **d.** Ça dure depuis longtemps ! Ça dure depuis trop longtemps ! Ça dure depuis bien trop longtemps ! **e.** C'est pas vrai ? Non mais c'est pas vrai ? Non mais dis-moi que c'est pas vrai !

a. Je ne suis **pas** content. Je ne suis **vrai**ment **pas** content ! Je ne suis **vrai**ment **pas** du tout content !
b. C'est **pa**reil ! C'est **tou**jours pareil ! C'est **vrai**ment **tou**jours pareil ! **c.** Ça **m'é**nerve. **Qu'est-c**e que ça

m'énerve ! Mais **qu'est-c**e que ça **peut** m'énerver ! **d.** Ça dure depuis **long**temps. Ça dure depuis **trop** longtemps ! Ça dure depuis **bien** trop longtemps ! **e.** C'est **pas** vrai ? Non mais c'est **pas** vrai ? Non mais dis-moi que c'est **pas** vrai !

LEÇON 3

10. a. Oui, inscris-les / Oui, inscrivez-les. **b.** Non, ne l'appelle pas. / Non, ne l'appelez pas. **c.** Oui, rends-toi à l'association. / Oui, rendez-vous à l'association. **d.** Non, n'en laisse pas deux. / Non, n'en laissez pas deux. **e.** Oui, remplis-le maintenant. / Oui, remplissez-le maintenant.

11. *Exemples de réponse.* **a.** Téléphone-lui et demande-lui un rendez-vous. Parle-lui de ton projet. **b.** Renseigne-toi sur les prix des locations, adresse-toi à un agent immobilier, explique-lui quel type d'appartement tu cherches. **c.** Adresse-toi à un point d'accueil, apporte un justificatif de domicile et ta carte d'identité et présente-les à l'employé.

12. a. On m'a dit que je devais apporter un justificatif de domicile. **b.** L'employé nous a expliqué que nous pourrions faire des photocopies sur place. **c.** Ils nous ont dit qu'ils avaient perdu leurs papiers et qu'ils étaient bien embêtés. **d.** Elle m'a dit qu'elle avait perdu le dossier d'inscription. **e.** Je t'ai demandé s'il y avait un consulat de France dans ta ville. **f.** Je te dis que j'ai rempli le formulaire pour renouveler ma carte de séjour. **g.** Elle nous a dit qu'elle avait eu son code et qu'elle allait passer son permis de conduire. **h.** Il veut savoir si vous avez une pièce d'identité.

13. N'attendez pas pour renouveler vos pièces d'identité : **demandez-les** dès maintenant !
La démarche est simple et peut être anticipée, alors **effectuez-la** sans attendre. Pour cela, **rendez-vous** sur le site Internet de la mairie. **Inscrivez-vous** au créneau horaire qui vous convient. Vous trouverez aussi sur le site les notices d'information : **consultez-les**. Pour finaliser la démarche, **présentez-vous** à la mairie avec les pièces justificatives requises. **Ne les oubliez pas** : s'il manque des pièces, votre dossier ne pourra pas être traité.

14. *Exemples de réponse.* **a.** Découragement. Ne t'inquiète pas, ils vont te répondre un jour ! **b.** Découragement. Je suis sûr que tout ira bien. **c.** Colère. Détends-toi, ce n'est pas si grave que ça ! **d.** Découragement. Allez, rassure-toi, bientôt tout sera terminé. **e.** Colère. Calme-toi et vérifie que tu envoies bien toutes les pièces du dossier.

LEÇON 4

15. a. Non, je n'en ai pas goûté. **b.** Non, je ne les connais pas. **c.** Non, je ne leur ai jamais parlé. **d.** Non, je n'y comprends rien. **e.** Non, je ne m'y inscris pas. **f.** Non, je ne les ai pas aimés. **g.** Non, je n'en ai jamais vu. **h.** Non, je ne m'y suis jamais intéressé.

16. *Exemples de réponse.* **a.** Je ne vois pas comment être plus heureux qu'en visitant des musées d'art. **b.** J'aime beaucoup découvrir des spécialités culinaires. **c.** Je ne connais rien aux bandes dessinées. **d.** J'aime aller à la rencontre des habitants. **e.** Je ne vais pas me vanter d'une passion pour les spectacles folkloriques.

17. Ça fait maintenant deux ans que je suis à Bruxelles et je suis fan de cette ville. Au début, je pensais rester seulement six mois, le temps d'un stage. Puis je me suis rendu compte qu'il y avait **de belles opportunités** pour travailler. En plus, on trouve des logements **assez bon marché**. Ça attire vraiment ! Et j'ai découvert les Belges, des gens très sympas qui **savent vivre**. Bruxelles est une ville qui bouge sur le plan culturel. Il y a aussi plein d'endroits pour sortir. Personnellement, **je suis fan de** la friterie Jean-Mich, un lieu **incontournable**. Évidemment, **une des joies de la Belgique**, ce sont les bières. Le Délirium est vraiment **une valeur sûre** à Bruxelles !

18. 🎧095 *Exemple : Un chasseur sachant chasser sait chasser sans son chien.* **a.** Marin est marrant dans son pantalon marron. **b.** Ta tante t'attend. J'ai tant de tantes. Quelle tante m'attend ? Ta tante Antoinette t'attend. **c.** Ces cinq cent cinquante-cinq enfants ont enfin fini leur dessin. **d.** Un bon bain bien chaud, c'est si bon qu'on en reprend un dès le lendemain.

DOSSIER 3

pp. 164 à 167

LEÇON 1

1. a. Il faut que / Il faudrait que / Il vaut mieux que / Il vaudrait mieux que / Il est préférable que vous preniez en compte les goûts de tous les participants. **b. Il faut que / Il faudrait que / Il vaut mieux que / Il vaudrait mieux que / Il est préférable que** vous prévoyiez différentes activités. **c. Il ne faut pas que / Il ne faudrait pas que** vous organisiez la soirée au dernier moment. **/ Il vaut mieux que / Il vaudrait mieux que / Il est préférable que** vous n'organisiez pas la soirée au dernier moment. **d. Il faut que / Il faudrait que / Il vaut mieux que / Il vaudrait mieux que / Il est préférable que** vous surpreniez vos amis en leur proposant une sortie originale. **e. Il faut que / Il faudrait que / Il vaut mieux que / Il vaudrait mieux que / Il est préférable que** vous consultiez l'agenda culturel de votre ville. **f.** Si vous voulez parler, **il ne faut pas que /il ne faudrait pas que** vous vous réunissiez dans un endroit bruyant. Si vous voulez parler, **il vaut mieux que / il vaudrait mieux que /il est préférable que** vous ne vous réunissiez pas dans un endroit bruyant.

2. a. Ce que nous pouvons aller voir, **c'est** une pièce de théâtre. **b.** Pour sa soirée, **ce à quoi** il s'oblige, **c'est** faire plaisir à tout le monde. **c. Ce dont** ils rêvent, **c'est** aller voir une comédie musicale. **d. Ce qui** est super dans ce cinéma, **ce sont** les fauteuils. **e. Ce à quoi** vous vous intéressez, **ce sont** les festivals de musique. **f.** Dans ce restaurant, **ce qui** est d'époque, **c'est la décoration**. **g.** Quand ils se retrouvent entre amis, **ce qu'**ils boivent, **c'est** une bière. **h. Ce dont** nous nous occupons, **ce sont** les réservations pour ce spectacle. **i. Ce qu'**il apprécie, **c'est** une soirée entre amis. **j. Ce à quoi** je pense, **c'est** le budget de la soirée.

3. **a. La majorité** des jeunes / **Une majorité** de jeunes aime aller au cinéma. **b. Un tiers** des Français assiste régulièrement à un concert. **c. Plus de la moitié** des seniors est intéressée par les musées et les expositions. **d. Un quart** des Français cherche des places à tarif réduit pour leurs sorties culturelles. **e. La moitié** des Français est prête à réduire son budget « sorties » pour faire des économies./ **Un Français sur deux** est prêt à réduire son budget « sorties » pour faire des économies.

4. **a.** (Accord) Je suis partant(e) ! / Vendu ! / Ça marche ! **b.** (Accord) Je suis partant(e) ! / Vendu ! /Ça marche ! **c.** (Réserve) Je sais pas. / Pourquoi pas… faut voir. / Voir une pièce de théâtre, c'est moyen. **d.** (Accord) Je te / vous l'accorde. **e.** (Accord) Je suis partant(e) ! / Vendu ! / Ça marche ! / Ça semble super ! / D'accord, je veux bien essayer. **f.** (Désaccord) Perso, ça ne me dit rien. **g.** (Réserve) Je sais pas. / Pourquoi pas… faut voir. / Payer 60 euros, c'est moyen.

LEÇON **2**

5. **a.** Nous proposons plusieurs activités **pour que / afin que** les collaborateurs puissent développer leur créativité. **b.** Les salariés sortent du contexte de l'entreprise **pour / afin de** participer à des activités en équipe. **c.** Vous suivez un atelier de gestion du stress **pour / afin** d'améliorer votre prise de parole en public. **d.** La directrice des ressources humaines invite les salariés au séminaire **pour qu'ils / afin qu'**ils fassent connaissance. **e.** Le formateur vous a conseillé l'atelier « match d'improvisation » **pour que / afin que** vous appreniez à mieux gérer les conflits.

6. **a.** Les activités ludiques **visent** à apaiser les conflits. **b.** Toutes les activités se font en équipe **dans le but** de renforcer les liens entre les gens. **c.** Une activité de team building réussie **est idéale** pour améliorer l'ambiance au travail. **d.** Le team building artistique **permet** de développer l'ingéniosité des collaborateurs.

7. Chers collègues,
La direction vous fait part **de** l'organisation d'un séminaire le vendredi 27 avril à Paris. Pensez **à** inscrire cette date dans vos agendas !
Pendant cette journée, vous êtes conviés **à** participer aux activités de team building suivantes : une enquête policière à résoudre au parc des Buttes Chaumont ou une flash mob « danse » au Champ-de-Mars. Nous vous invitons **à** choisir l'un des deux ateliers avant le 9 avril sur le lien SéminaireParis2019.
Pour clore la journée, la direction vous invite à un cocktail dînatoire à partir de 19 heures au Pavillon Dauphine. Nous vous remercions **de** bien vouloir confirmer votre participation par retour de mél.
Nous nous occupons de mettre à votre disposition un service de transport après le cocktail.
N'hésitez pas **à** m'écrire si vous souhaitez plus d'informations. J'essaierai **de** vous répondre le plus précisément possible.
Bien cordialement

8. **a.** Pour votre **soirée d'entreprise**, vous pouvez organiser un dîner dans une péniche sur la Seine. **b.** L'année dernière, j'ai participé à un **rallye** à vélo dans les rues de Marseille. **c.** Les **sports mécaniques** comme le quad, le **karting** ou les stages de pilotage sont très appréciés. **d.** Vous cherchez une activité alliant précision, concentration et agilité ? Le **golf** est le sport idéal ! **e.** Pour faire le plein d'énergie et retrouver le **bien-être** du corps et de l'esprit, conjuguez travail et détente dans un hôtel **spa**. **f.** Vous avez envie de bonne humeur ? Alors prévoyez un **jeu d'équipe** comme un karaoké. **g.** Pour que votre **séminaire** soit une réussite, nous vous conseillons d'alterner réunions de travail et moments de détente. **h.** Une **chasse au trésor** propose aux équipes un itinéraire dont chaque étape est révélée, petit à petit, à l'aide d'indices.

9. **a.** – Pourquoi ne pas organiser un week-end dans un hôtel spa pour vos salariés ?
– Pour être honnête, **je me demande si** on peut vraiment se détendre dans ces conditions.
b. – Vous savez que les jeux d'équipe sont un excellent moyen de renforcer les liens entre des personnes ?
– **Je ne suis pas vraiment convaincu** par l'idée du jeu. Nous ne sommes plus des enfants !
c. – Avez-vous fait votre choix entre l'atelier ski et l'atelier karting ?
– Non. **Je dois avouer que j'hésite encore** parce que j'aime bien les deux sports.
d. – Pensez-vous qu'un atelier cuisine plaira à vos collaborateurs ?
– **Je ne sais pas trop**. Je crois qu'il faudrait quelque chose qui les change vraiment de leur quotidien.

LEÇON **3**

11. **a.** Il y a passé le week-end. **b.** Tu en rêves. **c.** Y avez-vous déjà participé ? **d.** J'en ai gardé un très bon souvenir. **e.** Il y en avait une centaine qui venait des quatre coins de la France. **f.** Nous nous y sommes retrouvés pour faire la fête. **g.** Je n'en avais pas entendu parler avant de lire un article sur ce sujet. **h.** Il en est revenu enchanté. **i.** Ils y réfléchissent. **j.** Tu en as pris plus de deux cents.

12. **a.** Nous **ne** nous réunissons **qu'**une fois tous les deux ans. **b. Rien n'**a perturbé le bon déroulement de la fête. **c. Ni** ma belle-mère **ni** ma belle-sœur **n'**ont participé à l'organisation de la fête. / **Ni** l'une **ni** l'autre **n'**a participé à l'organisation de la fête. **d. Aucune** image **ne** me vient à l'esprit à propos du mariage en Inde. **e. Personne ne** sait ce **qu'**est le lancer de bouquet ? **f.** Nous **n'**avons **rien** prévu pour la cérémonie. **g.** Ils **n'**ont engagé **personne** pour les animations.

13. **a.** Passer des heures à table me fatigue **même si** j'aime bien manger. **b.** Nous nous entendons très bien **bien que** nous soyons issus de cultures différentes. **c.** Ce n'est pas toujours facile d'être accepté par sa belle-famille **bien qu'**on fasse tout pour lui plaire. **d.** Il aime bien discuter avec ses voisins **même s'**il ne parle pas couramment leur langue. **e.** Elle sort souvent avec ses amis français **bien qu'**elle soit très indépendante.

14. **a.** Le soir, les Espagnols sortent dans la rue. **Par contre, / Au contraire,** les Français préfèrent rester chez eux. Le soir, les Espagnols sortent dans la rue **alors que** les Français préfèrent rester chez eux. **b.** Pour les Français, le petit déjeuner du dimanche est un moment en famille. **Par contre, / Au contraire,**

pour les Américains, le brunch est l'occasion d'inviter des amis. Pour les Français, le petit déjeuner du dimanche est un moment en famille **alors que** pour les Américains, le brunch est l'occasion d'inviter des amis. **c.** Les Français anticipent les événements par crainte des risques. **Par contre, / Au contraire,** les Italiens aiment improviser. Les Français anticipent les événements par crainte des risques **alors que** les Italiens aiment improviser. **d.** Quand un Français n'est pas satisfait, il le dit clairement. **Par contre, / Au contraire,** un Chinois a tendance à se taire. Quand un Français n'est pas satisfait, il le dit clairement **alors qu'**un Chinois a tendance à se taire. **e.** Dans des échanges professionnels, les Indiens privilégient la relation humaine. **Par contre, / Au contraire, / Alors que** les Français se concentrent sur la tâche à effectuer.

15. Tout le monde est venu voir le nouveau-né de Julia : sa belle-famille, son neveu, sa belle-mère, son beau-père, sa cousine et même ses petits-cousins !

16. **a.** Dans la **culture populaire**, quelques jours avant les **noces**, la **future mariée** se rend au hammam avec les femmes de sa famille pour prendre un bain de lait purifiant. Puis la **veille des noces**, c'est le **rituel** du henné. La future mariée s'habille en vert et se fait tatouer les mains et les pieds au milieu de danses et de **chants** traditionnels. Cette étape est primordiale car elle doit **porter bonheur** à la jeune femme.
b. Les **traditions** du mariage sont encore bien présentes en Italie. En voici quelques-unes.
– Le marié ne se charge pas des **alliances** : ce sont les témoins qui les donnent au couple suite à l'échange de vœux. Par contre, le matin de la **cérémonie**, il doit faire livrer le **bouquet** au domicile de la future mariée.
– La **robe de la mariée** est traditionnellement blanche depuis la fin du XIXᵉ siècle, pour symboliser la pureté.
– À la fin de la fête, l'usage veut que les **jeunes mariés** brisent un vase ensemble. Le nombre de morceaux symbolise le nombre d'années heureuses qu'ils passeront ensemble.

LEÇON 4

17. Une fête de famille, c'est comme une pièce de théâtre. Chacun joue son rôle. Observez plutôt. Les beaux-frères ? **Celui-ci** veut amuser tout le monde ; **celui-là** a toujours une bonne excuse pour ne pas donner un coup de main. Les belles sœurs ? **Celles-ci** parlent sans arrêt, **celles-là** sont très discrètes. Attention aux belles-mères : **celle-ci** aura toujours une remarque à faire sur votre tenue ; **celle-là** passera son temps à dire que vos enfants sont mal élevés. Ah, les enfants ! **Ceux-ci** courent partout dans le salon, **ceux-là** ne veulent rien manger...

18. Allons voir ce qui se passe dans le monde de l'entreprise et observons ces collègues de travail : **l'un** passe son temps devant la machine à café, **l'autre** ne fait jamais de pause. **Les uns / Certains** se plaignent toujours, **les autres / d'autres** acceptent tout sans rien dire. **Les uns / Certains** ont toujours un sourire ou un mot gentil, **les autres / d'autres** ignorent le monde qui les entoure.

19. **a.** Ma meilleure amie et moi ne nous sommes pas vues pendant trois mois, mais on a fini par **se réconcilier** il y a deux semaines. **b.** Lucas et Pauline sont très proches mais ils sont toujours en train de **se chamailler** comme des enfants. **c.** Ludovic et Lisa ne se connaissaient pas avant le mariage de mon frère. C'est là qu'ils **se sont rencontrés**. **d.** Jules et Alexis ne se parlent plus depuis qu'ils **se sont fâchés** à cause d'une histoire d'argent. **e.** On **se retrouve** chaque année au mois de mai pour passer un week-end entre amis.

20. 🎧096 Pour la prochaine cousinade, nous allons inviter tous les cousins de Nantes, les cousins de Belgique, ma cousine de Nice et son copain, mon cousin de Montréal et sa famille, les cousins de Paris et leurs enfants et bien sûr tous mes frères et sœurs.

DOSSIER 4
pp. 168 à 171

LEÇON 1

1. **a.** La réunion a été un succès : **tous les résidents** y ont participé et **tous** ont pu s'exprimer. **b. Quelques** voisins se sont portés volontaires pour entretenir le jardin partagé. **c.** Ce que j'apprécie dans l'habitat participatif, c'est qu'on peut **s'aider les uns les autres**. **d.** Je **ne** vois **aucun** inconvénient à partager des lieux de l'immeuble avec mes voisins. **e.** Évidemment, **toute** copropriété suppose des discussions entre voisins. **f.** Il y a deux types de lieux dans un habitat participatif : **certains** sont partagés et **d'autres** sont privés. **g. Chaque habitant** a reçu une clé de la buanderie ; ce sont donc quinze clés qui ont été distribuées. **h.** Si on ne répare pas la porte du garage, **n'importe qui / tout le monde** pourra entrer dans l'immeuble.

2. **a.** Nous avons des affinités les uns avec les autres. / Nous partageons des valeurs communes. **b.** Nous ignorons les différences entre les uns et les autres. **c.** Entre voisins, nous sommes de complets étrangers. **d.** Nous avons toujours quelque chose à nous dire. **e.** Je fais confiance à mes voisins. **f.** Nous avons des problèmes de voisinage.

3. **a. Il rappelle que** le parking est réservé aux résidents. **b. Il assure que** l'habitat participatif est (véritablement) l'habitat du futur. **c. Il précise que** nous ne partageons pas seulement des lieux mais aussi des valeurs. **d. Il reconnaît que** la vie de l'immeuble n'est pas un long fleuve tranquille. **e. Il lâche que** ses voisins de palier le dérangent vraiment.

4. *Propositions de réponse.* **a.** Je trouve intéressant de pouvoir rencontrer des personnes qui évoluent dans un autre domaine professionnel. C'est effectivement très important pour se construire un réseau. Mais cela demande une certaine capacité d'adaptation à un espace collectif. **b.** J'approuve totalement le concept du covoiturage. Ça permet de réduire la pollution et de faire des économies. Il faut juste faire confiance au conducteur ou trouver le bon passager ! **c.** On ne peut qu'adhérer au principe de colocation intergénérationnelle à une époque où les personnes

âgées sont souvent isolées et où certains ont des difficultés à trouver un logement. Mais cela demande de faire des efforts pour vivre avec des inconnus qui n'ont pas le même mode de vie que nous.

LEÇON 2

5. **a.** C'est une campagne nationale **ayant** pour but de réduire le gaspillage alimentaire. **b.** Les magasins **s'engageant** contre le gaspillage alimentaire sont encore peu nombreux. **c.** Les personnes **sachant** cuisiner les restes font des économies. **d.** Le nombre de gens **jetant** des produits alimentaires est considérable. **e.** Il y a des solutions très simples, **pouvant** être mises en place rapidement.

6. **a.** À l'école, les enfants apprennent **facilement** les gestes contre le gaspillage. **b.** Des événements pour sensibiliser les gens au gaspillage ont lieu **fréquemment**. **c.** Nous devons changer **profondément** nos habitudes de consommation. **d.** Des producteurs ont distribué des légumes aux passants **gratuitement**. **e.** **Généralement**, on regarde les dates de péremption des produits quand on fait nos courses. **f.** Le gouvernement fait **réellement** un effort pour limiter la production des déchets alimentaires. **g.** Les mesures prises par la municipalité contre le gâchis alimentaire sont intéressantes **financièrement**.

7. **a.** Approximativement : **quantité**. On compte **environ** 7 kilos par an de déchets alimentaires encore emballés. **b.** Énormément : **quantité**. **Beaucoup d**'aliments destinés à la consommation sont gaspillés. **c.** Tant de : **quantité**. Je pense qu'on n'a pas besoin d'acheter **autant** de choses pour satisfaire nos besoins. **d.** Peu de : **quantité**. On ne mène pas **beaucoup** d'actions de sensibilisation au gâchis alimentaire. **e.** Considérablement : **intensité**. Dans cette cantine, les restes ont pu être **fortement** réduits. **f.** pas assez : **quantité**. Nous ne faisons pas **suffisamment** attention à ce que nous jetons dans nos poubelles. **g.** Tellement de : **quantité**. **Tant de** gens meurent de faim dans le monde !

8. a. 4 ; b. 3 ; c. 1 ; d. 5 ; e. 2.

9. Le **gâchis** ou **gaspillage** alimentaire (ou : Le **gaspillage** ou **gâchis** alimentaire) désigne le fait de jeter à la poubelle de la **nourriture** destinée à la consommation humaine et parfaitement bonne. Plus du tiers des aliments produits dans le monde est gaspillé. Dans les grandes surfaces, les **promotions** « deux pour le prix d'un » incitent les **consommateurs** à acheter plus qu'ils ne devraient. Résultat : des produits encore sous **emballage** sont jetés. Quant aux **dates de péremption**, elles sont souvent inutilement strictes et on ne fait pas toujours de différence entre « consommer avant ou jusqu'au » et « consommer de préférence avant ».
Face à cette situation, les campagnes pour **sensibiliser** les gens se multiplient. Les pouvoirs publics se mobilisent pour **lutter** contre le gaspillage et tous les acteurs de la **chaîne alimentaire** sont concernés. Ainsi, les **producteurs** et les **distributeurs** (ou : les **distributeurs** et les **producteurs**) peuvent **encourager** la consommation de fruits et légumes « moches » et les **vendre** à un prix réduit.

10. *Exemples de réponse.*
Pays : [y] : Hond**u**ras – Port**u**gal – B**u**lgarie – C**u**ba – **U**ruguay – **U**kraine – Afrique du S**u**d...
[u] : **Ou**zbékistan – N**ou**velle-Zélande – Camer**ou**n – Arabie Sa**ou**dite – **Ou**ganda...
Ville française : [y] : Sa**u**mur – T**u**lle – M**u**lhouse – **U**zès – La Roche-sur-Yon – Villefranche-sur-Saône...
[u] : Mulh**ou**se – T**ou**l**ou**se – T**ou**rs – Strasb**ou**rg – B**ou**rges – Ang**ou**lême – T**ou**lon...
Prénom français masculin : [y] : L**u**c – L**u**cas – L**u**cien – J**u**les – J**u**lien – H**u**go – **U**lysse – Marius...
[u] : Jean-L**ou**p – Ra**ou**l – L**ou**ca...
Prénom français féminin : [y] : L**u**cie – J**u**lie – J**u**liette... [u] : L**ou** – L**ou**ane – L**ou**na – Maryl**ou** – An**ou**ck...
Nourriture : [y] : lég**u**me – j**u**s de fruit – pr**u**ne – pr**u**neau – m**û**re – s**u**cre – charc**u**terie – c**u**rcuma... [u] : p**ou**let – c**ou**rgette – ch**ou** – pample**mou**sse – m**ou**tarde – haricot r**ou**ge – s**ou**pe...
Objet : [y] : p**u**ll – fl**û**te – b**u**reau [u] : r**ou**e – b**ou**le...
Sport ou loisir : [y] : j**u**do – l**u**ge – l**u**tte – r**u**gby – form**u**le un – musc**u**lation – parach**u**tisme... [u] : c**ou**rse à pied – f**oo**tball – b**ow**ling – plongée s**ou**s-marine – t**ou**risme...

LEÇON 3

11. a. 3 ; b. 1 ; c. 2.

12. **a.** La plateforme Babyloan a été créée pour que les micro-entrepreneurs reçoivent de l'aide. **b.** Il a rejoint une coopérative agricole pour vendre facilement ses produits. **c.** J'achète des produits du commerce équitable pour faire une action solidaire. **d.** Le gouvernement soutient les entreprises solidaires pour qu'elles créent des emplois. **e.** Il demande un prêt solidaire pour que son entreprise grandisse. **f.** Nous finançons ce projet écologique innovant pour qu'il puisse se réaliser. **g.** Je collecte de l'argent pour créer des fermes agro-écologiques et autonomes.

13. *Propositions de réponse.* On explique précisément pourquoi on incite à agir et on décrit la situation (paragraphe « présentation du projet »). On tente de convaincre le lecteur en répondant à une question que tout le monde se pose (« Pourquoi participer ? »). On s'adresse directement au lecteur pour l'impliquer (« Vous aidez à sauver la planète »...). On montre au lecteur quelle conséquence aura sa participation (« Grâce à votre participation, nous pourrons... »). On utilise des verbes d'actions : *aller, informer, former, acheter, aménager, rassembler, mettre en place, donner.*

14. Vous avez une petite **épargne** ? Ne laissez plus dormir votre argent à la banque ! Optez pour la **finance solidaire** en aidant des entreprises à se développer au bénéfice de la société ou de l'environnement. Les **micro-entrepreneurs,** qui sont privés des **prêts** bancaires, ont besoin de votre soutien : leur projet dépend du **microcrédit** que vous leur accorderez.

15. **a.** La banque **accorde** un prêt intéressant. **b.** Je dois **rembourser l'emprunt** que j'ai fait à la banque. **c.** Grâce à mon **épargne**, je peux acheter un appartement.

LEÇON 4

16. a. Punaise ! Comme tu as changé ! Ça fait un **sacré** moment qu'on ne s'est pas vus ! **b.** Quand il y a de super soldes, on **a vite fait** d'acheter **un paquet** de choses qui ne sont pas essentielles !

17. *Propositions de réponse.* **a.** un catalogue : c'est un **machin** qui présente des objets avec leur photo et un descriptif. **b.** un jouet : c'est un **truc** dont les enfants se servent pour s'amuser. **c.** un magnétoscope : c'est un **machin** qui permettait de regarder des films sur cassette vidéo.

18. a. une onomatopée. **b.** une case. **c.** une planche. **d.** une ellipse. **e.** une bulle. **f.** une bande. **g.** une scène.

19. 🎧H097 *Exemples : J'arrête d'acheter des bouteilles en plastique. → Arrête d'acheter des bouteilles en plastique. Je ne laisse pas l'eau du robinet couler inutilement. → Ne laisse pas l'eau du robinet couler inutilement.* **1.** Prends des douches rapides. **2.** Utilise les feuilles de papier deux fois. **3.** Ne prends pas la voiture pour des trajets courts. **4.** Mets un pull et baisse le chauffage. **5.** Donne les objets qui ne te sont plus utiles. **6.** N'utilise pas de sacs en plastique dans les magasins. **7.** Trie les déchets dans plusieurs poubelles. **8.** Ne laisse pas les appareils électriques en veille.

1. Prends ↗ ↘ des douches rapides. **2. Utilise** ↗ ↘ les feuilles de papier deux fois. **3. Ne prends pas** ↗ ↘ la voiture pour des trajets courts. **4. Mets** ↗ ↘ un pull et **baisse** ↗ ↘ le chauffage. **5. Donne** ↗ ↘ les objets qui ne te sont plus utiles. **6. N'utilise pas** ↗ ↘ de sacs en plastique dans les magasins. **7.** Trie ↗ ↘ les déchets dans plusieurs poubelles. **8. Ne laisse pas** ↗ ↘ les appareils électriques en veille.

DOSSIER 5

pp. 172 à 175

LEÇON 1

1. a. Adolescente, j'**adorais** la France et je **rêvais** de vivre comme les Français. Alors, à 12 ans, **j'ai décidé** d'étudier le français. Je **suis arrivée** en France en février 2010, après **avoir obtenu** ma licence en langue française à l'université de Chiang Maï, en Thaïlande. Je **parlais** donc français à mon arrivée à Grenoble, mais je **me suis inscrite** pour six mois dans une école de langues pour me perfectionner. Ensuite, j'**ai fait** une licence de lettres modernes à l'université Stendhal. Puis je me **suis orientée** vers l'enseignement du français aux étrangers car, l'année précédente, un professeur m'**avait conseillé** cette spécialité. Après **avoir terminé** mon master d'enseignement du FLE en 2013, je **pouvais** rentrer en Thaïlande mais j'**ai choisi** de rester en France pour poursuivre mes études. C'est pourquoi je **rédige** actuellement ma thèse. La vie en France me **plaît** énormément. Mais heureusement qu'avant mon départ on m'**avait aidée** sur le choix de l'université et du logement ! Après ma thèse, je **chercherai** un poste de professeur en Thaïlande.

b. 2. Obtention de la licence de langue française. **7.** Aide au choix de l'université et du logement en France. **5.** Arrivée en France. **8.** Cours de français dans une école de langues. **4.** Licence de lettres modernes. **1.** Obtention d'un master en FLE. **6.** Rédaction de la thèse. **3.** Recherche d'un poste de professeur.

2. a. Je souhaite devenir Professeur de français. **C'est pourquoi**, je suis venu en France. (la cause) **b.** J'ai d'abord demandé des renseignements sur les universités ; ensuite, j'ai sélectionné l'université qui m'intéressait ; **enfin**, je me suis inscrit. (la fin d'une énumération) **c.** Beaucoup d'étudiants doivent avoir un petit job **pour** financer leurs études. (le but) **d.** Il a décidé de poursuivre ses études de médecine en France **car** le niveau est excellent. (la cause) **e.** Son expérience en France lui a beaucoup servi. **En effet**, on lui a proposé un poste à l'université dès qu'elle est rentrée dans son pays. (confirmation d'une information) **f.** En France, il a obtenu son diplôme d'ingénieur ; **de plus**, il s'est vraiment amélioré en français. (ajout d'information)

3. a. le baccalauréat ; **b.** la thèse ; **c.** la licence ; **d.** un diplôme ; **e.** un stage ; **f.** un master ; **g.** les classes préparatoires

4. a. 2, 3, 4, 5, 7, 8 ; **b.** 1, 4, 6, 7, 8 ; **c.** 8 ; **d.** 2, 3 ; **e.** 1, 4, 5, 6, 7 ; **f.** 7.

LEÇON 2

5. a. On conseille un style clair et direct pour rédiger une lettre de motivation. **b.** Nous vous proposons de réaliser votre portfolio professionnel. **c.** L'idée, c'est de se distinguer parmi tous les candidats à un poste. **d.** Vous pouvez mettre en avant vos compétences pour convaincre le recruteur. **e.** Je te conseille de suivre un atelier pour apprendre à rédiger un CV.

6. Dans un portfolio professionnel, on trouve d'abord **la table des matières** puis **le CV**, puis **les compétences et leur description** et enfin **les lettres de recommandation** et **les travaux**.

7. a. 6 ; b. 3 ; c. 4 ; d. 2 ; e. 5 ; f. 1

8. 🎧H098 **a. 1.** je comprenais – **2.** elle a continué – **3.** il ferait – **4.** il a fait – **5.** elle continuait – **6.** Elle continuerait – **7.** elle écouterait – **8.** je chercherais – **9.** je cherchais – **10.** je comprendrais – **11.** elle écoutait – **12.** vous voudriez – **13.** elle a écouté – **14.** il faisait – **15.** vous vouliez – **16.** j'ai cherché.

9. je cherchais ; 2. elle a continué ; 7. elle écouterait ; 12. vous voudriez ; 14. il faisait ; 10. je comprendrais ; 13. elle a écouté ; 8. je chercherais ; 4. il a fait ; 1. je comprenais ; 3. il ferait ; 15. vous vouliez ; 16. j'ai cherché ; 5. elle continuait ; 11. elle écoutait ; 6. elle continuerait.

LEÇON 3

10. a. Au début de l'année, il **avait peur** de ne pas comprendre les professeurs. **b.** Le stage qu'il a effectué lui **a plu** car il a mis en pratique ses connaissances. **c.** Les étudiants l'ont très bien accueilli et, du coup, il **s'est senti à l'aise** assez rapidement. **d.** Ce qu'il a **préféré** pendant son année universitaire, ce sont les échanges avec les professeurs. **e.** Il **est content** d'avoir travaillé au Pôle international de l'université de Dijon. **f.** Il y a deux ans, il **ne pouvait pas imaginer** qu'il obtiendrait une bourse pour venir étudier en France.

11. a. se réorienter. **b.** faire appel à des compétences. **c.** valoriser une expérience. **d.** justifier d'une expérience. **e.** décrocher un entretien. **f.** faire un bilan de compétences.

12. a. 6 (l'écoute) ; b. (en équipe) 2 ; c. (l'empathie) 5 ; d. 1 (justifier d'une expérience) ; e. (savoir-faire) 8 (le montage et la gestion des projets) ; f. (une réorientation professionnelle) 4 (un bilan de compétences) ; g. 3 (une expérience professionnelle à part entière) ; h. 7 (le savoir être)

LEÇON **4**

13. a. Je travaille dans une mairie où j'ai mon propre bureau. **b.** Elle se lève à 9 heures, l'heure où elle devrait être au bureau. **c.** Nous nous sommes installés à Madagascar où nous avons monté notre entreprise. **d.** Je n'oublierai jamais le jour où mon responsable m'a proposé un poste à l'étranger. **e.** C'est un poste inintéressant où les tâches sont répétitives. **f.** Je me souviens de l'année 2014, l'année où j'étais chargée de mission dans un service des ressources humaines. **g.** C'est une jeune entreprise où on parle le malgache mais aussi le français. **h.** J'apprécie le moment de la journée où on prend un café ensemble. **i.** Ils connaissent bien le Maroc où ils ont travaillé pendant dix ans.

14. a. Je prends un petit déjeuner très sucré en me disant que ce n'est pas bon pour la santé. **b.** Je vais au travail à pied en réfléchissant au programme de la journée. **c.** Je ne téléphone pas en conduisant. **d.** Je règle l'alarme de mon réveil en me couchant. **e.** Je consulte mes méls en buvant un café. **f.** Je déjeune en lisant un dossier. **g.** J'écris des méls en répondant au téléphone car ce dossier est très urgent.

15. a. J'ai beaucoup appris **en travaillant** avec des collègues de nationalités différentes. **b.** Paul **étant** bilingue, il peut participer à des réunions en anglais. **c.** Les candidats **ayant** une expérience à l'étranger sont très recherchés. **d.** Elle a décroché un entretien **en insistant** et **en rappelant** le directeur toutes les semaines. **e.** Avec ses collaborateurs, il sait faire preuve d'autorité **en restant** très poli. **f.** Les personnes **ne sachant pas** travailler en équipe ne sont pas appréciées. **g.** Les chercheurs d'emplois **souhaitant** faire un bilan de compétences sont priés de s'inscrire avant le 15 octobre. **h.** Nous avons mécontenté le client **en ne répondant pas** rapidement. **i.** On peut terminer le projet dans les temps **en se dépêchant**. **j.** Les candidats **se présentant** en retard à l'entretien ne seront pas reçus.

16. 1. satisfaire le client ; **2.** fidéliser le client ; **3.** avoir le sens de l'écoute ; **4.** savoir s'adapter ; **5.** valoriser le client ; **6.** informer ; **7.** s'informer ; **8.** savoir se contrôler ; **9.** personnaliser son client et son appel ; **10.** apporter de la valeur ajoutée

DOSSIER **6**

pp. 176 à 178

LEÇON **1**

1. a. 1. Les médias sociaux se développent bien qu'ils soient très critiqués. / Les médias sociaux se développent malgré les critiques. **2.** Les journalistes peuvent déraper bien que des règles strictes régissent leur profession. / Les journalistes peuvent déraper malgré les règles strictes qui régissent leur profession. **3.** Les médias sociaux se veulent plus libres que les médias traditionnels bien qu'ils soient tout aussi dépendants des revenus de la publicité. / Les médias sociaux se veulent plus libres que les médias traditionnels malgré leur dépendance aux revenus de la publicité comme ceux-ci. **4.** Certains internautes ont une démarche quasi professionnelle bien qu'ils ne soient pas journalistes. **5.** Les réseaux sociaux sont devenus de vrais outils d'information bien que beaucoup de mensonges y circulent. / Les réseaux sociaux sont devenus de vrais outils d'information malgré le nombre de mensonges qui y circulent. **6.** Des hommes politiques gagnent les élections bien que des médias révèlent leurs mensonges. / Des hommes politiques gagnent les élections malgré la révélation de leurs mensonges par les médias. **7.** Sur les sites autorégulés, les citoyens s'expriment librement bien que des journalistes contrôlent ces sites. / Sur les sites autorégulés, les citoyens peuvent s'exprimer librement malgré le contrôle des sites par des journalistes.

b. 1. Les médias sociaux se développent. Pourtant / Cependant ils sont très critiqués. **2.** Les journalistes peuvent déraper. Pourtant / Cependant des règles strictes régissent leur profession. **3.** Les médias sociaux se veulent plus libres que les médias traditionnels. Pourtant / Cependant ils sont tout aussi dépendants des revenus de la publicité. / Les médias sociaux se veulent plus libres que les médias traditionnels. Ils sont quand même tout aussi dépendants des revenus de la publicité. **4.** Certains internautes ont une démarche quasi professionnelle. Pourtant / Cependant, ils ne sont pas journalistes. **5.** Les réseaux sociaux sont devenus de vrais outils d'information. Pourtant / Cependant, beaucoup de mensonges y circulent. / Les réseaux sociaux sont devenus de vrais outils d'information mais quand même beaucoup de mensonges y circulent. **6.** Des hommes politiques gagnent les élections. Pourtant / Cependant, les médias révèlent leurs mensonges. **7.** Sur les sites autorégulés, les citoyens s'expriment librement. Pourtant / Cependant, des journalistes contrôlent ces sites.

2. a. Quand le magazine est sorti, sa couverture **a été critiquée** par l'opinion publique. **b.** Plus de 300 000 exemplaires de ce journal **sont imprimés** chaque jour. **c.** Aux dernières élections, des campagnes féroces **ont été menées** par les médias à l'encontre des candidats. **d.** De nos jours, une information **est diffusée** en quelques minutes dans le monde entier. **e.** Les réseaux sociaux **ne sont pas réglementés** ; c'est pour cette raison que les fake news peuvent s'y répandre.

3. a. Les journaux gratuits sont distribués dans le métro. **b.** Une de mes amies avait été interviewée par un journaliste de *20 minutes*. **c.** Les sorties culturelles sont annoncées dans les journaux gratuits. **d.** L'information sera commentée par les utilisateurs des réseaux sociaux. **e.** Le rapport des gens à l'information a été modifié par Facebook.

4. une accroche, d ; un éditeur, a ; un message incitatif, e ; la périodicité, f ; une rubrique, c ; une police, b

LEÇON 2

5. a. Nous étions partis en Suède **l'année précédente** pour tourner un documentaire. **b.** Il voulait savoir pour quel journal je travaillais **à ce moment-là. c.** On m'avait engagé parce que l'enquête que j'avais réalisée **trois mois auparavant** avait plu. **d. À l'époque,** j'écrivais des articles pour un journal en ligne. **e.** Nous devions rapidement nous mettre d'accord sur la une car le magazine paraissait **le lendemain.**

6. un titre : 1 ; une chute : 6 ; une accroche : 3 ; une légende : 4 ; un chapeau : 2 ; une relance : 5

7. On a coutume d'opposer médias participatifs et médias traditionnels. Tous deux **diffusent** des contenus mais de façon différente sur le fond et sur la forme. Les médias traditionnels emploient des **journalistes de métier** qui apportent un soin particulier à la rédaction de leurs articles. Les lecteurs peuvent y lire du **contenu de qualité.** Dans les médias participatifs, la parole est donnée aux citoyens. On parle d'ailleurs de **journalisme citoyen.** Comme leur nom l'indique, ces médias reposent sur la participation des lecteurs. Mais il faut distinguer les **sites autoproduits,** où le contenu est publié par les citoyens, des sites autorégulés, où les lecteurs peuvent **débattre** sur un sujet et **interagir** grâce aux **commentaires** sur les articles. En fin de compte, médias participatifs et médias traditionnels sont plus complémentaires qu'opposés.

8. 🎧099 un exposé fameux – contrôler les informations – des couleurs qui s'opposent – des abonnés sérieux – l'œil du photographe – le meilleur médiateur – les fameux électeurs – au cœur de l'action – les journaux francophones – un utilisateur connecté – une photo colorée – un assembleur de couleurs

Ordre /O/ – /O/ : contrôler les informations – les journaux francophones – une photo colorée
Ordre /O/ – /Œ/ : un exposé fameux – des abonnés sérieux – au cœur de l'action
Ordre /Œ/ – /O/ : des couleurs qui s'opposent – l'œil du photographe – un utilisateur connecté
Ordre /Œ/ – /Œ/ : le meilleur médiateur – les fameux électeurs – un assembleur de couleurs

LEÇON 3

9. On ne peut pas parler **d'**information sans parler **de** désinformation ! Au début, les fausses informations m'amusaient. Je pensais même qu'elles contribuaient **à** éduquer les gens face aux médias en leur rappelant qu'il fallait toujours faire preuve **d'**esprit critique. Mais malheureusement, il n'y a plus de limites ! Ces fake news ont fini **par** m'énerver. Aujourd'hui, je doute **de**

tout ou presque : toutes ces photos qu'on sort **de** leur contexte pour diffuser des mensonges nourrissent un sentiment de méfiance envers Internet. Selon moi, la toile ressemble **à** un supermarché géant où on trouve tout et n'importe quoi ! Il faut donc lutter **contre** la désinformation !

10. a. Pour **ralentir** la diffusion des fausses nouvelles, un outil de signalement a été mis au point. **b. L'obligation de déontologie** conduit un journaliste à garantir les informations. **c.** Pour informer le public, il faut **vérifier les informations. d.** Quand une photo sortie de son contexte illustre une information, il y a souvent **des contradictions** faciles à repérer.

LEÇON 4

11. a. Laurent Gilbert, notre envoyé spécial, en communication avec nous depuis New York. **b.** Faire un documentaire sur la guerre, j'en rêve depuis longtemps ! **c.** Dans mon métier, je recherche l'aventure, je recherche le risque, je recherche l'inconnu. **d.** Mon principal trait de caractère, c'est la détermination. / C'est la détermination qui est mon principal trait de caractère. **e.** Le matin, en salle de rédaction, le rédacteur en chef à son équipe. **f.** Les difficultés du métier, les étudiants en journalisme les connaissent. **g.** Quand on est journaliste, c'est sûr qu'il faut toujours vérifier ses informations.

12. a. 1 ; b. 2 ; c. 1 ; d. 2 ; e. 2

13. la com ; une info ; un ordi ; un appart ; la gym ; un ciné ; un apéro ; l'actu ; la déco ; la fac ; une appli ; la philo ; un(e) prof ; une manif ; un dico ; la télé ; l'aprem ; une coloc ; un hélico ; un(e) kiné ; écolo ; bio ; sympa ; intello ; bon ap ; comme d'hab ; Séb ; Nico ; Fred ; Nath

DOSSIER 7 pp. 179 à 182

LEÇON 1

1. a. 2, 3, 5 ; b. 3, 5 ; c. 1 ; d. 7 ; e. 2 ; f. 1, 4 ; g. 6

2. a. C'est une entreprise internationale **dans laquelle** de nombreux scientifiques travaillent. **b.** Nous avons initié un projet **auquel** nous allons consacrer au moins deux ans. **c.** Les chercheurs ont découvert une bactérie **avec laquelle** on produira un jour de l'électricité. **d.** J'ai inventé une machine à café connectée **à laquelle** je transmets des commandes à distance. **e.** Elle exerce le métier d'entrepreneuse **pour lequel** elle n'était pas formée au départ. **f.** La bioluminescence est une réaction chimique **grâce à laquelle** certains organismes vivants produisent de la lumière. **g.** La biologie de synthèse est une discipline scientifique récente **sans laquelle** on ne pourrait pas coder l'ADN. **h.** Une équipe de chercheurs a mis au point un procédé **par lequel** on peut transférer à des végétaux des gènes provenant de bactéries. **i.** C'est un casque de moto **auquel** on a connecté un feu de freinage.

3. a. Technologie. Paul Boris Kokreu (CÔTE D'IVOIRE), 30 ans « Une Sirène scolaire **qui se déclenche** à distance ». La Sirène scolaire a été **conçue pour** les écoles. Son fonctionnement est très simple : elle est connectée à Internet et une application **installée sur** le smartphone **permet de** la déclencher à distance. Les personnes chargées de la faire sonner n'ont plus qu'à **appuyer sur** un bouton de l'interface de leur smartphone. C'est un gadget peu gourmand en énergie électrique **doté d'**une batterie intégrée **qui fonctionne** à l'énergie solaire.

b. Technologie. Édouard Claude Oussou (GABON), 35 ans « Garantir la réussite scolaire pour tous ». Scientia est une plateforme simple d'utilisation **à laquelle on accède** depuis un ordinateur, une tablette ou un smartphone **connecté à** Internet. Elle **permet d'**accéder à des services numériques en ligne **destinés aux** communautés éducatives des écoles, collèges et lycées, mais aussi aux élèves et à leurs familles. Scientia **vise à** simplifier la gestion et le suivi d'un établissement scolaire.

c. Agriculture et agri-business. Dicko Sy (SÉNÉGAL), 26 ans : « Diffuser les meilleures techniques agricoles ». Dicko Sy a créé une entreprise agronomique qui est **spécialisée dans** la production végétale. Ainsi, les cultivateurs **ont accès à** des semences agricoles de qualité. De plus, grâce aux réseaux de capteurs **installés sur** des exploitations, on peut contrôler la température, l'humidité et les moisissures des stocks.

4. a. 1. La petite navette sans chauffeur va-t-elle remplacer les bus de ville ? **2.** Séparée des voitures par une barrière, elle est actuellement testée à Vincennes, dans le Val-de-Marne. Pas de volant ni de conducteur, mais un accompagnateur est présent à l'intérieur. En cas d'arrêt d'urgence, c'est lui qui redémarre la navette. **3.** Ces navettes autonomes sont-elles vraiment un progrès ? Écoutons l'adjoint au maire de Vincennes ! **b. 1.** Avec « Moon Express », l'homme va-t-il retourner sur la Lune ? **2.** Première entreprise privée autorisée à se lancer à la conquête de l'espace, « Moon Express » veut changer l'histoire de l'humanité. La start-up, qui souhaite exploiter les ressources du sol lunaire, va bientôt lancer sa première mission sur la Lune. **3.** Rencontre avec son étonnant fondateur, l'Indien Navin Jain.

LEÇON 2

5. a. photo 4, La pratique d'un **art martial**, comme le judo, favorise le contrôle de soi et le respect d'autrui. **b.** photo 6, Avant de courir, je fais toujours quelques **exercices d'assouplissement** pour protéger mes articulations. **c.** photo 2, Si vous voulez travailler vos abdominaux, vous pouvez faire un exercice de **gainage**. **d.** photo 5, Quand elle était enceinte, elle a fait de la **sophrologie** pour se préparer à l'accouchement. **e.** photo 1, Il se méfie de l'**hypnose** : il ne veut pas perdre le contrôle de sa pensée ! **f.** photo 3, Depuis qu'elle fait du **yoga**, elle est beaucoup plus sereine et souple !

6. d ; b ; a ; c

7. 🎧H100 **a.** clair : clairement – éclair – éclairer – éclairage – éclaircie – éclaircir – éclaircissement – clarté – clarifier – clarification

b. 1. Cette version instrumentale est clairement meilleure ! **2.** Je voudrais que vous me fournissiez un éclaircissement. **3.** Il faudrait clarifier votre situation professionnelle. **4.** Je crains qu'on n'ait pas assez d'éclairage pour travailler. **5.** Malgré tes efforts de clarification, je ne comprends toujours pas. **6.** L'orage gronde et de larges éclairs sillonnent le ciel. **7.** Il pleuvait mais nous avons pu sortir lors d'une éclaircie. **8.** Nous avons ajouté des spots pour éclairer la scène.

LEÇON 3

8. a. Cela fait quelques mois qu'il souhaite développer son projet. **b.** Cela fait des années qu'ils accompagnent de jeunes chefs d'entreprise. **c.** Cela fait longtemps que vous recherchez des financements ? **d.** Cela fait tout juste deux ans que tu diriges une start-up. **e.** Cela fait environ un an que je bénéficie d'un accompagnement personnalisé pour créer mon entreprise.

9. a. Aujourd'hui, nous ne conseillons plus les entrepreneurs dans leurs choix de stratégie. **b.** Aujourd'hui, on ne fait plus ses premiers pas dans l'entreprise familiale. **c.** Aujourd'hui, les gens ne comptent plus sur un petit réseau professionnel. **d.** Aujourd'hui, les banques ne soutiennent plus les petites entreprises.

10. a. Nous sommes en train de réfléchir à une solution de financement. **b.** Les gens commencent à / se mettent à s'intéresser à notre projet. **c.** Vous êtes en train de résoudre un problème technique. **d.** Il est en train de lancer son projet sur le marché. **e.** Les Français commencent à / se mettent à créer leurs propres entreprises.

11. a. Pour **démarrer** mon entreprise, je devais me constituer un réseau professionnel. **b.** Les jeunes entrepreneurs ont besoin d'un **accompagnement** dans les premières étapes de la vie de leur entreprise. **c.** Les incubateurs interviennent essentiellement dans le cadre de projets liés à une innovation technologique. **d.** Il a eu la chance de bénéficier d'une aide financière pour la **création** de sa société. **e.** Paris Biotech Santé est **spécialisé** dans le secteur de la santé. **f.** La période d'**incubation** pendant laquelle on peut se faire aider pour monter son entreprise est de vingt-quatre mois maximum. **g.** Certaines qualités sont indispensables aux **porteurs** de projets pour convaincre les investisseurs. **h.** De nombreux entrepreneurs tentent d'intégrer un accélérateur de start-up mais le **processus** de sélection est très strict et peu d'entre eux réussissent. **i.** Son projet était bloqué mais par chance il a rencontré quelqu'un qui a cru en lui et qui lui a permis d'**accélérer** le lancement de son affaire.

12. a. – Tiens, la ville a inauguré un nouvel incubateur.
– **Pardon** ? Un quoi ?
– Un incubateur : c'est un espace où ceux qui ont un projet peuvent travailler.
b. – On m'a parlé de gobee.bike. C'est un nouveau type de vélo ?
– Non, **en fait** c'est un service de location de vélos.
c. – J'aimerais beaucoup créer ma start-up.
– Ah bon ? Je ne savais pas.
– Mais si, **je t'en ai parlé** il y a six mois !
d. – J'ignorais qu'il voulait devenir entrepreneur.
– Mais si, **souviens-toi**, il nous avait parlé de son projet pendant tout un repas.
e. – Tu peux me dire ce qu'est Station F ?
– **Eh bien c'est** un campus de start-up.

13. 1. trois arguments principaux ; **2.** problème et solution ; **3.** explication et conclusion ; **4.** opinion ; **5.** présence de l'auteur ; **6.** implication du lecteur ; **7.** publication dans un média

LEÇON 4

14. a. Je suis certain que les robots peuvent remplacer les hommes. / Je doute que les robots puissent remplacer les hommes. **b.** Je suis persuadé qu'on guérira toutes les maladies un jour. / Je ne crois pas qu'on guérisse toutes les maladies un jour. **c.** Je sais très bien que l'intelligence artificielle est l'avenir de l'homme. / Je ne suis pas sûr que l'intelligence artificielle soit l'avenir de l'homme. **d.** Je suis sûr que les applications pour smartphone sont des outils indispensables. / Je ne crois pas que les applications pour smartphone soient des outils indispensables. **e.** Je suis sûr que les gens rêvent de voitures qui volent. / Je ne pense pas que les gens rêvent de voitures qui volent. **f.** Je suis persuadé que les objets connectés sont une menace pour la vie privée. / Je ne suis pas certain que les objets connectés soient une menace pour la vie privée. **g.** Je pense que les innovations technologiques permettent d'améliorer la vie des hommes. / Je ne crois pas que les innovations technologiques permettent d'améliorer la vie des hommes. **h.** Je suis sûr qu'il s'agit d'une innovation qui va changer le monde. / Je doute qu'il s'agisse d'une innovation qui va changer le monde.

15. a. Savoir que les objets connectés peuvent transmettre aux fabricants un certain nombre d'informations personnelles est **relativement préoccupant**, mais il ne faut quand même pas voir le mal partout !
b. Le piratage des sites Internet est **un véritable sujet d'inquiétude** pour le gouvernement et les entreprises, qui mettent tout en œuvre pour lutter contre ce problème. **c.** Quand on implante des puces sous la peau sans en connaître toutes les conséquences pour la santé, **il y a de quoi s'inquiéter** ! Vous ne trouvez pas ? **d.** Certaines personnes disent que les ondes wifi n'ont pas d'effets sur la santé. Mais moi, je ne suis pas persuadé que ce soit **sans danger**.

DOSSIER 8
pp. 183 à 186

LEÇON 1

1. a. L'église a été réaménagée **à la manière d'**une bibliothèque. **b.** On a réalisé le jardin **à la manière d'**un tableau impressionniste. **c.** L'artiste crée ses œuvres **à la manière d'**un jeu de construction géant. **d.** Les colonnes de Buren, noires et blanches, sont disposées **à la manière d'**un damier de jeu de dames. **e.** En 1985, à Paris, le pont Neuf a été emballé **à la manière d'**un paquet cadeau.

2. a. Le monument est orienté **de manière à ce qu'**il reçoive un maximum de soleil. **b.** On a opté pour un mur végétal **de manière à ce que** le bâtiment conserve une température agréable. **c.** Les œuvres sont exposées **de manière à ce qu'**elles puissent dialoguer entre elles. **d.** On propose des parcours thématiques **de** **manière à ce que** les visiteurs choisissent en fonction de leurs goûts ou de leurs envies. **e.** Des sculptures monumentales ont été installées dans des endroits stratégiques de la ville **de manière à ce qu'**elles soient vues par le plus de personnes possible.

3. a. Le bâtiment **ressemble à** un bateau avec une voile faite de panneaux solaires. Il est posé sur la Seine, **comme s'**il flottait. **b.** Le musée **ressemble à** une usine avec ses tubes métalliques. L'escalator monte le long de la façade **comme si** c'était un serpent. **c.** Les quatre tours de la bibliothèque ressemblent à des livres ouverts. La végétation pousse au milieu **comme si** on était en pleine forêt.

4. a. 1, 2, 4, 5, 7 ; **b.** 1, 4, 5, 6 ; **c.** 1, 4, 5 ; **d.** 1, 4, 5, 7 ; **e.** 3 ; **f.** 4, 5 ; **g.** 2

5. a. C'était le peintre le plus critiqué de son époque. **b.** C'est l'artiste la plus célèbre du Japon. **c.** Ce sont les tableaux les plus anciens qu'on connaisse. **d.** C'est la sculpture la plus admirée du musée. **e.** Ce sont les œuvres les plus étranges que je connaisse. **f.** C'est la création artistique la plus gigantesque jamais réalisée. **g.** C'est l'architecte le plus populaire de son pays. **h.** C'est l'œuvre la plus audacieuse qu'on puisse imaginer. **i.** C'est le critique d'art le plus influent du milieu de l'art contemporain.

6. a. Certains ponts sont de véritables œuvres d'art dont la réalisation représente **une vraie prouesse technique**. **b.** C'est fou qu'on puisse réaliser une sculpture si **bluffante** avec de simples containers ! **c.** Le bâtiment n'est pas très beau, par contre le jeu de l'eau et de la lumière sur la façade du monument est **à tomber à genoux** !

LEÇON 2

7. a. Après avoir rencontré le metteur en scène, le comédien a accepté le rôle. Le comédien a rencontré le metteur en scène **avant d'accepter** le rôle. **b. Après avoir lu** le roman, ils sont allés voir l'adaptation théâtrale. Ils ont lu le roman **avant d'aller** voir l'adaptation théâtrale. **c. Après avoir assisté** au concert, j'ai rencontré un des musiciens. J'ai assisté au concert **avant de** rencontrer un des musiciens. **d. Après avoir répété** pendant des semaines, les artistes se sont produits en public. Les artistes ont répété pendant des semaines **avant de se produire** en public. **e. Après avoir étudié** au conservatoire, nous avons rejoint l'orchestre de la ville. Nous avons étudié au conservatoire **avant de rejoindre** l'orchestre de la ville. **f. Après avoir monté** un spectacle, la troupe est partie en tournée dans le monde entier. La troupe a monté un spectacle **avant de partir** en tournée dans le monde entier. **g. Après m'être renseigné** sur les spectacles programmés, j'en ai choisi un. Je me suis renseigné sur les spectacles programmés **avant d'en choisir** un. **h. Après avoir effectué** une recherche historique, ils ont créé les costumes. Ils ont effectué une recherche historique **avant de créer** les costumes. **i. Après s'être présentés** au casting, ils ont été retenus pour la comédie musicale. Ils se sont présentés au casting **avant d'être** retenus pour la comédie musicale. **j. Après avoir créé** de nombreuses chorégraphies, elle a reçu une récompense pour l'ensemble de son œuvre. Elle a créé de nombreuses chorégraphies **avant de recevoir** une récompense pour l'ensemble de son œuvre.

8. adaptation : h ; chorégraphie : c ; cirque : a ; compagnie : e ; mise en scène : b ; orchestre : f ; résidence : d ; spectacle vivant : g.

9. La **comédie musicale** *Les Misérables* est de retour en France mais, cette fois, il s'agit plutôt d'un concert : les paroles **tirées de** l'œuvre de Victor Hugo et la musique sont les mêmes mais le reste change. Trente **chanteurs lyriques** remplacent les chanteurs de variété et partagent la scène avec les musiciens d'un **orchestre symphonique**. Pas de décor, pas de chorégraphie, mais un formidable travail sur la lumière et des costumes **d'époque** qui font revivre le xixᵉ siècle. Les chanteurs se sont glissés avec plaisir dans ces habits réalisés **sur mesure**.
Sur les mille candidatures reçues, trois cents ont été retenues pour seulement trente places au final. Parmi les artistes qui ont passé le **casting**, on retrouve le cocréateur du groupe de rock français Ange, Christian Décamps, qui joue le **rôle** de Victor Hugo.

10. 🎧101 *Exemple : Je viens de voir un spectacle de danse classique. C'était absolument incroyable. C'est le spectacle le plus merveilleux que j'aie jamais vu.*

LEÇON **3**

11. **a.** Oui, nous **le leur** avons proposé. **b.** Non, il ne **lui en** a pas parlé. **c.** Oui, nous **vous le** recommandons. **d.** Non, je ne peux pas **te la** raconter. **e.** Oui, ils **nous l'**ont donné. **f.** Oui, il **la leur** a dédiée. **g.** Non, ils ne **m'en** ont pas envoyé. **h.** Oui, elle va **le lui** expliquer. **i.** Oui, je vais **vous en** acheter. **j.** Oui, on **la lui** a attribuée.

12. **a.** Les journaux ont publié ce matin le **palmarès** des Victoires de la musique qui ont eu lieu hier soir. **b.** Mon chanteur préféré n'a pas été **récompensé**. Je suis déçu parce que, selon moi, il méritait d'être **sacré** « meilleur artiste ». **c.** Le public peut voter pour un nouvel artiste dans la catégorie « **révélation** de l'année ». **d.** C'est un jeune Anglais qui a fait une **entrée remarquée** sur la scène musicale française. **e.** Qui a **remporté** la récompense du meilleur album de l'année ? **f.** La jeune chanteuse a **dédié** sa Victoire à ses parents.

13. **Éloïse**
Salut ! Je voudrais aller au ciné ce week-end mais j'hésite sur le choix du film. On m'a conseillé *Au revoir là-haut*, mais **ça ne me dit rien**. Il y a aussi *Plonger*, sur une femme qui quitte son mari, mais les critiques ne sont pas très bonnes. Il paraît que c'est **décevant**. Vous en pensez quoi ?

Alex
Salut Éloïse,
Alors moi, je n'ai pas vu *Au revoir là-haut* mais **je n'en ai entendu que du bien**. En plus, j'ai regardé la bande-annonce et le film **a l'air sublime** ! Concernant *Plonger*, je l'ai vu hier et les critiques sont dures je trouve : le film **vaut mieux que ça**. C'est vrai que certains passages sont un peu longs mais Gilles Lellouche est quand même un **acteur de talent** !

Anaïs
Bonjour,
Au revoir là-haut est un film **à ne pas rater**, courez le voir ! Il y a de **vraies réussites** dans la reconstitution historique et l'adaptation du roman est géniale ! J'ai bien aimé aussi *Plonger* : même si **tout n'est pas réussi**, j'ai été émue. Voir le mari tout faire pour retrouver sa femme, c'est **touchant**.

LEÇON **4**

14. **a.** Où ta tante a-t-elle ouvert une librairie francophone ? **b.** Pourquoi Anna n'a-t-elle pas réceptionné les commandes ? **c.** À qui les clients demandent-ils des conseils ? **d.** Comment Louis va-t-il ranger les livres ? **e.** À quoi ces étagères vont-elles servir ? **f.** Pourquoi aime-t-on passer du temps dans une librairie ? **g.** Où Margot a-t-elle rencontré son auteur préféré ? **h.** Quand l'auteur dédicacera-t-il son livre ? **i.** Pourquoi les étudiants n'ont-ils pas lu *Comme un roman* ?

15. **a.** Lire quoi ? **b.** Les donner à qui ? **c.** Le rencontrer où ? **d.** Communiquer comment ?

16. **a.** Je voulais créer un véritable **lieu de vie** où les clients viendraient passer un moment agréable. **b.** Je propose une **sélection** de vingt livres pour les fêtes de fin d'année. **c.** Cette maison d'édition a créé une **collection** fantastique pour faire aimer l'histoire aux enfants. **d.** Parfois, la **quatrième de couverture** d'un livre est trop brève pour se faire une idée du livre. C'est là que j'ai besoin d'un conseil avisé. **e.** Il faut continuer à fréquenter les **librairies** de quartier pour qu'elles ne disparaissent pas au profit de la grande distribution. **f.** Libraire est un métier exigeant. Il faut tout connaître du **milieu** : les auteurs, les maisons d'édition, les prix. Un libraire, c'est un **expert du livre**. **g.** J'aime beaucoup l'**ambiance** de cette librairie. On y est toujours bien accueilli.

17. **a. Liaison obligatoire :** 2. On‿a beaucoup travaillé. 3. C'est le plus‿important. 4. Vous vous‿êtes installés. 8. C'est dans leurs‿habitudes. 11. Ici, c'est chez‿eux. 13. Nos‿invités sont tous ici.
Liaison facultative : 1. C'est‿une ville magnifique. 5. On s'est bien‿habitués. 6. Je vis dans‿un superbe appartement. 7. Je n'ai pas‿encore terminé. 9. Il est‿enfin arrivé. 10. Elle a beaucoup‿aimé. 12. Je m'en suis‿aperçu.

Dans les épreuves de compréhension écrite et orale, l'orthographe et la syntaxe ne sont pas prises en compte, sauf si elles altèrent gravement la compréhension. Le correcteur acceptera les réponses données ci-dessous et toute reformulation ou réponse cohérente avec la question posée.

1. Compréhension de l'oral

25 points

Exercice 1 🎧 102

◖ 6 points ◗

Transcriptions

Claire : Salut Tom !

Tom : Salut Claire, alors tu as des nouvelles pour notre fête ?

Claire : Non, pas trop, avec la fin des cours qui approche et les examens à préparer, je n'ai pas une minute à moi !

Tom : Il faut qu'on se dépêche un peu car la date de la fête de la Francophonie ne peut pas être déplacée à un autre jour !

Claire : Oui je sais... Ce qui m'embête aussi c'est que ça tombe le même jour que l'anniversaire de Jules !

Tom : Ah mince... Il va faire une fête ?

Claire : Oui apparemment.

Tom : On ne peut pas être partout et puis on s'est engagés à organiser cette fête de la Francophonie donc on ne va pas changer d'avis !

Claire : Non, non bien sûr ! J'ai tout de même réfléchi à ce qu'on pourrait mettre en place comme animation !

Tom : Ah super, et alors, tu as pensé à quoi ?

Claire : À plusieurs choses : des chansons, du théâtre, des petits films réalisés par les étudiants sur le thème de la francophonie, des lectures et même la projection de films francophones. J'ai fait une liste, regarde.

Tom : Génial ! Je veux absolument que cette fête permette à tout le monde de découvrir des pays et des cultures différents. Ces animations seraient idéales ! On pourrait aussi prévoir un buffet avec des plats de plusieurs pays ?

Claire : Oui ! J'ai aussi pensé à inviter mon prof de littérature francophone. Il est malien. Tu sais, celui que tu as rencontré la semaine dernière quand j'étais avec mon oncle ?

Tom : Très bonne idée ! Bon, sinon, j'ai pensé que pour que ce soit plus pratique pour tout le monde, il faudrait que la fête ait lieu à l'école de langue.

Claire : Oui mais je ne suis pas sûre qu'il y ait assez de place pour accueillir tout le monde ! Je te conseille plutôt de demander au directeur de l'école. C'est lui qui va décider, à mon avis.

Tom : D'accord. Je te tiens au courant. Allez, à plus !

Claire : Salut ! À plus tard.

Corrigés

1. c. *(1 point)*

2. Deux réponses parmi : des chansons, du théâtre, des petits films réalisés par les étudiants (sur le thème de la Francophonie), des lectures, la projection de films francophones. *(1 point)*

3. c. *(1 point)*

4. c. *(1 point)*

5. c. *(1 point)*

6. De demander au directeur de l'école. *(1 point)*

Exercice 2 🎧 103

◖ 8 points ◗

Transcriptions

Après le Royaume-Uni et les États-Unis, la France est le troisième pays qui accueille le plus d'étudiants étrangers chaque année. Les universités françaises ne sont pas en tête des classements internationaux, et pourtant, elles attirent tous les ans plus de 310 000 étudiants étrangers. Pourquoi choisissent-ils la France ?

Nous avons mené l'enquête auprès de trois étudiants. Vladimir qui vient de Russie, Einar qui est norvégien et Francesca qui vient du sud de l'Italie.

Vladimir en rêvait depuis son enfance dans le sud de la Russie et le voici aujourd'hui, à 20 ans, étudiant à la Sorbonne, célèbre université parisienne. Il a toujours voulu étudier en France et plus particulièrement à Paris car beaucoup de personnes célèbres comme Marie Curie ou Louis Pasteur y ont fait leurs études. Étudier dans la même université qu'eux, c'est pour lui un rêve qui se réalise !

À la fin de ses études, Vladimir recevra un diplôme qu'il estime être aussi prestigieux que celui d'Harvard aux États-Unis, à la différence que ses études lui auront coûté beaucoup moins cher ! Mais ce n'est pas la seule raison pour laquelle Vladimir a choisi de venir étudier à Paris : il sait que c'est une capitale très festive et qu'il y a beaucoup de soirées étudiantes.

Einar, lui, est norvégien et il a trouvé la douceur de vivre à Toulouse depuis trois ans. Il y apprécie le soleil, les 20 degrés de plus au thermomètre et les petits plaisirs quotidiens comme celui de croquer dans un croissant au petit déjeuner. Einar a choisi Toulouse pour ses études car c'est la capitale de la recherche aérospatiale. Il a beaucoup appris même s'il lui a fallu un petit temps d'adaptation à l'université française car l'organisation est bien différente de l'université norvégienne.

Francesca, quant à elle, a choisi la France pour faire ses études de médecine. C'est avant tout pour la très bonne réputation du système médical français et pour la formation en médecine très axée sur la pratique, qu'elle a décidé de venir étudier à Strasbourg. Elle apprécie que les stages durent plus longtemps qu'en Italie et qu'il y ait, en France, plus de possibilités de pratiquer la médecine.

Corrigé

1. Elle est troisième. *(1,5 point)*
2. c. *(1 point)*
3. Les études sont moins chères. *(2 points)*
4. Croquer dans un croissant au petit déjeuner. *(1,5 point)*
5. b. *(1 point)*
6. c. *(1 point)*

Exercice 3 🎧 ▶104   ◀ 11 points ▶

Transcriptions

Journaliste : Hyppolite bonjour, vous êtes venu nous parler de votre expérience au Québec. Ça fait maintenant deux ans que vous êtes installé au Canada et que vous y travaillez, et lors de notre dernière rencontre vous nous avez dit que les opportunités de travail pour un Français qui vient immigrer de façon permanente au Québec, sont assez nombreuses.

Hyppolite : Effectivement. D'abord, qu'on aime les grandes villes ou qu'on préfère les grands espaces et la nature, il faut avouer que la qualité de vie est bien meilleure qu'en France. Ensuite, au niveau professionnel, même en tant qu'immigré, les possibilités sont multiples. Si la personne est motivée, ce sera pour elle plus facile qu'en France de bien gagner sa vie et d'obtenir un poste à responsabilités. Il faut faire ses preuves, montrer ce que l'on vaut et quel que soit l'âge ou l'ancienneté, les portes s'ouvriront presque toutes seules ! Si on veut devenir son propre patron, tout est plus facile ici !

Journaliste : Quelles sont d'après vous les principales difficultés d'adaptation au Canada pour un Français ?

Hyppolite : La difficulté d'adaptation principale, c'est justement qu'il faut s'adapter à tout ! Contrairement à ce qu'on pourrait penser, il y a beaucoup de différences entre le Québec et la France.

Ce n'est pas parce qu'on parle français que tout est comme en France ! En réalité, tout est différent de chez nous ! Même la langue est différente ! Le français québécois possède ses expressions, sa façon de parler, ses codes... D'ailleurs, les Québécois vous disent : *Ici, c'est toi qui as un accent pas nous !* Je n'ai pas pris de cours de québécois et même si je ne le parle pas comme les Québécois, je ne pense pas en avoir besoin, mais, c'est vrai que je ne comprends pas certaines personnes à cause de leur accent ou des expressions qu'elles utilisent.

Journaliste : Et le climat ? L'hiver est très froid, non ?

Hyppolite : Oui, en effet ! Et il dure de novembre à avril avec des tempêtes de neige monstrueuses et des températures avoisinant les – 35 °C. En plus, l'été, il y a une humidité étouffante et les températures peuvent dépasser les 40 °C ! Mais ça ne me dérange pas ! C'est vrai que c'est un problème de devoir enlever la neige devant chez soi tous les matins pour sortir la voiture et aller au travail, mais ça fait partie de la vie au Québec ! Je m'y suis habitué.

Journaliste : Quels conseils donneriez-vous à quelqu'un qui souhaiterait s'installer au Québec ?

Hyppolite : Il faut bien réfléchir avant de s'installer au Québec. Cela demande beaucoup de préparation et d'investissements personnels. Il faut aussi prouver aux autorités canadiennes que vous avez une bonne situation financière car c'est une des conditions pour pouvoir s'installer au Québec. Il faut aussi garder à l'esprit que le Québec n'est pas une région française ! Ce n'est pas parce qu'on est français qu'on a plus de droits, plus de facilités ou plus de chance de réussir que les autres immigrés. Les conseils que je peux donner à un Français qui veut s'installer au Québec, c'est d'aller vers les Québécois, apprendre leur culture, leurs expressions, vivre avec eux et comme eux.

Corrigés

1. c. *(1 point)*
2. c. *(1 point)*
3. c. *(1 point)*
4. Il faut s'adapter à tout. *(2 points)*
5. c. *(1 point)*
6. Enlever la neige devant chez lui (pour sortir sa voiture). *(2 points)*
7. c. *(1 point)*
8. Deux réponses parmi : aller vers les Québécois, apprendre leur culture, leurs expressions, vivre avec eux et comme eux. *(2 points)*

2. Compréhension des écrits

25 points

Exercice 1

◀ **10 points** ▶

Corrigés

1.

0,5 point par bonne réponse, 0 point si les deux cases « oui » et « non » sont cochées.

X	Au revoir là-haut		Carré 35		L'École buissonnière		L'Ascension	
	OUI	NON	OUI	NON	OUI	NON	OUI	NON
Genre	X			X	X		X	
Durée	X			X	X		X	
Horaires		X	X		X			X
Jours	X			X	X		X	
Critiques positives	X		X		X		X	

2. *L'École buissonnière*
On retirera un point si la réponse n'est logique par rapport aux cases cochées par le candidat.

Exercice 2

◀ **15 points** ▶

Corrigés

1. a. *(1 point)*
2. En France, la pratique du *bookcrossing* se pratique dans des cabines téléphoniques et pas dans la nature comme aux États-Unis. *(2 points)*
3. b. *(1 point)*
4. a. Faux : Les 1 257 cabines « sauvées » ont été réutilisées pour des projets culturels qui leur donnent une seconde vie.
b. Faux : Une cabine a été repeinte en rouge et porte l'inscription « livres vagabonds » OU D'autres (...) sont simplement équipées de planches ou de casiers pour disposer les livres. *1,5 point si le choix « vrai » ou « faux » ET la justification sont corrects. (3 points)*
5. a. *(1 point)*
6. Vrai : en règle générale, elle vit parfaitement en autonomie. *(1,5 point)*
7. À cause de dégradations faites sur une des cabines téléphoniques de la ville. *(2 points)*
8. a. *(1 point)*
9. Faux : Léo, 46 ans, est un habitué. *(1,5 point)*
10. c. *(1 point)*

3. Production écrite

25 points

L'enseignant utilisera la grille d'évaluation de la production écrite à l'attention des examinateurs-correcteurs du DELF B1.

Respect de la consigne Peut mettre en adéquation sa production avec le sujet proposé. Respecte la consigne de longueur minimale indiquée.	0	0,5	1	1,5	2			
Capacité à présenter des faits Peut décrire des faits, des événements ou des expériences.	0	0,5	1	1,5	2	2,5	3	3,5	4
Capacité à exprimer sa pensée Peut présenter ses idées, ses sentiments et/ou ses réactions et donner son opinion.	0	0,5	1	1,5	2	2,5	3	3,5	4
Cohérence et cohésion Peut relier une série d'éléments courts, simples et distincts en un discours qui s'enchaîne.	0	0,5	1	1,5	2	2,5	3		

Compétence lexicale / Orthographe lexicale

Étendue du vocabulaire Possède un vocabulaire suffisant pour s'exprimer sur des sujets courants, si nécessaire à l'aide de périphrases.	0	0,5	1	1,5	2
Maîtrise du vocabulaire Montre une bonne maîtrise du vocabulaire élémentaire mais des erreurs sérieuses se produisent encore quand il s'agit d'exprimer une pensée plus complexe.	0	0,5	1	1,5	2
Maîtrise de l'orthographe lexicale L'orthographe lexicale, la ponctuation et la mise en page sont assez justes pour être suivies facilement le plus souvent.	0	0,5	1	1,5	2

Compétence lexicale / Orthographe lexicale

Degré d'élaboration des phrases Maîtrise bien la structure de la phrase simple et les phrases complexes les plus courantes.	0	0,5	1	1,5	2
Choix des temps et des modes Fait preuve d'un bon contrôle malgré de nettes influences de la langue maternelle.	0	0,5	1	1,5	2
Morphosyntaxe / Orthographe grammaticale Accord en genre et en nombre, pronoms, marques verbales, etc.	0	0,5	1	1,5	2

* Si la production fait entre 113 et 143 mots, on attribuera 0,5 point sur 1 au critère de longueur. Si la production fait 112 mots ou moins, on attribuera 0 point sur 1 au critère de longueur.

4. Production orale

25 points

L'enseignant utilisera la grille d'évaluation de la production orale à l'attention des examinateurs-correcteurs du DELF B1.

1re partie – Entretien dirigé durée : 2 à 3 minutes					
Peut parler de soi avec une certaine assurance en donnant informations, raisons et explications relatives à ses centres d'intérêt, projets et actions.	0	0,5	1	1,5	2
Peut aborder sans préparation un échange sur un sujet familier avec une certaine assurance.	0	0,5	1		

2e partie – Exercice en interaction durée : 3 à 4 minutes					
Peut faire face sans préparation à des situations même un peu inhabituelles de la vie courante (respect de la situation et des codes sociolinguistiques).	0	0,5	1		
Peut adapter les actes de parole à la situation.	0	0,5	1	1,5	2
Peut répondre aux sollicitations de l'interlocuteur (vérifier et confirmer des informations, commenter le point de vue d'autrui, etc.).	0	0,5	1	1,5	2

3e partie – Expression d'un point de vue	durée : 5 à 7 minutes						
Peut présenter d'une manière simple et directe le sujet à développer.	0	0,5	1				
Peut présenter et expliquer avec assez de précision les points principaux d'une réflexion personnelle.	0	0,5	1	1,5	2	2,5	
Peut relier une série d'éléments en un discours assez clair pour être suivi sans difficulté la plupart du temps.	0	0,5	1	1,5			

Pour l'ensemble des 3 parties de l'épreuve											
Lexique (étendue et maîtrise) Possède un vocabulaire suffisant pour s'exprimer sur des sujets courants, si nécessaire à l'aide de périphrases ; des erreurs sérieuses se produisent encore quand il s'agit d'exprimer une pensée plus complexe.	0	0,5	1	1,5	2	2,5	3	3,5	4		
Morphosyntaxe Maîtrise bien la structure de la phrase simple et les phrases complexes les plus courantes. Fait preuve d'un bon contrôle malgré de nettes influences de la langue maternelle.	0	0,5	1	1,5	2	2,5	3	3,5	4	4,5	5
Maîtrise du système phonologique Peut s'exprimer sans aide malgré quelques problèmes de formulation et des pauses occasionnelles. La prononciation est claire et intelligible malgré des erreurs ponctuelles.	0	0,5	1	1,5	2	2,5	3				

Tests

téléchargez les audio des tests sur le site

cosmopolite.hachettefle.fr/cosmo3/audiotests.zip

Compréhension orale

25 points

1. 🎧 2 **Écoute le dialogue. Coche la bonne réponse et réponds aux questions.** ◀ 10 points ▶

a. Caroline… *(4 points)*
- **1.** ☐ passe des vacances à Johannesburg.
- **2.** ☐ travaille comme responsable marketing à Johannesburg.
- **3.** ☐ accompagne son mari expatrié à Johannesburg.
- **4.** La recherche du logement a été difficile parce que la ville est grande.   ☐ Vrai   ☐ Faux

b. Quels sont les avantages du logement de Caroline ? *(3 points)*
- **1.** ☐ Il est en pleine campagne.
- **2.** ☐ Il est à proximité de magasins.
- **3.** ☐ Il est moderne.
- **4.** ☐ Il est dans une zone silencieuse.
- **5.** ☐ Il est éloigné des autres maisons.
- **6.** ☐ Il est très sûr.

c. Comment se déplace essentiellement Caroline à Johannesburg ? *(1 point)*

1 ☐   2 ☐   3 ☐

d. Qu'est-ce qui lui manque de sa vie en France ? *(2 points)*

....

2 🎧 3 **Écoute l'émission. Réponds aux questions.** ◀ 15 points ▶

a. Quel est le thème de l'émission ?
- **1.** ☐ Les villes qui accueillent le plus d'expatriés
- **2.** ☐ Les villes qui plaisent le plus aux expatriés
- **3.** ☐ Les villes qui offrent le plus de travail aux expatriés

b. Quel est le classement des villes proposant les meilleures opportunités professionnelles ?
n° .... : Londres   n° .... : Paris   n° .... : San Francisco

c. Pour quel critère Zurich arrive-t-elle en tête du classement ?
- **1.** ☐ le prix des loyers
- **2.** ☐ l'évolution des revenus
- **3.** ☐ les produits de qualité

d. Quels sont les deux critères pris en compte pour évoquer la qualité de vie ?
- **1.** ....   **2.** ....

e. Citez trois raisons qui font de Paris une bonne destination pour les expatriés.
- **1.** ....
- **2.** ....
- **3.** ....

Compréhension écrite

25 points

Accueil

Forum

FAQ

Promenade à Belleville

Aujourd'hui, je vous présente un de mes coups de cœur de la capitale : Belleville. C'est un quartier cosmopolite et branché grâce à ses communautés issues de plusieurs vagues d'immigration, ses bars conviviaux, ses boutiques design, ses ateliers d'artistes et son parc. Le quartier a conservé son atmosphère de village d'autrefois malgré de nombreux réaménagements. Un de mes endroits préférés, c'est le parc de Belleville, véritable « poumon vert » du quartier. Il est situé sur les hauteurs de la colline de Belleville et offre une vue imprenable sur Paris. Vous pourrez certainement admirer le panorama en toute tranquillité car l'endroit n'est pas fréquenté par les touristes. Ses 140 pieds de vigne sont une véritable curiosité. En fait, ils rappellent le passé viticole de la colline de Belleville où jusqu'au 19e siècle, on cultivait la vigne. Dans le bas du parc, vous pourrez aussi voir une cascade d'eau qui rappelle que Belleville a alimenté Paris en eau pendant plusieurs siècles. D'ailleurs, n'hésitez pas à vous promener rue des Cascades, l'une des plus jolies du quartier. Dans un tout autre domaine, la rue Denoyez vous propose un univers unique : une multitude de créations artistiques hautes en couleur recouvrent la totalité de la rue. C'est véritablement la rue du Street Art parisien !

Profitez du beau temps, prenez votre appareil photo et promenez-vous sur les hauteurs de Belleville !

1. **Lis le billet publié sur le blog de Céline. Coche la bonne réponse et réponds aux questions.**   ◀ **15 points** ▶

a. Céline décrit le quartier *(2 points)*
   1. ☐ où elle habite.   2. ☐ qu'elle préfère.   3. ☐ où elle se promène.

b. Le quartier est... *(trois réponses, 3 points)*
   1. ☐ très fleuri.   4. ☐ chic.
   2. ☐ à la mode.   5. ☐ influencé par diverses nationalités.
   3. ☐ authentique.   6. ☐ touristique.

c. Le quartier de Belleville... *(2 points)*
   1. ☐ s'est modernisé mais a gardé son âme.
   2. ☐ est devenu un vrai village au cœur de Paris.
   3. ☐ est très différent de ce qu'il était dans le passé.

d. Où se situe le parc de Belleville ? *(2 points)*

....

e. Pourquoi cultive-t-on de la vigne dans le parc de Belleville ? *(2 points)*

....

f. Qu'est-ce qui rappelle aujourd'hui que Belleville alimentait Paris en eau ? *(2 points)*

....

g. Pourquoi la rue Denoyez est-elle célèbre ? Que peut-on y voir ? *(2 points)*

1 ☐   2 ☐   3 ☐

2. Lis les avis d'Internautes sur la ville d'Angers.

◀ 10 points ▶

Jean-Marc

Je suis venu en vacances à Angers et j'ai adoré cette ville. Il y a plein de jolis monuments, de beaux parcs verdoyants, plein de magasins et plusieurs grands centres commerciaux en retrait de la ville mais très accessibles en transport en commun. Je trouve cette ville vraiment très sympa. Les gens sont accueillants et renseignent facilement les touristes. Bref, je compte venir m'y installer et contrairement à ce que certains peuvent dire, il y a du travail et dans différents secteurs ! Les loyers sont abordables. Allez à Angers ! Vous serez émerveillés par la douceur angevine.

Matéo

La ville en elle-même est très jolie et il y a beaucoup de verdure. Malheureusement, les problèmes sont nombreux comme le manque de poubelles dans les rues ou les transports qui sont affreux et sales. Côté sport, la municipalité a pris de bonnes initiatives, mais pas pour le foot. Enfin... c'est mon avis ! Le centre-ville me semble triste, il n'y a rien à faire et à partir de 20 heures tout le monde est chez soi. La vie culturelle pourrait être plus développée. C'est dommage parce que c'est une belle ville et on pourrait mettre en avant les points positifs comme le patrimoine...

Brigitte

Je suis amoureuse de ma ville. Angers, pour moi, c'est la douceur de vivre, le calme, la beauté, la gentillesse des gens. C'est une ville où il fait bon vivre, où tout est à proximité sans avoir besoin de voiture. On peut très facilement se déplacer d'un point à un autre à pied ou en transport en commun. Il y a de nombreuses lignes de bus et bien sûr le tramway. On trouve pas mal de boutiques en centre-ville. Les habitants sont plutôt calmes et savent profiter des moments de la vie, de la douceur de vivre. Mais ils sortent très peu le soir sauf les jeunes quelques jours par semaine pour les soirées étudiantes.

Indique qui dit quoi. Place une croix dans la colonne correspondante.

	Jean-Marc	Matéo	Brigitte
1. La ville est bien desservie par les transports en commun.			
2. Les habitants sont très sympathiques.			
3. Il y a de beaux espaces verts.			
4. Les habitants sortent rarement le soir.			
5. C'est une belle ville.			

Production orale   25 points

1. En interaction. Tu annonces à ton ami(e) ton intention de partir travailler quelques années à l'étranger.
Il/Elle est surpris(e) et inquiet(ète) de ta décision. Il/Elle te met en garde contre les difficultés
que tu pourrais rencontrer. Tu le/la rassure et essaie de le/la convaincre en lui montrant
les aspects positifs de cette expérience.   ◀ 13 points ▶

2. En continu. Explique ce qu'est pour toi une ville où il fait bon vivre. Justifie tes propos à l'aide
d'exemples précis.   ◀ 12 points ▶

Production écrite   25 points

Le journal francophone de ta ville invite ses lecteurs à présenter leur ville aux expatriés qui arrivent.
Tu écris un témoignage pour décrire les aspects positifs de ta ville et les difficultés que pourraient
rencontrer des étrangers dans leur vie quotidienne. Tu donnes quelques conseils pour que leur installation
se passe dans les meilleures conditions possibles. *(150 mots)*

DOSSIER 2

Compréhension orale

25 points

1 🎧▶ 4 **a. Écoute le dialogue. Quels sont les symptômes de Young-Jae ? Coche les photos correctes.** ◀ 3 points ▶

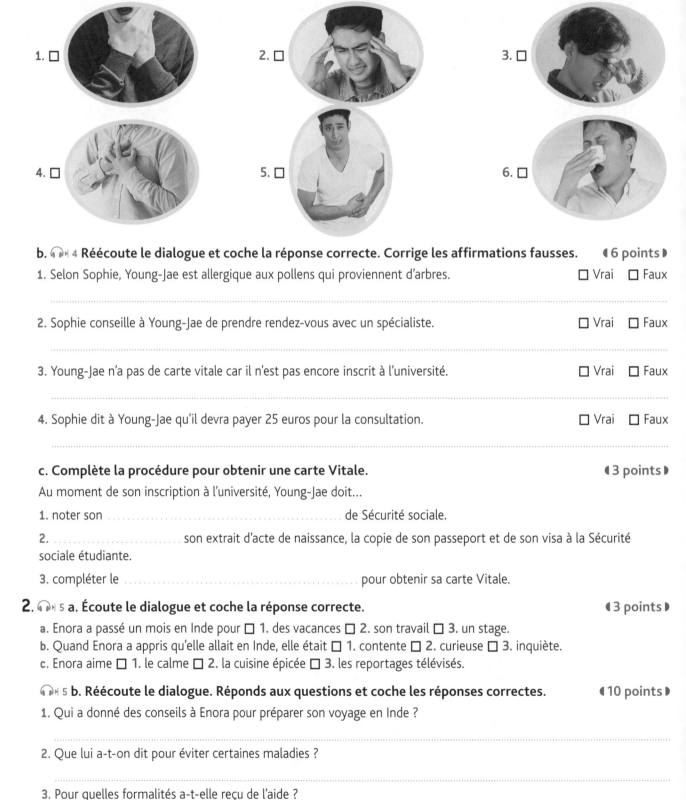

1. ☐

2. ☐

3. ☐

4. ☐

5. ☐

6. ☐

b. 🎧▶ 4 **Réécoute le dialogue et coche la réponse correcte. Corrige les affirmations fausses.** ◀ 6 points ▶

1. Selon Sophie, Young-Jae est allergique aux pollens qui proviennent d'arbres. ☐ Vrai ☐ Faux

....

2. Sophie conseille à Young-Jae de prendre rendez-vous avec un spécialiste. ☐ Vrai ☐ Faux

....

3. Young-Jae n'a pas de carte vitale car il n'est pas encore inscrit à l'université. ☐ Vrai ☐ Faux

....

4. Sophie dit à Young-Jae qu'il devra payer 25 euros pour la consultation. ☐ Vrai ☐ Faux

....

c. Complète la procédure pour obtenir une carte Vitale. ◀ 3 points ▶

Au moment de son inscription à l'université, Young-Jae doit...

1. noter son .... de Sécurité sociale.

2. .... son extrait d'acte de naissance, la copie de son passeport et de son visa à la Sécurité sociale étudiante.

3. compléter le .... pour obtenir sa carte Vitale.

2. 🎧▶ 5 **a. Écoute le dialogue et coche la réponse correcte.** ◀ 3 points ▶

a. Enora a passé un mois en Inde pour ☐ **1.** des vacances ☐ **2.** son travail ☐ **3.** un stage.

b. Quand Enora a appris qu'elle allait en Inde, elle était ☐ **1.** contente ☐ **2.** curieuse ☐ **3.** inquiète.

c. Enora aime ☐ **1.** le calme ☐ **2.** la cuisine épicée ☐ **3.** les reportages télévisés.

🎧▶ 5 **b. Réécoute le dialogue. Réponds aux questions et coche les réponses correctes.** ◀ 10 points ▶

1. Qui a donné des conseils à Enora pour préparer son voyage en Inde ?

....

2. Que lui a-t-on dit pour éviter certaines maladies ?

....

3. Pour quelles formalités a-t-elle reçu de l'aide ?

....

4. Pendant son séjour en Inde, qu'est-ce qui a été négatif ?

a. ☐

b. ☐

c. ☐

5. Qu'est-ce qui a été positif ?

a. ☐

b. ☐

c. ☐

Compréhension écrite

25 points

1. Lis le forum. Réponds aux questions et coche les réponses correctes.

◀ **13 points** ▶

www.forum-expat.com/

Anna, 22 ans

Bonjour à tous !
J'ai 22 ans et je souhaiterais travailler au Sénégal dans mon domaine profes-sionnel. Je possède un BTS Tourisme. J'ai commencé mes démarches mais cela ne donne rien ! J'ai besoin de vos conseils pour faciliter mes recherches... et ma future vie sénégalaise :)
A+ et merci d'avance

Alex, 31 ans

Salut Sabrina ! Moi, je vis et je travaille à Sali de-puis 14 ans. Pour trouver un travail au Sénégal, je te recommande les sites de recrutement avec des annonces en ligne.
Il ne faut pas négliger l'importance d'avoir un bon réseau sur place. Si tu ne connais personne, c'est vers les réseaux sociaux qu'il faudra te tourner. Dernière chance, la candidature spontanée. Là, en plus des com-pétences, il faut quand même avoir beaucoup de chance !

Irène, 29 ans

Coucou Sabrina !
J'habite à Dakar depuis un an. Quand j'ai visité le centre-ville pour la première fois, quel choc ! Je venais d'arriver, je ne connaissais pas les codes et les habitudes des gens. Tout était tellement différent. J'ai trouvé que les rues étaient très sales. Aujourd'hui, quand j'y repense, je n'ai plus du tout le même regard...
Mes endroits préférés à Dakar ? J'aime beaucoup aller sur la plage des Mamelles. L'Auberge Via Via à Yoff est aussi un de mes spots préférés. J'aime bien y retrouver quelques amis autour d'un bon ham-burger. Il y a aussi les îles de la Madeleine, qui pour moi, sont l'un des plus beaux endroits de Dakar. Des conseils ? Je pense que pour vivre au Sénégal, il faut vraiment avoir de l'humour et s'ouvrir aux gens. Si tu n'en as pas, ça risque d'être compliqué. Je te conseille vraiment d'apprendre le wolof, la langue officielle. C'est très utile pour la vie quoti-dienne et cela permet d'avoir un vrai contact avec les habitants. Et le plus important, ici, il faut ac-cepter de prendre son temps, savoir être patient...

Arthur, 36 ans

Sabrina,
Tu trouveras beaucoup d'informations pour ton installation au Sénégal sur le site :
www.vivreausenegal.com
Bon courage !

Je m'inscris maintenant

a. Dans quel domaine professionnel Anna veut-elle travailler au Sénégal ?

....

b. Que demande-t-elle dans le forum ? *(2 réponses)*

....

c. Selon Alex, quels sont les trois moyens de trouver un emploi au Sénégal ? *(3 réponses)*

....

d. Pour quelles raisons Irène a-t-elle eu des difficultés à son arrivée au Sénégal ? *(2 réponses)*

....

e. Quels sont les lieux préférés d'Irène à Dakar ? *(2 réponses)*

☐ 1.　　　　☐ 2.　　　　☐ 3.　　　　☐ 4.

f. Que conseille Irène à Anna pour vivre au Sénégal dans de bonnes conditions ? *(3 réponses)*

....

2. Lis le document. Coche les réponses correctes et corrige les affirmations fausses.　◀12 points▶

S'INSTALLER AU SÉNÉGAL

Les Français doivent posséder un visa biométrique pour un séjour de moins de trois mois. À partir de trois mois, une carte de résident est obligatoire. Vous pouvez la demander auprès des services de la direction de la police des étrangers et titres de voyage.

Les formalités administratives

Si vous vous installez au Sénégal, l'immatriculation consulaire est obligatoire pour vos démarches administratives. Ainsi, vous pourrez obtenir ou renouveler une carte d'identité, bénéficier d'une aide sociale ou d'une bourse scolaire ou encore vous inscrire sur les listes électorales en France.

La santé

Les salariés au Sénégal sont couverts par la Sécurité sociale. En revanche, les travailleurs indépendants ne sont pas couverts et doivent adhérer à une mutuelle de santé privée. Les vaccins contre l'hépatite A et B et la fièvre jaune sont conseillés, ainsi qu'un traitement contre le paludisme.

L'éducation

Le Sénégal compte environ 330 écoles et des dizaines d'écoles françaises. Le système correspond soit au système français, soit au système anglo-saxon notamment dans le privé. L'enseignement est en français, langue nationale. La scolarisation est obligatoire de 5-6 ans à 14 ans.

La conduite

Le permis français est valable un an au Sénégal. Ensuite, vous devrez l'échanger contre un permis de conduire sénégalais. Pour cela, vous aurez besoin d'un relevé d'information de votre permis de conduire français. Ce document atteste de la validité du permis et de vos droits à conduire en France.

a. Pour un séjour de six mois, un Français doit obtenir une carte de résident. ☐ Vrai ☐ Faux

b. Pour s'installer au Sénégal, un Français doit être immatriculé au consulat pour effectuer des démarches administratives. ☐ Vrai ☐ Faux

c. Toute personne qui travaille au Sénégal est couverte par la Sécurité sociale. ☐ Vrai ☐ Faux

d. Pour s'installer au Sénégal, il est obligatoire d'être vacciné contre la fièvre jaune. ☐ Vrai ☐ Faux

e. Concernant l'éducation, il n'existe qu'un seul système scolaire, le système français. ☐ Vrai ☐ Faux

f. Au Sénégal, il est obligatoire d'échanger son permis de conduire français contre un permis de conduire sénégalais après un an sur le territoire. ☐ Vrai ☐ Faux

Production orale   25 points

1. En interaction. Tu es en vacances en France. Tu as acheté une webcam pour passer des appels vidéo sur ton ordinateur. Malheureusement, la webcam fonctionne mal. Tu retournes au magasin pour expliquer ton problème à un(e) vendeur/vendeuse. Il/Elle te pose des questions pour trouver une solution. Tu lui réponds. ◀ **13 points** ▶

2. En continu. Tu viens de découvrir un pays étranger / une région ou une ville de ton pays. Lors d'une discussion avec un(e) ami(e) francophone, tu parles de ton voyage. Décris des similitudes et des différences. Exprime tes sentiments et tes impressions. ◀ **12 points** ▶

Production écrite   25 points

Tu as commandé des vêtements sur Internet. Tu as reçu ton colis mais les articles ne correspondent pas à ce que tu avais commandé. Tu n'es pas content(e) et tu écris un mél au service client pour faire une réclamation. Tu expliques le problème et tu demandes des informations pour échanger tes articles ou te faire rembourser.

De :
À : todomodo@serviceclient.eu
Objet : réclamation

G / S Aa A⁺ ∠ ≣ ≣ ≣ ≣ ∞ ☺

DOSSIER 3

Compréhension orale

25 points

1. 🎧 6 **a. Écoute le dialogue. Réponds aux questions.**
◀ **3 points** ▶

1. Pour quel événement Emma et Hugo partent-ils à Toulouse ?

....

2. Que propose un(e) « *greeter* » ?

....

b. 🎧 6 **Réécoute le dialogue. Coche les cases correctes et corrige les affirmations fausses.**
◀ **8 points** ▶

1. Élodie est une *greeter* qui a créé un blog pour faire découvrir sa ville. ☐ Vrai ☐ Faux

....

2. Selon Éloise, Élodie doit seulement prendre en compte le budget du couple
pour faire le programme. ☐ Vrai ☐ Faux

....

3. Élodie propose beaucoup de visites et de sorties culturelles au couple. ☐ Vrai ☐ Faux

....

4. Éloise conseille au couple de découvrir la cuisine locale, de visiter une exposition
sur la violette et la Cité de l'espace. ☐ Vrai ☐ Faux

....

c. Comment réagissent Emma et Hugo aux conseils d'Éloise ? Coche les cases correctes.
◀ **3 points** ▶

1. Emma   a. ☐   b. ☐   c. ☐

2. Hugo   a. ☐   b. ☐   c. ☐

2 🎧 7 **a. Écoute le dialogue. Coche les cases correctes.**
◀ **3 points** ▶

1. Nolan est ☐ étudiant à l'université.
☐ ingénieur dans une entreprise.
☐ étudiant dans une école d'ingénieur.

2. Nolan a participé à ☐ un week-end d'intégration.
☐ un week-end de détente.
☐ un week-end professionnel.

b. 🎧 7 **Réécoute le dialogue. Coche les cases correctes et réponds aux questions.**
◀ **8 points** ▶

1. Pour quelles raisons les participants ont-ils été logés dans des bungalows de 4, 6 ou 8 places ? *(2 réponses, 2 points)*

....

....

2. Quelles activités ont été proposées aux participants ? *(3 réponses, 3 points)*

☐ a.
☐ b.
☐ c.

☐ d.
☐ e.
☐ f.

3. Quel était le concept de la soirée dont parle Nolan ? Quel était son objectif ? *(3 points)*

....

....

....

Compréhension écrite   25 points

LE RETOUR DES FIANÇAILLES…

En France, la tradition des fiançailles, pratique jugée obsolète ces dernières années, tend aujourd'hui à revenir à la mode. De plus en plus d'amoureux se laissent tenter… Mais, les fiançailles, à quoi ça sert ?

Se fiancer est une preuve d'engagement qui annonce officiellement une union à venir. Traditionnellement, les fiançailles durent un an, mais il n'existe aucune règle sur le sujet. Chacun est libre de faire comme il veut ! Les fiançailles sont surtout une tradition romantique. La coutume veut que ce soit l'homme qui offre une bague à sa fiancée. Mais les choses évoluent… Les amoureux achètent de plus en plus souvent la bague ensemble (a). Les fiançailles sont aussi l'occasion de faire la fête (b), soit en amoureux, soit avec l'entourage pour partager cette grande nouvelle ! De nombreuses personnes en profitent pour inviter leurs deux familles, afin de faire des présentations officielles. Ils peuvent aussi organiser un dîner pour commencer à parler sérieusement de l'organisation du mariage. Quelques futurs mariés, attachés à la religion, font une cérémonie de fiançailles à l'église (c). Mais cette cérémonie n'attire que 1 % des couples !

QU'EN EST-IL DANS LES AUTRES PAYS ?

Aux États-Unis, c'est le moment où les intentions mutuelles des amoureux sont officialisées, à l'occasion d'une *Bridal Shower*, fête formelle qui réunit l'entourage féminin de la future mariée (d) : sa mère, ainsi que ses grands-mères, ses sœurs, ses tantes, cousines et ses nièces, mais aussi ses amies sans oublier les membres de sa future belle-famille et bien sûr la fiancée. C'est pendant la *Bridal Shower* que l'on offre des cadeaux à la fiancée (e). Et, originalité, beaucoup de couples qui viennent de se fiancer décident de s'offrir une session de photos spéciale « fiançailles » à base de câlins, petits bisous et grands sourires (f) ! Ces photos serviront ensuite de souvenirs mais aussi d'illustrations pour l'invitation au mariage.

Au Maroc, la *khetba* est la fameuse cérémonie de fiançailles où le jeune homme et sa famille se présentent chez la famille de la future épouse. Comme le veut la tradition, ils apportent des dattes (g), du henné, des fleurs, sans oublier la bague de fiançailles et un bijou en or pour sa fiancée.

Dans une atmosphère familiale, autour de pâtisseries marocaines et un bon thé à la menthe, la famille du jeune homme formule sa demande en mariage. Quand l'accord est prononcé, tout le monde partage un copieux repas pour finir la soirée en beauté. Poulet rôti, viande aux prunes, pastilla, fruits frais sont servis (h) !

Le saviez-vous ?

En Europe, les demandes en mariage ont lieu surtout pendant les fêtes. C'est ce que rapporte un sondage qui a interrogé près de 10 000 personnes au mois de novembre dernier. Lorsqu'on leur demande de choisir parmi sept dates symboliques, c'est le 24 décembre qui arrive en tête (33 %), devant la Saint-Valentin (25 %), suivie de la Saint-Sylvestre (15 %). Les deux journées de réveillon dépassent la date du jour de la première rencontre (10 %), les anniversaires (9 %), le jour de Noël (6 %) ou le lendemain de Noël (2 %).

a. Lis le document et réponds aux questions. ◀ 7 points ▶

1. De quel phénomène parle cet article ? *(3 points)*

....

2. Pour quelle raison des couples décident-ils de se fiancer ? *(2 points)*

....

3. Traditionnellement, combien de temps durent les fiançailles ? *(2 points)*

....

b. Relis le document. Note les lettres indiquées dans le texte à côté de la photo correspondante. ◀ 8 points ▶

1.

2.

3.

4.

5.

6.

7.

8.

c. Relis le document et lis l'encart *Le saviez-vous ?* Coche les cases correctes et corrige les affirmations fausses. ◀ 10 points ▶

1. En France et au Maroc, on organise souvent un dîner pour réunir les familles des futurs mariés et faire des présentations officielles. ☐ Vrai ☐ Faux

....

2. Au Maroc, c'est le jeune homme qui fait une demande en mariage auprès de la famille de sa future fiancée. ☐ Vrai ☐ Faux

....

3. Plus de la moitié des Européens font leur demande en mariage le 24 décembre. ☐ Vrai ☐ Faux

....

4. Un tiers des Européens font leur demande en mariage le jour de la Saint-Valentin. ☐ Vrai ☐ Faux

....

5. Un Européen sur dix fait sa demande en mariage à la date du jour de la première rencontre.

☐ Vrai ☐ Faux

....

Production orale   25 points

1. En interaction. Tu parles d'un événement familial (naissance, mariage, etc.) avec un(e) ami(e)   ◀ **14 points** ▶
francophone. Il/Elle te pose des questions pour obtenir des précisions sur l'organisation
de cet événement dans ton pays, ta région ou ta ville, le déroulement de cet événement, les activités,
les codes culturels.

2. En continu. Lors d'une discussion avec un(e) ami(e) francophone, vous parlez de vos sorties   ◀ **11 points** ▶
préférées. Explique pourquoi tu aimes ces sorties, précise le(s) lieu(x) et le(s) moment(s),
parle des personnes qui t'accompagnent.

Production écrite   25 points

**Tu décides d'organiser un événement pour réunir toute ta famille pendant un week-end (grands-parents,
parents, enfants, oncles, cousins, etc.). Tu écris un mél à tous les membres de ta famille. Donne des
informations pratiques sur l'événement et présente les activités du week-end. Tu proposes également
d'organiser une soirée originale le samedi. Définis et explique le concept de la soirée.**

De :
À : familleducoeur@yahoo.fr
Objet : réunion de famille

G *I* S Aa A⁺ ✎ ☰ ☰ ☰ ☰ ∞ ☺

DOSSIER 4

Compréhension orale

25 points

1. 🎧 8 **a. Écoute le reportage. Réponds aux questions : coche la bonne réponse.** ◀ 4 points ▶

1. Que présente le reportage ?
   - **a.** ☐ Un hypermarché.
   - **b.** ☐ Une épicerie en vrac.
   - **c.** ☐ Une épicerie traditionnelle.

2. Pour quelle raison le journaliste choisit-il ce sujet ?
   - **a.** ☐ La quantité de déchets que nous produisons a beaucoup augmenté.
   - **b.** ☐ La quantité de déchets que nous produisons a peu augmenté.
   - **c.** ☐ La quantité de déchets que nous produisons a un peu diminué.

b. 🎧 8 **Réécoute le reportage. Réponds aux questions.** ◀ 6 points ▶

1. Quelle est la particularité de ce commerce ?

   ....

2. Qu'est-ce qui a poussé Virginie à ouvrir ce commerce ?

   Raison 1 : ....

   Raison 2 : ....

3. Quelles actions son commerce met-il en place pour la préservation de l'environnement ?

   Action 1 : ....

   Action 2 : ....

4. Pourquoi les clients font-ils leurs courses alimentaires dans ce commerce ?

   Client 1 : ....

   Cliente 2 : ....

5. Selon la cliente, qu'est-ce que ce type de commerce oblige à faire ?

   ....

   ....

6. Quelle est la conclusion du journaliste ? Coche la bonne réponse.
   - **a.** ☐ Faire ses courses 100 % sans emballage est un geste écologique.
   - **b.** ☐ Faire ses courses 100 % sans emballage est un acte citoyen.
   - **c.** ☐ Faire ses courses 100 % sans emballage est une décision économique.

2 🎧 9 **a. Écoute l'émission. Réponds aux questions.** ◀ 11 points ▶

1. Quel est le nom du projet que présente la journaliste ? Coche la bonne réponse. *(2 points)*
   - **a.** ☐ *Initiatives solidaires.*
   - **b.** ☐ *Les Grands Voisins.*

2. En quoi consiste ce projet ? *(2 points)*

   ....

3. Quel exemple de ce projet la journaliste présente-t-elle ? *(2 points)*

   ....

4. Combien de temps va-t-il durer ? Coche la bonne réponse. *(2 points)*
    a. ☐ 2 ans   **b.** ☐ 4 ans   **c.** ☐ 6 ans

5. Quelle est la mission principale de ce projet ? *(3 points)*

....

b. 🎧9 **Réécoute l'émission. Coche vrai ou faux. Justifie les affirmations fausses.** ◀ **4 points** ▶

1. Ce lieu est uniquement un lieu de travail et de rencontre.   ☐ Vrai   ☐ Faux

....

2. Il offre des lieux de vie partagés, accessibles et ouverts à tous.   ☐ Vrai   ☐ Faux

....

3. Des activités de détente, des activités dédiées à la santé ainsi qu'un hébergement spécifique
sont accessibles aux personnes les plus pauvres.   ☐ Vrai   ☐ Faux

....

4. La journaliste ne trouve pas ce projet extrêmement innovant.   ☐ Vrai   ☐ Faux

....

Compréhension écrite   25 points

www.actionssolidaires.com

Des supermarchés engagés !

La Louve à Paris, *La Chouette* à Toulouse, *La Cagette* à Montpellier et maintenant *L'Éléfàn* à Grenoble… Il existe aujourd'hui une vingtaine de supermarchés coopératifs et participatifs en France. Ils sont gérés par les consommateurs. Ils proposent des produits principalement issus de l'agriculture biologique et de proximité. Et ils se développent très vite !
À *La Cagette*, ils étaient cinq adhérents en 2015, à la création de l'association, 980 en décembre 2017 et 1 131 en mars 2018. L'association *L'Éléfàn*, créée en 2016, comptait initialement 80 coopérateurs et souhaite en atteindre environ 1 200 d'ici quelques années.
Tous ces supermarchés n'existeraient probablement pas sans le modèle de la *Park Slope Food Coop*, une coopérative créée dans un quartier de New York il y a déjà plus de quarante ans et qui elle, a 10 000 adhérents.

Comment ça marche ?

Ces supermarchés sont des coopératives : pour pouvoir y faire ses courses, il faut y adhérer, c'est-à-dire investir financièrement. Ils reposent donc sur l'investissement de tous les membres. Il faut aussi participer bénévolement, quelques heures par mois, aux tâches nécessaires à son bon fonctionnement (caisse, rangement, etc.). C'est pourquoi on parle également de supermarchés « participatifs ».

Pourquoi un tel succès ?

Ces supermarchés sont collaboratifs : ils essayent de proposer à leurs membres une alimentation de qualité à prix réduit (15 à 40 % moins chère que dans la grande distribution). Les prix sont suffisamment bas pour permettre l'accès à des personnes ayant peu d'argent. Ces structures sont également démocratiques : comme dans tout supermarché, on y trouve des produits d'hygiène et de nettoyage, etc. mais la liste des produits peut évoluer en fonction des souhaits des coopérateurs.

Des expériences !

Pour le directeur de *L'Éléfàn* à Grenoble, il n'est pas question d'être une simple épicerie de quartier ! *L'Éléfàn* vise à devenir un supermarché suffisamment grand pour pouvoir proposer beaucoup de références et tous les produits de première nécessité. D'après lui, ce modèle de supermarché coopératif est avantageux pour tous : « le bénévolat diminue les coûts et permet d'être compétitif sur les prix. On veut favoriser le local et rendre des produits écolo, bio et sains, accessibles à tous. »

Les supermarchés coopératifs sont en plein développement et ils mènent une politique solidaire en agissant pour le respect de l'environnement, des producteurs et des consommateurs.

1. Lis le document et coche la ou les bonne(s) réponse(s). ◀7 points▶

a. Le document est... *(1 point)*

    1. ☐ un article dans un site Internet qui présente des projets solidaires.

    2. ☐ un article sur la consommation dans un magazine spécialisé.

    3. ☐ un article dans un grand quotidien d'information.

b. L'article présente un type de supermarché... *(6 points)*

    1. ☐ qui se développe rapidement en France actuellement.

    2. ☐ qui fonctionne exactement comme les autres.

    3. ☐ où le consommateur est aussi un acteur de son bon fonctionnement.

    4. ☐ qui existe depuis longtemps aux États-Unis.

2. Relis le document. Coche vrai ou faux. Justifie les affirmations fausses. ◀18 points▶

a. Pour faire ses achats dans ce type de supermarché, on doit être adhérent. ☐ Vrai ☐ Faux

....

b. Seul un investissement financier est demandé aux adhérents des supermarchés coopératifs. ☐ Vrai ☐ Faux

....

c. Ces structures essaient de baisser les prix grâce à la participation de tous les membres. ☐ Vrai ☐ Faux

....

d. Le directeur de *L'Éléfàn* ne souhaite pas agrandir son commerce. ☐ Vrai ☐ Faux

....

e. D'après lui, c'est grâce au bénévolat que tous les membres profitent de ce type de supermarché. ☐ Vrai ☐ Faux

....

f. Ces supermarchés participent seulement à la protection de la planète. ☐ Vrai ☐ Faux

....

Production orale

25 points

1. En interaction. Tu discutes avec un(e) ami(e) francophone. Tu défends le développement des supermarchés coopératifs et participatifs. Il/Elle n'est pas d'accord avec toi. Vous défendez vos points de vue.

2. En continu. Tu incites un(e) ami(e) francophone à participer à une semaine zéro déchets. Tu lui donnes des conseils et justifies la nécessité de faire un effort pour la planète.

Production écrite

25 points

Tu participes à « 90 jours, soyez le changement climatique ». Tu témoignes sur l'application de tes petits éco-gestes quotidiens.

DOSSIER 5

TEST

Compréhension orale

25 points

1. 🎧▸10 **Écoute la conversation. Coche la bonne réponse et complète.** ◂10 points▸

a. Que se passe-t-il demain pour Clément ?
    1. ☐ Il a un entretien dans une agence de publicité.
    2. ☐ Il a un entretien dans une agence de communication.

b. Comment Clément se sent-il ? Justifie.
    1. ☐ Il se sent complètement prêt, il est détendu. ....
    2. ☐ Il ne se sent pas prêt du tout. ....
    3. ☐ Il pense qu'il est prêt mais il est inquiet. ....

c. Mathieu commente le CV de Clément. Quels conseils lui donne-t-il ?

    Conseil 1 : ....

    Conseil 2 : ....

    Conseil 3 : ....

d. D'après Mathieu, que doit voir l'employeur au premier coup d'œil sur un CV ?
    1. ☐ les compétences personnelles   **2.** ☐ les compétences professionnelles

e. Mathieu propose à Clément de l'aider à préparer son entretien. Comment ?
    1. ☐ Clément va lui présenter son parcours puis Mathieu lui donnera des conseils.
    2. ☐ Mathieu va l'aider à refaire son CV.
    3. ☐ Mathieu va lui donner des conseils sur la façon de se préparer à un entretien.

2. 🎧▸11 **Écoute Clément et complète son CV.** ◂15 points▸

<table>
<tr><td colspan="2" align="center">**Clément BONNEFOI**
8 rue de l'Aiguillerie – 34 000 Montpellier
25 ans – 06 14 52 27 86 – c.bonnefoi@gmail.com</td></tr>
<tr><td colspan="2" align="center">**FORMATION**</td></tr>
<tr><td>.......... – 2018</td><td>....................... **de Marketing** (Montpellier Business School)</td></tr>
<tr><td>2015 – 2016</td><td>**Licence professionnelle Activités et Techniques de communication,** spécialité ....
(IUT TC, Toulouse)</td></tr>
<tr><td>2013 – 2015</td><td>.......................... **Techniques de commercialisation** (marketing, communication…)
(IUT TC, Toulouse)</td></tr>
<tr><td>2012 – ....</td><td>.......................... **ES, spécialité Sciences économiques**, mention Assez Bien
(Lycée Carnot, ...)</td></tr>
<tr><td colspan="2" align="center">**EXPÉRIENCE PROFESSIONNELLE**</td></tr>
<tr><td>Avril – septembre 2018</td><td>.......................... **junior (stagiaire), LOLA AGENCY** (.........................., Espagne)
  • .... d'équipe (6 personnes)
  • Élaboration d'une campagne ...., *Luna Design* (Madrid)
  • Communication de divers événements et plaquettes commerciales</td></tr>
<tr><td>Septembre – juin 2017</td><td>**Organisation d'événements culturels (bénévole),** Bureau des étudiants,
Montpellier Business School</td></tr>
<tr><td>Juin – .... 2016</td><td>**Stagiaire en** ...., **DIY DESIGN**
  • Élaboration de la stratégie publicitaire
  • ....</td></tr>
</table>

..../...

.../...

COMPÉTENCES SPÉCIFIQUES

Anglais : ....
Espagnol : intermédiaire
Informatique/ Bureautique : Pack Office (Word, Excel, Power point)

CENTRES D'INTÉRÊT

Sports : basket-ball, rugby, sports de glisse
Loisirs : cinéma, musique (guitare), lecture
Voyages : Angleterre (nombreux séjours d'un mois), Maroc, États-Unis, Portugal

Compréhension écrite   25 points

Homme ou femme, ils font le métier de leur rêve !

Ayant une formation de comptable, j'ai occupé pendant plusieurs années un poste administratif dans la société Aéroport de Paris. Mon travail était intéressant, j'avais des responsabilités mais je ne pouvais pas imaginer passer toute ma carrière dans un bureau. Je suis quelqu'un qui a besoin d'action ! Un aéroport est un lieu où des centaines de techniciens œuvrent tous les jours pour son bon fonctionnement, pour l'entretien des avions, etc. J'ai toujours rêvé d'être à leur place, mais à l'époque, dans les années 1980, les femmes n'occupaient pas ce type de poste… J'ai voulu prendre le risque : j'ai fait une formation continue d'un an pour passer un DUT. Après avoir obtenu mon diplôme, j'ai refusé le poste de comptable que mon chef me proposait. J'ai postulé alors pour un poste de technicien de maintenance à l'aéroport Paris-Charles de Gaulle et je l'ai eu !

Ma mission principale est d'assurer l'entretien des installations de l'aéroport afin que le passager prenne son avion à l'heure et que ses bagages arrivent à destination. Je gère une équipe de techniciens, hommes et femmes, et je forme les nouveaux venus. Aujourd'hui, je peux dire que j'ai fait mes preuves ! Et j'aime mon métier !

Après le bac, je voulais faire des études médicales, j'hésitais entre médecin et infirmier. Un jour, en feuilletant un magazine féminin, j'ai appris que le métier de sage-femme s'ouvrait aux hommes. C'était en 1982. Je me suis renseigné, ça m'a plu, ma décision était prise : je serai sage-femme (ou maïeuticien) ! Avant de m'inscrire à l'école, j'avais peur d'être le seul garçon. Mes parents et mes amis me soutenant, j'ai tenté l'expérience. Au final, nous étions quatre garçons pour douze filles, je me suis très vite senti à l'aise à l'école.

J'occupe un poste dans un hôpital depuis bientôt dix ans. Je suis donc un homme sage-femme… ça surprend encore aujourd'hui ! Souvent, en me voyant arriver, les gens me disent : « Bonjour docteur ! »

Il y a certaines femmes qui sont mal à l'aise d'être suivies par un homme. Pour les futurs papas, l'idée de pouvoir parler avec un homme est rassurante. J'ai dû apprendre à accepter ces réactions, et ainsi m'adapter, développer ma capacité d'écoute et avoir confiance en moi. Pour moi, être un homme dans cette profession est vraiment un atout ! Je suis heureux, chaque jour, d'accompagner des naissances.

Maud, technicienne responsable des opérations de maintenance.

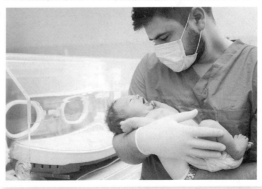

Damien, maïeuticien.

1. Lis cet article de magazine et coche les bonnes réponses. ◀ 6 points ▶

a. Dans cet article... *(2 réponses)*
   1. ☐ une femme, Maud et un homme, Damien racontent comment ils ont choisi leur métier actuel.
   2. ☐ une femme, Maud et un homme, Damien décrivent une journée de travail.
   3. ☐ une femme, Maud et un homme, Damien font chacun un bilan professionnel.

b. Quel est le point commun entre Maud et Damien ? Justifie.
   1. ☐ Ils font un métier insolite.
   2. ☐ Ils font un métier longtemps réservé aux personnes du sexe opposé.
   3. ☐ Ils n'ont pas toujours exercé leur métier actuel.

2. Relis le témoignage de Maud et réponds aux questions. ◀ 9 points ▶

a. Quelle est la formation initiale de Maud ?

....

b. Quel poste occupait-elle avant ?

....

c. Pour quelle raison a-t-elle voulu changer ?

....

d. Comment est-elle arrivée au poste de technicien responsable de maintenance ? Cite trois étapes.
   1. ....
   2. ....
   3. ....

e. Quelles sont les missions de Maud ? Coche les bonnes réponses.

1. ☐ Accueillir les passagers

2. ☐ Diriger une équipe de techniciens

3. ☐ Entretenir les avions

4. ☐ Assurer l'entretien des installations de l'aéroport

5. ☐ Assurer le suivi des bagages des passagers

6. ☐ Former de nouveaux techniciens

3. Relis le témoignage de Damien. ◀ 10 points ▶

a. Vrai ou faux ? Justifie les affirmations fausses.

1. Damien savait depuis toujours qu'il voulait faire ce métier. ☐ Vrai ☐ Faux

....

2. Il l'a découvert par hasard. ☐ Vrai ☐ Faux

....

3. Sage-femme est l'autre terme pour désigner le métier de maïeuticien. ☐ Vrai ☐ Faux

....

4. Avant d'intégrer son école, Damien avait peur de ne pas être accepté. ☐ Vrai ☐ Faux

....

5. Aujourd'hui, voir Damien exerçant cette profession suscite encore des réactions d'étonnement. ☐ Vrai ☐ Faux

....

6. D'après Damien, le fait d'être un homme apporte beaucoup à cette profession.   ☐ Vrai   ☐ Faux

....

b. Cite deux compétences acquises par Damien dans ce métier.

   1. ....   2. ....

Production orale   25 points

1. En interaction. Tu discutes avec un(e) ami(e) francophone qui travaille dans une entreprise française. Tu trouves son poste intéressant. Vous échangez sur les compétences personnelles et professionnelles que vous devriez acquérir pour le poste que vous visez.

2. En continu. Tu discutes avec un(e) ami(e) francophone. Tu décris brièvement ton métier et le début de ta journée de travail.

Production écrite   25 points

Tu participes à un challenge métiers en équipe. Tu envoies ta candidature : tu présentes votre projet, tu exprimes votre motivation et valorises les compétences professionnelles et personnelles de ton équipe.

....

....

....

....

....

....

....

....

....

DOSSIER 6

Compréhension orale

25 points

1. 🎧▶12 **Écoute l'émission de radio. Coche la bonne réponse.** ◀ **8 points** ▶

a. Qui sont Elsa et Vincent Leroy ? *(2 points)*

    1. ☐ Ils sont journalistes. Vincent Leroy est un chroniqueur dans une émission présentée par Elsa.

    2. ☐ Ils sont journalistes et présentent ensemble une émission.

    3. ☐ Elsa est journaliste et elle a invité Vincent Leroy, un auditeur.

b. De quoi parle Vincent ? *(2 points)*

    1. ☐ De la diffusion de l'information sur Internet et les réseaux sociaux.

    2. ☐ De l'adaptation des journaux traditionnels au numérique.

    3. ☐ De la disparition des journaux papier.

c. Coche vrai ou faux et justifie. *(4 points)*

Pour illustrer son propos, Vincent donne l'exemple d'un grand journal québécois, intitulé *La Presse*, qui n'a plus d'édition papier.

    ☐ Vrai   ☐ Faux

....

2. 🎧▶12 **Réécoute l'émission et réponds aux questions.** ◀ **7 points** ▶

a. Le quotidien *La Presse* est devenu *La Presse+*. Sous quel format le trouve-t-on aujourd'hui ? Coche la bonne réponse. *(1 point)*

1. ☐   **2.** ☐   **3.** ☐

b. Comment s'est passée l'évolution du quotidien ? Associe les événements aux dates. (Attention, une des dates correspond à deux événements !) *(6 points)*

Naissance du journal ●	● 19e siècle
Lancement de *La Presse+* ●	● 2010
Fin de l'édition imprimée la semaine ●	● 2013
Impression du dernier numéro papier ●	● 2015
Décision d'abandonner progressivement l'édition papier ●	
Première apparition de l'application *La Presse+* ●	● 30 décembre 2017

3. 🎧12 **Réécoute l'émission.** ◀10 points▶

a. Coche vrai ou faux. Justifie les informations fausses.

1. D'après Vincent, l'arrêt de l'édition papier marque la fin du quotidien. ☐ Vrai ☐ Faux

....

2. Les lecteurs de la version papier ne lisent pas la nouvelle version *La Presse+*. ☐ Vrai ☐ Faux

....

3. Elsa s'interroge : elle ne comprend pas vraiment le succès de *La Presse+*. ☐ Vrai ☐ Faux

....

4. Le journal propose aussi un site Internet et une application pour téléphone mais ils n'ont pas autant de succès que *La Presse+*. ☐ Vrai ☐ Faux

....

b. Réponds aux questions.

1. Combien de temps les lecteurs passent-ils sur *La Presse+* ? *(2 points)*
En semaine : ....   Le week-end : ....

2. Selon Vincent, qu'est-ce qui fait la force de *La Presse+* ? Donnez trois raisons. *(3 points)*
Raison 1 : ....
Raison 2 : ....
Raison 3 : ....

3. Pourquoi le journal a-t-il fait un bon choix avec *La Presse+* ?

....

Compréhension écrite   25 points

1. **Lis l'article de presse.** ◀10 points▶

a. Réponds à la question. *(2 points)*
De quoi parle cet article ? ....

b. Coche vrai ou faux. Justifie tes réponses. *(8 points)*

1. Les « fake news » ne sont créées que pour provoquer le rire. ☐ Vrai ☐ Faux

....

2. Les informations que nous consultons sont toutes vraies. ☐ Vrai ☐ Faux

....

3. Même si tout nous fait penser dans une image qu'elle est vraie, c'est peut-être une fausse information. ☐ Vrai ☐ Faux

....

4. Des journalistes agissent pour stopper ces fausses informations. ☐ Vrai ☐ Faux

....

2. **Relis l'article.** ◀15 points▶

a. Écris quatre synonymes de « fake news » qui se trouvent dans l'article. *(2 points)*

....

b. Coche la bonne réponse. *(1 point)*
Les informations qui circulent le plus sont... ☐ les fake news.
                                              ☐ les vraies informations.

LES « FAKE NEWS » FONT PARLER D'ELLES !

Les « fake news » sont un sujet important dans la société actuelle. Elles sont souvent sans conséquences, diffusées dans le seul but de faire rire, mais elles peuvent avoir des conséquences plus graves quand leur objectif est la manipulation de l'opinion.

La plupart semblent vraies. Cependant, certaines ne le sont pas : de fausses infos, vidéos ou images, circulent sur le Net, font parler d'elles ! Montage, retouche photo... il existe tant de techniques qui font que nous y croyons quand même.

Alors, parmi la multitude d'informations qui apparaissent sur nos écrans aujourd'hui, comment distinguer le vrai du faux ? Pour lutter contre la désinformation, les journalistes agissent afin de nous apporter des moyens de reconnaître les fausses informations.

> **Le saviez-vous ?**
> Les fausses info ont à 70 % plus de chance d'être partagées que les vraies.

Pourquoi, malgré leurs mensonges, ces « intox » se diffusent aussi largement ?

« Mais bien sûr, elle est vraie, cette vidéo ! C'est un ami FB qui me l'a envoyée ! » Avec les réseaux sociaux, on ne doute plus assez de la véracité de l'information partagée. Ce qui est partagé par nos proches est forcément vrai ! C'est comme ça que des contenus totalement invraisemblables circulent.

Leur mécanisme de diffusion est simple : ces « fake news » sont fabriquées dans le but de produire des émotions, des émotions surtout négatives d'ailleurs, et donc de faire réagir ceux qui les consultent. Sur Internet, réagir, c'est partager, tweeter, cliquer... ! Ces « fakes » sont donc diffusées beaucoup plus rapidement que les « vraies » informations qui elles, demandent un temps de réflexion.

Quel est le rôle du journaliste dans la lutte contre la désinformation ?

À l'origine, le journaliste ne parlait que de choses vraies, il ignorait les rumeurs. Aujourd'hui, même si les informations sont fausses, il ne peut plus les ignorer puisqu'elles sont partagées par des milliers de personnes.

C'est souvent lors d'événements graves (élections, attentats...) que l'on voit qu'un grand nombre des informations partagées est faux. C'est là que doit intervenir le journaliste, pour démontrer le plus rapidement possible pourquoi un contenu est faux.

Mais alors, comment repérer ces informations trompeuses ?

Des sites internet (*Hoaxbuster.com, Les Décodeurs du Monde, Désintox*) nous montrent comment « démonter » une rumeur. Des chaînes de télévision comme France 24 prennent part dans cette lutte également : dans l'émission *Les Observateurs*, des journalistes vérifient des images du web, techniquement d'abord puis en menant un travail d'enquête sur le terrain ; dans *Info-Intox*, ils décryptent les formes que peut prendre la manipulation à travers les images.

D'autres outils sont également à notre disposition : des applications mobiles de recherche inversée et des programmes de vérification sont capables de retrouver une image ou une vidéo qui a déjà été publiée sur Internet ; des jeux, comme *Factitious* développé par l'*American University Game Lab*, proposent de s'entraîner à distinguer une fausse information d'une vraie, à reconnaître une source d'information fiable.

Alors, décoder et ne pas douter de l'information, c'est possible !

c. Donne trois raisons à l'origine de la diffusion des fausses informations. *(3 points)*

....

....

d. Pourquoi un journaliste doit-il traiter les fausses informations ? Donne deux raisons. *(2 points)*

....

....

e. Quels sont les outils mis à disposition du public par les journalistes ? Continue la liste. *(3 points)*

Des sites Internet, ... , ... , ...

f. Que permettent ces outils ? Coche les bonnes réponses ? *(4 points)*

☐ De diffuser une information fausse.

☐ De reconnaître les informations vraies et fausses.

☐ D'apprendre à vérifier la source des informations.

☐ De vérifier si des informations ont déjà été publiées sur Internet.

☐ De repérer les sources d'information sérieuses ou non.

☐ De diffuser les actualités au quotidien.

☐ D'arrêter la diffusion d'une fake news sur les réseaux sociaux.

Production orale   25 points

1. En interaction. Tu discutes avec un(e) ami(e) francophone. Tu as lu une information incroyable sur Internet, tu ne sais pas si elle est vraie. Vous échangez ensemble pour savoir si c'est une info ou une intox.

2. En continu. Tu discutes avec un(e) ami(e) francophone qui vient de partager une fausse information. Tu lui expliques pourquoi il/elle doit être prudent(e) avec les contenus qui circulent sur les réseaux sociaux et comment il/elle peut analyser ces contenus.

Production écrite   25 points

Tu participes à un forum sur le métier de journaliste à l'heure des médias participatifs. Tu donnes ton opinion sur le rôle du journaliste.

LE MÉTIER DE JOURNALISTE ?

DOSSIER 7

TEST

Compréhension orale

25 points

1. 🎧▸13 **Écoute le micro-trottoir et réponds aux questions.** ◂ **5 points** ▸

a. À quelle question répondent les deux visiteurs ? Coche la bonne réponse.

1. ☐ Avez-vous aimé cette exposition d'objets connectés ?

2. ☐ Pour vous, quelles sont les deux innovations technologiques les plus marquantes cette édition 2018 ?

3. ☐ Quels sont les objets connectés que vous utilisez dans votre quotidien ?

b. Quelles innovations l'homme et la femme citent-ils ? Associe.

1.
○

2.
○

3.
○

4.
○

○

○

L'homme   La femme

2. 🎧▸13 **Réécoute le micro-trottoir. Réponds aux questions.** ◂ **10 points** ▸

a. Que peuvent faire les robots cités par l'homme ? Cite trois fonctions.

....

....

....

b. Coche vrai ou faux ? Justifie les réponses fausses.

1. Il a vu un reportage sur un robot qu'on utilisait pour la sécurité dans une maison de retraite. ☐ Vrai   ☐ Faux

....

2. Selon lui, tout le monde pourra bientôt se servir de l'impression 3D pour créer
des objets du quotidien. ☐ Vrai   ☐ Faux

....

3. L'homme n'est pas certain que ces humanoïdes partageront un jour notre vie. ☐ Vrai   ☐ Faux

....

c. Qu'est-ce que la passante va pouvoir faire avec le vêtement qu'elle vient d'acheter ?

....

d. Sur quoi ces données pourront être sauvegardées ?

1. ☐ Sur une application pour mobile.

2. ☐ Sur une tablette.

3. ☐ Sur un compte Google ou Facebook.

e. Pourquoi la passante est-elle heureuse de l'arrivée de la voiture autonome ?

....

f. Coche vrai ou faux. Justifie ta réponse.

La passante est persuadée que la voiture du futur sera sans conducteur. ☐ Vrai   ☐ Faux

....

3. 🎧▸14 **Écoute la chronique radio et réponds aux questions.**   ◀ **4 points** ▶

   a. Quel est le nom de cette chronique ?

   ....

   b. Quelle est le sujet principal de cette chronique ?

   ....

   c. Quelle question pose l'animateur à la chroniqueuse ? *(2 points)*

   ....

4. 🎧▸14 **Réécoute la chronique radio.**   ◀ **6 points** ▶

   a. Quelles sont les deux tendances dont parle la chroniqueuse ? Coche les bonnes réponses.
      1. ☐ La rencontre de la mode et de la technologie.
      2. ☐ Les objets connectés.
      3. ☐ Les textiles intelligents.
      4. ☐ Les vêtements écologiques.

   b. Que cherchent à créer certaines marques ou laboratoires ? Coche les bonnes réponses.
      1. ☐ Des textiles qui ne s'usent pas.
      2. ☐ Des textiles qui permettront à un vêtement de suivre les modifications du corps.
      3. ☐ Des textiles qui s'adapteront à la température du corps.
      4. ☐ Des textiles qui se fabriqueront directement sur le corps.

   c. Coche vrai ou faux. Justifie les réponses fausses.
      1. La créatrice Iris Van Arpeen ne fait pas évoluer la mode grâce à la technologie
      et à l'imprimante 3D.   ☐ Vrai   ☐ Faux

      ....

      2. Aux États-Unis, des ingénieurs souhaitent commercialiser une imprimante 3D textile
      qui permettra à chacun de fabriquer ses propres vêtements.   ☐ Vrai   ☐ Faux

      ....

Compréhension écrite   25 points

1. Lis l'article et réponds aux questions.   ◀ **4 points** ▶

   a. Où trouve-t-on cet article ? Coche la bonne réponse. *(1 point)*
      1. ☐ Dans la rubrique Santé de FuturMag, un magazine de vulgarisation scientifique.
      2. ☐ Sur le blog de FuturMag, un laboratoire de recherche pour la santé.

   b. À quelle occasion est-il publié ? *(0,5 point)*

   ....

   c. Que présente-t-il ? *(1 point)*

   ....

   d. Qui est le spécialiste interrogé ? *(0,5 point)*

   ....

   e. Que va-t-il faire dans cet article ? *(1 point)*

   ....

2. Relis l'encadré « Le mot du spécialiste » et coche les bonnes réponses.   ◀ **2 points** ▶

   a. ☐ Selon le spécialiste, il y a des progrès dans la recherche médicale grâce à la technologie et c'est tout à fait normal.
   b. ☐ Ce spécialiste travaille sur le cerveau depuis longtemps.
   c. ☐ Selon lui, avant, on ne pouvait pas imaginer que tout le monde puisse utiliser ces technologies.
   d. ☐ Les innovations technologiques dans le domaine médical restent dans les laboratoires.

FUTUR MAG
Santé Médecine

Des technologies pour notre cerveau

À l'occasion de la vingtième édition de la Semaine du cerveau, nous avons demandé à Jean Trochin, chercheur en neurosciences à l'INSERM (Institut national de la Santé et de la Recherche médicale) d'établir pour nous une liste des innovations technologiques conçues pour stimuler le cerveau. Il nous a donné son avis. Voici sa sélection.

Le mot du spécialiste

Ce qui est en train de se passer aujourd'hui dans le domaine de la recherche médicale est une véritable révolution ! Cela fait des années que je fais des recherches sur le cerveau mais j'assiste actuellement à des progrès spectaculaires : de nouvelles technologies médicales permettent aujourd'hui d'améliorer le fonctionnement du cerveau. Certaines, déjà utilisées dans les laboratoires de recherche, commencent à être vendues au grand public, alors que cela semblait impossible il y a quelques années.

Melomind

Le casque Melomind de la startup française MyBrain Technologies permet d'apprendre à se relaxer. Vous le posez sur votre tête et il produit de la musique ! Cette musique est contrôlée par l'activité cérébrale qui est enregistrée par de petits capteurs placés à l'arrière de la tête. La musique varie en fonction de la relaxation de votre cerveau. Cela aide à atteindre un état de détente profonde. Ainsi, vous pouvez entraîner quotidiennement votre cerveau à se détendre.

L'avis du spécialiste

Je ne suis pas persuadé de l'efficacité de Melomind. La technique utilisée est appelée « neurofeedback » ; c'est une méthode qui existe depuis longtemps mais qui fait toujours débat dans le milieu scientifique français.

Muse

Le bandeau connecté Muse de la société canadienne InteraXon vous guide pour méditer ! L'application vous aide à prendre une position confortable, épaules détendues, dos droit et yeux fermés. Puis elle invite à se concentrer sur la respiration. Ensuite, elle émet des sons de vent et de vagues : si votre cerveau est distrait, ces sons sont forts ; si vous êtes attentif, vous entendez une mer calme. À la fin de la séance, votre smartphone trace la courbe de votre activité cérébrale : vous savez ainsi à quels moments vous étiez attentif ou distrait. L'objectif de Muse est d'apprendre à améliorer durablement votre attention.

L'avis du spécialiste

Nous savons très bien aujourd'hui que la méditation a une action bénéfique sur le bien-être et réduit le stress. C'est scientifiquement prouvé. Alors, pourquoi ne pas s'aider d'un dispositif de ce type pour s'entraîner ?

Halo Sport

Le casque Halo Sport, développé par la startup californienne Halo Neuroscience, n'est pas un casque comme les autres. Il transmet des ondes électriques dans le cortex moteur. Cette région du cerveau est extrêmement importante car c'est elle qui contrôle les mouvements volontaires des muscles. Ces stimulations augmentent la capacité des neurones à envoyer des messages vers les muscles qui eux, deviennent plus puissants.

L'avis du spécialiste

Prudence avec cette nouvelle technologie même si elle vient de la médecine ! Il est clair qu'elle est séduisante mais on n'en connaît pas encore les effets à long terme. De plus, c'est une technologie de neurostimulation destinée à accroître les performances des sportifs en améliorant celles du cerveau : cela peut être considérée comme une forme de dopage et donc interdite en compétition...

---

3. Relis l'article et réponds aux questions.   ◀ 19 points ▶

a. De quoi parle-t-on ? Coche trois réponses et justifie en écrivant le nom de l'objet. *(6 points)*

    1. ☐ D'un casque pour augmenter ses forces : ....

    2. ☐ D'un appareil pour mieux dormir : ....

    3. ☐ D'un appareil pour contrôler son humeur : ....

    4. ☐ D'un bandeau pour apprendre à méditer : ....

    5. ☐ D'un casque connecté anti-stress : ....

b. Comment fonctionnent Melomind, Muse et Halosport ? Écris le numéro d'une ou plusieurs images puis la lettre d'une fonction pour chaque appareil. *(7 points)*

Melomind   image(s) : .... ; phrase : ....

Muse   image(s) : .... ; phrase : ....

Halosport   image(s) : .... ; phrase : ....

1.   2   3   4.

(a) Il permet de prendre une position confortable, de prendre conscience de notre respiration, et produit des bruits de vague plus ou moins forts en fonction de la concentration.

(b) Il permet d'enregistrer l'activité de notre cerveau grâce à des capteurs et produit de la musique en fonction de l'état de détente de notre cerveau.

(c) Il permet, grâce à des capteurs situés dans le casque, de stimuler la partie du cerveau qui commande l'activité des muscles.

c. Le spécialiste est-il sûr des bienfaits de ces technologies ou a-t-il des doutes ? Coche la bonne case et justifie. *(6 points)*

	Certitude	Doute	Justification
Melomind			....
Muse			....
Halosport			....

Production orale   25 points

1. En interaction. Tu discutes avec un(e) ami(e) francophone. Vous venez du Salon des objets connectés. Vous échangez sur les innovations qui vous ont le plus marqué(e)s. Vous exprimez vos certitudes et vos doutes sur ces innovations.

2. En continu. Tu présentes à un(e) ami(e) francophone une innovation créée par une entreprise de ton pays. Tu lui expliques les conséquences positives et négatives de cette innovation sur la vie quotidienne.

Production écrite   25 points

Tu participes à la Semaine sur le cerveau. Tu écris un article sur le blog de ton école de langue. Tu donnes ton opinion sur une innovation technologique qui, selon toi, va changer notre quotidien. Tu exprimes tes doutes et tes certitudes.

www.frenchblog.com/actualites

SEMAINE DU CERVEAU : UNE INNOVATION RÉVOLUTIONNAIRE

....

....

DOSSIER **8**

TEST

Compréhension orale

25 points

1. a. 🎧 ▶15 **Écoute la journaliste. Coche vrai ou faux. Justifie les réponses fausses.** ◀ **4 points** ▶

1. La journaliste présente le palmarès de la trentième édition de la cérémonie des Molières. ☐ Vrai ☐ Faux

....

2. Les Molières sont des prix qui récompensent des acteurs et des réalisateurs du film français. ☐ Vrai ☐ Faux

....

3. Une metteure en scène et une pièce de théâtre sont les grands victorieux de cette soirée. ☐ Vrai ☐ Faux

....

4. La pièce de Florian Zeller, *Le Fils*, n'a pas eu le succès attendu. ☐ Vrai ☐ Faux

....

b. 🎧 ▶15 **Réécoute la journaliste et retrouve le palmarès : associe les artistes ou les pièces aux Molières.** ◀ **5 points** ▶

Ariane Mnouchkine •   • Théâtre privé

Adieu Monsieur Haffmann •   • Meilleur acteur du théâtre privé

Une chambre en Inde •   • Meilleur auteur francophone

Jean-Philippe Daguerre •   • Révélation féminine

Julie Cavanna •   • Meilleur comédien dans un second rôle

Franck Desmedt •   • Meilleure metteure en scène d'un spectacle public

Joël Pommerat •   • Meilleur metteur en scène d'un spectacle privé

Blanche Gardin •   • Révélation masculine

Jean-Pierre Darroussin •   • Meilleure pièce du théâtre public

Rod Paradot •   • Théâtre de l'humour

2. a. 🎧 ▶16 **Écoute la chronique. Coche les bonnes réponses et réponds aux questions.** ◀ **4 points** ▶

1. Le journaliste présente...
    a. ☐ le journal télévisé.
    b. ☐ le journal hebdomadaire de la culture.
    c. ☐ le journal de l'économie.

2. Sur quoi portent les trois actualités ?
    a. ☐ Un film.
    b. ☐ Une pièce de théâtre.
    c. ☐ De la danse.
    e. ☐ Un festival de spectacles vivants.
    f. ☐ Un concours de musique.

3. Résume les trois actualités citées par le journaliste. *(2 points)*
    a. Deux mauvaises nouvelles :
    – ....
    – ....
    b. Une bonne nouvelle :
    ....

b. 🎧 16 Réécoute la chronique. Coche les bonnes réponses et réponds aux questions.   **12 points**

1. Quelle place a obtenu le duo français Madame Monsieur au classement de l'Eurovision ?
- **a.** ☐ La troisième place.
- **b.** ☐ La treizième place.
- **c.** ☐ La seizième place.

2. Leurs fans...
- **a.** ☐ sont déçus et ne trouvent pas ça juste.
- **b.** ☐ sont enthousiastes et trouvent que le résultat est déjà bien.

Justifie : ....

3. Vrai ou faux ?
- **a.** Le réalisateur danois Lars Von Trier avait participé au Festival de Cannes l'année dernière.   ☐ Vrai   ☐ Faux
- **b.** Lars Von Trier est considéré comme un des cinéastes les plus provocateurs et son dernier film est très critiqué pour sa violence et son message provocateur.   ☐ Vrai   ☐ Faux

4. Où et quand a lieu le festival le *Printemps des comédiens* ?

....

5. *Au Printemps des comédiens*, on peut voir...
- **a.** ☐ de la danse.
- **b.** ☐ des concerts.
- **c.** ☐ du théâtre.
- **d.** ☐ du cirque.
- **e.** ☐ des films.

6. Les commentaires du journaliste sur le spectacle *Humans* sont...
- **a.** ☐ très positifs.
- **b.** ☐ positifs.
- **c.** ☐ plutôt négatifs.
- **d.** ☐ très négatifs.

Compréhension écrite   25 points

1. Lis l'article. Coche les bonnes réponses.   ◀ 4 points ▶

a. Cet article est...
1. ☐ une critique d'un spectacle de Yoann Bourgeois.
2. ☐ une biographie de Yoann Bourgeois.
3. ☐ la présentation du dernier spectacle de Yoann Bourgeois.

b. À quelle occasion le magazine publie cet article ?
1. ☐ Son spectacle *La Mécanique de l'histoire*, joué au Panthéon pendant trois semaines, a plu au public.
2. ☐ Sa dernière création va être jouée au Panthéon pendant trois semaines.

2. Relis l'article et coche les bonnes réponses et réponds aux questions.   ◀ 21 points ▶

a. Comment Yoann Bourgeois a-t-il découvert le cirque ? *(1 point)*

....

b. Coche vrai ou faux. Justifie les réponses fausses. *(3 points)*

1. Il a commencé par une formation au Centre national des arts du cirque.   ☐ Vrai   ☐ Faux

....

2. Il a fait pendant deux ans une formation en danse contemporaine.   ☐ Vrai   ☐ Faux

....

3. Il a créé sa compagnie et son premier spectacle la même année.   ☐ Vrai   ☐ Faux

....

c. D'après le journaliste, dans ses « Tentatives d'approche d'un point de suspension », Yoann Bourgeois cherche à atteindre un état de flottement dans l'air. Trouve dans l'article le terme scientifique qui définit cet état ? *(2 points)*

....

ConNaiSsEz-VoUs...
... Yoann Bourgeois, l'artiste qui donne le vertige !

Acrobate, acteur, jongleur, danseur, Yoann Bourgeois fait tomber les frontières entre les arts.

Il nous est impossible de dire quelle est son œuvre la plus belle ! Dernièrement, il a fait rêver plus d'un Parisien en jouant au Panthéon pendant trois semaines *La Mécanique de l'histoire*. Voici un artiste pas comme les autres. Alors si vous ne le connaissez pas, il est temps de le rencontrer !

Yoann Bourgeois a grandi dans un petit village du Jura. Il découvre les jeux de vertige au Cirque Plume, une des compagnies les plus célèbres du cirque français, qui révolutionnera les arts du cirque, dans les années 1980. En 2001, il entre à l'école du cirque de Rosny-sous-Bois, avant de rejoindre, trois ans plus tard, le célèbre Centre national des arts du cirque à Châlons-en-Champagne. De 2004 à 2006, il suit sa formation en danse contemporaine au Centre dramatique national d'Angers. Il y rencontre la chorégraphe Kitsou Dubois qui, à cette époque-là, fait des expériences de danse en apesanteur avec le Centre national d'études spatiales. Une rencontre importante puisque plus tard, Yoann Bourgeois produira des créations où il demandera à ses danseurs d'atteindre une forme d'apesanteur, cet état physique où le corps flotte librement dans l'air, comme s'il était dans l'espace. Il les nommera des « Tentatives d'approche d'un point de suspension ».

En 2010, il fonde sa compagnie et créé sa première pièce, *Cavale*. Il joue en duo avec Mathurin Bolze sur un trampoline dans un ancien fort militaire dominant la ville de Grenoble. Les deux artistes réalisent des plongeons spectaculaires depuis des escaliers de plus en plus hauts. La pièce est un succès. Yoann Bourgeois cherche alors les lieux les plus impressionnants pour mettre en scène ce spectacle. Avec cette première création, il réinvente le traditionnel « numéro » de cirque. Il continuera avec *Les Fugues*, de petites pièces de cirque dansées et écrites sur *L'Art de la Fugue* de Jean-Sébastien Bach, avant de présenter, en 2011, le spectacle *L'Art de la Fugue*. La mise en scène est minimale : sur scène, un homme (lui-même) et une femme (Marie Fonte) se battent contre un immense cube en bois au son de la pianiste Célimène Daudet.

En 2014, pour la Biennale de la danse de Lyon, il crée *Celui qui tombe*, où six artistes essayent de tenir debout sur un plateau mobile. Grâce à l'utilisation de cette plate-forme, il joue avec l'équilibre, avec les corps : le corps rencontre l'objet et en a peur. Le résultat est vraiment étonnant. Ce spectacle est son plus grand succès et il est joué encore aujourd'hui en France et à l'étranger.

Le cirque de Yoann Bourgeois est poétique. Sa rigueur lui a permis de s'imposer sur la scène du spectacle vivant. Il travaille aujourd'hui à trois nouvelles créations pour 2019 dont le *Requiem* de Mozart pour le Festival des Nuits de Fourvière à Lyon ! Depuis janvier 2016, Yoann Bourgeois est co-directeur du Centre chorégraphique de Grenoble avec un autre célèbre danseur et chorégraphe : Rachid Ouramdane. Ces deux artistes veulent inventer ensemble un lieu de création pluridisciplinaire. Yoann Bourgeois est vraiment un artiste qui donne le vertige !

d. Qu'est-ce qui a fait naître en lui cette idée ? Coche la bonne réponse. *(1 point)*
    1. ☐ Sa passion pour l'espace et les avions.
    2. ☐ Son envie de lutter contre le vertige, la peur du vide.
    3. ☐ Sa rencontre avec la chorégraphe Kitsou Dubois.

e. Quelles sont les deux œuvres majeures de sa carrière ? Explique pourquoi. *(4 points)*
    Œuvre 1 : ....
    ....
    Œuvre 2 : ....
    ....

f. Dans quels lieux l'artiste met en scène sa création *Cavale* ? *(1 point)*
....

g. Écris sous le bon objet le nom d'une pièce de Yoann Bourgeois. *(5 points)*

| Cavale | L'Art de la Fugue | Celui qui tombe |

1. ....   **2.** ....   **3.** ....   **4.** ....   **5.** ....

h. Quels sont les projets de Yoann Bourgeois ? *(1 point)*
....

i. Que fait-il depuis 2016 ? *(1 point)*
....

j. Que signifient le titre de l'article et la conclusion du journaliste : « l'artiste qui donne le vertige » ?
(deux réponses) (2 points)
    1. ☐ Il joue en équilibre et dans l'air.
    2. ☐ Il joue dans l'eau profonde.
    3. ☐ Il joue avec un ballon.
    4. ☐ Il crée beaucoup.

Production orale   25 points

1. En interaction. Tu discutes avec un(e) ami(e) francophone. Tu viens de lire un livre qu'il/elle t'avait conseillé et avait beaucoup aimé. Tu ne l'as pas aimé autant que lui/elle. Vous échangez sur le sujet.

2. En continu. Tu discutes avec un(e) ami(e) francophone. Tu lui présentes une œuvre, un film ou un spectacle auquel tu as participé récemment. Tu n'as pas beaucoup apprécié cette œuvre et tu lui expliques pourquoi.

Production écrite   25 points

Tu postes un article sur le blog de ton école de langue : tu écris un court article pour présenter le dernier film que tu as vu et que tu as beaucoup apprécié. Tu exprimes ton enthousiasme et essaies de convaincre les lecteurs d'aller le voir.

TRANSCRIPTIONS – TESTS

DOSSIER 1

●● Piste 2 • Activité 1

Laure : Alors Caroline, comment se passe ta nouvelle vie à Johannesburg ?

Caroline : Très bien ! La ville me plaît beaucoup, j'ai l'impression d'être toujours en vacances !

Laure : Tu ne t'ennuies pas ? Ton travail de responsable marketing ne te manque pas ?

Caroline : Non, je mène une vie différente et j'ai le temps de m'occuper de ma famille. Et puis quand mon mari a eu son nouveau poste ici, je n'ai pas hésité à le suivre. J'étais très enthousiaste !

Laure : Et vous n'avez pas eu trop de mal à trouver un logement ?

Caroline : Ah, ça a été un grand défi car nous devions trouver une maison meublée pour cinq, sans connaître la ville, et rapidement. En plus, pour le choix du quartier, nous avions des critères très précis. Par exemple, il fallait absolument que la maison se trouve à proximité de l'autoroute pour que mon mari se rende facilement sur son lieu de travail et que je puisse déposer mes enfants à leur école. Nous avons finalement trouvé une maison facile à vivre, sans voisins, et nous nous y sentons en toute sécurité. C'est un vrai petit coin de verdure, à 10 minutes en voiture d'un centre commercial.

Laure : Et ce n'est pas trop compliqué de conduire à Johannesburg ?

Caroline : Bah, en fait, j'avoue que la conduite à gauche, ce n'est pas toujours évident mais j'ai commencé par des petits trajets, comme de la maison à l'école. Maintenant, je commence à me repérer dans la ville mais ce qui me manque le plus ici, c'est de marcher.

Laure : Ah bon ? Pourquoi ?

Caroline : Les gens, ici, utilisent beaucoup la voiture pour se déplacer et les coins sympas où se promener sont limités.

Laure : Mais tu ne regrettes pas d'avoir quitté Paris ?

Caroline : Non, même si certaines choses me manquent, comme les soirées entre amis ou les promenades au bord de la Seine. Mais tu sais, dans deux ans, je rentrerai !

●● Piste 3 • Activité 2

D'après une récente étude mondiale sur les meilleures destinations d'expatriation en 2018, Singapour s'impose comme la destination reine. Mais c'est à San Francisco que les expatriés peuvent bénéficier des meilleures opportunités professionnelles. Arrivent ensuite Londres et New York. Paris se trouve en fin de classement, avec seulement 7 % des expatriés qui évoquent de bonnes opportunités professionnelles. Si on parle de revenus, c'est Zurich, qui arrive en haut du podium : 77 % des expatriés disent que c'est là où leurs revenus augmentent le plus rapidement. Viennent en deuxième position, Koweit City, Ryad et Séoul. Mais où fait-il bon vivre quand on est expatrié ? Les trois premières villes appréciées pour leur dynamisme culturel et pour leur patrimoine sont Berlin, Buenos Aires, Londres. Paris et New York se placent en quatrième position, avec une mention spéciale pour Paris car 67 % des expatriés se disent très satisfaits de l'équilibre vie privée/vie professionnelle. Les expatriés du monde étudiants, eux, considèrent que le musée du Louvre est la meilleure destination culturelle. Enfin, à Paris, les expatriés s'intègrent très facilement dans la vie locale, neuf sur dix apprennent le français et 41 % ont acquis une résidence. Paris est d'ailleurs la troisième ville européenne qui compte le plus d'expatriés propriétaires, juste après Oslo et Stockholm.

DOSSIER 2

●● Piste 4 • Activité 1

Sophie : Salut Young-Jae ! Qu'est-ce qui t'arrive ?

Young-Jae : Oh, salut Sophie... Je ne me sens pas très bien...

Sophie : Qu'est-ce que tu as ?

Young-Jae : J'éternue tout le temps, j'ai le nez qui coule et j'ai très mal aux yeux...

Sophie : Oui, en effet, tes yeux sont rouges ! Tu as de la fièvre ?

Young-Jae : Non, mais ça me gêne tellement que j'ai beaucoup de mal à respirer.

Sophie : Ah... Young-Jae, je pense que tu es allergique aux pollens...

Young-Jae : C'est quoi le pollen ?

Sophie : Il provient de certains arbres et il est constitué de petites graines qui sont dispersées par le vent.

Young-Jae : D'accord... mais je ne sais pas quoi faire... Je dois aller dans une pharmacie ?

Sophie : Non, prends rendez-vous chez un médecin généraliste, il va te prescrire un médicament et il te proposera peut-être de voir un spécialiste.

Young-Jae : Tu m'aides à prendre un rendez-vous ?

Sophie : Oui, bien sûr ! Tout ira bien, rassure-toi. Tu as une carte Vitale pour le remboursement des soins ?

Young-Jae : Non, pas encore, je ne suis pas inscrit à l'université.

Sophie : Alors, tu vas payer la consultation et il n'y aura pas de remboursement... Il faut compter 25 euros pour une consultation.

Young-Jae : D'accord et comment je peux obtenir ma carte Vitale ?

Sophie : Au moment de ton inscription à l'université, note bien ton numéro de Sécurité sociale. Ensuite, envoie ton extrait d'acte de naissance et la copie de ton passeport et de ton visa à la sécurité sociale étudiante. Enfin, complète le formulaire pour obtenir ta carte Vitale.

Young-Jae : Merci beaucoup Sophie !

Piste 5 • Activité 2

Hélène : Allô ? Enora ?

Enora : Oui, c'est moi !

Hélène : C'est Hélène, alors, comment vas-tu ? Ça fait tellement longtemps !

Enora : Eh bien, j'étais en mission en Inde pendant un mois, je viens juste de rentrer en France !

Hélène : Whaouh, toi qui détestes voyager...

Enora : Oui, quand mon patron m'a demandé de partir là-bas avec un collègue, j'ai eu très peur... Moi qui aime tellement la routine, le calme et la tranquillité... En plus, je ne me suis jamais intéressée à la culture indienne... J'ai déjà regardé des reportages à la télé mais ça s'arrêtait là ! Je ne supporte pas la cuisine épicée et je ne parle pas bien anglais...

Hélène : Comment tu t'es préparée pour ce voyage difficile ?

Enora : J'ai reçu beaucoup de conseils de mon frère. Il a passé quelques semaines de vacances en Inde quand il était étudiant et il a adoré ! Il m'a dit que je devais faire des vaccins pour éviter certaines maladies et il m'a demandé si mon entreprise s'occupait de l'obtention du visa. Comme ce n'était pas le cas, il m'a aidé pour les formalités. Il m'a aussi promis que tout se passerait bien...

Hélène : Alors, comment ton séjour s'est-il passé ?

Enora : Tu vas être surprise... Les premiers jours ont été compliqués pour moi, c'est vrai ! Beaucoup de monde partout dans les rues, beaucoup de bruits, beaucoup de circulation, impossible d'être au calme... C'est très difficile de marcher en ville car il n'y a pas de trottoir et tu peux tomber nez à nez avec une vache n'importe quand ! Mais le choc culturel a aussi été très positif : la culture indienne est très riche, c'est un pays fascinant ! Les Indiens sont tellement souriants et accueillants qu'on a envie de parler et échanger avec eux... J'ai beaucoup aimé ce pays. J'y retournerai, c'est sûr !

DOSSIER 3

Piste 6 • Activité 1

Emma : Salut Éloise !

Éloise : Salut Emma ! Salut Hugo ! Alors, qu'est-ce que vous avez prévu ce week-end pour votre anniversaire de mariage ?

Emma : Nous allons visiter Toulouse ! Nous avons contacté une greeter pour les visites...

Éloise : Une *greeter* ?

Emma : Ça signifie « hôte » en français. C'est une personne bénévole qui propose gratuitement des balades dans sa ville. Nous avons contacté l'Office de tourisme de Toulouse qui dispose d'une liste de *greeters*. Nous avons écrit à Élodie.

Elle a 30 ans, elle travaille dans la communication et le journalisme à Toulouse. Elle tient un blog depuis trois ans pour faire découvrir Toulouse. Sortir, c'est sa passion !

Éloise : Super ! Il faut que son programme prenne en compte vos disponibilités, vos centres d'intérêt et votre budget ! Que vous a-t-elle proposé comme sorties et activités ?

Emma : Pour le programme, elle nous a fait beaucoup de propositions mais je dois avouer qu'on hésite encore... Elle nous a proposé une visite du marché des Carmes et une balade dans les ruelles de la vieille ville. Elle souhaite aussi nous faire découvrir le festival « Faites de l'image »... Côté cuisine, elle veut nous emmener dans un restaurant asiatique qu'elle adore... *Baan Siam*... c'est un restaurant thaïlandais...

Hugo : Mais moi, perso, ça ne me dit rien ! J'aimerais découvrir des lieux culturels, aller au théâtre et assister à des concerts !

Éloise : Oui, et un restaurant asiatique, ce n'est pas très typique, il vaudrait mieux découvrir la gastronomie locale... Je connais un peu Toulouse et il ne faut pas que vous ratiez la péniche *Maison de la Violette* ! Vous pourrez visiter une exposition sur la violette qui est la fleur symbolique de la ville de Toulouse, sur un bateau qui se trouve sur le canal du Midi ! Il y a aussi une boutique et un très bon restaurant... Prévoyez également une visite de la Cité de l'espace, parfait pour explorer l'espace et les étoiles, les satellites et les galaxies... C'est très amusant et enrichissant, même quand on est grand !

Hugo : Pourquoi pas... faut voir...

Emma : Moi, je suis partante ! Merci beaucoup pour tous tes conseils !

Piste 7 • Activité 2

Simon : Bonjour Nolan, comment s'est passée ta première rentrée dans ton école d'ingénieur ?

Nolan : Bonjour Simon ! Très bien ! Tous les nouveaux étudiants ont participé à un week-end d'intégration...

Simon : Ah bon, vous êtes allés où ?

Nolan : Dans un camping 4 étoiles à Sanguinet au bord d'un magnifique lac... et avec un parc aquatique ! Pour le logement, on pouvait choisir un bungalow de 4, 6 ou 8 places dans le but de vivre ensemble et faire connaissance !

Simon : Et côté activités ?

Nolan : C'était top ! On nous a proposé beaucoup d'activités sportives comme la voile, le kitesurf, le jet-ski, le paddle, le canoë... mais aussi des activités gourmandes comme une dégustation de produits du terroir... À la fin des activités, les organisateurs, des anciens étudiants, nous ont distribué des sachets de poudre colorée. On a pu lancer et jeter de la poudre dans tous les sens, c'était très drôle !

Simon : Whaouh ! Et les organisateurs avaient également prévu une soirée spéciale ?

Nolan : Une soirée avec un DJ très fort et talentueux était aussi au programme avec un concept original, le concept Rubik's cube : chaque étudiant devait mettre des vêtements de couleurs différentes, par exemple, des chaussures bleues avec un pantalon vert, un t-shirt orange et un chapeau rouge. L'objectif était de s'échanger ses vêtements pour réussir à être vêtu avec une seule et unique couleur.

DOSSIER 4

Piste 8 • Activité 1

Journaliste : Savez-vous combien on produit de déchets chaque année ? Eh bien, 350 kg par personne. C'est beaucoup trop et ce nombre a fortement augmenté ces dernières années. Alors aujourd'hui, nous allons découvrir ensemble une épicerie peu banale... Bonjour Virginie ! Alors, dites-nous... Comment ça marche, une épicerie en vrac ?

Virginie, fondatrice : Bonjour. Alors, ici effectivement, tout est vendu en vrac. Le principe est très simple : on y trouve des produits sans emballage et on achète la quantité qu'on veut. Les clients viennent avec leurs sacs, leurs bouteilles ou leurs boîtes et les remplissent en fonction de leurs besoins.

Journaliste : Et qu'est-ce qui vous a poussé à ouvrir votre commerce ?

Virginie : Eh bien, je viens d'une famille où on ne gâche pas ! Dans ce monde de l'hyperconsommation, je cherche à apporter une alternative aux supermarchés et à améliorer mon impact sur la planète. Dans une épicerie en vrac, les emballages étant réduits au minimum, on limite les déchets et on préserve l'environnement. Et puis, un commerce proposant des produits de bonne qualité, locaux et bio, à un prix accessible, œuvre pour l'écologie !

Un client : Moi, j'achète du vrac pour produire moins de déchets et gaspiller moins. Je veux prouver que réutiliser, par exemple, un bidon de lessive plutôt que d'en jeter dix par an, c'est possible !

Une cliente : Le vrac incite à se procurer seulement l'indispensable ! Je n'achète que la quantité de produit dont j'ai besoin pour moins dépenser mais aussi pour moins stocker. Et puis, comme ça, on s'interroge davantage : l'épicerie ne donnant pas de récipients, cela pousse à s'organiser et à réfléchir à sa consommation à l'avance.

Journaliste : Faire ses courses 100 % sans emballage est donc un acte citoyen : nous limitons la production de déchets et luttons contre le gaspillage alimentaire. Et le concept marche très bien : de plus en plus d'épiceries en vrac ouvrent en France.

Piste 9 • Activité 2

Journaliste : Chers auditeurs, bonjour ! Aujourd'hui « Initiatives solidaires » vous raconte *Les Grands Voisins*, une initiative originale lancée en 2015. Il s'agit de l'occupation pendant quelques mois ou quelques années, d'un lieu dans la ville inutilisé. C'est par exemple l'ancien hôpital Saint-Vincent-de-Paul à Paris, dans le 14e arrondissement. Ce projet des *Grands Voisins* va durer quatre ans. Qu'est-ce que ce projet a de solidaire ? Eh bien, la mission principale des *Grands Voisins*, c'est l'accueil et la mixité, la lutte contre l'exclusion et l'aide à la socialisation. 600 personnes sont accueillies gratuitement dans les six centres d'hébergement du site ; environ 400 personnes (associations, artisans, artistes, start-up, bénévoles...) y travaillent ; d'autres s'y retrouvent. Ici, chacun peut venir pour développer ses projets à l'aide de « voisins ». Les espaces de vie collectifs sont un élément essentiel du projet : une salle des fêtes, des espaces de coworking, des ateliers (de réparation, de jardinage...), des cafés, quelques restaurants, des petites boutiques. Ils sont ouverts à tous et permettent l'échange et la rencontre. Des espaces proposent des activités tout public à bas prix, dédiés au bien-être et à la santé (yoga, méditation, danse...) et aux soins pour les personnes en difficulté financière. Et puis, il y a des équipements plus originaux comme un camping urbain. Avec ce camping, le projet s'inscrit davantage encore dans une action solidaire. *Les Grands Voisins*, c'est un projet extrêmement innovant avec une dimension sociale, économique, culturelle et solidaire. Un projet à suivre !

DOSSIER 5

Piste 10 • Activité 1

Mathieu : Bon alors Clément, tu es prêt pour ton entretien demain ?

Clément : Eh ben, j'sais pas trop ! En m'entraînant, ça devrait aller mais je suis un peu stressé... J'ai appris à m'exprimer en public pendant mes études mais cette fois, c'est différent : il y aura le directeur de l'agence de pub, le directeur de la communication et le...

Mathieu : Ne t'inquiète pas, ça va bien se passer ! Je peux regarder ton CV ? Hmmm... Il est un peu classique, ton CV. À mon avis, il faut davantage mettre en valeur tes compétences et tu peux ajouter une photo ! Et puis, je te conseille de placer la rubrique « formation » après la rubrique « expérience professionnelle ».

Clément : Ah bon ?

Mathieu : Oui, comme ça, ce que voit l'employeur en premier, ce sont tes compétences professionnelles... Tu ne postules plus pour un stage, tu postules pour un emploi !

Clément : C'est vrai, tu as raison... mais je ferai ça pour ma prochaine candidature ! Je dois me concentrer pour demain...

Mathieu : Je peux te faire répéter si tu veux, tu me présentes ton parcours et je pourrai te dire ce qui va et ce qui ne va pas...

Clément : Oui, pourquoi pas, c'est une bonne idée !

Piste 11 • Activité 2

Mathieu : Tu es prêt Clément ? On commence ?

Clément : Oui oui, allons-y !

Mathieu : Alors Clément, présentez-moi votre parcours...

Clément : Heu, ok... Alors, j'ai obtenu mon bac ES au lycée Carnot à Toulouse en 2013. À l'époque, j'étais un bon élève mais je ne voulais pas faire de longues études parce que mes parents ne pouvaient pas m'aider financièrement, je voulais travailler le plus tôt possible pour être indépendant. J'ai donc choisi de faire un DUT, j'ai été accepté à l'IUT Tech de Co, heu, Techniques de Commercialisation de Toulouse. Ça m'a beaucoup plu et ça m'a donné envie d'aller plus loin. C'est pourquoi, en 2015, après avoir obtenu mon diplôme, j'ai décidé de continuer mes études : je me suis inscrit en licence pro *Activités et Techniques de Communication* spécialité métiers de la publicité. À la fin de ma licence, j'ai fait un stage de trois mois dans une entreprise de design. J'ai eu un poste d'assistant en communication. Je devais participer à la stratégie publicitaire de la marque et notamment à sa diffusion sur les réseaux sociaux. C'était passionnant ! C'est à ce moment-là que j'ai voulu travailler dans la pub et faire une école de commerce : en septembre 2016, j'ai intégré la première année de Master Marketing à Montpellier Business School. J'ai choisi cette école parce qu'elle est très ouverte à l'international. Durant les deux années de ce cursus, j'ai validé deux semestres à l'étranger, dont un stage de six mois en entreprise. Puisque je parlais déjà l'anglais couramment, j'ai eu envie d'aller dans un pays où l'on parle espagnol... J'ai passé mon temps entre Montpellier et Madrid, et à la fin de ma deuxième année de master, je n'ai pas eu trop de mal à trouver un stage là-bas : j'ai été recruté dans une agence de publicité comme chef de projet junior. J'ai passé une année complète à étudier, à travailler et à vivre en espagnol ! J'ai acquis des compétences en gestion de projet et d'équipe, j'ai élaboré une campagne publicitaire pour une marque locale, Luna Design... Ça a été une expérience fabuleuse ! Aujourd'hui, je cherche à continuer dans cette voie et j'espère décrocher un contrat rapidement !

DOSSIER 6

🔊 Piste 12 • **Activités 1, 2 et 3**

Elsa Jorda, présentatrice radio : Bonjour Vincent Leroy ! Aujourd'hui, dans votre chronique, vous évoquez la presse papier à l'heure des réseaux sociaux... Va-t-elle disparaître ? Dans une société de l'information dominée par Internet et les réseaux sociaux, les médias traditionnels doivent faire preuve d'adaptation. De nouveaux formats ne cessent de naître (éditions en ligne, applications mobile, réseaux sociaux...) et certains journaux ont déjà fait le choix du tout numérique. C'est le cas de *La Presse*, l'un des principaux journaux du Québec.

Vincent Leroy, journaliste chroniqueur : Effectivement Elsa, le dernier numéro papier de ce grand quotidien québécois, fondé au XIXᵉ siècle, a été imprimé le 30 décembre 2017. Depuis, l'édition quotidienne de *La Presse* n'existe plus que sur *La Presse+*, son application gratuite pour tablette. Quelques années auparavant, le journal avait déjà débuté cette transition vers le tout numérique. Le choix de l'abandon du papier a été décidé dès 2010 par la direction du journal mais sa réalisation s'est faite progressivement. Trois ans plus tard, *La Presse+* a fait son apparition, puis fin 2015, le quotidien a arrêté sa parution sous format papier ; seule l'édition imprimée du week-end a été conservée. Alors Elsa, à votre avis, ce changement a-t-il entraîné la mort du journal ? Eh bien, pas du tout ! Dès les premières semaines, la version sur tablette *La Presse+* a été adoptée par la moitié des 200 000 acheteurs du journal ! Fin 2017, elle comptait 270 000 lecteurs quotidiens et près de 500 000 par semaine. Vous imaginez, Elsa, le nombre de ses lecteurs dépasse largement celui de la diffusion payante du journal !

Elsa Jorda : Mais alors Vincent, je m'interroge. Le quotidien québécois a fait le choix d'un format tablette, pourtant les ventes de tablettes ralentissent et le smartphone est, depuis quelques années, le mode principal de lecture de la presse dans le monde. Je ne doute pas de la qualité de l'information délivrée par la rédaction de *La Presse+* mais... qu'est-ce qui fait le succès de cette appli tablette ?

Vincent Leroy : Mais la tablette justement ! Car un journal numérique a besoin d'un grand écran pour une lecture agréable. Même si un site Internet et une application mobile ont été mis à disposition des lecteurs, ils n'offrent pas une expérience de lecture aussi riche. En moyenne, les lecteurs restent 40 minutes sur l'application en semaine, et près d'une heure le week-end. Sur *La Presse+*, les éditions sont quotidiennes et elles se composent de 60 à 120 écrans avec des infographies, des vidéos, des animations... Malgré le risque pris par la direction du journal, sa rédaction reste la plus importante du Québec, avec près de 250 salariés. *La Presse+* a su faire preuve d'intuition en choisissant ce format.

DOSSIER 7

🔊 Piste 13 • **Activités 1 et 2**

Journaliste : Bonjour ! Nous voici à la sortie du Salon des objets connectés. Madame, Monsieur, pourriez-vous m'accorder quelques minutes. Je fais une enquête sur les innovations technologiques. Vous voulez bien me dire quelles sont pour vous, les deux innovations les plus marquantes de cette édition 2018 ?

Un passant : Bien sûr ! Alors, je crois que pour moi, les deux innovations les plus marquantes sont les robots domestiques et l'imprimante 3D. Ces objets me fascinent ! Vous vous rendez compte, il existe des robots domestiques auxquels on peut demander de passer l'aspirateur, d'autres auxquels on peut demander une recette de cuisine ou la météo... et des robots compagnons de vie ! J'ai vu un reportage dans lequel on pouvait voir un robot qui participait à l'animation dans une maison de retraite. Il s'adressait aux personnes âgées de la même manière qu'un humain, il leur parlait, chantait, leur montrait des exercices physiques... La deuxième innovation que je trouve absolument géniale, c'est l'imprimante 3D ! Imprimer en trois dimensions, c'est une vraie révolution et bientôt nous pourrons tous en profiter ! Elles seront plus rapides, moins chères et de meilleure qualité. On pourra construire nous-mêmes les objets que l'on veut : vêtements, maisons, meubles... Je suis persuadé que nous ne pourrons bientôt plus nous séparer de ces objets dans notre vie quotidienne. Vous imaginez, ne plus jamais passer l'aspirateur... c'est quand même génial, non ?! [rires]

Une passante : Hmmmm, alors, les deux innovations les plus marquantes cette année ? Eh bien, pour moi, ce sont les vêtements connectés ! Je viens d'acheter un body connecté pour mon bébé de six mois ! C'est un body avec lequel je vais pouvoir surveiller ses mouvements, ses positions, sa respiration, sa température corporelle ! Et toutes ces données seront enregistrées sur une appli sur mon smartphone... Incroyable ! Bon, par contre, c'est beaucoup trop cher ! Et la deuxième innovation la plus importante de ces dernières années, pour moi qui déteste conduire, c'est la voiture autonome ! Les véhicules à conduite assistée existent déjà mais les voitures sans volant ni pédales arriveront sur le marché vers 2020... Je suis sûre qu'on verra bientôt circuler des voitures dans lesquelles il n'y aura plus personne à la place du conducteur !

Piste 14 • Activités 3 et 4

Animateur : Bonjour Estelle Lintz, aujourd'hui, dans votre chronique « Imaginons le futur », vous allez nous parler d'un sujet que nos auditeurs aiment particulièrement, la mode. Comment va-t-on s'habiller dans 30 ans ? On vous écoute...

Chroniqueuse : Eh bien, tout d'abord les textiles, d'ici 2050, vont devenir intelligents, et certains le sont déjà ! Des marques sont, par exemple, en train de mettre au point des textiles qui s'adapteront aux changements du corps : ils changeront de taille, ils rétréciront si l'on maigrit, s'agrandiront si l'on grossit ! D'autres auront de petites ouvertures qui s'ouvriront ou se fermeront en fonction de la température corporelle et de la transpiration ! Ces projets ressemblent à de la science-fiction, mais je vous assure, ce n'est pas une plaisanterie : des laboratoires réfléchissent pour trouver des textiles intelligents, techniques, économiques et écologiques ! Une autre tendance actuelle, c'est la rencontre entre la mode et la technologie : les créateurs imaginent de nouvelles formes, de nouvelles textures et utilisent de nouveaux matériaux... En utilisant l'imprimante 3D pour ses dernières collections, la créatrice Iris Van Arpeen, par exemple, est une pionnière dans ce domaine. De leur côté, de jeunes ingénieurs américains rêvent de fabriquer une imprimante 3D textile, complètement automatisée, avec laquelle n'importe qui pourrait se fabriquer un tee-shirt, simplement en appuyant sur un bouton ! Leur machine fonctionne parfaitement bien mais elle est encore beaucoup trop lente. Il faut, aujourd'hui, entre 12 et 14 heures pour imprimer une jupe ! Un jour, nous pourrons vraiment fabriquer nos propres vêtements à la maison... C'est cela la mode du futur !

DOSSIER 8

Piste 15 • Activité 1

Journaliste : La cérémonie des Molières, animée par la comédienne Zabou Breitman, a eu lieu lundi soir. Comme chaque année, il y en a eu pour tous les goûts : théâtre classique, théâtre contemporain, humour, spectacle jeune public, spectacle musical, « one-man show »... Tout le théâtre français a été à l'honneur dans cette trentième édition. Cette année, deux grands gagnants s'imposent : Ariane Mnouchkine, sacrée meilleure metteure en scène pour *Une chambre en Inde*, et *Adieu Monsieur Haffmann*, la pièce de Jean-Philippe Daguerre, qui a remporté quatre trophées, dont le Molière du théâtre privé !
Ariane Mnouchkine obtient ainsi son deuxième Molière pour la mise en scène, après en avoir obtenu un pour *Tambours sur la digue* en 2000. Sa pièce a été aussi récompensée pour la meilleure pièce du théâtre public. *Adieu Monsieur Haffman* est une pièce émouvante qui se passe pendant l'Occupation en France au cours de la Seconde Guerre mondiale. Son auteur, Jean-Pierre Daguerre, a reçu le Molière du meilleur auteur francophone. Julie Cavanna, qui joue le rôle de la femme du bijoutier qui cache Monsieur Haffman, a remporté le Molière de la révélation féminine, et Franck Desmedt est lui sacré meilleur comédien dans un second rôle.

Parmi les autres récompensés, il y a aussi le metteur en scène Joël Pommerat : il avait obtenu en 2016 le Molière de la meilleure pièce du théâtre public et cette année encore, il reçoit trois récompenses, dont le Molière du meilleur metteur en scène d'un spectacle privé pour sa pièce *Cendrillon*. Côté humour, Blanche Gardin, seule femme dans cette catégorie, l'a emporté face à Jamel Debbouze et Jérôme Commandeur. Elle n'en finira donc pas de nous faire rire ! [rires]
Et puis, il y a Jean-Pierre Darroussin... l'un des acteurs les plus appréciés des Français, il obtient le Molière du meilleur acteur du privé dans une reprise d'*Art*, une pièce à succès de Yasmina Reza.
Voilà pour les gagnants ! Je n'oublierai pas de citer les nominés malheureux et notamment *Le fils* de Florian Zeller, qui après avoir obtenu six nominations, ne décroche qu'un seul Molière, celui de la révélation masculine avec Rod Paradot. Attendons patiemment les prochains Molières pour peut-être, voir leur talent récompensé !

Piste 16 • Activité 2

Journaliste : Chers auditeurs, bonjour ! Comme tous les samedis, voici le journal hebdomadaire de la culture !
Alors, que se passe-t-il dans l'actualité culturelle ? Eh bien, commençons par les mauvaises nouvelles...
Samedi, pas de miracle pour la France à l'Eurovision ! Le duo Madame Monsieur avec sa chanson *Mercy* s'est classé à la treizième place du concours qui se déroulait cette année au Portugal... Leurs plus grands fans pensent évidemment que la chanson des Français méritait mieux. Selon eux, c'est une chanson magnifique et le classement est injuste... Bravo à Israël qui remporte le concours pour la quatrième fois !
Hier, à Cannes, Lars Von Trier, présentait son dernier film *The House that Jack built*. Sept ans après sa dernière participation, le cinéaste le plus provocateur de ces dernières années, a fait son grand retour en sélection officielle du Festival de Cannes. Ce thriller met en scène un tueur en série, joué par Matt Dillon, qui considère le meurtre comme un art. Malheureusement, il n'a pas reçu un accueil chaleureux : le scénario et les dialogues ont été jugés trop violents et le cinéaste danois est une fois de plus accusé de provocation.
Bonne nouvelle ! C'est bientôt l'été et avec lui, la saison des festivals ! La 32e édition du festival de spectacles vivants, le *Printemps des comédiens*, s'ouvrira le 1er juin au Domaine d'O, à Montpellier. Pendant un mois, plus de trente spectacles de théâtre, danse, cirque et musique vont faire vibrer les spectateurs du Domaine d'O ! Retrouvez les plus grands comédiens, metteurs en scène et chorégraphes de la scène française actuelle mais aussi internationale... On retrouvera notamment les Australiens de Circa et leur nouveau spectacle, *Humans*. Dans ce spectacle de 70 minutes, danse et cirque se mêlent : dix acrobates-danseurs nous offrent un spectacle dans les airs d'une douceur et d'une beauté exceptionnelles. À ne pas manquer !

CORRIGÉS – TESTS

DOSSIER 1

Compréhension orale

1. a. 3 ; 4. Faux : elle ne connaissait pas la ville. **b.** 2, 5, 6 ;
c. 1 ; **d.** Les promenades au bord de la Seine, marcher et
les soirées entre amis.

2 a. 2 ; **b.** n° 2 : Londres, n° 3 : Paris, n° 1 : San Francisco ;
c. 2 ; **d.** 1. le dynamisme culturel (et le patrimoine) ;
2. l'équilibre entre la vie professionnelle et la vie privée ;
e. 1. l'intégration est facile ; 2. neuf expatriés sur
dix apprennent la langue ; 3. 41 % des expatriés
sont propriétaires.

Compréhension écrite

1. a. 2 ; **b.** 2, 3, 5 ; **c.** 1 ; **d.** Sur la colline de Belleville.
e. On y cultive la vigne en mémoire du passé viticole
du quartier / on cultivait la vigne jusqu'au 19e siècle.
f. Il y a une cascade dans le parc de Belleville et une rue
qui s'appelle rue des Cascades. **g.** 1

2.

	Jean-Marc	Matéo	Brigitte
1.	✔		✔
2.	✔		✔
3.	✔	✔	
4.		✔	✔
5.	✔	✔	✔

DOSSIER 2

Compréhension orale

1. a. 3 ; 4 et 6 ; **b.** 1. Vrai. 2. Faux : elle lui conseille de
prendre rendez-vous avec un médecin (généraliste).
3. Vrai. 4. Vrai. **c.** 1. numéro ; 2. envoyer ; 3. formulaire
2. a. a. 2 ; b. 3 ; c. 1 ; **b.** 1. Son frère lui a donné des
conseils. 2. On lui a dit de faire des vaccins. 3. Elle a reçu
de l'aide pour obtenir son visa. 4. a ; 5. c

Compréhension écrite

1. a. Elle veut travailler dans le domaine du tourisme.
b. Elle demande des conseils pour faciliter ses
recherches (professionnelles) et sa future vie
sénégalaise. **c.** Pour trouver un emploi au Sénégal, Alex

conseille à Anna de consulter les sites de recrutement,
d'utiliser les réseaux (sociaux) et de tenter une
candidature spontanée. **d.** Elle ne connaissait pas les
codes et les habitudes des gens. Tout était différent.
e. 1 et 3 ; **f.** Elle lui conseille d'avoir de l'humour (et de
s'ouvrir aux gens), d'apprendre le wolof et d'accepter de
prendre son temps.

2. a. Vrai. **b.** Vrai. **c.** Faux : les travailleurs indépendants ne
sont pas couverts. **d.** Faux : il est conseillé d'être vacciné
contre la fièvre jaune. **e.** Faux : il existe deux systèmes,
le système français et le système anglo-saxon. **f.** Vrai

DOSSIER 3

Compréhension orale

1. a. 1. Ils partent à Toulouse pour leur anniversaire
de mariage. 2. Un(e) *greeter* propose des balades
gratuites dans sa ville. **b.** 1. Vrai. 2. Faux : elle doit aussi
prendre en compte leurs disponibilités et leurs centres
d'intérêt. 3. Faux : elle leur propose surtout de visiter un
marché, de se promener et de déjeuner / dîner dans un
restaurant asiatique. 4. Vrai. **c.** 1. b ; 2. a
2. a. 1. étudiant dans une école d'ingénieur ; 2. un week-
end d'intégration ; **b.** 1. Ils ont été logés dans des
bungalows de 4, 6 ou 8 places pour vivre ensemble
et faire connaissance. 2. a, c et d ; 3. Concept Rubik's
cube : chaque étudiant devait mettre des vêtements
de couleurs différentes. L'objectif était d'échanger les
vêtements entre les étudiants pour réussir à être vêtu
avec une seule et unique couleur.

Compréhension écrite

a. Cet article parle de la tradition des fiançailles
qui redevient à la mode. **1.** Il s'agit d'une preuve
d'engagement qui annonce officiellement une union
à venir. **2.** Les fiançailles durent un an. **b.** 1. b ; 2. d ;
3. f ; 4. e ; 5. g ; 6. c ; 7. h ; 8. a **c.** 1. Vrai. 2. Faux :
c'est la famille du jeune homme qui fait la demande
en mariage. 3. Faux : un tiers des Européens font leur
demande en mariage le 24 décembre. 4. Faux : un quart
des Européens font leur demande en mariage le jour de
la Saint-Valentin. 5. Vrai

DOSSIER 4

Compréhension orale

1. a. 1. b ; 2. a ; **b.** 1. Dans cette épicerie, tout est vendu en vrac. On y trouve des produits sans emballage et on achète la quantité qu'on veut. 2. Raison 1 : elle cherche à apporter une alternative aux supermarchés. Raison 2 : elle cherche à améliorer son impact sur la planète. 3. Action 1 : il réduit les emballages au minimum et donc limite les déchets. Action 2 : il propose des produits de qualité, locaux et biologiques. 4. Client 1 : il veut produire moins de déchets et donc gaspiller moins. Cliente 2 : elle n'achète que la quantité de produits indispensable pour moins dépenser mais aussi pour moins stocker. 5. Cela pousse à s'organiser et à réfléchir à sa consommation à l'avance. 6. b

2. a. 1. b ; 2. Il s'agit de l'occupation pendant quelques mois ou quelques années, d'un lieu dans la ville inutilisé. 3. L'occupation de l'ancien hôpital Saint-Vincent-de-Paul à Paris, dans le 14e arrondissement. 4. b ; 5. La mission principale de ce projet est l'accueil et la mixité et ainsi la lutte contre l'exclusion et l'aide à la socialisation. **b.** 1. Faux : Des gens y vivent aussi. 600 personnes sont accueillies gratuitement dans les six centres d'hébergement du site ; environ 400 personnes (associations, artisans, artistes, start-up, bénévoles...) y travaillent ; d'autres s'y retrouvent. 2. Vrai ; 3. Vrai ; 4. Faux : C'est un projet extrêmement innovant avec une dimension sociale, économique, culturelle et solidaire.

Compréhension écrite

1. a. 1 ; **b.** 1, 3 et 4

2. a. Vrai ; **b.** Faux : Il faut aussi participer bénévolement, quelques heures par mois, aux tâches nécessaires à son bon fonctionnement. **c.** Vrai ; **d.** Faux : *L'Éléfàn* vise à devenir un supermarché suffisamment grand pour pouvoir proposer beaucoup de références et tous les produits de première nécessité. **e.** Vrai ; **f.** Faux : Les supermarchés coopératifs mènent une politique solidaire en agissant pour le respect de l'environnement, des producteurs et des consommateurs.

DOSSIER 5

Compréhension orale

1. a. 1 ; **b.** 3. *Eh ben, j'sais pas trop ! En m'entraînant, ça devrait aller mais je suis un peu stressé...* ; **c.** Conseil 1 : mettre en valeur tes compétences. Conseil 2 : ajouter une photo. Conseil 3 : placer la rubrique « formation » après la rubrique « expérience professionnelle » ; **d.** 2 ; **e.** 1

---

2. 2016-2018 : Master de Marketing
2015-2016 : **Licence professionnelle Activités et Techniques de communication,** spécialité métiers de la publicité (IUT TC, Toulouse)
2013-2015 : DUT Techniques de commercialisation (marketing, communication...) (IUT TC, Toulouse)
2012-2013 : Bac / Baccalauréat ES, spécialité Sciences économiques, mention Assez Bien (Lycée Carnot, Toulouse)
Avril-septembre 2018 : Chef de projet junior (stagiaire), LOLA AGENCY (Madrid, Espagne)
• Gestion d'équipe (6 personnes)
• Élaboration d'une campagne publicitaire, *Luna Design* (Madrid)
Juin-août 2016 : Stagiaire en communication, DIY DESIGN
• Élaboration de la stratégie publicitaire
• Diffusion de la marque sur les réseaux sociaux
Anglais : courant

Compréhension écrite

1. a. 1 et 3 ; **b.** 2. Maud : *à l'époque, dans les années 1980, les femmes n'occupaient pas ce type de poste* ; Damien : *Un jour, en feuilletant un magazine féminin, j'ai appris que le métier de sage-femme s'ouvrait aux hommes.*

2. a. Une formation de comptable. **b.** Un poste administratif dans la société Aéroport de Paris. **c.** Elle ne pouvait pas imaginer passer toute sa carrière dans un bureau. Elle est quelqu'un qui a besoin d'action ! **d.** 1. Elle a fait une formation continue d'un an pour passer un DUT. 2. Elle a obtenu son diplôme et elle a refusé un poste de comptable. 3. Elle a postulé pour un poste de technicien de maintenance à l'aéroport Paris-Charles de Gaule et elle l'a eu. **e.** 2, 4, 6

3 a. 1. Faux : Après le bac, je voulais faire des études médicales, j'hésitais entre médecin et infirmier. 2. Vrai. 3. Vrai. 4. Faux : Avant de m'inscrire à l'école, j'avais peur d'être le seul garçon. 5. Vrai. 6. Vrai. **b.** Deux compétences acquises à choisir parmi les suivantes : apprendre à accepter ces réactions ; m'adapter ; développer ma capacité d'écoute ; avoir confiance en moi ; accompagner des naissances

DOSSIER 6

Compréhension orale

1. a. 1 ; **b.** 2 ; **c.** Vrai : *certains journaux ont déjà fait le choix du tout numérique. C'est le cas de* La Presse, *l'un des principaux journaux du Québec.*

2. a. 3 ; **b.** 19e siècle : Naissance du journal ; 2010 : Décision d'abandonner progressivement l'édition papier ; 2013 : Première apparition de l'application *La Presse+* ; 2015 : Fin de l'édition imprimée la semaine ; 30 décembre 2017 : Impression du dernier numéro papier ; lancement de *La Presse+*.

3. a. 1. Faux : *Alors Elsa, à votre avis, ce changement a-t-il entraîné la mort du journal ?... Eh bien, pas du tout !*
2. Faux : (2 possibilités) Dès les premières semaines, la version sur tablette *La Presse+* a été adoptée par la moitié des 200 000 acheteurs du journal ! / Vous imaginez, Elsa, le nombre de ses lecteurs dépasse largement celui de la diffusion payante du journal !
3. Vrai. 4. Vrai. **b.** 1. En semaine : 40 minutes en moyenne. Le week-end : près d'une heure. 2. Raison 1 : la lecture sur tablette est agréable ; Raison 2 : les éditions sont quotidiennes ; Raison 3 : les éditions se composent d'écrans avec des infographies, des vidéos, des animations... 3. Parce sa rédaction reste la plus importante du Québec.

Compréhension écrite

1. a. L'article parle des fake news/fausses informations et de la lutte contre la désinformation. **b.** 1. Faux : elles peuvent avoir des conséquences plus graves quand leur objectif est la manipulation de l'opinion. 2. Faux : La plupart semblent vraies. Cependant, certaines ne le sont pas : de fausses infos, vidéos ou images circulent sur le Net, font parler d'elles ! 3. Vrai : Montage, retouche photo... il existe tant de techniques qui font que nous y croyons quand même. 4. Vrai : Pour lutter contre la désinformation, des journalistes agissent afin de nous apporter les moyens de reconnaître les fausses informations.

2. a. Fausses infos (informations) ; fakes ; rumeurs ; une intox. **b.** Les fake news. **c.** Une information partagée par une personne que l'on connaît est forcément vraie. Un internaute partage essentiellement des contenus qui provoquent chez lui une émotion. On n'a pas besoin d'analyser une fausse information pour la comprendre. **d.** Elles sont tellement nombreuses et circulent tellement vite qu'il ne peut pas faire comme si elles n'existaient pas. Il doit informer le public sur les faux contenus. **e.** des programmes/émissions de télévision, des applications mobiles, des jeux en ligne. **f.** De reconnaître les informations vraies et fausses. D'apprendre à vérifier la source des informations. De vérifier si des informations ont déjà été publiées sur Internet. De repérer les sources d'information sérieuses ou non.

DOSSIER 7

Compréhension orale

1. a. 2 ; **b.** L'homme : 1, 4 ; la femme : 2, 3
2. a. Réponses possibles (en choisir 3) : recevoir des ordres ; faire des tâches ménagères (passer l'aspirateur) ; dire des instructions pour cuisiner/une recette de cuisine ; donner des prévisions météo ; partager le quotidien des humains ; communiquer ; chanter ; faire des exercices physiques ;

b. 1. Faux : *J'ai vu un reportage dans lequel on pouvait voir un robot qui participait à l'animation dans une maison de retraite.* 2. Vrai. 3. Faux : *Je suis persuadé que nous ne pourrons bientôt plus nous séparer de ces objets dans notre vie quotidienne.* **c.** Elle va pouvoir surveiller les mouvements, les positions, la respiration, la température corporelle de son bébé. **d.** 1 ; **e.** Parce qu'elle déteste conduire. **f.** Vrai : *Je suis sûre qu'on verra bientôt circuler des voitures dans lesquelles il n'y aura personne à la place du conducteur !*

3. a. Imaginons le futur ; **b.** La mode de demain ; **c.** Comment va-t-on s'habiller dans 30 ans ?
4. a. 1, 3 ; **b.** 2, 3 ; **c.** 1. Faux : En utilisant l'imprimante 3D pour ses dernières collections, la créatrice Iris Van Arpeen, par exemple, est une pionnière dans ce domaine. 2. Vrai.

Compréhension écrite

1. a. 1 ; **b.** À l'occasion de la vingtième édition de la Semaine du cerveau. **c.** Une liste d'innovations technologiques conçues pour stimuler le cerveau. **d.** Un chercheur en neurosciences à l'INSERM, Jean Trochin. **e.** Il va donner son avis sur des innovations technologiques conçues pour stimuler le cerveau.
2. b, c
3. a. 1. Halo Sport ; 4. Muse ; 5. Melomind ;
b. Melomind → image : 4 ; phrase : b ; Muse → image(s) : 1, 3 ; phrase : a ; Halosport → image : 2 ; phrase : c ; **c.** Melomind : doute (*Je ne suis pas persuadé de l'efficacité de Melomind.*) ; Muse : certitude (*Nous savons très bien aujourd'hui que la méditation a une action bénéfique sur le bien-être et réduit le stress. C'est scientifiquement prouvé.*) ; Halosport : doute (*Prudence avec cette nouvelle technologie même si elle vient de la médecine ! Il est clair qu'elle est séduisante mais on n'en connaît pas encore les effets à long terme.*)

DOSSIER 8

Compréhension orale

1. a. 1. Vrai. 2. Faux : Ils récompensent aussi *le théâtre classique, le théâtre contemporain, l'humour, le spectacle jeune public, le spectacle musical, le « one-man show »...* 3. Vrai. 4. Vrai. **b.** Ariane Mnouchkine : meilleure metteure en scène du théâtre public ; *Adieu Monsieur Haffmann* : théâtre privé ; *Une chambre en Inde* : meilleure pièce du théâtre public ; Jean-Philippe Daguerre : meilleur auteur francophone ; Julie Cavanna : révélation féminine ; Franck Desmedt : meilleur comédien dans un second rôle ; Joël Pommerat : meilleur metteur en scène d'un spectacle privé ; Blanche Gardin : théâtre de l'humour ; Jean-Pierre Darroussin : meilleur acteur du privé ; Rod Paradot : révélation masculine

2. a. 1. b ; 2. a, e, f ; 3. a. Deux mauvaises nouvelles : La chanson qui représentait la France, a obtenu une place décevante au concours de l'Eurovision. Le dernier film du cinéaste Lars Von Trier n'a pas reçu une bonne critique au Festival de Cannes. b. Une bonne nouvelle : La saison des festivals, dont le festival *Le Printemps des comédiens*, commence bientôt. **b.** 1. b ; 2. a. Leurs plus grands fans pensent évidemment que la chanson des Français méritait mieux. Selon eux, c'est une chanson magnifique et le classement est injuste. 3. a. Faux : il n'y avait pas participé depuis sept ans ; b. Vrai.
4. À Montpellier (au Domaine d'O), du 1er au 30 juin.
5. a, c, d ; 6. a

Compréhension écrite

1. a. 2 ; **b.** 1
2. a. En allant voir les spectacles du Cirque Plume.
  b. 1. Faux : En 2001, il entre à l'école du cirque de Rosny-sous-Bois, avant de rejoindre, trois ans plus tard, le célèbre Centre national des arts du cirque à Châlons-en-Champagne. 2. Vrai ; 3. Vrai ; **c.** L'apesanteur. **d.** 3 ; **e.** Œuvre 1 : *Cavale* : La pièce est un succès. Avec cette première création, il réinvente le traditionnel « numéro » de cirque. Œuvre 2 : *Celui qui tombe* : Ce spectacle est son plus grand succès et il est joué encore aujourd'hui en France et à l'étranger. **f.** Les lieux les plus impressionnants. **g.** *Cavale* : 1, 5 ; *L'Art de la Fugue* : 2, 3 ; *Celui qui tombe* : 4 ; **h.** Trois créations dont le *Requiem* de Mozart. **i.** Il dirige le Centre chorégraphique de Grenoble avec Rachid Ouramdane. **j.** 1, 4

Imprimé en France, par la Nouvelle Imprimerie Laballery - N° 804428
Dépôt légal : juillet 2018 - Collection n° 04 - Édition 01 - **16/5854/8**